JEAN-JACQUES ROUSSEAU L'APPRENTISSAGE DE L'HUMANITE

Terrains

PUBLIÉ
AVEC LE CONCOURS
DU CENTRE NATIONAL DES LETTRES

Tous droits de reproduction, de traduction
et d'adaptation réservés pour tous pays

© Messidor/Éditions sociales, Paris 1988
ISBN 2-209-05881-3
ISSN 0183-6838

GUY BESSE

Jean·Jacques Rousseau L'APPRENTISSAGE DE L'HUMANITE

Editions Sociales

SOMMAIRE

5

AVANT-PROPOS

« ...Je n'ai qu'à vouloir un moment tromper les hommes ; et je mets à mes pieds tous mes ennemis. »

Lettre à Christophe de Beaumont

« Hommes, soyez humains, c'est votre premier devoir... »

Émile, 1.II

Le « meilleur ouvrage » de Voltaire, qui fit à l'humanité plus qu'« un peu de bien », n'est certes pas son anonyme et cruel libelle contre l'auteur du Contrat social. Jean-Jacques, qui ne sut point d'où le coup lui venait, eut bien raison de souscrire en 1770 pour la statue du maître.

Marc Bloch, citant un proverbe arabe, enseignait que « les hommes ressemblent plus à leur temps qu'à leurs pères »[1]. Rousseau ne serait pas venu à soi s'il n'avait été d'abord écolier de Voltaire, s'il n'avait pas durablement cultivé cette « philosophie » du siècle qu'il jugera si sévèrement. Un trait constant du Genevois, c'est l'aptitude à faire sien ce qu'il récuse.

Engagé dans une étude sur l'utile dans la pensée française au 18e siècle, sous la direction de M. Yvon Belaval et le parrainage de M. Paul Vernière, nous ne pouvions manquer de constater que Rousseau, adversaire ardent de ce qu'on dénommerait aujourd'hui « utilitarisme », fait son profit de ceux qu'il combat, économistes ou philosophes.

Approprier l'univers à l'homme, voilà l'objet de l'Encyclopédie. C'est l'homme, non Dieu — qu'il « existe » ou non —, qui est source et finalité de tout savoir. Repérer tout ce qui est ou peut être « utile » à l'homme, tâche illimitée, promesse de lendemains prospères aux générations prochaines.[2]

Encyclopédiste, puis dissident, Rousseau n'est pas moins curieux, après comme avant, de tout ce qui sert les « intérêts » d'une libre *humanité aspirant au bonheur. Mais de quelle liberté jouit quiconque est à la merci d'une poignée de puissants et de « riches » ? (*DI. 189) *Et comment l'exaltant progrès des « lumières », captif d'une société inhumaine, pourrait-il générer un bonheur digne de l'homme ? Ce ne sont pas les puissances d'Enfer, ce sont les forces retournées par lui contre lui-même qui l'ont — être et conscience — assujetti. Et c'est parce qu'il a fait, parce qu'il fait mésusage de soi que l'apprentissage de l'humanité devrait être apprentissage d'une sagesse.*

Convaincu, comme Pierre Bayle, que mieux vaut être athée que devenir idolâtre, Rousseau, franc de toute Église, sinon, comme il l'imagine, de toute théologie, relit l'Évangile pour libérer du texte cette vérité qu'une conscience honnête trouve au plus secret de soi. Mais, rejoignant l'initiative hellénique, il réactive aussi — par différenciation critique avec les systématisations où l'esprit s'ébat sans que le doctrinaire y trouve raison de changer de vie — cet engagement de pensée et d'action qui construit l'identité du « sage ». Exercice optime du jugement en toute rencontre et toute situation, la sagesse est bon usage des savoirs, et de la philosophie même. Et Rousseau la discerne plus souvent dans les raisonnements et conduites de l'homme du « peuple », travaillant à l'atelier ou aux champs, que dans les productions d'un intellect incapable d'ordonner une existence aux intérêts de la pure humanité.

*Le Genevois trouve dans le vouloir de souche cartésienne et dans une tradition platonicienne les composants d'une « philosophie » — explorée par Pierre Burgelin —, qui s'accorde à l'expérience intime de sa liberté comme à son espérance d'une autre vie. Mais, indifférent aux disciplines d'école, il prend texte de toute philosophie qui lui paraît possible appui d'un apprentissage de l'humanité. L'immatérialisme de Berkeley, qu'il récuse, ne le dissuade pas de retenir, dans l'*Héloïse, *l'argumentation qui s'expose en* Alciphron *au bénéfice d'une liberté. Et sa polémique contre les philosophes du siècle est d'un penseur qui, après Locke[3], après Condillac, se donne la sensation comme premier degré du connaître. Mais c'est pour élaborer une généalogie concrète de la vie mentale qui, surpassant ses contemporains, met le cap sur la science de notre temps.[4] Cette raison que l'enfant, l'adolescent se compose — en dialogue avec le gouverneur — dans l'autoconstruction de ses savoirs n'est, pas plus dans l'histoire de l'individu que dans celle de l'espèce, une faculté a priori. Elle n'est pas davantage l'instrument d'une pensée indifférente au savoir-vivre humain, aux finalités morales de la créature de Dieu. C'est par elle que ces finalités se réfléchissent en une conscience majeure. Cette raison adulte est raison pratique. La requête humaine est à reconnaître en tout acte connaissant. Quel qu'en soit l'objet, un savoir n'est vecteur d'apprentissage que s'il s'incorpore à un « art d'agir » qui met tout individu à l'épreuve de son humanité. « On ne voit agir les autres, écrit Saint-Preux durant son séjour parisien, qu'autant qu'on agit soi-même. » (*NH. 246) (*Bacon, dans le* Novum

Organum, *marquait déjà qu'en ce théâtre de la vie humaine il ne convient qu'à Dieu et aux anges d'être spectateurs.) L'art d'agir doit prendre des risques. Dans les* Solitaires Émile, *qui appelle ses compagnons de chaîne à cesser tout travail, morigène deux chevaliers de Malte, esclaves comme lui. L'aîné, minutieusement informé des préceptes de la morale, n'a qu'un « manque », la « pratique ». Et les projets de révolte et de conspiration ourdis par son intrépide cadet échouent toujours parce qu'ils sont inexécutables (*ES. 919).[5]

Par ses voies propres Rousseau cherche ainsi l'humanisante unité de la pensée juste et de l'acte juste. D'où l'exorde du Contrat social : « On me demandera si je suis prince ou législateur pour écrire sur la Politique ? Je réponds que non, et que c'est pour cela que j'écris sur la Politique. Si j'étais prince ou législateur, je ne perdrais pas mon temps à dire ce qu'il faut faire ; je le ferais, ou je me tairais. » (CS. 351)

Le Contrat, *ou* Principes du droit politique, *ne se veut pas spéculation de cabinet. Une pratique du politique doit y trouver son fondement raisonné. Et pourquoi l'art d'agir ne serait-il pas celui d'enfanter des possibles ? Ce que fait Rousseau quand, dans ses* Lettres de la Montagne, *il propose à ses compatriotes les moyens de reprendre l'avantage sur un abusif patriciat. Ou quand il écrit un* Projet de constitution pour la Corse *et ses* Considérations sur le gouvernement de Pologne. *Mieux vaut, pour entendre le* Contrat, *ne pas ignorer ces trois grands textes, et les réflexions sur les écrits laissés par l'abbé de Saint-Pierre.*

*Socrate a narré son apprentissage (*Phédon, *96a, sqq.). Le Vicaire savoyard imaginé par Rousseau trouve, lui aussi, en son ignorance reconnue le* primum movens *d'une recherche qui est apprentissage de soi. M. Henri Gouhier a montré que, si le Vicaire s'est également rappelé Descartes, la « crise morale et religieuse » qu'il doit surmonter n'est pas de même type que cette « crise de la raison » dont Descartes prenait acte pour se frayer un chemin.*[6]

Crise et seconde naissance font de la Nouvelle Héloïse *un grand roman d'apprentissage. Émile lui-même, dans les deux lettres où s'amorce la suite du célèbre ouvrage, doit boire « l'eau d'oubli » (*ES. 912), *rompre toute attache avec son passé et renaître, ouvrier migrant, à la simple humanité.*

Rousseau se remémore inlassablement le combat engagé contre lui-même pour renaître à l'homme nouveau. Il n'y aura pas loin du Genevois à Tolstoï.

Traité de haut par les vigilants détecteurs de l'abstraction niveleuse, de l'endoctrinement planificateur, le 18e siècle n'en a pas moins multiplié, diversifié les approches de la différence et de la singularité. Héritier de Leibniz (infinie diversité du réel, individualité des substances), de Bacon (la forme d'une chose est sa différence vraie ; c'est la chose même en ce qu'elle a de plus réel), il prépare la percée lamarckienne.

Et l'on ne conçoit pas comment une philosophie du lyrique se passerait de Rousseau, de Diderot pour réfléchir l'unicité de toute voix, parlante ou chantante.

Mais il est plus facile d'être « soi » quand on est prince de Conti ou fermier général que si l'on est ce jeune fugitif qui a perdu pied. Jean-Jacques déraciné s'assure un avantage pourtant sur quiconque fut programmé dès le berceau pour disposer d'un monde où tout lui est dû. Laquais comme un autre, à Turin, il ne se sentait pas à sa place ; « ...à force de ne voir en moi qu'un laquais, [Mme de Vercellis] m'empêcha de lui paraître autre chose » (C. 82). Jusqu'au jour où le jeune homme donne aux maîtres attablés une leçon de français et de latin. « Court » et « délicieux » moment où le savoir impose la reconnaissance du « mérite » (C. 96). Le combat pour la reconnaissance informera une vie, une œuvre. La reconnaissance ne pouvant advenir, s'accomplir que dans l'égalisante réciprocité des consciences, le foyer du combat sera la conscience du révolté. La « philosophie » d'un Rousseau ne peut être qu'une philosophie de la conscience.

Mais ni le savoir ni la conscience n'ont pouvoir d'effacer, d'annuler ce que le genre humain a fait inhumainement de sa « nature ». « Dans l'état où sont désormais les choses, un homme abandonné dès sa naissance à lui-même parmi les autres serait le plus défiguré de tous. » La société dont « nous nous trouvons submergés » (préjugés, autorité, nécessité, exemple, totalité des institutions...) étoufferait « en lui la nature, et ne [mettrait] rien à la place ». Cette nature « y serait comme un arbrisseau que le hasard fait naître au milieu d'un chemin, et que les passants font bientôt périr en le heurtant de toutes parts et le pliant dans tous les sens » (E. 245). C'est une des plus fécondes idées du siècle que Rousseau porte à l'image de ce chétif arbrisseau qu'il fut presque, un moment. L'être le plus délié socialement est le plus socialement lié. Sa dépendance absolue révèle à qui ose penser les hommes par la société, la société par les hommes l'irrésistible opération de l'universel en son contraire, l'immanence du rapport social à l'être individué. Le combat d'une conscience pour la reconnaissance ne peut donc faire semblant d'ignorer que l'inégalité parmi les hommes n'est imputable ni à la nature ni à Dieu. L'asservissement est œuvre humaine/inhumaine dans une durée repérable ou imaginable.

On en traitera, prenant parfois la liberté, sans abus, de rejoindre la phénoménologie hégélienne. Et sans oublier que le Genevois lit la République *de Platon. La courbe de la société qui dégénère est celle d'une perversion spirituelle de l'individu. Celui qui soumet les autres à son arbitraire volonté est le plus lourdement enchaîné à ses désirs, à ses passions. Est maître de soi l'homme qui n'agit que par loi de raison ; ainsi la juste cité, ordonnée, gouvernée par les philosophes-rois ou le roi-philosophe. Au demeurant, Rousseau s'est instruit par la vie et par Montesquieu que, si l'exercice des responsabilités forme un caractère (l'âme se proportionnant à la grandeur de l'objet), l'exercice de quelque pouvoir sur les autres déforme un homme.*

La protestation de Rousseau s'enracine d'autant mieux dans l'évidence intime de l'homme-individu (= Jean-Jacques, forme enfin personnifiée de l'universel humain) qu'elle récuse et la société qui décline et la société qui mûrit. Cette inamovible « nature » qui se déclare en lui n'est pas innocence ou sauvagerie, mais négation déterminée du rapport social tel qu'il est, et tel qu'il le pressent. Rousseau ne se reconnaît ni dans ce qui est ni dans ce qui se prépare. L'histoire étant irréversible, sa réprobation du présent et du futur proche n'a pas pour objet de rendre une chance au passé ; quand il le remémore ou l'interroge, c'est pour s'aider à concevoir ou imaginer ce que serait une société humainement vivable.

La critique économique, sociale, politique est donc aussi une critique des conduites, des mœurs, des mentalités. Elle tire leçon de l'expérience acquise par le Genevois dans les plus brillantes sociétés parisiennes. Faire de la sophistique un gagne-pain, un gagne-place. Faire la cour au maître et la morale à l'opprimé. Négocier son âme pour obtenir l'accès à quelque position de pouvoir. Étouffer la vive parole et le vrai problème sous le babil des diversions. Épuiser un petit talent dans l'uniformisante course à l'original. Le génie n'est-il pas, tout au contraire, audacieuse et lente écoute de l'originel qui n'est pas moment premier, mais irrévocable vérité d'essence. Ce n'est point en surface que l'humanité se reconnaît et communique. C'est l'intériorité qui est appel. Beethoven viendra.

Qu'en une telle société Rousseau ne dispose pas de lui-même autant qu'il le proclame et le souhaite, nous le retiendrons plus loin. La portée de sa critique n'en est pas diminuée. Quand Diderot, au début des années soixante, écrit ce Neveu de Rameau *qu'il réserve à la postérité, son tableau de mœurs s'apparente à la critique de Rousseau, qui n'est plus son ami depuis quelque cinq ans.*

Mais si le Genevois ne doute pas de la conjuration qui l'enveloppe, d'innombrables consciences font à la fois de lui un maître de vie spirituelle, un maître de civisme. On en dira quelque chose dans les limites de cet ouvrage. Dans une société féodale qui dégénère et qu'il condamne, Rousseau s'effraie de l'ampleur prise par le rapport marchand. Or la bourgeoisie révolutionnaire, qui entend laisser faire, laisser passer, tirera parti du Contrat social. *C'est en ce livre que les Constituants puisent leur définition de la « loi »[7]. Par sa haine des « Grands » et de tous les états qui « dominent les autres » (LMM. 1145), par sa démystification de la condition nobiliaire, Rousseau contribuait à la cohésion des diverses composantes du Tiers-État. Duclos et d'autres avaient ouvert la voie[8]. Mais Rousseau fait entendre comme personne que l'or est plomb. La vérité du noble est son contraire ; « ...qu'est-ce qu'un corps de noblesse si ce n'est un corps de valets ? La noblesse est faite essentiellement pour servir, elle n'existe que par là, et que pour* cela. *La servitude est toujours la même, il n'y a que le maître de différent* » (FP. 553). *Oisif, dilapidateur, parasitaire, le « noble » est atteint de l'incurable mal dont une société périra. L'arrogance dissimule et révèle l'implacable dissolution du vieux sentiment de l'honneur. Noble-faquin* (C. 311). *Celui qui, par loi d'essence, s'annule s'il travaille, celui qui ne sait exister sans faire inexister les autres, celui-là s'exclut de l'humanité ; «* ...*c'est le sort des gentilshommes d'être partout des trouble-fêtes », écrivait Jean-Jacques dans un conte inachevé.*[9]

Notre connaissance des cheminements du Genevois dans la France révolutionnée s'est élargie.[10] *Plusieurs, parmi ceux qui défendent le ci-devant régime, cherchent en Rousseau quelque argument. Aux conventionnels qui s'instituent tribunal pour juger Louis Capet, M. de Sèze rappellera le* Contrat social : *la volonté générale dit la loi ; elle ne se prononce ni sur un individu ni sur un fait. Nos lecteurs estimeront-ils inconvenant un rappel inaccoutumé ? Marat tiendrait Rousseau pour le plus grand penseur du siècle, s'il n'y avait eu Montesquieu ; Charlotte Corday lit avec dévotion Plutarque et Jean-Jacques. Mais en décembre 1793 Robespierre, fervent disciple de Rousseau, constate que la « théorie du gouvernement révolutionnaire [...] aussi neuve que la révolution qui l'a amené » n'est pas à « chercher dans les livres des écrivains politiques, qui n'ont point prévu cette révolution... ».*[11]

On sait que la lecture de Rousseau s'est étendue à tous les continents. Une étude synthétique de ses influences en Amérique latine ou en Asie serait bienvenue. Mais le Genevois paie encore l'illusion partagée par presque tous ceux qui l'ont invalidé : croire qu'un livre dispose du sort d'un peuple. Le Discours sur l'inégalité *n'a pas pris la Bastille. D'aussi loin qu'elle se prépare, l'histoire n'est effectuable qu'au présent. Mais quand une pensée qu'on dirait ou disait révolue est, de nos jours, monitrice d'autonomie, comment la renvoyer aux archaïsmes ? Les possibles ouverts par une recherche, une action présentes attestent ou ravivent la force innovante d'une œuvre. Rousseau est aux sources de multiples vents de l'esprit. Le fixer en un corpus de significations, c'est se verrouiller. R.M. Rilke alertait un jeune poète : des semences du futur sommeillent dans le passé. Et quand il s'agit de travaux fondateurs, quelle que soit leur époque, disserter sur leur « dépassement » n'a sans doute pas plus de sens que de confondre une chronologie et un principe, ou d'identifier une institution et un critère axiologique.*

Pour n'avoir pas à reconnaître leur hostilité au nouveau, les Mémoires de Trévoux occultaient la nouveauté de Rousseau ; ils présentent son Discours sur les sciences et les arts *comme « simple expression d'un caractère ou d'un mode »*[12]. *Quand le Genevois entre en « réforme » s'amorce à ses dépens le geste dénégateur qui s'amplifiera aux siècles suivants : alléguer les comportements de l'individu Rousseau, sa biographie, sa pathologie pour disqualifier des idées qu'il vaut mieux ne pas étudier. C'est un fait pourtant, Rousseau demande incessamment qu'on soumette ses énoncés aux procédures d'un examen rationnel.*

Kant, qui se déprend avec effort du charme de l'écrivain, ne se dispensera pas d'entendre ses raisons. Dans une Remarque *adjointe à ses* Conjectures *sur les débuts de l'histoire humaine (1786), il porte l'accent sur la cohérence, la fécondité d'une pensée qui veut comprendre comment la culture doit « progresser pour développer convenablement, jusqu'à leur destination, les dispositions de l'humanité en tant qu'espèce* morale, *de sorte que la culture ne s'oppose plus à l'humanité en tant qu'espèce* naturelle ». *(Entendons espèce « physique », dont chaque membre atteint sa « destination » sans nouer le lien social, milieu propre d'une « éducation formant en même temps des hommes et des citoyens », — une telle culture n'étant « peut-être pas encore vraiment commencée, ni* a fortiori *achevée ») ; « ...jusqu'à ce que l'art, ayant atteint la perfection, redevienne nature ; ce qui est la fin dernière de la destination morale de l'espèce humaine »*[13].

On traitera d'« histoire » et « nature » au chapitre 3. Pour Kant comme pour Lessing et Fichte, notre espèce (« sociable-insociable ») doit faire l'apprentissage de son humanité pour accomplir sa destination « morale ».

C'est dans l'actualisation conflictuelle de notre essentielle « perfectibilité », non dans une faute adamique, que Rousseau discerne la source d'un mésusage des conquêtes de cette « science » qu'il ne méprise point puisqu'il la tient pour « divine ». Les savoirs ne peuvent épauler un progrès moral s'ils sont domestiqués, instrumentés par les forces qui assujettissent l'homme à l'homme. Ni « raison » ni « conscience » n'ont droit de se démettre du sort des hommes. Question cardinale aujourd'hui : une critique philosophique doit-elle être indifférente à l'investissement pratique des savoirs, aux préorientations incontrôlées, ou trop bien contrôlées, à la pesée des prénotions sur une problématique, aux choix informulés ou non élucidés d'un parcours de connaissance ?

Dès le 18ᵉ siècle la classe maîtresse des moyens de produire s'entraînait à faire de la science le plus fertile moyen d'exploiter à la fois la nature et la main-d'œuvre. La critique du pouvoir de l'homme sur l'homme sera au centre du saint-simonisme, du proudhonisme. Les initiateurs du « socialisme scientifique » l'enracineront dans la dialectique du capital.

Un repérage des effets de pouvoir dans l'acte connaissant et le langage conduit de nos jours plus d'un auteur à traiter la rationalité comme constitutivement oppressive ; le « siècle des Lumières » étant frappé de suspicion, faudra-t-il donc admettre que Fontenelle forgeait nos chaînes ? Mais à quelle vérité un énoncé qui, tenant pour aliénante toute rationalité, réduit les problématiques du vrai aux problématiques de l'assujettissement, saurait-il lui-même prétendre ? Nul pouvoir (d'institution, d'écriture ou de parole) ne pourra jamais, quels que soient parfois ses considérants « révolutionnaires », absorber ou résorber l'identité d'une dialectique du connaître.

Au siècle dernier déjà la pensée des Lumières était invalidée par un spiritualisme officialisé. Les progrès d'un rationalisme critique dans la philosophie française en furent durablement contrariés. C'est pourtant bien au 18ᵉ siècle que, Bayle n'ayant pas labouré pour rien, une raison avait appris comme jamais à se mettre en question(s). Elle cultive les vertus problématiques d'un discours que ne corsette pas l'obligation d'avoir à conclure. Rajeuni aux lisières du quotidien, son langage, qui s'ouvre à de nouveaux objets, s'affranchit des certitudes anciennes de la phrase et du mot. Le tracé du texte assume l'interrogation, l'opposition, le contradictoire. Rousseau ferait-il exception ? Il se plaît à sermonner. Mais nul n'a plus d'entrain pour la controverse. Il la provoque. Et ce qu'il réclame, emmuré par les « messieurs » du « complot », c'est un débat public.[14]

*Mais, puisque l'apprentissage de l'humanité donne titre à cet ouvrage, on doit constater que les grandes écoles de la philosophie française au 19ᵉ siècle n'ont pas discerné, dans l'*Émile*, l'intérêt d'une réflexion sur l'homme au travail. C'est ici que s'effectue, selon Rousseau, l'humanisante médiation entre la nécessité objective, la contraignante matérialité de l'univers physique et la liberté du vouloir et de l'acte, entre le rapport social d'interdépendance et la conscience de l'individu laborieux.*

Si la sagesse est pouvoir de l'homme-individu non sur autrui, mais sur soi — l'éducation « négative » préservant l'enfant de tout ce qui contrarierait l'apprentissage de son autonomie —, ce programme anthropologique insuffle sens à une philosophie politique. Il n'est communauté humaine entre semblables que si le lien qui les unit manifeste et confirme la souveraine autoposition-disposition des volontés contractantes. Le citoyen ne reçoit et n'exerce que la citoyenneté qu'il se confère en cofondant (acte inaugural et création continuée) le rapport égalisant qui fédère des libertés.

Nul ne peut contracter avec soi-même. Mais seul peut faire communauté avec d'autres un sujet capable de cet intime et volontaire dédoublement, actué par une conscience qui s'oblige au respect de la loi qu'elle se donne. L'estimation purement juridique d'un usage irrégulier de la catégorie de « contrat » méconnaît l'être éthique de la cité, l'essentielle entente entre une « morale » non illusoire et une « politique » attentive aux droits de l'humanité. D'où l'immédiate et constituante solidarité entre une politique exclusivement dévouée aux intérêts populaires et l'impératif d'universelle et réciproque véracité.[15] En témoignent ces Lettres écrites de la Montagne, *contre-offensive de Rousseau, après la condamnation du* Contrat social *par le Petit Conseil. Une oligarchie se réclame de la démocratie pour n'avoir pas à la pratiquer ; le peuple ne redeviendra son maître que par une intransigeante et permanente pratique de la démocratie à Genève.*

L'auteur du Contrat *ne le sait que trop : la communauté civique est radicalement menacée par la logique des intérêts dissociatifs. Tout consensus est-il donc fallacieux, comme celui qui, dans le* Discours sur l'inégalité, *assemble les petits possédants autour du « riche » astucieux ? Faut-il renoncer au projet d'humaniser la politique ? On verra que la*

16

conscience de chacun des citoyens est le dernier recours de Rousseau. Doctrinaire du tout-État, le Genevois ? Il cèderait plutôt aux tentations, morales et politiques, d'une subjectivité volontariste. Et la certitude (fortifiée par épreuves et combats) de son intime entente de l'universelle vérité incline cet adversaire de l'intolérance à conclure que ne point partager l'irrécusable conviction de Jean-Jacques est indice de mauvaise foi avec soi-même.

La conscience n'est-elle pas, lumière et sentiment, le refuge et la ressource du Genevois ? Il s'assure en elle — suprême instance de légitimation —, que cette « vérité » à laquelle il consacre sa vie l'a choisi pour se faire universellement entendre. Démission, le retrait du « réformé » ? Signe qu'une mission doit s'accomplir pour le réveil de l'humanité. C'est par l'absence que se fera partout reconnaître la présence de Jean-Jacques Rousseau.

Ce n'est pas la solitude sylvestre où naîtront les grands écrits (Héloïse, Émile, Contrat) qui fait de l'homme social un isolé, un délaissé. C'est cette « société » d'antagonisme et d'artifice où tu ne peux t'affirmer qu'en déniant ton semblable, paraître qu'en occultant les autres, où tu n'exerces ton simple droit de vivre que sous échange marchand. (Mais comment Jean-Jacques, publiant ses livres, échapperait-il au commerce ?)

Deleyre l'écrit à Rousseau : « Jamais vous n'avez été plus sociable que dans les bois. » (13.12.56 ; CC.IV, 139.) N'eût-il pour compagnie que ses phantasmes, Narcisse n'est pas seul. Mais Jean-Jacques ? Il lui faut cet éloignement pour inventer l'humanité. Désenclavée, son imagination se peuple. Au pied d'un arbre du bois de Vincennes, il avait ressuscité Fabricius. En forêt de Saint-Germain, il avait, pour penser l'histoire de notre espèce, pour se donner raison des origines et des fondements de l'inégalité « parmi les hommes », construit l'hypothèse du pur « état de nature ». Pourquoi le solitaire, qui se livre tout au « romanesque », n'imaginerait-il pas l'apprentissage d'Émile, cet enfant deux fois préservé (ni péché originel, ni Domination/Servitude), et l'apprentissage, en pays de Vaud, de cette amitié, de cet amour qu'une société lui refuse ?

Plusieurs pages de Rousseau, philosophe de l'apprentissage humain, nous procurent un bonheur intellectuel comparable à celui que font chaque fois renaître, en leur ordre, un Spinoza ou un Descartes. Mais il n'y a nul mérite à présumer l'impossibilité de conclure un débat sur ce qui, dans une telle œuvre, trouve ou trouverait son juste lieu aux côtés des grandes « utopies ». C'est une chance posthume du Genevois. Une critique des utopies trop bien circonscrites court le risque d'assigner au passé une inspiration d'avenir. C'est alors peut-être que, revanche sur l'entendement magistral, une abstraite imagination fétichise l'élan d'une utopie. Ici et là, c'est se priver d'apprendre.[16]

17

NOTES DE L'AVANT-PROPOS

1. *Apologie pour l'histoire ou métier d'historien,* Paris 1949, p. 8.
2. Nous avons rappelé *(l'Utilité concept fondamental des Lumières,* dans *Hegel-Jahrbuch,* 1968-1969, p. 355-371, *Philosophie, apologétique, utilitarisme,* revue *Dix-Huitième Siècle,* 1970, n° 2, p. 133-146) comment Hegel *(Phénoménologie de l'esprit,* VI, L'Esprit) caractérise l'utilité *(Nützlichkeit)* comme vérité des Lumières. Vérité à la fois de l'idéalisme et du matérialisme. Le travail d'une critique universelle ayant enlevé tout prestige à l'en-soi du monde, toute existence ne prend sens que par son rapport au Moi, qui prend universellement possession des choses. « L'homme lui-même, observe Hegel, n'est qu'en son utilité pour autrui. » La religion tombe elle aussi dans la sphère de l'utile. Rousseau écrivait dans sa *Lettre à Ch. de Beaumont :* « ...la religion, considérée comme une relation entre Dieu et l'homme, ne peut aller à la gloire de Dieu que par le bien-être de l'homme. » (969) Nous avons montré dans les études précitées comment le combat contre la philosophie des Lumières entraîne les apologistes du christianisme (singulièrement en milieu catholique) à retourner contre l'adversaire le motif de l'utilité. Le chrétien est ainsi présenté, non seulement comme époux, père, fils exemplaires, excellent en toute profession, mais comme le meilleur des citoyens. Mais c'est le réformé Necker qui se chargera de faire valoir *(De l'importance des opinions religieuses,* 1788) que ni la philosophie ni l'économie politique ne peuvent, comme l'irremplaçable religion, faire accepter à la conscience populaire l'inégalité sociale perpétuée et la domination du riche.
3. Faut-il rappeler l'*Essai concernant l'entendement humain* (1690) ? Et le succès des *Lettres philosophiques* de Voltaire (1734) — cinq éditions en huit mois ? Enthousiaste découverte de l'Angleterre où Voltaire exilé a séjourné trois ans. Éloge de Bacon, Locke, Newton, opposé à Descartes (lettres 12 à 17). Rousseau, lui aussi, s'instruit chez le « sage » Locke, bien qu'il ne partage pas toutes ses vues sur l'éducation.
4. « ...Du fait même que Rousseau, par la solution qu'il apportait au maître problème des rapports de la nature et de l'institution, retrouvait, par-delà l'artifice social et le préjugé automorphique de l'adulte, l'enfance authentique dont l'être était défini pour la première fois par les notions connexes de croissance ordonnée, d'adaptation fonctionnelle et d'intérêt actuel, il ne pouvait manquer de jeter les premières bases de l'*organisation conceptuelle de la psychologie de l'enfant.* [...] Non seulement Rousseau a constitué l'enfance en objet d'étude propre et autonome, mais encore il a fondé la spécificité de cette étude sur l'originalité qualitative du psychisme enfantin. » (Jean Bourjade, *l'Intelligence et la pensée de l'enfant,* Paris 1942, p. 10.)
5. Sur l'art d'agir voir aussi *Émile.* « ...Souvenez-vous qu'en toute chose vos leçons doivent être plus en actions qu'en discours ; car les enfants oublient aisément ce qu'ils ont dit et ce qu'on leur a dit, mais non pas ce qu'ils ont fait et ce qu'on leur a fait. » *(E.* 333) « Pour être quelque chose, pour être soi-même et toujours un, il faut agir comme on parle. » *(E.* 250)
6. H. Gouhier, *les Méditations métaphysiques de J.-J. Rousseau,* Paris 1970, p. 65.
7. Voir notamment Jean Ray, « La Révolution française et la pensée juridique », *Revue philosophique,* 1939, numéro consacré à « la Révolution française et la pensée moderne », p. 236-265. Michelet voyait dans cette révolution « l'avènement de la loi ». J. Ray montre comment l'auteur du *Contrat social* a « donné aux Constituants et aux Conventionnels leur théorie de la loi ». Ses références à l'œuvre de Merlin de Douai sont éclairantes.

8. Ch. Duclos, *Considérations sur les mœurs de ce siècle,* première édition, 1751.

9. *Le Petit Savoyard ou la vie de Claude Noyer* (Pl. II, 1202). De cette critique de la condition nobiliaire qui préfigure Hegel (l'héroïsme du service se dégradant en héroïsme de la flatterie), on rapprocherait bien des pages de Rousseau (ex. *Émile* 468 : le grand seigneur devenu gueux). Un des textes les plus significatifs est la *Lettre au prince de Wurtemberg* (10.11.1763 ; CC.XVIII, 115 *sqq.*). *A cet admirateur d'Émile,* qui lui demande conseil pour l'éducation de ses enfants, Rousseau ne cache pas la difficulté pour qui a « le malheur d'être né prince », de concilier les contradictoires. Vouloir « être homme » malgré [son] rang : « Vouloir remplir les grands devoirs de père, de mari, de citoyen de la République humaine... »

10. Grâce, en particulier, aux apports de Roger Barny.

11. Rapport présenté au nom du Comité de salut public devant la Convention nationale (5 nivôse an II, 25.12.1793) sur *les principes du gouvernement révolutionnaire.*

12. Jean Garagnon, *les Mémoires de Trévoux et l'événement, ou Jean-Jacques Rousseau vu par les Jésuites, Dix-Huitième Siècle,* 1976, n° 8, p. 215-235.

13. E. Kant, *Œuvres philosophiques,* éd. Pléiade, II, 512, 512-513, éd. L. Ferry et H. Wismann.

14. Dans *Rousseau juge de Jean-Jacques (Dialogue Troisième).* Rousseau écrit : « ...par la discussion contradictoire des faits nous aurions pu porter un jugement certain sur les accusateurs et sur l'accusé, et prononcer définitivement entre eux et lui. » (948) Et la suite... notamment p. 974 : « former de précieux mémoires dont d'autres générations sentiront la valeur, et qui du moins les mettront à portée de discuter contradictoirement des questions aujourd'hui décidées sur le seul rapport de ses ennemis. »

15. Dans ses *Dialogues* et ailleurs s'exprime une idée chère à Rousseau : l'universalisation du mensonge détruit le lien social lui-même. Kant recueillera cette inspiration.

16. Résumant un ensemble de publications sur Jean-Jacques, Éric Weil rappelle opportunément la « méfiance » de Rousseau « envers tout gouvernement quel qu'il soit » (« J.-J. Rousseau et sa politique », dans *Critique,* janvier 1952, n° 56, p. 4-28). Rousseau « concentre tout le pouvoir législatif entre les mains des citoyens et fait dépendre la validité des décisions du consentement de tout homme raisonnable : le désordre vaut mieux que la perte de la liberté... » Rousseau « reste [...] le sujet révolté ». « Positivement, il ne fut rien ; par sa négation de toute autorité autre que celle de la liberté raisonnable, il devint tout. » E. Weil porte donc au premier plan la puissance critique de la pensée de Rousseau. Il conclut que sa grandeur est d'avoir signalé à ses « héritiers une énorme tâche » ; « et il leur a laissé une immense tentation, celle de se lier, à vie, à l'authenticité de l'individu existant pour lui-même, de la personnalité qui s'épuise (et se satisfait) dans la pureté du conflit avec le donné ». On reconnaît évidemment ici la marque d'un maître des études hégéliennes, qui soulignait volontiers ses affinités avec A. Kojève. (Sans doute n'est-il pas inopportun de rappeler ici qu'il y a une filiation de Rousseau à certains thèmes de la pensée anarchiste, au sens premier du mot. En dépit des sévérités de Proudhon pour le Genevois.) Observant que la « théorie de Rousseau » est « décisive dans tout le domaine qu'elle couvre », E. Weil dit encore : « Elle a nettoyé le terrain et, en le nettoyant, elle a adressé un appel à l'humanité pour qu'elle y construise [...]. Elle n'a pas su nous dire ce qu'est concrètement le droit dans notre monde ; mais elle nous a appris que le droit seul peut fonder l'État. Elle ne nous dit pas ce qu'est concrètement et dans ses rapports avec l'extérieur la liberté de l'individu raisonnable ; mais elle a montré que la conscience de l'homme moderne ne peut reconnaître que ce qu'elle peut respecter comme raisonnable... » Le lecteur ne saurait manquer de faire le raccord

de Rousseau à Kant. On aurait tort toutefois de conclure que Rousseau fut inapte à construire. N'a-t-il pas très concrètement écrit des projets pour Corse et Pologne ? L'intelligence des situations, le discernement des possibles sont un trait de la réflexion politique de Rousseau et de l'auteur d'*Émile*. Nous reviendrons sur les tâches qu'il assigne à la raison. Sa critique d'un entendement calculateur, auxiliaire d'une instrumentation de l'homme, est critique du mésusage d'une faculté sans laquelle nul progrès moral ne serait possible. Tant s'en faut qu'il tienne la raison pour opprimante ! On comprend que les théorisations modernes de la « permissivité » trouvent point d'appui dans divers aspects de l'œuvre et plus encore dans la vie de Jean-Jacques ; mais on aurait peine à discerner chez Rousseau un « logos » répressif et déshumanisant. Sa pensée garde fidélité aux enseignements socratique et cartésien. Et nous aurons occasion de souligner (question inépuisable) sa dette à Malebranche. Son malebranchisme n'est certes pas orthodoxe. A-t-il jamais professé la « vision en Dieu » ?

ÉDITIONS UTILISÉES. ABRÉVIATIONS

C. Confessions, Pléiade I, 5-656 (introduction et notes Bernard Gagnebin et Marcel Raymond).

CP. Considérations sur le gouvernement de Pologne, Pléiade III, 953-1041 (introduction et notes Jean Fabre).

CS. Contrat social, Pléiade III, 351-470 (introduction et notes Robert Derathé). — La Ire version (manuscrit de Genève), 281-346, est clairement indiquée.

D. Rousseau juge de Jean-Jacques, Dialogues, Pléiade I, 661-689 (introduction et notes Robert Osmont).

DB. Fragments pour un Dictionnaire des termes d'usage en botanique, Pléiade IV, 1200-1256 (introduction et notes Roger de Vilmorin).

DI. Discours sur l'origine et les fondements de l'inégalité parmi les hommes (= second Discours), Pléiade III, 111-194 (introduction et notes Jean Starobinski).

DRB. Dernière Réponse à Bordes, Pléiade III, 71-96 (introduction et notes François Bouchardy).

DS. Discours sur les sciences et les arts, Pléiade III, 5-30 (introduction et notes François Bouchardy).

E. Émile, Pléiade IV, 241-868 (introduction et notes Pierre Burgelin). La première version (manuscrit Fabre) 55-232 — introduction et notes John S. Spink —, est clairement indiquée.

EOL.   *Essai sur l'origine des langues,* éd. Charles Porset, Ducros.

EP.   *Discours sur l'économie politique,* Pléiade III, 251-278 (introduction R. Derathé).

ES.   *Émile et Sophie, ou les solitaires,* Pléiade IV, 881-924 (introduction et notes Pierre Burgelin).

ESP.   *Écrits sur l'abbé de Saint-Pierre,* Pléiade III, 563-672 (introduction et notes Sven Stelling-Michaud).

FrA.   *Fragments autobiographiques,* Pléiade I, 1101-1191. Comportent *Ébauches des rêveries (Cartes à jouer)* (introduction et notes M. Raymond et B. Gagnebin).

LA.   *Lettre à d'Alembert sur les spectacles,* éd. Launay, Garnier-Flammarion.

LB.   *Lettre à Christophe de Beaumont, archevêque de Paris,* Pléiade IV, 927-1007, avec *Fragments de la Lettre* et page : « Des poursuites contre les écrivains », 1009-1030, (introduction et notes Henri Gouhier).

LE.   *Le Lévite d'Ephraïm,* Pléiade II, 1205-1223 (introduction et notes Charly Guyon).

LF.   *Lettre à M. de Franquières,* Pléiade IV, 1133-1147, signé Renou (introduction et notes Henri Gouhier).

LM.   *Lettres écrites de la montagne,* Pléiade III, 685-897 (introduction et notes Jean-Daniel Candaux).

LMM.   *Lettres à M. de Malesherbes,* Pléiade I, 1130-1147 (introduction B. Gagnebin et M. Raymond).

LMo.   *Lettres morales,* Pléiade IV, 1081-1118 (introduction et notes Henri Gouhier).

N.   *Narcisse ou l'amant de lui-même,* Pléiade II, 959-1018 (introduction et notes Jacques Schérer).

NH.   *Julie ou la Nouvelle Héloïse* Pléiade II, 31-745. On cite aussi sous ce sigle *les Amours de Milord* Éd. Bomston, 749-760 (introduction et notes Bernard Guyon).

OBs.   *Observations de Jean-Jacques Rousseau de Genève sur la réponse qui a été faite à son discours,* Pléiade III, 35-58 (introduction et notes F. Bouchardy).

PC.   *Projet de constitution pour la Corse,* et *Fragments,* Pléiade III, 901-950 (introduction et notes S. Stelling-Michaud).

R.   *Rêveries du promeneur solitaire,* Pléiade I, 993-1099 (introduction et notes Marcel Raymond).

PLB.   *Préface d'une seconde lettre à Bordes,* Pléiade III, 103-107 (F. Bouchardy).

Pygmalion figure en Pléiade II, 1224-1231 (introduction et notes J. Schérer).

Les poèmes cités figurent en Pléiade II.

Le Persifleur est en Pléiade I.

Mémoire à M. de Mably et *Projet pour l'éducation de M. de Sainte-Marie* sont en Pléiade IV, 3-51 (introduction et notes J.-S. Spink).

La référence de quelques autres écrits de Rousseau figure dans notre texte ou en notes.

CC.   *Correspondance complète,* éd. de R.-A. Leigh, récemment disparu. Voltaire Foundation.

LPh.   *Lettres philosophiques,* présentées par H. Gouhier (figurent aussi en CC.).

Nous avons nous-même travaillé sur la correspondance conservée à Neuchâtel.

L'orthographe est modernisée.

Les citations en langues anciennes ou étrangères sont traduites ou s'éclairent au contexte.

AJJR.   *Annales de la société Jean-Jacques Rousseau,* Genève.

RLC.   *Revue de littérature comparée,* Paris.

CHAPITRE 1

Avant la « réforme »

Quelque jugement qu'on porte sur les *Confessions* et divers écrits relatant sa jeunesse, nul ne contestera l'intensité d'une conviction : l'être de Jean-Jacques Rousseau est contradictoire, comme sa vie. Le besoin intellectuel et moral de surmonter l'intime contradictoire motive sa première recherche d'un moi qui s'unifie et s'ordonne sous une règle raisonnée. Il n'a reçu que des « lecons de sagesse et des exemples d'honneur » dans une famille « que ses mœurs distinguaient du peuple » (*C. 61*), *mais qu'un injuste sort a déclassée. Sa naissance ayant coûté la vie à sa mère, le comportement d'un père, inconsolable époux, l'incline à s'identifier inconsciemment à la disparue.*

Les lectures nocturnes aux côtés du père le font indivisément-contradictoirement romanesque et romain. C'est à Bossey, chez le pasteur Lambercier, qu'il découvre d'autres sentiments que des « sentiments élevés, mais imaginaires ».

Mais c'est à Bossey, précisément, que, pour un peigne cassé, Jean-Jacques est à jamais chassé du paradis de l'enfance. Il prend conscience de l'écart tragique entre être et paraître. Il ne suffit pas qu'il n'ait pas fauté pour que son innocence soit reconnue.

S'il a fait, chez le bon pasteur, une première épreuve de l'injustice, c'est chez le sieur Ducommun, graveur, que l'enfant du bas Genève va endurer sa première épreuve de l'« assujettissement » (32). (Garçon du « haut », le cousin Abraham est destiné à la profession d'un père considéré.) « Rien ne m'a mieux appris la différence qu'il y a de la dépendance filiale à l'esclavage servile, que le souvenir des changements que produisit en moi cette époque. » (31)

Sous la férule de qui ne sait le traiter ni en enfant ni en homme, Jean-Jacques fait l'expérience du rapport Domination/Servitude, qui s'inscrira plus tard au cœur de son œuvre. Et, puisque l'esclave est condamné à ne jouir que par ruse et larcin, il sera menteur et voleur. « Romain » dans l'atelier du père, Jean-Jacques devient « fripon » sous un méchant maître. C'est ainsi qu'il apprend la vie contre les livres.

Étude, bonheur, sagesse

Les livres n'en sont pas moins là pour faire oublier la vie et Ducommun, pour inviter le garçon de seize ans au voyage sans but. Jean-Jacques est en quête de lui-même en un monde social où l'assurance d'une stable identité personnelle s'ébranle en bien des consciences. Adolescent, il change de nom et de rôle au gré des circonstances. Ne fut-il pas de ceux qui, n'ayant pas vingt ans, ont quitté la patrie genevoise pour aller à l'aventure ? Âmes errantes promises aux vigilants convertisseurs. N'était-ce pas la mission de Mme de Warens, qui accueille Jean-Jacques à Annecy ?

On ne suivra point le jeune homme pas à pas. Le départ pour Turin ; la « conversion » au catholicisme ; le retour ; les Charmettes...

Nous demandant plutôt comment un premier projet de sagesse a pu naître en Rousseau adolescent, nous voyons se rejoindre en lui et se renforcer deux effets. Celui qu'entraîne, sur un sujet particulièrement impressionnable, l'identification à autrui. Celui que produit, chez un sujet que la passion du livre avait enflammé dès la petite enfance, le goût naissant de l'étude.

Jean-Jacques errant a découvert les autres. Il n'est pas indifférent, pour nous tenir à notre propos, de reconnaître, au fil des Confessions, ceux qui ont pu lui offrir une image de la sagesse.

Claude Anet, protestant converti, amant discret de Mme de Warens, homme de jugement. Mme de Vercellis, « âme élevée et forte » (81), dont la mort « fut celle d'un sage » (83). Plus encore l'abbé Gaime, fils de paysans savoyards, précepteur des enfants d'un comte. Tout ce que Rousseau nous dit de lui condense les leçons de la plus classique sagesse. Et c'est alors qu'un premier projet de « sagesse » germe en celui qui, jusqu'alors, toujours « trop haut ou trop bas, Achille ou Thersite, tantôt héros et tantôt vaurien », n'avait jamais su être à sa « place » (91). Gaime laissera pour la vie à Jean-Jacques l'image de l'homme qui se connaît et se situe. Et il semble que la religion de l'abbé soit proche de celle du Vicaire savoyard imaginé par l'auteur d'Émile.

Mais c'est, à Turin, le « jeune abbé Faucigneran, appelé M. Gâtier », qui va lui laisser l'impression la plus vive. « Plein de patience et de complaisance il semblait plutôt étudier avec moi que m'instruire. » (119)

C'est, un peu plus tard, Mlle du Châtelet, à Lyon, qui lui donnera « ce goût de morale observatrice qui porte à étudier les hommes » (171). Un goût que Mme de Warens va cultiver, s'il est vrai qu'elle « connaissait les hommes » (200), tout en conduisant mal ses entreprises.

Et c'est à Chambéry que naît en lui, éveillé par les *Lettres philosophiques* de Voltaire, ce « goût » de l'« étude » qui « ne s'éteignit plus depuis ce temps-là » (214). Voltaire sera longtemps son maître. N'est-ce pas de lui qu'il apprend, quoi que doive les séparer plus tard, qu'écrire n'est pas jeu, mais acte public ?

Initié au cartésianisme par le Dr. Salomon, il lit et relit « cent fois » les *Entretiens sur les sciences* de l'oratorien Lamy. Il se promet d'en faire son « guide » (232). La « fureur des voyages » s'apaise et il se persuade, au lendemain d'une grave maladie, qu'il lui reste peu de temps à vivre.[1]

Fidèle à la pensée de Malebranche, Lamy introduit le jeune lecteur à cette intelligence des « rapports » qui le conduira loin. Malebranchienne aussi, cette confiance dans l'« excellence » de notre « nature » d'homme, malgré la « corruption ». Pourquoi donc Rousseau, qui, à l'école de Mme de Warens, ne croit plus au péché originel, ne ferait-il pas confiance au « sentiment » sincère (au « cœur ») pour régler sa conduite ? Autre leçon recueillie de Lamy : ordonner tout savoir humain à une fin qui le transcende ; philosophe et savant ne peuvent se passer de religion : « Je n'ai jamais été si près de la *sagesse* (nous soulignons) que durant cette heureuse époque. » (244)

Sagesse, c'est-à-dire ici, précisément, jouissance d'un présent sans inquiétude pour l'avenir, sans regret du passé. Chaque fois, plus tard, que Rousseau parlera de la sagesse, reviendra ce thème du présent intensément vécu, et vécu pour lui-même. Chaque fois l'image d'un bonheur qui ne se compare pas car il se suffit, d'un bonheur sans mémoire, sans projection vers le futur. La sagesse ? Un savoir vivre au présent.

Ce bonheur d'un présent toujours neuf, il n'est, nous dit Rousseau au début du livre VI, « dans aucune chose assignable ». « Il était tout en moi-même, il ne pouvait me quitter un seul instant. » (226)

« Moi-même... ». Rapprochons des *Rêveries*. Quand, au début de cette dixième promenade inachevée, alors que la mort approche, lui revient plus lumineux que jamais le souvenir des Charmettes, de Mme de Warens (« ... je ne vivais plus qu'en elle et pour elle »), c'est pour se persuader qu'en ce bref moment de sa vie il a été vraiment lui-même : « moi pleinement sans mélange et sans obstacle ». Le sort, plus tard, a fait de lui un être « agité, ballotté, tiraillé par les passions d'autrui [...], presque passif dans une vie aussi orageuse », où il aurait peine « à démêler » ce qu'il y a de lui-même dans sa « propre conduite », tant la dure nécessité n'a cessé de « s'appesantir » sur lui (*R.* 1098-9). En contraste, le temps des Charmettes lui apparaît celui de l'authenticité, de l'union paisible à soi-même. N'est-ce pas la condition du « sage » ?

Ces pages appelleraient comparaison avec le bref essai *Du bonheur,* écrit par Fontenelle, qui a tant marqué ce siècle. Pleine adhésion au présent ; être tout à soi ; discipline de l'imaginaire ; réduction de l'illusoire par la réflexion. Fontenelle, c'est connu, pratique Descartes et Malebranche ; et les matérialistes des Lumières s'en instruiront plus d'une fois auprès de lui. La fonction préventive d'une sagesse de mode fontenellien se retrouvera dans la recherche de Rousseau (par exemple sa lettre à Carondelet, 6-1-1764 ; CC. XIX, 12 *sqq.*). Mais le Genevois aura la vie plus dure que l'ami du Régent. Le « bonheur » individuel du sage serait-il réservé à ceux qui peuvent se l'offrir ?[2]

La « sphère »

Quel que soit l'écart entre le réel et la remémoration qui se fait écriture — à moins que l'écriture fasse la remémoration — il faut bien que les Charmettes aient révélé à Jean-Jacques une figure nouvelle de l'existence pour qu'il décrive plus tard cette époque témoin dans la langue d'un « bonheur pur et plein » (*R.* 1099). Bonheur d'être soi dans les travaux librement choisis, le loisir, les jeux, une clarté de fête, dans tout ce qui l'attachait à « maman ». (Maman, c'était, en terre de Savoie, le titre de la maîtresse de maison ; et c'était plus encore pour celui qui n'avait pas connu sa mère, et que « maman » appelait « petit ».)

Faisant route pour Montpellier où M. Fizes lui rendra peut-être la santé — Mme de Warens souhaite l'éloigner —, Jean-Jacques découvre dans les bras de Mme de Larnage ce qu'il n'avait pas trouvé dans l'amoureuse intimité de « maman ». Mais il se connaît assez fort, au retour, pour ne pas renouer avec la séduisante personne. L'étude, écrit-il dans les *Confessions,* lui avait appris à « réfléchir », à « comparer », à comprendre ce que sont principe, règle, maxime. Il se veut désormais maître de soi quoi qu'il advienne.

Il faut ici relire, parmi les premiers écrits, le *Traité élémentaire de sphère* (1735-1738 ?) et *le Verger de Mme la baronne de Warens* (1739).[3]

La « sphère » — mot si fréquent dans le vocabulaire de Rousseau —, c'est la « demeure de l'homme et de tous les animaux », grain de sable dans l'« immense espace des airs ». On attendrait une propédeutique à quelque cosmographie, à quelque géographie générale : équateur, méridiens, saisons... Mais le premier chapitre de ce *Traité* amorce un thème qui ne s'effacera plus : pas de bonheur sans un « art de penser ». Et qu'est-ce que penser sinon trouver les « vrais rapports » qu'ont entre eux les objets, les idées, « approprier » son savoir « *aux choses qui nous sont utiles* » (nous soulignons) ?

Puis un mouvement que l'auteur d'*Émile* reprendra, pour construire une phénoménologie de la conscience : se quitter pour se trouver ; briser, pour se connaître, la première présence à soi ; explorer le monde pour se découvrir. Apprendre à « démêler » — sous la variété des « situations possibles », des « rapports », des « différences », comme à travers ce que l'histoire modifie —, « ce qui est essentiel à l'homme, ce qui en est inséparable, ce qu'on y retrouve toujours, d'avec ce qui ne lui est qu'accidentel et qui peut changer en lui selon les nations et les siècles ».[4]

« Essentiel », « nature humaine », « masque »... Un langage s'organise, qui conduira loin des idées venues de loin. L'auteur du *Traité* imagine le touchant spectacle d'un ordre humain « pareil à celui qui règne dans la nature ». L'Ordre, Rousseau des Charmettes l'apprend dans Malebranche. Lointaine est l'heure où, théoricien du contrat social, il dénaturalisera la loi civile. Alors se brisera le calme miroir de l'Ordre — la liberté humaine ne pouvant se reconnaître que dans le pouvoir souverain d'édicter une « loi » qui n'est pas reflet de la Nature. Ce qui ne sera pas débouter (comme on verra) la « nature », ni Dieu.

On peut se préparer une grande prose en versifiant. Ce *Verger,* rimé en l'honneur de Mme de Warens, ne dépasse pas l'horizon d'une méditation sur les devoirs et les plaisirs du sage. Précieux répertoire, au demeurant, des lectures de Chambéry[5], et défense, contre les médisants, de la « sage », de la « vertueuse Warens ». Plus tard, la pensée de Rousseau discriminera les significations : vertu-combat ; sagesse-paix. *Le Verger,* c'est l'évocation, à la manière d'Horace, d'un bonheur égal et protégé, où l'on peut jouir d'être.

Cet état spirituel, libéré des inquiétudes d'un moi contradictoire, sera toujours, selon Jean-Jacques, état de sagesse. Qu'elle soit de l'adulte ou de l'enfant, sagesse est équanimité. Elle peut s'entendre encore (mais ceci ne s'oppose point à cela) comme exercice optime du jugement ; ainsi dans le bon usage du savoir.

Jean-Jacques aux Charmettes oublie-t-il Genève ?

En juillet 1737, il y retourne pour régler des questions d'héritage. N'est-il pas deux fois transfuge ? N'a-t-il pas abandonné sa foi réformée pour le papisme et sa patrie pour ce royaume de Savoie redouté de Genève ? Les troubles sociaux et politiques qui marquent l'histoire de sa ville ces années-là l'impressionnent et l'affectent. Toutes choses étudiées de près par Michel Launay. Il ne se voit point d'un parti, souhaite la concorde civique. Son *Épître* au chirurgien lyonnais Parisot (1742) exaltera la « fierté » genevoise des « cœurs républicains » nés pour la liberté. Mais, célébrant sa noble bienfaitrice, il proclame son respect pour les « grands », le « rang », la « naissance ». Pas question de changer l'ordre d'une société puisqu'on peut « égaler en vertus » ceux que le « destin » a placés au-dessus des simples gens. Quel contraste avec l'*Épître* au vicaire de Marcoussis, écrite en 1749 (non publiée) par un homme qui a beaucoup appris à Paris, capitale d'un royaume qui souffre alors de profonds ébranlements (économiques, sociaux, politiques, culturels). « ... Point surtout de cette racaille / Que l'on appelle grands seigneurs, / Fripons sans probité, sans mœurs / Se raillant du pauvre vulgaire / Dont la vertu fait la chimère ; / Mangeant fièrement notre bien. / Exigeant tout, n'accordant rien, / Et dont la fausse politique / Rusant, patelinant sans cesse / N'est qu'un piège adroit pour duper / Le sot qui s'y laisse attraper » (Pl. II, 1152).

1749. Cette année-là, Jean-Jacques, écrivain, fils d'horloger, se met en ménage avec Thérèse Levasseur, lingère.

Mais c'est à Lyon, où il arrive en avril 1740, c'est en pays royaliste que Rousseau, malgré son conformisme social, a pris conscience qu'il était républicain parce que Genevois. Précepteur des enfants Mably, il gagnera sa vie. Comment se dire indépendant, maître de soi tant qu'on doit — faut-il rappeler Dante ? —, gravir amèrement l'escalier de l'exilé qui frappe aux portes ?

Le préceptorat des enfants de grande maison, c'est une des fonctions de l'intellectuel plébéien dans la société du temps ; comme le secrétariat du financier ou du seigneur.

Précepteur à Lyon

C'est au Rousseau de cette année 1740 que nous devons le *Mémoire présenté à Monsieur de Mably sur l'éducation de M. son fils ;* le *Projet pour l'éducation de Monsieur de Sainte Marie,* deuxième version du *Mémoire.* On aimerait s'étendre sur ces textes remarquables, apparentés aux écrits pédagogiques du temps (Rollin, Fleury, Crousaz) qui parlent tous — comme Fénelon —, de former l'intelligence et le cœur. Au-delà de ce qu'ils doivent à Le Maître de Claville, le grand humaniste normand, qui prend le relais de Montaigne, *Mémoire* et *Projet* sont d'un novateur.

Se profile déjà la distinction entre science et sagesse qui dominera le *Discours sur les sciences et les arts.* Quand le cœur se corrompt, les sciences sont « autant d'armes entre les mains d'un furieux ». Tout homme naissant pour être heureux, éduquer l'adolescent c'est le former à l'art du bonheur humain. Bon cartésien, Rousseau précepteur ne prétend pas anéantir les passions (ce serait tuer l'homme), mais les modérer. De là cette brillante étude d'une technique du plaisir, d'une culture raisonnée de l'imaginaire qui passeront au premier plan dans *Émile.* « ...la jouissance immodérée du plaisir est pour l'avenir un principe d'inquiétude. » (14) Le bonheur à chercher est celui du sage, puisqu'il naît de l'équilibre entre forces et sait ne pas vouloir l'impossible. Mais ce n'est pas dans la solitude que fleurira cette sagesse, c'est dans le quotidien rapport aux autres. L'imagination du « solitaire » s'enflamme, ses désirs s'échauffent. Immergé soudain « au milieu du monde », il ne saura maîtriser ni ses émotions ni son jugement. (15)

L'auteur n'est pas tendre pour ces prédicateurs de chaire qui peignent « tous les hommes comme des monstres à étouffer » (19), proies du Démon, recrues de l'Enfer. *Émile* et la *Lettre à l'archevêque de Paris* ne diront pas mieux. Mais il y aurait anachronisme à confondre ces ouvrages avec les textes d'un Rousseau de vingt-huit ans.

Jean-Jacques usera, abusera du « cœur ». Mais le *Mémoire* à M. de Mably est en amont d'une distinction décisive (essentielle à la « philosophie » de Rousseau) entre deux sens du mot « cœur ». Le cœur-passion, siège d'une affectivité qu'en style kantien nous dirions empirique. Le cœur-sentiment, principe ultime du jugement que « l'homme de la nature » peut (sinon toujours en fait, du moins en droit) porter sur « l'homme de l'homme ». En ce second sens le « cœur » n'est pas, comme le cœur-passion, soumis au despotisme de l'opinion, aux prestiges de l'imaginaire. Immanent à l'humanité commune, toujours égal à lui-même, il est infaillible en sa fonction régulatrice, axiologique. Mais (à la façon du no²us platonicien) il faut savoir l'écouter pour le reconnaître.[6]

Plusieurs notations du *Mémoire* se retrouveront en *Émile* : approprier la méthode au génie de chaque enfant, à ses intérêts ; impliquer l'enfant dans l'enquête et la découverte... Mais le clivage majeur s'effectue au point décisif. Rousseau prépare ses élèves à leur état de gentilhomme en une société qu'il ne conteste pas. Si le *Mémoire* postule en tout individu l'inéradicable présence d'une nature bonne, le sens d'*Émile* n'est point de préparer un « honnête homme » à la « place » qu'une société lui réserve (c'était notamment le propos de Claville). *Émile* définit les conditions propres à former l'Homme exemplaire. L'homme de la nature mûrit et se préserve par une « éducation négative », en opposition à l'homme de l'homme. Or l'éducation des enfants Mably est enclose dans le jeu des rapports sociaux qui ont corrompu la nature. Aussi bien, le « père » est toujours là. L'éducation se fait dans sa collaboration permanente avec le gouverneur. Il en est ainsi plus encore dans le *Projet pour l'éducation de M. de Sainte Marie*. Au contraire, si Émile est destiné à vivre en société, c'est une éducation conduite sous la norme de l'essentielle humanité qui le prépare à ses obligations. L'enfant est de sang noble, mais sa famille est mise entre parenthèses par le gouverneur. Du *Mémoire* à *Émile* la figure de la sagesse se transforme donc profondément. Une chose est la sagesse de l'honnête homme dans une société qui ne fait pas question. Autre chose la sagesse comme art du bonheur selon la « nature » de l'homme, nature qui s'est découverte et reconnue à travers une critique radicale du lien social historiquement constitué. La dualité nature/histoire n'apparaît nulle part dans le *Mémoire*. Elle sera au principe d'*Émile*.

Politique à Venise

Septembre 1743-août 1744, séjour à Venise, dont les *Confessions* multiplieront par deux la durée... Recommandé par Mme de Broglie, Rousseau est secrétaire de l'ambassadeur de France auprès de l'illustre république des Doges, dont la puissance est sur l'eau, et dans la banque. On a souvent cité ce passage du livre IX des *Confessions* où l'auteur date de cette époque une découverte qui fit naître en lui le projet d'un grand ouvrage de philosophie politique : « ...étant à Venise j'avais eu quelque occasion de remarquer les défauts de ce Gouvernement si vanté. Depuis lors, mes vues s'étaient beaucoup étendues par l'étude historique de la morale. J'avais vu que tout tenait radicalement à la politique, et que, de quelque façon qu'on s'y prît, aucun peuple ne serait jamais que ce que la nature de son Gouvernement le ferait être ; ainsi cette grande question du meilleur Gouvernement possible me paraissait se réduire à celle-ci. Quelle est la nature de Gouvernement propre à former un Peuple le plus vertueux, le plus éclairé, le plus sage, le meilleur enfin à prendre ce mot dans son plus grand sens ? » (404)

Si Rousseau a lu les maîtres de la philosophie politique (Hobbes, Locke, Pufendorf, Burlamaqui...), c'est à Venise qu'il acquiert une pratique politique, étrangère à l'immense majorité des penseurs du siècle.[7] A Paris, dans l'entourage des grands, il avait une fois de plus senti que gagner leur protection, c'était aliéner son indépendance. A Venise le voici « agent » forcé des « extravagances » de M. de Montaigu. Servant la France, sa seconde patrie, il fait de son mieux. Il n'en est que plus sensible à tout ce qui blesse un amour-propre de plébéien épris de « vertu ». Il y a là « une foule de fripons qui, pour leur intérêt et pour écarter le scandale du bon exemple » (301), l'excitent à les imiter. « L'œil intègre d'un honnête homme est toujours inquiétant pour les fripons. » (308)

Et quand l'ambassadeur lui fait connaître que son secrétaire, « qui même n'est pas Gentilhomme », n'aura pas sa place à la table où l'on reçoit le duc de Modène, c'est le drame... N'est-ce pas le métier bien fait qui « anoblit »[8] les hommes ? Un bon secrétaire d'ambassade n'a-t-il point le pas sur « vos Gentilshommes ou soit-disant tels » ? (310) Rupture. « On avait vu et approuvé ma conduite ; j'étais universellement estimé. » (313)

Mais, revenu à Paris, il faut se rendre à l'évidence. « Malgré le cri public dans Venise, malgré les preuves sans réplique », impossible d'« obtenir aucune justice » (325). « La justice et l'inutilité de mes plaintes me laissèrent dans l'âme un germe d'indignation contre nos sottes institutions civiles où le vrai bien public et la véritable justice sont toujours sacrifiés à je ne sais quel ordre apparent, destructif en effet de tout ordre, et qui ne fait qu'ajouter la sanction de l'autorité publique à l'oppresion du faible et à l'iniquité du fort. » (327)

Nous n'en sommes plus à l'*Épître à Parisot*. Se dessine l'opposition entre l'*être* et l'*apparaître* dans le corps social lui-même. Les « institutions civiles » ont détruit l'« ordre » vrai. Le rapport social tel qu'il s'est noué dans l'histoire occulte le rapport naturel.

Rousseau pourtant ne va pas tirer sur-le-champ les conséquences de la découverte. Si l'on s'en tient au texte des *Confessions,* « deux choses » empêchèrent le développement du « germe » (327). Il ne s'agissait que de lui en cette affaire. Et le « charme de l'amitié » apaise une juste colère ; c'est à Venise qu'il connaît Altuna, Espagnol « sage de cœur ainsi que de tête ».[9]

Incertitude du moi et « matérialisme du sage »

Faut-il conclure que, absorbé par son labeur de secrétaire auprès de Mme Dupin et M. Francueil, Rousseau oublie tout projet de « sagesse » ? Résolu à tenter sa percée (musique et littérature), il se lie en 1745 avec Diderot et Condillac, qui prépare son *Essai sur l'origine des connaissances humaines.* Il projette avec Diderot la publication d'un périodique, qu'ils rédigeront à tour de rôle. Ils en resteront à l'esquisse du premier numéro (1746-1747) ; Diderot entraînant son ami dans une entreprise autrement vaste, l'*Encyclopédie.* Le « Persifleur » présentera une impartiale analyse des ouvrages nouveaux. Mais le plus intéressant c'est l'autoportrait de Jean-Jacques[10] :

« Rien n'est si dissemblable à moi que moi-même » — c'est déjà presque la formule du neveu de Rameau —, « c'est pourquoi il serait inutile de tenter de me définir autrement que par cette variété singulière ».

Tantôt « misanthrope », tantôt répandu parmi les autres, ami, amoureux. Tantôt « austère et dévôt », et il voudrait alors pouvoir persévérer dans « ces saintes dispositions » (1108). Tantôt « franc libertin ». « C'est cette irrégularité même qui fait le fond de ma constitution. » (1109).

On évoquera Boileau, que cite Rousseau, La Bruyère, Pascal. Ou Marivaux journaliste (« Puis-je rien démêler dans mon cœur ? Je veux me chercher et je me perds »). Plus encore Montaigne parlant de l'homme et de soi-même : ce n'est pas l'être qu'il peint, c'est le « passage ». « Nous jugeons de nous comme étant toujours les mêmes, notera Rousseau dans la cinquième Promenade, et nous changeons tous les jours... » Changements. Renversements. Alternances. L'unité du moi ne serait-elle qu'imaginée ? Qui suis-je, moi qui me veux moi ? Et si la conscience de soi est indécise à ce point, un projet de sagesse — autorassemblement d'un individu autonome — n'est-il pas vain ?

Voici pourtant, après ce tableau d'un Rousseau-Protée, une certitude qui a peut-être pris consistance dans l'échange avec Diderot et Condillac :

notre sensibilité organique porte à notre insu ses effets sur nos manières de penser et d'être. Cet homme oscillant entre lui-même et lui-même n'est pourtant pas n'importe qui, n'importe quand, n'importe où...
« ... le retour des mêmes objets renouvelle ordinairement en moi des dispositions semblables à celles où je me suis trouvé la première fois que je les ai vus. C'est pourquoi je suis assez constamment de la même humeur avec les mêmes personnes. » Le changement n'est donc pas l'arbitraire ; il semble bien avoir sa loi comme le temps, les saisons ; « ... à force de m'examiner, je n'ai pas laissé que de démêler en moi certaines dispositions dominantes et certains retours presque périodiques qui seraient difficiles à remarquer à tout autre qu'à l'observateur le plus attentif, en un mot qu'à moi-même » (1109-10).

C'est ainsi que Rousseau se découvre deux âmes, « ... mes âmes hebdomadaires » : « ...par l'une je me trouve sagement fou, par l'autre follement sage, mais de telle manière pourtant que la folie l'emportant sur la sagesse dans l'un et dans l'autre cas, elle a surtout manifestement le dessus dans la semaine où je m'appelle sage, car alors, le fond de toutes les matières que je traite, quelque raisonnable qu'il puisse être en soi, se trouve presque entièrement absorbé par les futilités et les extravagances dont j'ai toujours soin de l'habiller. Pour mon âme folle elle est bien plus sage que cela, car bien qu'elle tire toujours de son propre fond le texte sur lequel elle argumente, elle met tant d'art, tant d'ordre, et tant de force dans ses raisonnements et dans ses preuves qu'une folie ainsi déguisée ne diffère presque en rien de la sagesse. » (1110)

Rapprochées du livre IX des *Confessions,* ces quelques pages prennent une signification qui fait oublier leur souriante légèreté. Évoquant son entrée en « réforme » — quand il se retire à l'Ermitage —, l'auteur des *Confessions* dresse un bilan des ouvrages qu'il avait alors en chantier : les *Institutions politiques* (dont l'idée première, on l'a vu, datait de Venise) ; un « extrait des ouvrages de l'abbé de Saint-Pierre » ; un livre dont le titre, s'il avait vu le jour, eût été « la morale sensitive[11], ou le matérialisme du sage ». Jusqu'alors la morale selon Rousseau se présentait comme morale du cœur. Il est manifeste qu'il s'agit ici d'autre chose.

Reproduire intégralement ce passage des *Confessions,* c'est marquer son affinité avec le *Persifleur :* « J'en méditais un troisième dont je devais l'idée à des observations faites sur moi-même, et je me sentais d'autant plus de courage à l'entreprendre que j'avais lieu d'espérer faire un livre vraiment utile aux hommes, et même un des plus utiles qu'on pût leur offrir, si l'exécution répondait dignement au plan que je m'étais tracé. L'on a remarqué que la plupart des hommes sont dans le cours de leur vie souvent dissemblables à eux-mêmes et semblent se transformer en des hommes tout différents. Ce n'était pas pour établir une chose aussi connue que je voulais faire un livre : j'avais un objet plus neuf et même plus important. C'était de chercher les causes de ces variations et de m'attacher à celles qui dépendaient de nous pour montrer comment elles pouvaient être dirigées par nous-mêmes pour nous rendre meilleurs et plus sûrs de nous. Car il est sans contredit plus pénible à l'honnête homme de résister à des désirs déjà tout formés qu'il doit vaincre (variante : « résister aux désirs qu'il doit vaincre »), que de prévenir, changer ou modifier ces mêmes désirs dans leur source, s'il était en état d'y remonter. Un homme tenté résiste une fois parce qu'il est fort, et succombe une autre fois parce qu'il est faible ; s'il eût été le même qu'auparavant il n'aurait pas succombé.

En sondant en moi-même et en recherchant dans les autres à quoi tenaient ces diverses manières d'être je trouvai qu'elles dépendaient en grande partie de l'impression antérieure des objets extérieurs, et que modifiés continuellement par nos sens et par nos organes, nous portions sans nous en apercevoir, dans nos idées, dans nos sentiments, dans nos actions mêmes l'effet de ces modifications. Les frappantes et nombreuses observations que j'avais recueillies étaient au-dessus de toute dispute, et par leurs principes physiques, elles me paraissaient propres à fournir un régime extérieur qui, varié selon les circonstances, pouvait mettre ou maintenir l'âme dans l'état le plus favorable à la vertu. Que d'écarts on sauverait à la raison, que de vices on empêcherait de naître si l'on savait forcer l'économie animale à favoriser l'ordre moral qu'elle trouble si souvent ! Les climats, les saisons, les sons, les couleurs, l'obscurité, la lumière, les éléments, les aliments, le bruit, le silence, le mouvement, le repos, tout agit sur notre machine et sur notre âme par conséquent ; tout nous offre mille prises presque assurées pour gouverner dans leur origine les sentiments dont nous nous laissons dominer. Telle était l'idée fondamentale dont j'avais déjà jeté l'esquisse sur le papier, et dont j'espérais un effet d'autant plus sûr pour les gens bien nés qui, aimant sincèrement la vertu, se défient de leur faiblesse, qu'il me paraissait aisé d'en faire un livre agréable à lire, comme il l'était à composer. » (408-9)

L'idée que les variations d'une âme ne sont pas pur caprice, mais expression sensible de rapports cachés a cheminé dans l'esprit de Rousseau. Et la conviction que la connaissance de ces rapports est possible, qu'est donc possible une maîtrise de soi, possible une sagesse, cette conviction s'est fortifiée. Elle sera au centre d'*Émile,* car si ce « matérialisme du sage » n'a pas fait l'objet d'un traité séparé, on en retrouvera l'inspiration dans le « système d'éducation » dont parle cette même page des *Confessions.* Mais il faut dès maintenant noter que l'art d'agir dont Rousseau esquisse ici le programme, un art fondé sur de fidèles et fréquentes « observations » de nos rapports avec le milieu, sur une connaissance raisonnée des impressions reçues par notre sensibilité physique, de leurs inconscients effets sur nos idées, nos sentiments, nos conduites, cet art d'agir *sur soi,* de se prévoir, de se gouverner, de se régler est au service d'une sagesse prévenante. Jean-Jacques se connaît faible. La sagesse n'est-elle pas de s'épargner les

ROUSSEAU

durs combats qu'il devra livrer s'il ne sait pas, à temps, empêcher que se forment et s'aiguisent les désirs, les passions tyranniques ?

Mais, au-delà de Jean-Jacques lui-même, et du bon usage qu'il aimerait faire pour soi d'une science des « causes de ces variations » décrites dans le *Persifleur,* le « matérialisme du sage », tel qu'il nous apparaît dans le récit que font les *Confessions* de ces années d'apprentissage parisien, n'annonce-t-il pas le concept fondamental d'*éducation négative* qui sera au centre d'*Émile ?* Pour qu'Émile advienne à l'humanité il faut le préserver des rapports viciés qui naissent quotidiennement dans une société où « l'homme de l'homme » trahit « l'homme de la nature ».

Entre le *matérialisme du sage* et le concept d'*éducation négative* se place toutefois le changement décisif qui ne s'était pas encore opéré au temps du *Persifleur.* Pris en soi, le projet d'une « morale sensitive » n'implique pas une critique du lien social. Il peut convenir à un « sage » qui, s'il a le souci de « gouverner » sa vie, n'a pas celui d'enseigner aux hommes le principe enfin trouvé d'une société convenable à la libre nature de l'homme. Le concept d'*éducation négative,* s'il a lien étroit avec le matérialisme du sage, se situe au-delà. Il signifie que Rousseau se donne la représentation d'une humanité dédoublée : une humanité-nature, une humanité-histoire. Et que Rousseau ne se satisfait plus de la recherche d'une sagesse pour soi. Le projet de sagesse se repense en un contexte neuf : celui de la contestation du lien social, à la lueur d'une « théorie de l'homme » et d'une philosophie politique.[12]

NOTES DU CHAPITRE 1

1. C'est le temps où l'adolescent se fixe un plan d'études. La lecture matinale des ouvrages de « philosophie » le plonge dans les ténèbres de la contradiction toujours renaissante, mais il prend le parti de se laisser porter par ses auteurs, sans impatience et sans dispute. Ainsi se fait-il un « magasin d'idées, vraies ou fausses, mais nettes » ; ce qui était s'instruire. « Au bout de quelques années passées à ne penser exactement que d'après autrui, sans réfléchir, pour ainsi dire, et presque sans raisonner, je me suis trouvé un assez grand fonds d'acquis pour me suffire à moi-même et penser sans le secours d'autrui. » (*C.* 237)

2. La lecture de l'Ancien Testament étant indispensable à qui veut connaître et fréquenter Rousseau, mentionnons ici l'*Ecclésiastique,* dont on reparlera au prochain chapitre : recherche, apprentissage, description minutieuse d'une sagesse. Bien des thèmes chers à Jean-Jacques sont repérables. Possession de soi ; bonheur protégé (la tente) ; joie du cœur, etc. On sait d'autre part l'importance focale donnée par Montaigne (dont Rousseau est familier) à l'opposition être en soi/être hors de soi. Voir notamment *Essais* (*I.* 3) : « La plus commune des humaines erreurs » : « ...aller toujours béant après les choses futures », cet « à venir » sur lequel nous n'avons « aucune prise », quand il faudrait apprendre à nous saisir des « biens présents ». « Nous ne sommes jamais chez nous, nous sommes toujours au-delà. » Le thème se retrouve en Pascal, sous un autre jour. En La Bruyère aussi (Rousseau reçoit La Bruyère) par lecture directe — l'expression « toujours contraire à moi-même » lui est probablement soufflée par l'auteur des *Caractères,* et par Le Maître de Claville, dont Jean-Jacques a lu attentivement le *Traité du vrai mérite.*

3. *Le Traité de sphère* fut édité par Streckheisen-Moultou dans *Œuvres et correspondance inédites de J.-J. Rousseau,* 1861, p. 192-212. Nous citons le *Verger* sur l'édition de la Pléiade II, p. 1123-1129.

4. Deux remarques. **a)** Si l'image de la sphère s'accorde, en Rousseau comme en d'autres, avec un projet de « sagesse », elle n'en a pas moins un enracinement affectif dans ce besoin de tendre protection, d'intime et maternelle sécurité qui transparaît dans le récit des Charmettes. **b)** L'étude de la philosophie et des sciences ne démobilise point la conscience religieuse de Jean-Jacques aux Charmettes. Il découvre les écrits de Port-Royal et de l'Oratoire ; le P. Hémet, jésuite, est son confesseur. Dès cette époque, en dépit des jansénistes, il demande à sa « conscience » de l'assurer que l'enfer n'existe pas. Encore lui faut-il un « signe » de son salut : la pierre jetée d'une « main tremblante » et qui, pour le soulagement du jeune homme, touche l'arbre « au beau milieu » (*C.* 243).

5. Ce poème donne un répertoire des lectures savoyardes de Rousseau : Montaigne et La Bruyère, Huyghens et Fontenelle, Horace et Platon, Leibniz et Malebranche, Descartes et Pascal, Rainaud (Reynaud) et Newton, Pline et Nieuwentit, Locke et Le Maître de Claville, l'abbé Prévost et Fénelon, Plutarque, Legendre de Saint-Aubin, Pope, Rollin, d'autres encore. « Et toi touchant Voltaire. » Dans une lettre de 1736, où Jean-Jacques commande un certain nombre d'ouvrages à Barrillot, libraire genevois, il exprime son « extrême passion » d'avoir le *Dictionnaire historique et critique* de Bayle. Il prie Barrillot de prendre quelques « précautions » pour l'envoi de cet ouvrage ; « nous avons ici des gens qui prennent ce judicieux critique pour un magicien... » (CC.I, 37).

6. Dans la *République* de Platon le *νοῦς* (transcription française : « nous » ; prononcer l's) s'entend, pour reprendre la formulation de P.M. Schuhl (*l'œuvre de Platon,* 3ᵉ éd., 1961), comme « partie raisonnante » de l'âme.

7. On en peut juger par la correspondance diplomatique rédigée par Rousseau. Elle est présentée, publiée, annotée par Jean-Daniel Candaux dans *Œuvres complètes de Rousseau* (III), bibliothèque de la Pléiade, Paris 1964.

8. Rousseau écrit « annoblit » (comme en *Nouvelle Héloïse,* 632). Nous modernisons l'orthographe, mais il importe d'observer, avec Littré, que notre langue ne faisait pas encore la distinction entre « anoblir » et « ennoblir ».

9. La page des *Confessions* sur Altuna importe fort à notre propos. L'Espagnol offre à son ami le spectacle d'une vertu à toute épreuve et d'une vie incomparablement *réglée* : « Il est incroyable qu'on puisse associer autant d'élévation d'âme avec un esprit de détail portée jusqu'à la minutie. Il partageait et fixait d'avance l'emploi de sa journée par heures, quarts d'heure et minutes, et suivait cette distribution avec un tel scrupule que si l'heure eût sonné tandis qu'il lisait sa phrase, il eût fermé le livre sans achever. De toutes ces mesures de temps ainsi rompues, il y en avait pour telle étude, il y en avait pour telle autre ; il y en avait pour la réflexion, pour la conversation, pour l'office, pour Locke, pour le rosaire, pour les visites, pour la musique, pour la peinture ; et il n'y avait ni plaisir ni tentation ni complaisance qui pût intervertir cet ordre. Un devoir à remplir seul l'aurait pu. » (328-9)

10. Ces pages ont été longuement étudiées par M. Raymond, B. Munteano, J. Starobinski. Elles seront partiellement reprises bien plus tard quand Rousseau écrira *Rousseau juge de Jean-Jacques, Deuxième Dialogue* (817-8).

11. « Morale sensitive » — l'adjectif se retrouvera dans cette « raison sensitive » qui joue un si grand rôle dans l'*Émile*. M. Yvon Belaval nous a suggéré une influence de l'abbé du Bos. Une première édition des *Réflexions critiques sur la poésie et la peinture* venait de paraître en 1740 ; au t. II l'auteur traite des effets du climat, de cette « disposition de l'air qui afflige nore machine » (146). Mme Leduc-Fayette (*Revue philosophique,* 1978, numéro J.-J. Rousseau) décèle une influence cartésienne sur matérialisme du sage et morale sensitive.

12. **a)** Signalons l'intérêt pour qui s'intéresse à la formation philosophique de Rousseau d'une lettre du 17.1.1742 à M. de Conzié. Longtemps ignorée, présentée par J. Nicolas dans *Jean-Jacques Rousseau 250ᵉ anniversaire,* numéro spécial des *Annales de la Société des études robespierristes,* 1962, elle aurait pu trouver place dans le recueil de *Lettres philosophiques* publié par M.-H. Gouhier. Rousseau défend Pope contre l'accusation d'« épicuréisme » ; dans la *Quatrième Épître,* sa morale s'élève « presque de niveau avec celle des Évangiles ». Mais opposition à Pope sur deux points décisifs : quoi qu'en dise le poète, impossible de savoir si la chaîne des Êtres aboutit à Dieu ; comme Montaigne, Pope tente vainement d'assurer par l'instinct un passage de l'animal à l'homme. On mesure la portée future de ces options : 1. les vérités qui retiendront Rousseau ne seront pas « métaphysiques », mais « morales » ; 2. le dualisme âme-machine.

b) L'objet de ce chapitre n'est pas d'évoquer tous les aspects de l'apprentissage de Rousseau. Mais ne faut-il pas marquer que celui qui fut dès l'adolescence travaillé par un projet de sagesse et qui entreprendra plus tard sa « réforme intellectuelle et morale » n'a pu se lancer dans la musique sans construire un système de « nouveaux signes » qu'il présente en août 1742 à l'Académie des sciences. La *Dissertation sur la musique moderne* est publiée peu après. Le très inégal combat engagé bientôt contre Rameau vaudra au Genevois l'animosité, ou les moqueries de maints historiens. On y reviendra. Quoi qu'il en soit des erreurs et des excès de Rousseau, croire qu'on peut le soustraire à l'histoire de la musique serait s'exposer aux risques d'une explication avec la grande ombre de Gluck, dans l'Hadès des musiciens.

CHAPITRE 2

La « réforme »

« Je gagnerai ma vie et je serai homme »

Début 1738. Sitôt prise la résolution de ne plus revoir Mme de Larnage, Jean-Jacques devient « un autre homme » (*C.* 260).

Octobre 1749. Jean-Jacques va rendre visite à Diderot, incarcéré à Vincennes. Apprenant par le *Mercure de France* la question mise au concours par l'Académie de Dijon (« si le progrès des sciences et des arts a contribué à corrompre ou à épurer les mœurs ? »), il devient « à l'instant [...] un autre homme » (351).

Même formule ; autre contenu. Ce n'est plus le classique rappel au devoir qu'une conscience s'est tracé ; « ...je redevins celui que j'étais auparavant et que ce moment d'ivresse avait fait disparaître » (260) C'est l'éveil de l'écrivain à un « autre univers ». Au pied d'un arbre, Rousseau crayonne la prosopopée de Fabricius. Rousseau écrira le 12 janvier 1762 à M. de Malesherbes : « ...Si j'avais jamais pu écrire le quart de ce que j'ai vu et senti sous cet arbre, avec quelle clarté j'aurais fait voir toutes les contradictions du système social, avec quelle force j'aurais exposé tous les abus de nos institutions, avec quelle simplicité j'aurais démontré que l'homme est bon naturellement et que c'est par ces institutions seules que les hommes deviennent méchants. » (*LMM.* 1135-6).

Il n'avait pas rallié Paris après Venise pour rompre ses attaches avec l'aristocratie du sang et de l'argent. Et l'intense labeur près de

Mme Dupin, qui le charge notamment d'explorer les papiers de l'abbé de Saint-Pierre, le prépare aux œuvres de maturité. Mais le foudroyant succès du *Discours sur les sciences et les arts* (publié par les soins de Diderot fin 1749, début 1750) lui paraît signe que sa vocation n'est pas d'être un « livrier » comme tant d'autres, prêts à publier n'importe quoi pour qu'on les connaisse, mais d'être le témoin de la vraie vie. Dès février-mars 1751, il prend congé de M. de Francueil ; « ... de caissier d'un financier je devins copiste de musique. » (363) A dix sous la page. « Je gagnerai ma vie et je serai homme. Il n'y a point de fortune au-dessus de cela. »[1]

D'Alembert s'était élevé contre la domestication des « gens de lettres » (entendez aussi les savants) par les grands et les riches.[2] Mais si l'auteur du *Discours* entre en « réforme » — une réforme qui commence par son vêtement —, ce n'est pas pour travailler au triomphe d'une voltairienne aristocratie de l'esprit. La polémique déclenchée par le *Discours* entraînera cet amant du repos dans un combat sans trêve. De campagne en campagne, de l'Ermitage à Montlouis, celui qu'une misérable pollakiurie invite aux solitudes boisées écrit en quelques années *la Nouvelle Héloïse,* le *Contrat social, Émile.*

Avant de tenter la carrière des lettres pour s'y tailler, lui aussi, sa place, Jean-Jacques s'était souhaité le paisible bonheur du sage, maître de soi. Il apprendra désormais que, pour conquérir la paix du cœur et se trouver maître et content de soi, il faut savoir souffrir les tourments de l'écrivain en « réforme », bientôt persécuté. Le choix du retrait champêtre ne sera ni clôture d'une contestation entre une âme et le « siècle », ni renfermement sur une singularité anomique, mais défi d'une conscience à la fausse communication, affirmation d'un droit humain à l'authentique universalité.

La quête personnelle du bonheur va donc s'ancrer dans une critique de « toutes les contradictions du système social » (*LMM.* 1135). Et le plus dur ne sera pas d'entrer en « réforme », mais de persévérer. « Je pris brusquement mon parti avec assez de courage, et je l'ai assez bien soutenu jusqu'ici avec une fermeté dont moi seul peux sentir le prix, parce qu'il n'y a que moi seul qui sache quels obstacles j'ai eus et j'ai encore tous les jours à combattre pour me maintenir sans cesse contre le courant. » (*LMM.* 1136) Comment ses confrères et les gens d'esprit lui pardonneraient-ils de prétendre accorder sa vie à ce qu'il écrit ? De quel droit s'est-il investi de mission pour la « cause de l'humanité »[3] ? Trois mois aux champs, et vous verrez le contestataire rentrer dans la ronde parisienne.[4]

Réveiller l'humain

Avril 1756. Rousseau et Thérèse s'installent à l'Hermitage, aménagé pour eux par Mme d'Épinay, épouse éclairée d'un fermier général. Jean-Jacques ne veut point de son argent ; mais le logis rustique...
Après une nuit « marquée par le premier chant du rossignol », Jean-Jacques s'éveille à la vie nouvelle. Le vocabulaire de l'éveil, du réveil, de la renaissance est cher à Rousseau. Lumière du matin ; éclosion de l'âme. Seconde naissance ; régénération. La filiation johannique se reconnaît.[5] Comme la maïeutique socratique et le monitorat malebranchien[6]. Mais c'est au siècle des Lumières que Rousseau veut réveiller l'humain.[7]
Les premières pages de ce chapitre pourraient laisser croire que la « réforme » s'est brutalement effectuée. Suivre pas à pas ce qui fut processus exigerait de très longues pages. Au moins devions-nous marquer, et l'on y reviendra, le lien de fait entre les transformations d'une pensée et les impératifs d'un combat.
« Je crois avoir découvert de grandes choses » (*PLB*. 103), écrivait-il deux ans après la publication du *Ier Discours*. Mais ne doit-il pas ostensiblement changer sa vie pour que les hommes dégénérés de leur « bonté primitive » (105) reconnaissent qu'il a qualité pour les rappeler (par son exemple et par son œuvre) à la vérité qui régénère ? Porté quoi qu'il en ait par la pensée du siècle, Rousseau n'est pas moins assuré que les « philosophes » — fabricants de « systèmes » auxquels il oppose le sien —, ou les économistes, ou Montaigne, que l'être de l'« homme » est tout entier présent à tout membre de notre espèce. Il est donc postulable que chacun de ceux pour lesquels Rousseau écrit peut de droit (sinon toujours en fait) identifier dans la parole de l'homme Rousseau la vérace humanité qui habite tout individu, mais qui ne se déclare qu'à l'homme de bonne foi. Montesquieu ne professait-il pas que l'homme peut aussi bien « connaître sa propre nature lorsqu'on la lui montre », et « en perdre jusqu'au sentiment lorsqu'on la lui dérobe »[8] ? Si la « réforme » n'avait d'autre objet que l'édification d'une sagesse pour soi pourquoi Rousseau prendrait-il parti de tant écrire pour les autres ?
Le jeune Henri Beyle lui reprochera de n'avoir pas su accepter la société du temps pour s'y frayer un chemin.[9] Mais pour Rousseau le « siècle de fer » loué par Voltaire n'est pas celui d'un bonheur humain. Un tel bonheur n'est (ne serait) possible que par mutation des « rapports » entre hommes. Pour dépasser le conflit entre notre vérité d'essence et ce qu'a fait de nous l'histoire du lien social. Individu, couple, famille, cité... le « système » de Rousseau se veut cohérent et complet, commandé par un projet unique. Il s'agit chaque fois de savoir comment les intérêts de l'humanité seront enfin reconnus, enfin servis. De définir chaque fois les conditions auxquelles doit satisfaire

l'existence humaine (individuelle ou communautaire) pour être humain en effet. On n'en finirait pas de souligner les contradictions de Rousseau, et ces oscillations qu'il décrit avec un tel plaisir. Mais il s'est voulu témoin et moniteur d'humanité. On est assuré de toujours le retrouver là.

Rompant avec la gent littéraire, le Genevois ne brise pas son écritoire. N'est-il pas temps que l'humanité soit labourée par le soc du vrai ? « Chacun a sa vocation sur terre ; la mienne est de dire au public des vérités dures, mais utiles ».[10] Sans doute n'espère-t-il pas « la réformation des hommes ». « Je sais qu'ils se moqueront de moi parce que je les aime et de mes maximes parce qu'elles leur sont profitables [...]. Mais j'aime mieux essuyer leurs railleries que de partager leurs fautes, et quoi qu'il en puisse être de leur devoir, le mien est de leur dire la vérité ou ce que je prends pour l'être : c'est à une voix plus puissante qu'il appartient de la leur faire aimer. » (104)

Et le même texte, mûri, ardent, rigoureux, présente le « Discours de Dijon » comme un « corollaire » d'un « système vrai mais affligeant » dont il n'a pas « développé du premier instant toute l'étendue ». Car, assure-t-il, « ce n'est point J.-J. Rousseau que je veux défendre ; il a dû se tromper souvent : toutes les fois qu'il me paraîtra dans ce cas, je l'abandonnerai sans scrupule, et sans peine, même lorsqu'il aura raison, pourvu qu'il ne soit question que de lui seul [...]. Mais quant au système que j'ai soutenu, je le défendrai de toute ma force aussi longtemps que je demeurerai convaincu qu'il est celui de la vérité et de la vertu... » (*PLB.* 105).

« Vitam impendere vero »

C'est dans la *Lettre à d'Alembert,* qu'il reprend la devise empruntée par l'abbé Rozier à Juvénal : *Vitam impendere vero,* soumettre sa vie au vrai. Relisant désormais Ancien et Nouveau Testaments, n'est-il pas encouragé par une exhortation de l'*Ecclésiastique* à défendre la vérité quoi qu'il en coûte ?

Si l'on en croit les *Confessions,* la poursuite d'une grande œuvre au service du vrai justifiait l'abandon du troisième enfant et des deux suivants. Porter les deux premiers aux Enfants-Trouvés n'avait été que suivre la pente où l'entraînaient ses amis d'un moment, qui pratiquaient ainsi... (*C.* 344) Si le nouveau Jean-Jacques n'accomplit pas « le plus saint des devoirs de la nature »[11], c'est parce que le fardeau familial, faisant ployer un auteur besogneux, quémandeur, avili, le priverait de l'indépendance indispensable au service de l'humanité. Choisir entre les enfants et l'œuvre. Aussi bien, la maladie qui l'accable ne va-t-elle pas, il en est sûr, l'achever prochainement ?[12]

LA « RÉFORME »

Rousseau exalte la vie domestique dans l'*Héloïse,* mais les joies et les peines de la famille seront refusées à Thérèse et Jean-Jacques. Mais quoi ! Les enfants confiés à l'hospice recevront la « rustique éducation » qui fera d'eux des artisans « plus heureux que leur père »...

Si Mme Dupin de Francueil sermonne Jean-Jacques (faut-il procréer des enfants qu'on ne peut nourrir ?), Rousseau la renvoie aux « injustes lois » d'une société faite pour les puissants : « ... La terre produit de quoi nourrir tout le monde, mais c'est l'état des riches, c'est votre état qui vole au mien le pain de mes enfants. » (20.4.51 ; CC.II, 143) « [...] vous ne voyez pas que, suivant toujours les préjugés du monde, vous prenez pour le déshonneur du vice ce qui n'est que celui de la pauvreté. »

Au livre IX des *Confessions,* Rousseau fera valoir une raison « plus forte » que celle qu'il expose à Mme Dupin de Francueil : ne pas livrer l'éducation des enfants à la famille de Thérèse, famille abusive qui fait son malheur, et celui de sa compagne. Quoi qu'il en soit, il portera toujours le remords de cet abandon. Le lecteur du premier livre d'*Émile* ne peut s'y tromper. « ...Lecteurs, vous pouvez m'en croire. Je prédis à quiconque a des entrailles et néglige de si saints devoirs qu'il versera longtemps sur sa faute des larmes amères, et n'en sera jamais consolé. » (*E.* 263) Il écrira pourtant à M. de Saint-Germain que mieux vaut être le père « infortuné », qui pleure sa « faute », que le « méchant » divulgateur qui s'en fait une arme contre celui qu'il veut abattre pour de tout autres raisons. (26.2.70 ; *LPh.* 200).

« Le seul portrait d'homme... »

Que l'anonyme libelle écrit par Voltaire (fin 1764) contre celui qui est tout ensemble père dénaturé et pendable « semeur de séditions » à Genève ait décidé Rousseau à écrire ses *Confessions,* on le présume. Mais dès l'Hermitage, sollicité par son éditeur Rey, il prenait de premières dispositions pour rédiger ses « mémoires ». La lecture des *Confessions* et de la *Quatrième Promenade* fait entendre que l'intention d'autobiographie, discernable déjà dans les *Lettres à Malesherbes,* avait pris forme avant l'atroce révélation de l'abandon des enfants. Le projet doit bien davantage à une faute d'un autre ordre. Laquais à Turin (à seize ans), il accuse publiquement une jeune servante du vol d'un ruban qu'il a dérobé, pour le lui offrir. Pareil mensonge, qui provoque le renvoi de l'honnête Marion, ne fut pas l'œuvre d'un méchant. « L'invincible honte » d'être, lui présent, reconnu voleur, menteur, calomniateur, insuffle à l'adolescent le courage d'accabler l'innocence. Il confirmera, dans ses *Rêveries,* que ses mensonges sont « tous venus de faiblesse » (*R.* 1039) ; ce qui l'excuse « très mal ». Sans doute n'oublie-t-il pas que, dans le droit-fil biblique, l'enseignement calviniste ne fait pas grâce au menteur. Essentielle à l'intelligence des *Confessions,*

41

cette *Quatrième Promenade* est une méditation sur la vérité et le devoir de vérité. (Kant, à la fin du siècle, reprendra la question sur une autre base : il fera valoir, contre Benjamin Constant, une argumentation qui fait ricochet contre Rousseau.)[13]

La vérité « générale et abstraite... le plus précieux de tous les biens » est « l'œil de la raison ». « C'est par elle que l'homme apprend à se conduire, à être ce qu'il doit être, à faire ce qu'il doit faire, à tendre à sa véritable fin. » On reviendra sur cette fonction pédagogique et normative d'une raison qui découvre à l'homme-individu l'Ordre qu'il doit vouloir pour accomplir les fins de l'espèce Homme. Mais la « vérité particulière et individuelle » peut être un bien, un mal, ou très souvent chose indifférente. Ni H. Roddier, ni M. Raymond, éditeurs des *Rêveries,* n'observent l'analogie avec le statut de la volonté dans le *Contrat social ;* infaillible est la volonté générale dans l'énoncé du bien commun, contingente est la finalité des volontés particulières qui s'accordent ou non à la volonté générale, ou n'ont aucun rapport avec elle.

Tout homme, où qu'il se trouve, a « droit » de connaître les quelques vérités qu'il doit de toute nécessité connaître pour être heureux. Le « frustrer » de ce « bien », c'est « commettre le plus inique de tous les vols », puisque la connaissance de ces vérités est un de « ces biens communs à tous dont la communication n'en prive point celui qui la donne ».(*R.* 1026) Rousseau ne condamne pas toute dissimulation d'une vérité, encore moins toute fiction, mais la conduite de celui qui cèle une vérité due à autrui. Il met ainsi en équation « l'utile » (selon l'Ordre « moral ») et le juste. C'est donc du plus grave mensonge qu'il s'avoue coupable : il a calomnié Marion.

Se posent alors les questions que nul utilitarisme ne peut esquiver. Si l'obligation de dire la vérité ne se fonde que sur son utilité, « comment me constituerai-je juge de cette utilité » ? (*R.* 1027) L'expérience enseigne que la contradiction des intérêts (au public, au privé, ou entre l'un et l'autre) rend malaisé un pertinent usage du critère d'utilité. Difficulté de l'aléatoire, puisque je ne suis jamais assez assuré de connaître « tous les rapports de la chose » pour juger équitablement. Il y a plus : l'examen de ce que je dois aux autres me dispense-t-il de ce que je ne dois qu'à moi-même, de ce que je dois à la vérité « pour elle seule » ? Ne jamais faire injustice à autrui par nuisible tromperie, cela suffit-il pour être « toujours innocent » ? Redoutable interrogation pour qui écrit ses *Confessions.*

Il sera facile, croira-t-on, de se délivrer de tant de questions « embarrassantes », en concluant que toute vérité est à dire, quoi qu'il advienne. La justice étant elle-même « dans la vérité des choses », le mensonge est toujours « iniquité », l'erreur est toujours « imposture » « quand on donne ce qui n'est pas pour la règle de ce qu'on doit faire ou croire ».

Trancher ainsi ne serait pas résoudre, dès lors que Rousseau ne raisonne point sur le principe d'un universel énoncé du vrai, mais veut pratiquement définir la casuistique d'une obligation : comment discerner les cas où la vérité est « rigoureusement due », et trouver une « règle » pour les connaître et les « bien déterminer » ? Toute obligation étant, non de concept, mais de conscience, on entend sans surprise la réponse de Jean-Jacques : la règle cherchée et la « preuve de son infaillibilité », c'est dans le « dictamen » de sa conscience plutôt que dans les « lumières » de sa raison qu'il l'a déjà trouvée !

« Jamais l'instinct moral ne m'a trompé : il a gardé jusqu'ici sa pureté dans mon cœur assez pour que je puisse m'y confier, et s'il se tait quelquefois devant mes passions dans ma conduite, il reprend bien son empire sur elle dans mes souvenirs. C'est là que je me juge moi-même avec autant de sévérité peut-être que je serai jugé par le souverain juge après cette vie. » (*R.* 1028)

Le couplage conscience-instinct moral apparaît trois fois dans cette méditation. Jean-Jacques n'en doute pas plus dans les *Rêveries* qu'en *Émile*, « le cœur de tout homme de bonne foi avec lui-même, qui ne veut rien se permettre que sa conscience puisse lui reprocher » (cœur et conscience ont ici même sens), n'est pas moins apte que Rousseau à opérer les « distinctions » entre imposture, fraude, calomnie. Il y a donc une « limite exacte » entre tout mensonge qui, d'une manière ou d'une autre, offense la justice, et la « fiction » qui ne profite ni ne nuit à soi-même et aux autres. (*R.* 1030)

Rousseau n'oubliant pas qu'il écrivit *l'Héloïse* précise ici que, si l'on peut, sans mentir, dire d'un être imaginaire tout ce qu'on veut, un jugement erroné de l'auteur sur la « moralité des faits » inventés mérite blâme. Les privilèges de l'imaginaire laissent intacte l'obligation de la « vérité morale, cent fois plus respectacle que celle des faits ».

De l'hégémonie reconnue à la vérité morale Rousseau déduit une irréductible différence entre l'homme vrai et les gens qu'on répute vrais dans le monde. La véracité de leur propos est à toute épreuve tant que leurs intérêts ne sont pas en cause. Sitôt qu'il s'agit d'eux-mêmes, la « prudence » leur paraît légitimer n'importe quel déguisement et tout mensonge avantageux (dont ils s'abstiennent eux-mêmes, mais qu'ils savent adroitement encourager chez ceux qui l'accréditent). Toute contraire est la conduite de l'homme vrai. Aussi fidèle à la vérité qui l'accuse qu'à celle qui l'honore, et prêt à « s'immoler » pour celle qui lui coûte le plus à dire, il s'autorise les fictions qui ne font tort à personne. Un tel « alliage » (*R.* 1032) entre sincérité et fabulation n'altère-t-il pas le pur, l'« ardent amour de la vérité » (*R.* 1031) dont Jean-Jacques s'honore ? Non, justice et vérité étant à ses yeux synonymes. Dès lors qu'est rendu à chacun « ce qui lui est dû », la « sainte vérité » que Jean-Jacques « adore » (*R.* 1032) est respectée. Ainsi fait récurrence, chez le Rousseau des derniers ans, l'impératif qu'il avait, jeune, si vivement ressenti d'une justice distributive. Et la cité ne sera égale, pour l'auteur du *Contrat,* que si nul ne s'approprie le bien d'un autre, que si la liberté d'aucun des sociétaires n'est aliénée à une volonté étrangère. On ne s'étonne donc pas qu'en cette *Quatrième Promenade,* Rousseau conjoigne sa philosophie de la vérité, sa philosophie de la justice et du droit. Mentir, c'est voler.

D'où suit que la question topique, pour qui veut juger des *Confessions,* n'est point de demander si le récit est toujours stricte relation des « circonstances ». Un Rousseau « déjà vieux » ne pouvait manquer de combler des lacunes en imaginant des détails (pourvu qu'ils ne fussent « jamais contraires » aux souvenirs préservés). Ce que le lecteur est en droit d'exiger, c'est la vérité que l'auteur lui doit sur ce que fut et ce qu'est J.-J. Rousseau en personne.

Or Rousseau considère qu'il n'a « rien tu, rien dissimulé » qui fût à sa « charge » (1035) — même s'il s'est, parfois, involontairement présenté « de profil » (1036), comme l'a fait Montaigne pour cacher le côté difforme. Il lui paraît aujourd'hui qu'il a eu tort pourtant de taire en plusieurs occasions le bien qu'il pouvait dire de lui-même.

« S'il faut être juste pour autrui, il faut être vrai pour soi, c'est un hommage que l'honnête homme doit rendre à sa propre dignité. » (1038) Pour ne pas manquer à sa maxime de véracité, l'auteur des *Confessions* aurait dû se trouver autant de courage pour évoquer ses bonnes actions qu'il sut en avoir pour avouer ses fautes.

Ce rappel de la *Quatrième Promenade* nous est indispensable parce qu'il aide à mieux évaluer les difficultés que Rousseau ne pouvait aussi clairement discerner quand naquit le projet d'écrire sa vie.

N'avait-il pas présumé de ses forces en se voulant intégralement vérace ? Mais il a découvert aussi que le « connais-toi toi-même » du temple de Delphes n'était pas une « maxime si facile à suivre » (*R.* 1024) qu'il l'avait cru dans ses *Confessions.* L'authenticité morale du livre n'en demeure pas moins, à ses yeux, irrécusable.

On peut donc présumer que l'auteur apaisé des *Rêveries,* qui n'écrit plus que pour lui-même, ne renie pas le préambule altier qu'il avait écrit pour ses *Confessions* entre 1766 et 1770, quand il se sentait de toutes parts cerné par les trameurs de « complot ». « Voici le seul portrait d'homme, peint exactement d'après nature et dans toute sa vérité, qui existe et qui probablement existera jamais. Qui que vous soyez que ma destinée ou ma confiance ont fait l'arbitre du sort de ce cahier [Rousseau ne veut pas que les *Confessions* soient éditées de son vivant], je vous conjure par mes malheurs, par vos entrailles, et au nom de toute l'espèce humaine de ne pas anéantir un ouvrage unique et utile, lequel peut servir de première pièce de comparaison pour l'étude des hommes, qui certainement est encore à commencer, et de ne pas ôter à l'honneur de ma mémoire le seul monument sûr de mon caractère qui n'ait pas été défiguré par mes ennemis. » (*C.* 3)

Mais, dès l'ébauche des *Confessions,* il avait compris que pareille entreprise le mettrait à rude épreuve. « Il faudrait pour ce que j'ai à dire inventer un langage aussi nouveau que mon projet : car quel ton, quel style prendre pour débrouiller ce chaos immense de sentiments si divers, si contradictoires, souvent si vils et quelquefois si sublimes dont je fus sans cesse agité ? » (*Fr.A.* 1153) Comment écrire, en effet, et comment parler pour se faire écouter des contemporains et des générations futures quand on est Jean-Jacques Rousseau ?

Il confie à Moultou le 20 janvier 1763 que « l'histoire d'un homme qui aura le courage de se montrer *intus* et *in cute* (intérieurement et sous la peau) peut être de quelque instruction à ses semblables ; mais cette entreprise a des difficultés presque insurmontables ; car malheureusement n'ayant pas toujours vécu seul je ne saurais me peindre sans peindre beaucoup d'autres gens, et je n'ai pas le droit d'être aussi sincère pour eux que pour moi, du moins avec le public et de leur vivant ».(CC.XV, 70 *sqq.*)

Rousseau n'en persévère pas moins. Contre l'idéalisation des uns, la calomnie des autres, il trace le devenir d'une âme et d'une vie, depuis la prime enfance. Remarquable est le début de la deuxième lettre à Malesherbes (12.1.1762). Il expose comment « l'opposition » entre les « deux contraires » qui « composent » le « fond » de son « caractère » ne lui paraît pas s'entendre par un recours à des « principes ». Mais « j'en puis du moins donner par les faits une espèce d'historique qui peut servir à la concevoir ». Une enfance captivée par l'imaginaire éveille en lui ce « goût héroïque et romanesque » qui l'écarte et le dégoûte de tout ce qui ne ressemble pas à ses « folies ». Puis l'enchaînante histoire d'un rapport conflictuel avec la « société des hommes » (*LMM.* 1134-5).

Il sait ce que son « caractère », sa sensibilité, sa pensée ont retenu de cette aventure unique. Il lui faut donc se remémorer à haute voix pour que tous l'identifient ; et simultanément pour que Jean-Jacques lui-même acquière possession de sa différence à travers ce narré d'une formation sans pareille, d'une existence sans équivalent. Voilà pourquoi la conscience qu'il prend aujourd'hui de soi implique ressouvenir des temps de bonheur ou d'épreuve. Ainsi cette *Quatrième Promenade* où sa dévotion au vrai, sa vertu de sacrifice se comprennent sous rappel de deux moments de son enfance ; ou cette ultime page, illuminant souvenir d'un lointain jour de Pâques fleuries, quand son âme, « forme » encore indécise, trouva, près de Mme de Warens, le chemin de sa découverte.

L'auteur des *Confessions* nous dit que sa mémoire la plus fidèle est celle de ses sentiments. Mais il ne peut l'actuer pour lui-même et pour son lecteur sans recomposer indivisément cette histoire d'une âme et le tableau d'une société, des sociétés qu'il a vécues, qu'il juge. Sinon l'individu Rousseau ne serait pas le découvreur et le dépositaire de la plus déchirante vérité (bien autre chose qu'un péché originel...) : société n'est pas humanité. Et Jean-Jacques ne serait ni connu ni reconnu.

L'histoire de Rousseau a donc un *sens,* qui ne s'est pas livré d'abord, mais que ses *Confessions* dévoilent et manifestent, graduelle épiphanie.

Dans la pénombre de toute mémoration opère un pouvoir d'imaginer le temps passé, ce qu'il fut ou ce qu'il dut être. Une lisibilité est ainsi discernable dans le revécu, que le vécu n'avait pas. Pour l'auteur des *Confessions* une finalité pensable désormais orientait dès les premiers ans le parcours de sa vie. « J'étais destiné à devenir par degrés un exemple des misères humaines. On dirait que la providence qui m'appelait à ces grandes épreuves écartait de la main tout ce qui m'eût empêché d'y arriver. » (*C.* 205) La vie du Genevois accomplit une destinée qui intéresse l'entière humanité. Il lui paraît que, dans la description « d'un sort qui n'a point d'exemple chez les mortels » (418) et dans l'absolue dissemblance de cet « être à part », tout lecteur identifiera l'irrécusable image de l'espèce Homme essentiellement reconnue ; « ... livre précieux pour les philosophes : [...] une pièce de comparaison pour l'étude du cœur humain, et c'est la seule qui existe » (*Fr.A.* 1154). Si la découverte réfléchie de ma différence se fait au miroir d'un autre, quiconque est impatient de s'initier à soi-même en l'humanité devra lire les *Confessions* de J.-J. Rousseau. « ...j'ai résolu de faire faire à mes lecteurs un pas de plus dans la connaissance des hommes, en les tirant s'il est possible de cette règle unique et fautive de juger toujours du cœur d'autrui par le sien ; tandis qu'au contraire il faudrait souvent pour connaître le sien même, commencer par lire dans celui d'autrui. Je veux tâcher que pour apprendre à s'apprécier, on puisse avoir du moins une pièce de comparaison ; que chacun puisse connaître soi et un autre, et cet autre ce sera moi. » (*Fr.A.* 1149)

Ainsi chacun de ceux qui se connaîtront par ce livre — le Livre —, s'unira d'indissoluble compagnonnage à l'homme irrépétable, puisque la nature a brisé le moule où elle l'avait « jeté » (*C.* 5) ; le plus irréductiblement autre entre tous les autres. Sa providentielle singularité est signe de l'universel. Sa voix retrouve, recueille, et transmet (s'il se peut) l'inflexion de l'essentiel.

Réactivant une leçon de méthode qu'il avait formulé vers 1745 en son *Idée de la méthode dans la composition d'un livre* — « ... je me hâterais d'examiner l'homme par ses relations » (Pl. II 1245) — et qui allait fructifier par toute son œuvre, il écrit au terme du 8e livre des *Confessions :* « Pour me bien connaître il faut me connaître dans tous mes rapports bons et mauvais. Mes confessions sont nécessairement liées avec celles de beaucoup de gens. » (*C.* 400) Aussi le voyons-nous, dans la si riche ébauche de Neuchâtel, réfuter l'objection de ceux pour qui Rousseau « n'étant qu'un homme du peuple » n'a « rien à dire qui mérite l'attention des lecteurs ». « A compter l'expérience et l'observation pour quelque chose, je suis [...] dans la position la plus avantageuse où jamais mortel, peut-être, se soit trouvé, puisque, sans avoir aucun état moi-même, j'ai connu tous les états ; j'ai vécu dans tous depuis les plus bas jusqu'aux plus élevés. » Situation propice aux comparaisons

LA « RÉFORME »

éclairantes... « Admis chez tous comme un homme sans prétentions et sans conséquence, je les examinais à mon aise ; quand ils cessaient de se déguiser je pouvais comparer l'homme à l'homme, et l'état à l'état. N'étant rien, ne voulant rien, je n'embarrassais et n'importunais personne ; j'entrais partout sans tenir à rien, dînant quelquefois le matin avec les Princes et soupant le soir avec les paysans. » (*Fr.A.* 1150-1)

Cette exceptionnelle position lui donne avantage sur presque tous ceux qu'il côtoie. Il excelle, lui qui aime se présenter comme inapte à sortir de soi, à peindre les milieux qu'il fréquente. On trouvera malaisément, pour ne retenir qu'un exemple, un auteur de ce temps qui décrive avec une telle pénétration la mentalité des gens qui n'ont jamais manqué de rien et cette innocente façon qu'ont les nantis les mieux intentionnés de blesser la dignité du pauvre. « Les Grands ne connaissent que les Grands, les petits ne connaissent que les petits [...] Dans des rapports trop éloignés, l'être commun aux uns et aux autres, l'homme, leur échappe également. » (*Fr.A.* 1150)

Dans le *Discours sur l'inégalité*, il recomposait l'histoire du genre humain. Mais, s'il ne pouvait être l'historien de la société de son temps, il est, témoin de lui-même, témoin de cette société. Le texte des *Confessions,* mieux encore parfois les *Dialogues* (quelle que soit la part de l'autosuggestion), nous enseignent comment l'écrivain a conçu, ressenti la réciproque intériorisation de l'individuel et du social. Connaître les hommes par la société, la société par les hommes : programme d'Émile voyageur. En un siècle où de vieilles communautés sont menacées ou détruites par l'expansion du rapport marchand, où bien des hiérarchies et des privilèges s'avouent un avenir incertain, où bien des pouvoirs sont désacralisés, Jean-Jacques n'est pas un marginal, c'est un migrant. Son perpétuel apprentissage de la vie, de la société, de lui-même pousse le déraciné d'un pays vers un autre, d'un métier vers un autre. Le fils d'artisan, issu d'une moyenne bourgeoisie appauvrie, sera l'apprenti maltraité. Plus tard employé au greffe, au cadastre. Laquais chez les grands avant de tenir la plume du secrétaire ou les livres de comptes. D'une ville à l'autre précaire pédagogue, diplomate subalterne et congédiable, compositeur, écrivain...

Rousseau est mieux placé que beaucoup pour réfléchir — ainsi le jeune gentilhomme Émile apprenant le rabot — sur l'ébranlement de ce qui se croyait immuable, sur les mutations du couple individu-société ; et pour concevoir l'intimité du social à l'individuel, de l'universel au singulier. Ce que la singularité de l'individu Jean-Jacques révèle à tout lecteur, c'est l'universalité de l'humain. « Je sens mon cœur et je connais les hommes. » (*C.* 5) Sa voix ne s'élève pas pour sommer ses contemporains de tout quitter, de le suivre, mais pour que soit enfin porté à chacun l'insoupçonnable signe de ce qu'est l'homme en vérité.

On comprend mieux dès lors que la première finalité de ce qui s'appellera les *Confessions* soit propédeutique. En Jean-Jacques Rousseau par lui-même raconté tel qu'il fut, tel qu'il est, témoin de l'humanité souffrante et révoltée, chacun s'instruira de sa condition et de ses devoirs d'homme[14].

Quel amour ?

Imprévisible effet de sa retraite, lorsque Jean-Jacques s'éloigne de Paris, sa pugnacité faiblit. Le révolté s'était-il pris pour un autre ? Il a voulu s'« élever » au-dessus de sa « nature » ; mais la lumière de l'Hermitage le rend à lui-même. Et voici le contempteur des « livres efféminés qui respiraient l'amour et la mollesse » écrivant avec délices un long roman d'amour en pays de Vaud.

Or la « seconde révolution » (*C.* 418) qui s'opère en lui n'est pas retour à la vie antérieure. Pas plus qu'hier il ne donne raison à la « société » contre lui. Mais il comprend qu'il n'en aura jamais fini avec lui-même. « Dès lors mon âme en branle n'a plus fait que passer par la ligne de repos, et ses oscillations toujours renouvelées ne lui ont jamais permis d'y rester. » (*C.* 417)

La « seconde révolution » n'invalide pas le projet de « réforme ». Car cette Julie née d'une ivresse du cœur, et d'un besoin d'aimer qui n'a pas encore trouvé son « objet » est, tout autant, le roman d'une idée. Puisse le charme de jeunes gens qui savent aimer révéler aux « partis » qui s'affrontent — intolérants dévots, intolérants « philosophes » —, l'imaginable humanité !

Or c'est à l'Hermitage, où tout recommençait si bien dans la commémoration du printemps des Charmettes, que Jean-Jacques, ayant cru restaurer son unité profonde, va souffrir les plus cruels déchirements. Amitié brisée. Amour impossible. Impossible assouvissement de cet « inextinguible besoin » d'une « société intime » (414) qui ne s'éteindra qu'avec lui. Fallait-il, pour gagner le droit d'enseigner à ses frères humains ce qu'est bonheur, n'avoir soi-même en partage que le rêve d'un « bonheur imaginaire » (431) ?

Rousseau n'a pas eu la chance de Voltaire, ardemment aimé d'une femme de haut esprit. « J'ai toujours regardé le jour qui m'unit à ma Thérèse comme celui qui fixa mon être moral. » Jean-Jacques trouve en elle cette simplicité de cœur qui n'est qu'au « peuple » en cette société-comédie où le sentiment lui-même est simulé. Mais, quelle que soit la fidélité d'un « attachement à l'épreuve du temps et des torts » (*C.* 413), il n'a « jamais senti la moindre étincelle d'amour » pour Thérèse (414). A celle dont il essaie vainement de former l'esprit (elle ne sait ni compter ni lire l'heure) ne fallait-il pas bien des vertus pour affronter les difficultés quotidiennes et supporter Jean-Jacques jusqu'au bout ? Si elle avait pu écrire ses « confessions »...

Fût-il « peuple » comme il veut l'être, comment Rousseau aimerait-il une femme sourde au langage de la culture ? Mais quel amour pourrait naître et durer entre Jean-Jacques et les femmes qui n'accèdent à la culture que par privilège du « rang » ? Si leur compagnie a bien des attraits, il y a toujours entre elles et lui quelque malentendu du cœur.

Le malheur de Jean-Jacques en son temps s'éclaire ici. Son site est introuvable.

L'histoire de la passion d'un Jean-Jacques de quarante-cinq ans pour Sophie d'Houdetot, fille d'un fermier général, belle-sœur de Mme d'Épinay, a été maintes fois relatée. Ce n'est pas la jeune femme qui inspire à Rousseau l'héroïne de son roman, c'est Julie qui lui inspire celle dont il s'éprend aux premiers jours d'avril 1757. « ...j'étais ivre d'amour sans objet » (440). Il rêve une Sophie l'aimant. Une des lettres qu'il lui envoie est un chef-d'œuvre d'autosuggestion amoureuse. (Sophie dansant regarde Jean-Jacques deux fois...) Mais la comtesse aimera toujours Saint-Lambert, qui est alors sous les armes (guerre de Sept Ans), et qui lui recommande le meilleur Mentor, « M. Rousseau ».[15]

Rapportant ces événements, le récit des *Confessions* (IX) reconstitue le portrait d'un Rousseau bien éloigné de ce que sa « réforme » attendait de lui. Il tente d'abord de mobiliser tout ce qui peut l'aider à surmonter sa passion. « Mes mœurs, mes sentiments, mes principes, la honte, l'infidélité, le crime, l'abus d'un dépôt confié par l'amitié : le ridicule enfin de brûler à mon âge de la passion la plus extravagante, pour un objet dont le cœur préoccupé ne pouvait ni me rendre aucun retour ni me laisser aucun espoir ! » Échec. Pis ! Le dernier argument qu'il forge (cette passion, « loin d'avoir rien à gagner par la constance, devenait moins souffrable de jour en jour ») (*C*. 441), cet argument même se renverse en l'effet contraire. « Quel scrupule, pensai-je, puis-je me faire d'une folie nuisible à moi seul ? » (442) Raisonnement à contre-raison. Je suis fou, mais c'est ma folie, n'en ai-je pas besoin pour exister ? Je suis fou, mais non Sophie ni le marquis de Saint-Lambert. Qu'on me laisse donc à ma folie, qu'on me la laisse. D'où suit que Sophie a bien tort d'inviter le « citoyen » à se libérer doucement, patiemment de sa passion. La sagesse ne serait-elle pas plutôt d'accepter qu'il vive en cette chimère qui n'est qu'à lui ? Voilà comment délire, extravagance peuvent s'entendre avec Rousseau-maître-chez-soi, Rousseau accordé à lui-même et ne devant rien à personne. Suis-je pour Mme d'Houdetot un jeune cavalier redoutable ? Aucun risque pour elle.

Pourquoi dès lors ne pas se confier à la logique d'un aussi sage emportement ? Rousseau sophiste annule les puissants motifs de Rousseau moraliste. Les « mœurs » sont sauves, les « sentiments » restent purs, les « principes » sont intacts. Et pourquoi éprouver la « honte » puisque cette passion reste une affaire intérieure entre moi et moi ? Elle ne me place pas sous le regard des autres. Sophie d'ailleurs n'est pas femme à violer un secret. Saint-Lambert n'aura rien à me

ROUSSEAU

reprocher. Aucune infidélité, aucun abus de confiance. L'amitié est
sauve.

Pour la préserver, cette amitié, Sophie souhaite que la passion de
Rouseau se sublime en cette « intime et douce société que nous pouvions
former entre nous trois »[16] (441) ; mais Jean-Jacques veut à la fois
choyer sa passion et cultiver l'amitié. Et puisque, quoi qu'il arrive,
Sophie aime et aimera Saint-Lambert, quel inconvénient y a-t-il pour
elle à ce que Rousseau continue de s'enfiévrer ? « ...tout ce que j'ai le
plus véritablement désiré d'elle dans mon délire était qu'elle se laissât
aimer. » (462) Ainsi la « considération » qui devait faire pencher la
balance contre la passion (une passion qui, paraît-il, n'avait rien à
« gagner par la constance » (441), fait pencher la balance en faveur de
la passion. La passion ne peut avoir tort. Sans doute parce qu'elle
avait raison d'avance. Rousseau ne nous a-t-il pas dit plus haut
— racontant la genèse de Julie — qu'il aimait « sans objet » ? Ne faut-
il pas que Sophie d'Houdetot trouve son lieu dans le monde que
l'imagination de Jean-Jacques ordonne ? Enfermé dans ses idéalités,
mérite-t-il le moindre reproche ? Va-t-on lui interdire d'exister ? « Eh,
pauvre Jean-Jacques, aime à ton aise en sûreté de conscience, et ne
crains pas que tes soupirs nuisent à Saint-Lambert. » (C. 442)

Quelques pages encore... On va voir qui mérite des reproches et
devrait avoir mauvaise conscience. Saint-Lambert « était trop sensé
pour confondre une faiblesse involontaire et passagère avec un vice de
caractère ». « S'il y avait de ma faute dans tout ce qui s'était passé, il
y en avait bien peu. Était-ce moi qui avais recherché sa maîtresse,
n'était-ce pas lui qui me l'avait envoyée ? N'était-ce pas elle qui m'avait
cherché ? pouvais-je éviter de la recevoir ? Que pouvais-je faire ? *Eux
seuls avaient fait le mal* (nous soulignons), et c'était moi qui l'avais
souffert. A ma place il en eût fait autant que moi, peut-être pis ... »
(C. 462) C'est donc Jean-Jacques la victime. Qu'avaient donc ces
imprudents à chercher la compagnie de « l'ours » ?

A douze ans d'intervalle, Rousseau se juge lucidement. Mais le lecteur
des *Confessions* est en droit de se demander si le Jean-Jacques de
l'autojustification n'est pas la seconde figure d'un personnage qu'il
abhorre et condamne : le professeur séducteur. Rôle tenu auprès de la
jeune Mme de Warens par son « maître de philosophie » (voir livre V).
M. de Tavel et M. Rousseau abusent l'un et l'autre de la confiance qui
leur est faite. L'un et l'autre pourtant, le « philosophe » corrupteur et
l'antiphilosophe, se donnent l'absolution par un discours bien enchaîné.
Et ce n'est pas un hasard si, au livre IX comme au livre V, Rousseau
prononce le même mot : « sophisme ». Ici et là chacun se flatte de ne
pas troubler le « repos » du mari (ou de l'amant) ; chacun s'assure que
scrupule et remords sont superflus. Et si Sophie d'Houdetot ne risque
rien puisque l'amour de Jean-Jacques n'est que passion du cœur, la
jeune Mme de Warens ne risquait pas davantage : M. de Tavel « lui
persuada que la chose en elle-même n'était rien, qu'elle ne prenait

d'existence que par le scandale, et que toute femme qui paraissait sage, par cela seul l'était en effet » (197-8). Le Tavel que nous peint Rousseau est semblable à l'image que le « réformé » se fait du « philosophe » toujours prêt à mettre un raisonnement au service de ses passions. Mais le Jean-Jacques qui se décrit au livre IX agit-il autrement ? Si la « raison » des « philosophes » n'est bonne qu'à détruire les « scrupules », à donner le change, M. Rousseau ne s'est-il pas fait à l'Hermitage, le temps d'une folie amoureuse, cette philosophie pour « philosophe » ? « Coupable sans remords je le fus bientôt sans mesure. » (C. 442).

Eût-il écrit autre chose du vilain M. de Tavel ? Rousseau a voulu, par la « réforme », briser les idoles et le joug de l'« opinion ». Tel était son vœu en faisant retraite à la campagne. L'« opinion » nous condamne à paraître ce que nous ne sommes pas, à être ce que nous ne paraissons pas. Et voici que, pour se justifier, il devenait ce qu'il détestait : un joueur qui ruse avec son jeu, un raisonneur qui se donne le change.

Mais, si sévère soit l'auteur des *Confessions* pour ce Jean-Jacques égaré, les similitudes entre le langage de sa propre critique et celui dont il use pour juger Tavel n'autorisent pas l'identification. Ce Tavel n'était qu'un habile homme, chasseur froid de plaisirs où le cœur n'est rien. Mais Sophie d'Houdetot fut aimé de Jean-Jacques. Quand la vague reflue, quand il compose pour elle — philosophie cathartique d'un amour transmué —, ces *Lettres morales* inachevées qu'elle ne lira jamais, ce n'est point pour se reprocher de l'avoir aimée. Il ne se pardonne pas une dérive passionnelle. Mais pour l'auteur des *Lettres morales* et de l'*Héloïse* l'amour n'en est pas moins, d'essence, irrécusablement bon. Aimer sans être aimé est un malheur, mais qui n'a jamais aimé n'a pas vécu.

« La crise[17] est faite, écrit Jean-Jacques à Mme d'Houdetot ; les indignités que j'ai souffertes ont fait la révolution dont j'avais besoin. Me voilà rendu à moi-même et à mes maximes. » (11.1.58 ; CC.V, 18) L'épreuve surmontée authentifie Rousseau. Il ne s'est pas donné le change. C'est bien à lui qu'il est réservé de faire entendre la vérité de l'homme. Et si sa destinée lui refuse le bonheur d'être aimé, elle lui confie la tâche de l'imaginer. Imaginer, c'est écrire.

Quelle amitié ?

« ...Si je suis un méchant, que tout le genre humain est vil ! Qu'on me montre un homme meilleur que moi... » (à S. d'H., 2.11.57 ; CC.IV, 333).

L'autocélébration du réformé, refuge du vrai, n'est-elle pas légitimée par la certitude que l'immédiate universalité de l'humain se fait parole en lui ? Au lendemain de la Révolution française, la critique d'une société qui ne tient pas ses promesses, la féconde investigation de chemins nouveaux se feront d'abord entendre par la voix des grands solitaires élus.

Mais quand on se veut Jean-Jacques Rousseau, ne faut-il pas — ainsi plus tard l'« apôtre » de Sandor Petöfi[18] — creuser entre soi-même et les enchaîneurs-enchaînés cet infranchissable espace au-delà duquel commence la liberté de vivre et de mourir pour la vérité. « Si le détachement d'un cœur qui ne tient ni à la gloire ni à la fortune, ni même à la vie peut le rendre digne d'annoncer la vérité, j'ose me croire appelé à cette vocation sublime. »[19]

Il n'est pas de mot plus cher à Rousseau que le mot « attachement ». Il n'en doute pas, nul cœur n'était mieux que le sien formé pour aimer. C'est donc à lui que sera demandé le plus héroïque « détachement ». Si même l'amitié lui est refusée, n'est-ce pas un signe que ses préférences contrarient cet « intérêt pour l'espèce » qui suffit à « nourrir [son] cœur » ? (LMM. 1144)

Mais il écrit, dans la même lettre à Malesherbes, que s'il n'a pas « besoin d'amis particuliers », perdre ceux qu'il a est un déchirement. L'accueil de l'Hermitage avait été fête de l'amitié. Vingt mois plus tard, rupture sèche, roide constat d'une expérience close. « L'amitié est éteinte entre nous, Madame... »[20]

On ne reprendra pas le cours des événements racontés par les historiens de Rousseau. Qui pourra jamais faire le juste partage des erreurs et des fautes, dénouer le drame jusqu'au dernier fil ? Difficile au lecteur de la correspondance de dissiper un malaise : Rousseau ne fait-il pas payer à Mme d'Épinay le mécontentement qu'il a de soi quand il se déprend de sa passion pour la belle-sœur de celle qui le reçoit à l'Hermitage ? Rien n'autorise à penser que Mme d'Épinay ait informé Saint-Lambert de l'aventure.

Une certitude. L'offre des Charmettes l'avait détourné d'un premier projet : s'installer à Genève, y gagner sa vie ; ses amis du parti populaire l'attendent. Sans doute Mme d'Épinay a-t-elle eu la maladresse de lui proposer, à son arrivée, rente ou pension. Cette « proposition » a glacé l'âme de l'écrivain. « Que vous entendez mal vos intérêts de vouloir faire un valet d'un ami. »[21] Pas encore le casus belli ; mais le germe. Il ne suffisait donc pas de fuir Paris pour sauver sa liberté ? Où que l'on soit, l'amitié ne peut vivre qu'entre ceux qui ne se doivent rien d'autre que les obligations de la commune humanité. Mais avec Mme d'Épinay et les siens un tel échange n'est pas permis. Le langage du calcul n'est pas celui de l'amitié. Jean-Jacques va se persuader qu'il ne peut se faire entendre de ceux pour qui l'amitié n'est qu'un nom qu'on donne aux services reçus et rendus.

Une longue lettre à F.M. Grimm, amant de Mme d'Épinay (émigré comme Jean-Jacques ; unique souci : parvenir), serait à reproduire intégralement. L'ennemi du calcul fait le compte de ce qu'il a reçu de Mme d'Épinay, et de ce qu'il lui a consenti. « A force de sollicitations, et même d'intrigues », elle a eu raison des résistances du Genevois. Elle bâtit pour son « ours » une agréable « petite maison » qui lui convient. Mais l'échange ne peut être équivalent dès lors que les bienfaits du riche aliènent la liberté du pauvre ; « ... j'ai toujours senti que j'étais chez autrui. »

Or la liberté telle que Rousseau la revendique est disposition de soi. Pouvoir négatif de ne pas faire ce que je ne veux pas, elle porte en elle l'originaire, l'indestructible positivité de l'amour de soi. Dans la volonté, dérivée et polémique, d'être à moi parmi tous les autres opère la volonté, ontologique et naturelle, d'être moi. Et nul homme n'a pouvoir d'abolir en lui cette loi première de l'humanité qui s'aime et qui se veut en chacun de ceux qui la composent, semblable à tous les autres et différent, dans cette passion qu'il a de soi. D'où se déduit qu'une « amitié » qui conteste le droit du pauvre à s'appartenir n'est que violence faite à l'humanité, violence dissimulée par les fleurs qui couvrent la « chaîne ». C'est l'appartenance du pauvre au genre humain qui est ainsi radicalement déniée, l'évidence de sa qualité d'homme qui est méconnue ; « ... où commence l'esclavage l'amitié finit à l'instant. »

Et voilà que Mme d'Épinay presse son hôte (malade) de se joindre à ses gens pour l'accompagner en grand équipage à Genève. « Votre ami, écrit Rousseau à Saint-Lambert, ira-t-il à la suite d'une Fermière générale étaler son esclavage et sa misère dans son pays ? » (28.10.57 ; CC.IV, 311) Que diront les démocrates genevois ? Ce « besoin » qu'a Mme d'Épinay d'un Rousseau empressé, zélé, omniprésent, ce n'est pas le besoin du cœur. Amitié ? « ... Un beau nom qui sert souvent de salaire à la servitude. J'aimerais toujours à servir mon ami pourvu qu'il soit aussi pauvre que moi. »[22] Toute association inégale désavantage le faible.

L'amitié ne mérite son nom qu'entre égaux. Dans le rapport entre riche et pauvre elle est parodie. Chacun s'abuse, abuse l'autre. Et le malentendu n'a pas sa source en une illusion d'amour-propre. C'est la constitution du rapport social qui place tout privilégié (argent ou naissance) à contre-humanité ; elle lui interdit simultanément de se reconnaître en n'importe quel homme et, par un inexorable effet en retour, d'être lui-même reconnu à la lumière de l'humanité. Ce motif central est repris dans *Émile* comme il l'est dans les *Confessions*.

« Dans votre rang on n'a point d'amis » écrira Rousseau au prince de Wurtemberg, « et jamais, dans quelque rang qu'on puisse être, on n'a pour amis les gens qui dépendent de nous ». (*LPh*. 116 ; 10.11.63). On rapprochera d'un passage des *Confessions*. « J'ai appris à douter qu'un homme jouissant d'une grande fortune quel qu'il puisse être, [il s'agit du baron d'Holbach, grand encylopédiste] puisse aimer sincèrement mes principes et leur auteur. » (*C*. 603)

Quoi qu'il en ait, la fréquentation de ces « gens opulents », d'« un autre état » que celui qu'il a « choisi », le distrait des devoirs qu'il ne doit qu'à lui-même et à l'humanité. Elle lui impose des contraintes qui lui interdisent de conduire librement son existence de « pauvre » au service de tous les hommes. Et la bonne volonté même des dames de qualité n'y peut rien. Elles croient l'obliger, soulager sa peine. C'est pour le mettre inconsciemment à la merci de leurs valets, qui lui font sentir la ricanante cruauté d'un « monde » où tout s'achète et se vend, où les hommes s'évaluent au poids des écus. Chacune des bontés que ces dames ont pour lui, les laquais la lui font payer cher.[23] La friponnerie du valet est le miroir d'une société où nul ne peut exister qu'à condition de s'asservir et d'asservir. Dans le comportement du laquais-tyran Rousseau perçoit les effets d'un système soumis à la loi d'une réciproque domestication. Les « institutions » ont plié les hommes, nés libres, au régime d'un assujettissement généralisé.

Qu'un « homme du monde », écrit Rousseau dans la deuxième préface de l'*Héloïse,* tente de « remuer un instant son âme pour la remettre dans l'ordre moral [= l'ordre humain]... » La « résistance invincible » qui « de toutes parts » contrarie son projet le contraint à « garder ou reprendre sa première situation ». « Je suis persuadé qu'il y a peu de gens bien nés qui n'aient fait cet essai, du moins une fois en leur vie ; mais bientôt découragé d'un vain effort on ne le répète plus, et l'on s'accoutume à regarder la morale des livres comme un babil de gens oisifs. » (*NH.* 19) Quelqu'un écrira plus tard sur cette « morale » qui a le dessous chaque fois qu'elle s'attaque à un vice.

Nul contemporain de Rousseau n'a mieux perçu que le rapport social n'est pas un simple mode d'être, mais qu'il nous forme du dedans, que son opération permanente et silencieuse sécrète en nous les habitudes, les prénotions qui nous font agir, sentir, penser, et tout ensemble l'illusion que chacun ne commence qu'avec soi-même.

Moraliste ? Rousseau le fut entre tous dans son siècle. Pourtant sa « réforme » annonce la fin des moralistes qui croient avoir le secret de changer les hommes sans que le monde qui les enfante ait à changer.

« La chose qui se pardonne le moins, écrira le Rousseau des derniers ans, est un mépris mérité. Celui que Jean-Jacques avait marqué pour tout cet ordre social prétendu qui couvre en effet les plus cruels désordres tombait bien plus sur la constitution des différents états que sur les sujets qui les remplissent, et qui par cette constitution même sont nécessités à être ce qu'ils sont. Il avait toujours fait une distinction très judicieuse entre les personnes et les conditions, estimant souvent les premières, quoique livrées à l'esprit de leur état, lorsque le naturel reprenait de temps à autre quelque ascendant sur leur intérêt, comme il arrive assez fréquemment à ceux qui sont bien nés. L'art de vos Messieurs fut de présenter les choses sous un tout autre point de vue et de montrer en lui comme haine des hommes celle que pour l'amour d'eux il porte aux maux qu'ils se font. » (*D.* 887-8)[24] Convaincu comme Socrate ou saint Augustin que la connaissance qui importe le plus à l'homme est de se connaître, Rousseau se propose l'étude des « rapports » dont la structure, la configuration, le jeu sous-tendent l'histoire des individus, leur façon d'être pour les autres et pour eux-mêmes. Si le premier devoir de « sagesse » est d'apprendre à nous connaître, c'est y manquer que d'être aveugle aux « rapports » qui mettent notre humanité à l'épreuve. Nous ne pouvons nous connaître que si nous savons analyser, fibre à fibre, le tissu de la vie sociale. Que les hommes s'entraident ou s'entre-tuent, ils ne sont ni plus ni moins hommes. Maîtrisez, changez ces « rapports » si vous voulez que les hommes soient humains.

On reviendra sur ce point capital. Retenons ici que l'expérience malheureuse de l'amitié avec Mme d'Épinay affermit en Jean-Jacques la conviction que le sentiment, malgré les apparences, ne dispose pas de tout pouvoir. Il ne peut pas faire pour les hommes plus que ce qu'ils ont fait d'eux-mêmes en tissant leur histoire. Et qui sait lire en lui y retrouvera cette histoire. Croire que le cœur est plus fort que la vie, illusion ![25]

Le philosophe et le « réformé »

Même l'amitié entre Rousseau et Diderot, à laquelle ils doivent tant l'un et l'autre, ne résiste pas. Leur séparation ne sera évoquée ici que dans le contexte de la « réforme ». Octobre 1752, Fontainebleau. En présence de Louis XV, éclatant succès du *Devin du village,* qui fait à Rousseau bien des envieux. Mais l'auteur refuse d'être présenté au roi ; « ...je me fous de tous vous autres gens de Cour [...], écrit-il à P. Jelyotte, tous les rois des la terre avec toute leur morgue, tous leurs titres et tout leur or ne me feraient pas faire un pas » (II-52 ; CC.II, 200). Jean-Jacques pensionné ? Jamais. Diderot raisonne autrement. Jean-Jacques pensionné, pourquoi pas ? Et n'est-ce rien que d'assurer enfin la sécurité des siens ?[26] C'est ainsi sur la question des rapports du créateur avec le pouvoir que s'élève un dissentiment. Et la « réforme » de Rouseau va l'entraîner à s'opposer aux « philosophes » sur la question, plus fondamentale, des rapports entre l'écrivain et la société.

On en peut juger par la dispute sur le sens de « solitude ». Recevant l'exemplaire du *Fils naturel* que Diderot lui envoie (mars 1757), l'hôte de l'Hermitage se sent visé par la terrible maxime : « Il n'y a que le méchant qui soit seul. » Mme Blandine McLaughlin l'a montré, c'est l'ensemble des répliques échangées par Constance et Dorval qu'il faut mettre en parallèle avec la situation de Rousseau. Ainsi *le Fils naturel* serait une sorte d'ultime message adressé à Rousseau[27], qui va bientôt se séparer des encyclopédistes.

Seul, le méchant ? Mais de quelle solitude parlez-vous ? demande Rousseau. La vraie solitude, c'est Paris. « C'est à la campagne, écrit-il plus tard, qu'on apprend à aimer et servir l'humanité. » (16.3.57 ; CC.IV, 179) Installé à Montlouis après l'Hermitage, il dissuade les ruraux d'envoyer leur enfant « se corrompre à la ville ». Quand on a composé *le Devin du village,* on ne parraine par l'urbanisation...

« Donner l'exemple aux hommes de la vie qu'ils devraient tous mener [...] ; oser de sa retraite faire entendre la voix de la vérité, avertir les hommes de la folie des opinions qui les rendent misérables ; [épargner s'il se peut à sa patrie] « l'établissement pernicieux » d'une Comédie (*LMM.* 1143), n'est-ce pas servir l'humanité ? Descartes, jadis, n'avait-il pas pris sa distance pour s'assurer aux Pays-Bas la liberté de penser[28] ? Rousseau ne se retire pas de l'humanité. Il s'émancipe d'une « société » qui l'enlève à lui-même, le dépossède de son identité, milieu où les « philosophes » se complaisent, quoi qu'ils prétendent. La vraie solitude n'est pas celle d'un auteur qui écrit le *Contrat, Émile,* et cette *Nouvelle Héloïse,* tableau d'un terroir vaudois protégé, où chacun jouit du droit et du charme d'être soi en humanisante convivialité. La véritable solitude, c'est celle de l'individu concurrentiel, disjoint de soi, entraîné dans l'interminable affrontement des intérêts, agent ou complice des machinations de pouvoir. Quelle humanité résisterait à l'implacable loi d'universelle ustensilité ? Et voilà Diderot qui croit bon de lui rappeler les services rendus ! Comme si lui, Jean-Jacques, n'avait pas jadis écrit à Mme de Pompadour pour demander qu'on l'enferme à Vincennes avec l'auteur infortuné de la *Lettre sur les aveugles !*

Thérèse confiera bien des années après la mort de Jean-Jacques qu'il pleurait en écrivant à Diderot cette lettre du 2 mars 1758 : « ...le plus grand crime de cet homme que vous noircissez d'une si étrange manière est de ne pouvoir se détacher de vous. » « [...] Cherchez, si je suis méchant, quel intérêt a pu me porter à l'être ? » Celui qui ne souhaite « que la solitude et la paix », pourquoi s'embarquerait-il « dans l'éternel manège des scélérats » ? (CC.V, 47-8) Fuit-on les hommes quand on veut leur nuire ?

Hélas, Diderot, né « bon et avec une âme franche », s'est laissé circonvenir par des gens habiles à se masquer pour le persuader que son ami de seize années porte le « masque d'un honnête homme ». Pauvre « philosophe ». Le pourfendeur des préjugés préjuge. Celui qui raisonne si bien sur les intérêts de l'humanité ne comprend pas les motivations de Rousseau réformé. L'ami pauvre des anciens jours n'est plus qu'un « homme du monde ». Grimm et Diderot sont devenus des « gens importants, j'ai continué d'être ce que j'étais et nous ne nous convenons plus » (à Mme d'Épinay, 16.3.57 ; CC.IV, 183).

Aux années soixante, dans le livre IX des *Confessions,* Rousseau prêtera aux « philosophes » de son siècle (y compris Diderot) le subtil double jeu d'une « doctrine intérieure ». Rappel de l'ésotérisme pythagoricien : sacrifice public aux dieux ; mais athéisme secret des membres de la secte.

Aux années soixante-dix, l'accusation s'alourdit. Objet d'une « secrète prédication » contre une « importune morale » la « doctrine intérieure » a pour but de détruire « toute religion, tout libre arbitre, par conséquent tout remords » (*D.* 967).

Quel chemin parcouru depuis ce jour où Rousseau menaçait de claquer la porte parce qu'on se riait en sa présence de la croyance en Dieu ! Il n'en avait pas moins collaboré, comme d'autres chrétiens, à l'*Encyclopédie*. Mais un Rousseau persuadé qu'il est environné d'ennemis ne verra plus les « philosophes » du siècle qu'en « chefs de parti ». Comme ces jésuites dont ils ont paru prendre le contre-pied, ils n'ont pour fin que de « régner despotiquement ». Par l'entremise de ces « multitudes de petits élèves » dont ils ont fait leurs exécutants. « S'il renaissait quelques vrais défenseurs du Théïsme, de la tolérance et de la morale », ils seraient soumis aux pires persécutions ; « ... une inquisition philosophique plus cauteleuse et non moins sanguinaire que l'autre ferait brûler sans miséricorde quiconque oserait croire en Dieu » (*D.* 968). Règne sans partage sur les vivants et les morts puisque, « devenus philosophes comme les autres » (*D.* 969), les prêtres qui recueilleraient un ultime aveu de repentir l'enfouiraient dans le secret de l'indissoluble conjuration.

Mais « l'ordre naturel se rétablit tôt ou tard » (*D.* 973). « La voix de la conscience ne peut pas plus être étouffée dans le cœur humain que celle de la raison dans l'entendement, et l'insensibilité morale est tout aussi peu naturelle que la folie. » Comment la « commode philosophie des heureux et des riches (*D.* 972) qui font leur paradis en ce monde » serait-elle celle de la « multitude victime de leurs passions », et qui a « besoin » de trouver au moins en cette vie « l'espérance et les consolations » que lui ôte une « barbare doctrine » (*D.* 971) ?

Le promeneur des *Rêveries* stigmatisera une fois de plus le double jeu des philosophes. La morale « sans racine et sans fruit » qu'ils déclament n'est que le masque d'une « morale secrète et cruelle, [...] qu'ils suivent seule dans leur conduite et qu'ils ont si habilement pratiquée à mon égard ». Morale « offensive », qui n'est « bonne qu'à l'agression » (*R.* 1022).

Duplicité des philosophes. Les prendre au mot, c'est se prendre au leurre. Ils professent l'humanité, mais servent des intérêts qui lui sont contraires.[29]

Ces pages des *Dialogues* et des *Rêveries* feront-elles oublier ce que « l'humanité » doit à ces « philosophes » que Rousseau traite ainsi ? Devra-t-on croire que, dénonçant eux aussi l'intolérance, ils donnaient le change sur leurs sentiments ? Et l'image de l'homme divisé est-elle moins présente à Diderot qu'à Jean-Jacques, le frère séparé ? Saint-Preux découvrait à Paris la confrérie des masques et des mimes ; il dénombrait les maîtres du faux-semblant. Ce que décrit le jeune intellectuel suisse, plébéien comme Rousseau, croyant lui aussi à l'immortalité personnelle et au Dieu justicier, le neveu de Rameau, bohème, et cynique, le rapporte à sa façon. « Pantomime » sans fin où chacun « prend des positions ». Le ministre « fait le pas de courtisan, de flatteur, de valet ou de gueux devant son roi ». Les ambitieux dansent en foule, chacun plus vil que l'autre, devant le ministre ; et l'abbé devant le « dépositaire de la feuille de bénéfices »[30]. Le roi lui-même prend des positions devant sa maîtresse et Dieu. Si Diderot ne publie pas un tel texte écrit vers 1762, l'année qui voit la condamnation d'*Émile,* est-ce parce que le « philosophe » s'accommode de ce que Saint-Preux réprouve ? Ou parce qu'il importe avant tout de conduire l'*Encyclopédie* à son terme, et qu'il n'oublie pas comment elle fut interdite quelques années plus tôt... ?

Voilà qui nous ramène à l'année 1758, quand Rousseau, ouvrant le feu sur d'Alembert lui-même, a fait publiquement savoir qu'il ne se comptait plus parmi les encyclopédistes. Entre lui et Diderot les désaccords d'idées étaient anciens[31], il n'en avait pas moins pris sa part de l'œuvre commune qui associait déistes, agnostiques, matérialistes, athées. La logique de la « réforme » éloignait Jean-Jacques de Diderot ; et il notera dans sa *Lettre à d'Alembert* qu'on ne peut être vertueux sans religion, contrairement à « l'opinion trompeuse » qu'il partagea « longtemps ». Mais ce n'est pas sur une question de philosophie ou de théologie que la rupture s'accomplira. C'est sur un problème de société, et de morale publique. Et l'enjeu, c'est Genève. Rousseau apprend de Diderot la prochaine publication de l'article *Genève* où d'Alembert (conseillé par Voltaire) souhaite qu'une « Comédie » ouvre bientôt ses portes dans la cité de Calvin. En trois semaines il écrit, contre ceux qui mettent sa « patrie » en danger, la *Lettre à M. d'Alembert sur les spectacles* (mars 1758).

L'argumentation, l'esprit sont d'un adversaire déclaré de ces « Genevois du haut étage » (*C.* 494) qui applaudissent d'Alembert. Le grand commerce de l'argent prospère à Genève. Liée à la France monarchiste, l'oligarchie est toujours prête à solliciter le concours du puissant voisin contre le mouvement populaire. Doter la ville d'un théâtre, aux frais des petites gens, ce n'est pas seulement se procurer enfin sur place l'aristocratique plaisir de la représentation ; c'est, en même temps qu'on cherche à détourner le bas Genève des devoirs de la vie publique, mettre en péril les traditions, les mœurs qui font la force d'une démocratie. Amorçant une audacieuse étude comparative des économies, des rapports sociaux, des cultures, Rousseau rejoint de Luc : d'Alembert n'a pas compris que « si les représentations théâtrales sont plus utiles que désavantageuses dans les grandes villes, où les occasions de se livrer au libertinage sont trop fréquentes d'ailleurs pour que la Comédie puisse être considérée comme une augmentation de pièges, et où le penchant au luxe est excité par tant d'autres moyens, il en est bien autrement de Genève, où la Comédie serait par conséquent beaucoup plus pernicieuse à la pureté des mœurs que nécessaire au progrès et au soutien des arts » (...). (Remarques sur l'article « Genève ».)

C'est le caractère d'un peuple qui doit donner au divertissement dont il a besoin sa qualité propre ; « ...quand le peuple est corrompu, les

spectacles lui sont bons, et mauvais quand il est bon lui-même »
(*LA.* 140).

Ce qui convient aux citoyens de Genève, ce n'est pas le séduisant
tableau des beaux sentiments raillés, de la vertu ridiculisée, pendant
que le parterre applaudit aux ruses d'un laquais, c'est la fête civique
dont un peuple entier est à la fois acteur et spectateur. Tel est le vrai
plaisir des hommes libres, comme l'enseignait Plutarque.

C'est en dernière page de la Préface, datée de Montmorency (20 mars),
que Diderot est frappé du coup qui lui était réservé : « Le goût, le
choix, la correction ne sauraient se trouver dans cet ouvrage. Vivant
seul, je n'ai pu le montrer à personne. J'avais un Aristarque sévère et
judicieux, je ne l'ai plus, je n'en veux plus, mais je le regretterai sans
cesse, et il manque bien plus encore à mon cœur qu'à mes écrits. »
(*LAS.* 49-50)

En note, flèche contre Diderot, une citation de l'*Ecclesiasticus liber,*
ici traduite : « Si tu as tiré l'épée contre ton ami, ne désespère pas ; il
peut revenir. Si tu as parlé contre ton ami, ne crains rien, sauf le cas
d'outrage, mépris, révélation d'un secret, coup perfide ; alors ton ami
s'en ira. » (XXII, 21-22) Secret trahi…, Rousseau croit-il que Diderot
a révélé à Saint-Lambert sa passion pour Sophie d'Houdetot ?

Dans son bel essai sur *Rousseau écrivain de l'amitié* (p. 112 *sq.,*
n. 41) William Acher, commentant l'emploi du nom d'Aristarque pour
désigner Diderot, rappelle que Fontenelle était l'Aristarque de l'abbé
de Saint-Pierre (si bien étudié par Jean-Jacques) ; et aussi que Malebranche, en ses *Conversations chrétiennes,* confronte l'objecteur Aristarque
et l'enthousiaste Éraste. Le thème de la recherche entreprise par
W. Acher appelait, croyons-nous, une référence à l'ensemble du texte
sapiental dont Rousseau détache un fragment. De longs passages de
l'*Ecclésiastique,* consacrés à l'amitié, offrent support à la méditation
de Rousseau. Il n'y a d'amitié possible, « le plus saint de tous les
pactes », qu'entre égaux ; le fort et le riche utilisent plus petit qu'eux.
Et c'est aussi dans l'*Ecclésiastique* qu'on peut lire : « Ne t'aplatis pas
devant un sot, /ne sois pas partial en faveur du puissant. /Jusqu'à la
mort lutte pour la vérité, /le Seigneur Dieu combattra pour toi. »[32]

Diderot, pourtant, s'était difficilement persuadé que, Rousseau
partant pour l'Hermitage, il fallait dire adieu au prestigieux collaborateur
de l'*Encyclopédie*. Jean-Jacques se plaît parmi les paysans de Montmorency, mais l'*Encyclopédie,* c'est à Paris qu'elle se fait. Comment bâtir
aux champs un dictionnaire raisonné des sciences, des arts, des métiers
qui puise sa matière, son esprit dans les ateliers, les académies, les
laboratoires, les bibliothèques, la rue ? Que ferait Diderot loin des
savants, des ingénieurs, des ouvriers ?

La correspondance de 1757 le montre, il a tenté de ramener le
combattant rebelle sur la ligne de feu ; « …malheur à celui qui vit et
qui n'a point de devoirs dont il soit esclave » (14.3.57 ; CC.IV, 172).
« Je sais bien que, quoi que vous fassiez, vous aurez pour vous le

témoignage de votre conscience ; mais ce témoignage suffit-il seul ? et est-il permis de négliger jusqu'à certain point celui des autres hommes ? » (vers le 23.10.57 ; CC.IV, 292)[33]

Le Genevois ne peut respecter son engagement de réforme que s'il tient ferme en sa retraite. Mais l'*Encyclopédie* ne peut être menée à bien, contre vents et marées, que par une équipe. Car Diderot n'est pas moins convaincu que Rousseau qu'il œuvre et peine pour l'humanité.

Sa conscience ne peut être en paix que si l'encyclopédiste instruit les hommes. Qu'il en soit ainsi, son dictionnaire sera la matrice du progrès ; le bonheur commun sera l'enfant des « lumières » du siècle. C'est justement ce que Rousseau ne croit pas. Et les ouvrages nés de sa retraite veulent signifier qu'il faudrait, pour rétablir l'humanité dans son droit au bonheur, régénérer le tissu de la vie sociale. Hors de là, l'essor des techniques, la division du travail, la diffusion des « lumières » servent à forger de nouvelles chaînes.

Qu'on lise l'article *Industrie* donné à l'*Encyclopédie* par Jaucourt qu'influence Quesnay. Croire que la machine réduira l'ouvrier sans emploi à la besace, erreur... ; « ...l'industrie semble être parvenue au point que ses gradations sont aujourd'hui très douces et ses secousses violentes fort peu à craindre ».

Quel optimisme ! Rousseau ne le partage pas. On sait combien s'accroît alors, à Paris, la population ouvrière. L'extension du salariat convient aux encyclopédistes, comme à Voltaire. Mais Rousseau pense et dit qu'il n'est pas de malheur plus grand que celui du producteur dépossédé du moyen de travail. Antagonisme sans recours... Contre le privilège du sang, contre l'arbitraire et l'abus, les encyclopédistes et Jean-Jacques sont solidaires de fait. Mais l'histoire du tiers état n'est pas moins celle de ses contradictions que celle de ses cohérences. On le verra, en France, au lendemain de 1789. Apparaît au grand jour le caractère contradictoire de cette liberté exaltée par la pensée du siècle. Le choc des intérêts conflictuels brise la belle identité notionnelle.

Au-delà de la *Lettre à d'Alembert,* le fondamental dissentiment qui oppose Rousseau aux encyclopédistes dérive de sa conception d'un lien social asservissant. Dès lors se perçoit mieux la signification pratique du procès sans fin contre cette « philosophie moderne » dont il est pourtant tributaire (exemple : l'amour de soi). Selon Rousseau, apôtre de la religion naturelle, le clergé des religions instituées capte l'aspiration à l'au-delà pour régner sur les âmes. Domination/Servitude... C'est dans cet infernal circuit qu'il ne craindra pas d'inscrire, au deuxième *Dialogue,* l'entreprise et la « doctrine » des « philosophes » du siècle. Si le culte des prêtres dévie et s'approprie un élan du cœur dont la liberté et le sens se reprennent dans la religion « naturelle », la « philosophie moderne » cultive un entendement qui n'écoute plus la voix de la conscience accordée à notre « nature » d'homme. Cet entendement diviseur en l'homme divisé a perdu sa règle parce que, portant « l'égoïsme de l'amour-propre à son dernier terme » (*D.* 890), la philosophie des « philosophes » est captive et complice d'une société où — comme l'écrivait Rousseau dès la préface à *Narcisse* — « les intérêts se croisent », où tout individu est soumis à la loi d'airain : imposer ou subir le pouvoir du plus fort. Sois maître pour n'être pas valet ; mais le maître lui-même est valet...

La fonction dévolue à la « philosophie » dans ce drame indéfiniment recommencé, c'est de coder le langage de la violence dans celui du discours philanthropique. Simulacre, simulation, elle est la bonne concience d'une société que la force a nouée. L'espèce Homme est perfectible. Mais quand les outils de l'intellect offrent à la volonté de puissance une prise affinée sur les consciences, c'est la libre essence de l'humain qui est radicalement contestée.

Espérer que la philosophie apporte aux hommes la *sagesse* n'est donc pas moins illusoire que d'attendre du progrès des Lumières qu'il purifie les mœurs. Le véritable office de la « philosophie », c'est d'avaliser la société comme elle est dans le moment où elle paraît la récuser. Et c'est de cette philosophie-là qu'une telle société a besoin. Le système du philosophe fait corps avec le système social. Et il faut que celui-ci soit ce qu'il est pour que la philosophie puisse former et tenir son discours.

L'authentique lieu du « philosophe » n'est donc pas la raison qu'il atteste, mais l'opinion qu'il flatte. Pis ! La « philosophie moderne » (autre chose que l'antique « sagesse ») n'est substantiellement qu'opinion, une opinion qui mime l'ordre rationnel. L'opinion en système. Au service d'intérêts qui sont illusoirement ceux de la pure humanité.

On pourrait observer, avec M.-P. Vernes[34], qu'une critique de ce type réduit les systèmes philosophiques à des idéologies — au sens pris de nos jours par un vocable qui n'existait pas encore et qui ne s'entendra point chez Destutt de Tracy comme chez Marx. Nous serions tenté nous-même par un rapprochement avec l'École de Francfort : Rousseau n'annoncerait-il pas de loin une critique des pouvoirs exercés par une raison instrumentalisée et calculatrice sur une société modelée par la bourgeoisie triomphante ? Les systématisations philosophiques incriminées apparaissant à Rousseau comme moyen de pouvoir social et spirituel sur le faible et le pauvre, il les récuse au nom de cet universel humain que sa « réforme » et sa parole ont pris en charge.

Mais n'y a-t-il pas, à toute époque, un lien organique entre les avancées, les problèmes de la connaissance et les conceptualisations philosophiques ? Comment confondre les effets intellectuels, moraux, politiques induits par ces travaux, et quelque subtil pilotage ou conditionnement de l'individu ? Rousseau pourfend les matérialistes. Mais les matérialismes qui se partagent un vaste champ de la pensée du siècle sont encouragés par les mutations, stimulés par les contradictions du corps social (comme l'est Voltaire, en son *Essai sur les mœurs*), et par les progrès de la mécanique, de la physique, de la chimie, de l'économie, de l'expérience et la réflexion sur le vivant. Il arrive même que l'antimatérialiste Rousseau soit le plus profond matérialiste de ce temps. Et s'il avait pu lire *la Religieuse,* dans quel « système » l'auteur de la *Profession de foi du Vicaire savoyard* eût-il inclus cette moderne critique des vocations contraintes ?

Plus simplement, comment imaginer que les pouvoirs temporels et spirituels d'Ancien Régime aient assez mal entendu leur cause pour frapper si sévèrement ces « philosophes » dont l'ordre établi n'avait rien à craindre ?

Or l'année même de la *Lettre à d'Alembert* et l'année suivante sont dures entre toutes pour Diderot. On n'est plus au temps où l'*Encyclopédie,* qui comptait des amis à Versailles, prenait son essor. Nous n'avons pas la lettre, envoyée vers le 10 janvier 1758, où Rousseau, effrayé par l'orage qui vient, adjure Diderot d'abandonner son entreprise si d'Alembert renonce. D'Alembert se retire en effet. Voltaire conseille de laisser là, ou de poursuivre à l'étranger. « Abandonner l'ouvrage, lui écrit Diderot, c'est tourner le dos sur la brèche et faire ce que désirent les coquins qui nous persécutent. » (19.2.58)

La monarchie affaiblie fait payer aux philosophes les désastres de la guerre de Sept Ans et l'attentat de Damiens sur la personne du roi. En 1759 le Parlement, puis le pape condamnent l'*Encyclopédie,* dont le privilège est révoqué par le Conseil d'État. Un arrêt oblige les imprimeurs à rembourser les souscripteurs. Interdiction de vendre et rééditer les volumes parus.

Pour l'animateur de l'*Encyclopédie* persécutée, l'auteur de la *Lettre à d'Alembert* déserte. Malmener à ce point le théâtre, n'est-ce pas servir les intérêts du parti prêtre ? Ce parti contre lequel, pour Diderot comme pour Voltaire, le théâtre est une arme de choix.

« [Rousseau] a pour lui les dévots », écrira quatre ans plus tard Diderot à Sophie Volland. « Il doit l'intérêt qu'ils prennent à lui au mal qu'il a dit des philosophes. Comme ils nous haïssent mille fois plus qu'ils n'aiment leur dieu, peu leur importe qu'il ait traîné le Christ dans la boue, pourvu qu'il ne soit pas des nôtres ! Ils espèrent toujours qu'il se convertira. Ils ne doutent point qu'un transfuge de notre camp ne doive tôt ou tard passer dans le leur : ou c'est du moins le prétexte dont ils s'enveloppent pour le protéger sans rougir. » (18.7.62)

Au début du siècle suivant, il est vrai, un christianisme restauré invoquera le parrainage posthume de Jean-Jacques. Mais telle ne devait pas être l'histoire des années proches. En 1762, les adversaires des « philosophes » concentraient leurs coups sur *Émile* et le *Contrat social.* La religion naturelle du citoyen de Genève et sa philosophie politique les inquiétaient plus encore qu'athéisme, agnosticisme, matérialisme. Rousseau avait tenté, par sa recherche d'une troisième voie, de tenir distance égale entre le parti philosophe et le parti prêtre. Mais les deux langages qui se défiaient, celui du « réformé » et celui du « philosophe », sont rabattus l'un sur l'autre par ceux qui proscrivent l'un et l'autre.

Ceux qui ne savent plus se voir qu'ennemis, l'ennemi commun les voit frères.

Quand viennent les années soixante-dix, la crise de la société met à l'épreuve l'espérance et l'esprit des « Lumières ». Rousseau s'éteindra le 2 juillet 1778 à Ermenonville. Diderot ne renie pas sa philosophie, il la repense. Mais, si Jean-Jacques réformé avait trouvé dans un héritage platonicien et cartésien la philosophie de sa sagesse, le Diderot de l'*Essai sur la vie de Sénèque* médite la sagesse de sa philosophie. Devenu républicain, il ne croit plus aux vertus d'un absolutisme éclairé. Il salue les Insurgents d'Amérique. Grimm ayant malmené l'abbé Raynal et cette *Histoire des deux Indes* où s'instruiront les Brutus à venir, Diderot ne lui pardonne pas : « Un des plus cachés, mais un des plus dangereux antiphilosophes. » Son âme s'est « amenuisée à Pétersbourg, à Potsdam, à l'Œil de Bœuf et dans les antichambres des grands ».[35]

Dictamen de la conscience

On oublierait, à lire l'antiphilosophe Rousseau, qu'au temps du *Discours sur l'inégalité* il défendait la cause des philosophes. Leurs adversaires, écrivait-il à Damilaville (1755 ?), leur prêtent des « sottises » pour n'avoir pas à « combattre les vérités qu'ils soutiennent » (CC.III, 80).[36] Mais, bien avant sa dissidence, il s'était reconnu un maître. « Il en a coûté la vie à Socrate pour avoir dit précisément les mêmes choses que moi. » (*DRB.* 73) Retenir la leçon de Socrate, ce n'est pas bricoler une de ces spéculations qui assurent un précaire avantage sur les confrères, mais professer l'« ignorance raisonnable » de celui qui, bornant sa « curiosité à l'étendue des facultés » (*Obs.* 54) que l'homme a reçues, ordonne son savoir aux moyens et aux finalités d'un autoperfectionnement moral. « La vérité que j'aime, écrit-il à Dom Deschamps, n'est pas tant métaphysique que morale. » (*LPh.* 66) La morale n'ayant sens pour lui que si le libre arbitre et la dualité âme-corps sont préservés, il est conduit à perpétuer une lignée philosophique que nous évoquerons plus d'une fois.

Un constat s'impose dès maintenant. Rousseau « réformé », témoin unique et défenseur solitaire de l'humanité, bientôt persécuté, ne peut chercher hors de lui un critère de cette vérité morale à laquelle il dévoue sa vie. C'est ainsi dans le refuge et l'intimité de sa « conscience », le plus « éclairé » des philosophes, qu'il trouve la lumière que le siècle des Lumières ne discerne plus. Il est présumable que c'est la lecture de Pierre Bayle qui suggère au Genevois ce « dictamen » qui s'explicite dans la lettre philosophique et morale à M. de Franquières (adepte, semble-t-il, de l'atomisme épicurien), accordée à l'inspiration du Vicaire savoyard. « Ne vous livrez à vos arguments que quand vous les sentez d'accord avec le dictamen de votre conscience, et toutes les fois que vous y sentirez de la contradiction, soyez sûr que ce sont eux qui vous trompent. » (1145)[37]

Rousseau ne croit pas moins que les autres penseurs du temps à cet « amour de soi » originel et naturel à l'homme-individu, principe affectif d'autoconservation. Mais, la socialisation faisant de chacun le concurrent des autres, l'intérêt spontané que tout individu se porte devient mobile d'un affrontement généralisé. Il faut donc que l'humanité, « nature » méconnue, mais indestructible et requérante, fasse entendre sa voix malgré tout ce qui la dénie. Tel est le dictamen de la conscience, qui assigne à l'individu le devoir de s'unir, d'intellect et de volonté — quoi qu'il en coûte —, aux intérêts de la pure humanité.

Quelques remarques...

1 — Le dictamen peut évoquer, comme l'observe P. Burgelin, le verbe intérieur des augustiniens. Entendu de tous, il apaiserait les conflits doctrinaux, dissoudrait les préventions excluantes, les préjugés persécuteurs. Aussi bien, pour Rousseau comme pour Pascal, la raison elle-même ne peut éluder le sentiment « interne ». « Otez la voix de la conscience et la raison se tait tout à l'instant. » (1re version *CS.*, variante p. 1423)

2 — La *Lettre à M. de Franquières* veut dissiper une confusion entre « les penchants secrets de notre cœur qui nous égare [et] ce dictamen plus secret, plus interne encore, qui réclame et murmure contre ces décisions intéressées, et nous ramène en dépit de nous sur la route de la vérité » (*LFr.* 1138). Ce « sentiment intérieur », c'est la nature même, protestant contre les « sophismes de la raison ». Ce sentiment que « nos philosophes admettent quand il leur est commode et rejettent quand il leur est importun... » (*D.* 972). Il n'y a dictamen que parce que l'homme de l'homme doit se vaincre pour laisser parler en lui l'homme de la nature. Quand il le fait, comme le demande le Vicaire savoyard, quand il ne « marchande » pas avec la conscience en recourant aux « subtilités du raisonnement » (*E.* 594), tout individu trouve « au fond » de son « cœur » le « juge » infaillible du bien et du mal. Loyalement écoutée, la conscience atteste au plus intime d'un être humain cette nature (= essentielle humanité) que les institutions dénient. Et puisque cette nature bonne est œuvre de Dieu, pourquoi le Vicaire ne dirait-il pas, comme Abauzit le Genevois, et les piétistes, que la conscience est « instinct divin, immortelle et céleste voix » (600) ? Ce n'est pas seulement par sa liberté, c'est par sa conscience que l'homme est « semblable » à Dieu.

3 — Les philosophes du siècle allèguent que tout nous est « indifférent », hors notre intérêt. Mais, s'il n'y a « rien de moral dans le cœur de l'homme », si tout est calcul d'intérêts, comment comprendre cet « enthousiasme » désintéressé pour la vertu, pour l'héroïsme des grandes actions ? Dira-t-on que la conscience est enfant de la coutume (comme le croyait Montaigne), habitude, ou préjugé d'éducation ? Comment serait alors possible l'élan spontané de commisération pour un inconnu

qui souffre ? Comment comprendre que, témoin de « quelque acte de violence et d'injustice », un « mouvement de colère et d'indignation s'élève au fond du cœur, et nous porte à prendre la défense de l'opprimé » ? Mais les lois nous ôtent le « droit de protéger l'innocence » (*E.* 596-7). « Votre honnête cœur en dépit de vos arguments réclame contre votre triste philosophie », écrit Rousseau à Franquières (1145).

Pages écrites en un siècle où les problèmes moraux apparaissent de plus en plus comme inséparablement individuels et sociaux. Pascal récusait la casuistique des jésuites. Rousseau oppose l'impératif de la conscience à l'inhumanité d'un rapport social. Mais est-il le seul en ce siècle à proclamer que la « nature » lui parle quand il la fait parler ? Cette nature, il est vrai, lui donne des facilités que théologiens et pasteurs ne lui concèdent pas. Bonté, naturalité n'étant qu'un — et le péché originel étant congédié — Rousseau, témoin et défenseur de la nature, n'en est pas moins « bon » quand il agit mal. Son cœur et celui de l'humanité étant si proches, qui se dira meilleur que lui ?[38]

Mais les « philosophes », qui récusent toute révélation comme tout innéisme, ne sauraient prêter crédit à l'intériorisation du religieux. Intime ou transcendante, révélation ne vaut pas preuve. Rousseau soumet le siècle de la critique à l'ultime juridiction du sentiment. Mais pourquoi le sentiment aurait-il privilège de se soustraire à la critique ?

C'est à Locke qu'il faut remonter pour voir se dessiner la problématique d'un des grands débats du siècle. Leibniz professait que les idées innées ne sont pas effacées, mais obscurcies par les perceptions confuses d'un être qui n'est pas pur intellect puisqu'il a des sens. Locke récuse l'innéité, comme le feront, plus encore, ses disciples français. L'auteur de l'*Essai sur l'entendement humain* repère, au principe des principes réputés innés, une histoire qui s'ignore ou qui s'oublie. Les représentations et règles qui se donnent intérieurement pour innées se construisent en amont de ce que je crois et dis de moi-même. Une préformation non déclarée instruit nos conduites les plus valorisantes, nos options les plus personnellement motivées. Si elle se pensait, la pensée se reconnaîtrait ou s'avouerait opinion. L'impensé le plus lointain régit nos pensées les plus nobles. Voilà comment Dieu ou la nature les endossent. Et l'universel consentement — recours de tous ceux qui, tel plus tard le Vicaire de Jean-Jacques, allèguent les principes innes — manifeste la mèconnaissance, hautaine ou candide, des mille particularités implicites d'une incubation universellement silencieuse. Ignorant sa vie prénatale et son enfance, chacun des principes illusoirement innés peut dire comme Dieu : je suis celui qui suis.

De Locke à Condillac et aux matérialistes français — pour ne rien dire de D. Hume — une critique radicalisée de l'inné (dont Rousseau lui-même tire leçon) tentera de savoir comment un dedans se forme d'un dehors. Pourquoi n'y aurait-il pas genèse d'une intériorité ? Et s'il ne peut y avoir d'humanité qu'apprise pourquoi la morale ne serait-elle pas écolage de part en part ? Rousseau n'enseigne-t-il pas qu'en pur état de nature l'animal humain n'en a pas la moindre notion ? Par la voix d'un éloquent ecclésiastique le « réformé » combat l'intolérance. Mais quand il fait grief aux « philosophes » (et à Montaigne) de ne pas trouver au tréfonds de leur cœur ce qu'ils devraient en toute bonne foi trouver, n'est-ce pas parce qu'ils n'ont pas le bonheur d'être genevois ? Jean-Jacques s'assure qu'il n'a point son pareil ; mais comment peut-on n'être pas Jean-Jacques ?[39]

La querelle sur « sentiment » est querelle sur « évidence ». Qu'est-ce qui fait l'évidence d'une évidence ? N'y a-t-il évidence que par une parole, fût-elle intime ? Sincérité n'est pas lucidité. Certitude ne fait pas vérité. Sans doute dirions-nous, attentif à l'histoire des idées et des problèmes, que la morale du cœur est un moment irréductible, mais non absolutisable, de la recherche où se forge une raison concrètement universelle.

Hegel, familier des philosophes du siècle comme des économistes, exposera comment le « cœur » procure à la subjectivité l'enivrante certitude d'un accès direct à l'universel.[40] Mais si la *Phénoménologie de l'Esprit* réfléchit l'itinéraire de la conscience malheureuse, et son moment chrétien, le malheur de l'individu est-il, pour Jean-Jacques, de s'être séparé de Dieu par une faute originelle ? C'est plutôt de s'être séparé de soi par ce que l'homme social a fait de l'homme. Le Vicaire savoyard « aspire » à la vie d'au-delà où, dit-il, « je serai moi sans contradiction » (*E.* 604-5). Mais dès cette vie, la contradiction est humainement surmontée quand le moi s'adégalise dans la pacifiante unité du cœur et de la vérité. Ainsi Rousseau, écrivant pour Sophie d'Houdetot ses *Lettres morales*.

Or le neveu de Rameau met toute bonne conscience à l'épreuve. Il apparaît dès lors que, support idéal et recours ultime d'une protestation plébéienne contre l'iniquité, l'inassignable et rassurante « nature », préservée des contradictions, entrave ou déroute la pensée des Lumières quand elle tente une dialectisation du jugement moral et des valeurs éthiques. Comment problématiser la confrontation, si profondément attestée dans *le Neveu,* entre les valeurs idéalement universelles et la réalité des pratiques sociales qui fixent « la » morale dans la rebelle particularité ? « Plus les temps sont malheureux, plus les idiotismes se multiplient. »[41] Et Diderot sait bien qu'un homme affamé est sourd à la voix de la nature. Rousseau ne le sait pas moins. Qu'on se rappelle le récit qui prélude à la Profession de foi. Odyssée de l'adolescent expatrié, spirituellement déraciné, en péril de « mort morale ». « Il est un degré d'abrutissement qui ôte la vie à l'âme, et la voix intérieure ne sait point se faire entendre à celui qui ne songe qu'à se nourrir. » (*E.* 562) Rousseau, on le verra au prochain chapitre, n'oublie pas non plus que dans conscience il y a science. Ne faut-il pas une conscience majeure dans le siècle pour critiquer toute assimilation des lois de la morale aux lois du marché ?

« Réforme » et Réformation

Converti au catholicisme à seize ans dans les conditions les moins spirituelles qui soient, Rousseau reprend place à Genève en 1754 parmi ses compatriotes réformés. Vivant, écrivant en terre française, quel attrait pouvait avoir sur lui une institution catholico-féodale intime à la monarchie de droit divin ? L'année même où Calas est roué vif à Toulouse, une lettre à Rey nous apprend qu'il projette un ouvrage sur la condition des protestants français.

Redevenu citoyen de Genève, il renonce à résider. Se fixer, c'est dépendre. Et ses ennemis sont au pouvoir. Chassé de France en 1762, il cherchera protection du roi de Prusse Frédéric en pays neuchâtellois. C'est là qu'il boira la coupe jusqu'à la lie. Mais n'est-ce pas le signe que l'authentique réformé, c'est lui ? C'est en lui que la Réformation évangélique rejoint enfin son principe, sa fin, sa raison constituante.

Aucun doute pourtant, la religion du « réformé » est religion d'un « philosophe ». Malebranche, philosophe chrétien, n'avait-il pas frayé la voie à une croyance indocile à ce que la raison n'entend point ? « Il me faut des raisons pour soumettre ma raison. » (*E.* 610) C'est trop clair, le Vicaire savoyard a fréquenté l'*Encyclopédie*. Pour Diderot et Voltaire, Jean-Jacques a changé de camp. Mais lisez le chanoine Bergier.[42] M. Rousseau prétend épargner la « philosophie » au peuple, mais qu'est donc sa religion sans « miracles » ? Une religion de philosophe. Le plus dangereux des philosophes ! Heureusement, ce qui paraît déraisonnable au raisonneur va de soi pour les simples. Le surnaturel leur est aussi familier que leur pasteur. L'apologétique du chanoine est une apologétique du corps. Le surnaturel est sensible ; le mystère est visible. Mais ce Rousseau n'a pas d'yeux, pas d'oreilles.

Non moins que l'athéisme, mais plus sournoisement pernicieuse, la prétendue « religion naturelle » est fruit de l'orgueil humain. L'auteur d'*Émile,* de la *Lettre à Ch. de Beaumont* retaille Dieu à la mesure des « philosophes ». Il se dit chrétien, mais c'est pour annoncer que seule une humanité adulte, instruite, enraisonnée est capable d'authentique foi. Faudra-t-il admettre que les enfants du Seigneur ne sont pas toujours des enfants ? Et que penser d'un Jésus sans Père, sans Église ?

La protestation de Bergier n'est pas folle. Si la croyance de Rousseau naquit à Genève, la « religion » qu'il enseigne s'est formée à l'école d'une « raison » dont les « philosophes » lui ont découvert les ressources et les droits. Et c'est parce que cette école est celle de nombreux pasteurs genevois que la profession du Vicaire est favorablement reçue par toute une part de leur Église. Le terrain était dès longtemps ameubli par un Turettini, que suit Jacob Vernet.

Religion « naturelle », la religion de Rousseau ? Comme la Raison, *lumen naturale,* intérieure à tout membre de l'espèce Homme. Et ce n'est pas contre cette raison commune que Rousseau revendique le sentiment, mais contre le mésusage qu'en fait la spéculation du philosophe ou du théologien. Le corpus des notions religieuses que Rousseau fait naître d'une raison majeure n'en est pas moins prélevé sur le patrimoine judéo-chrétien. Marie Huber avait écrit des *Lettres sur la religion essentielle à l'homme, distinguée de ce qui n'est que l'accessoire*. Rousseau philosophe effectue lui aussi un partage entre l'intelligible et l'inconcevable, entre ce qu'il retient pour credo et ce qu'il abandonne aux professionnels de l'exégèse et de la controverse, entre ce qui importe à la conduite d'une vie d'homme et ce qui est inutile spéculation.

Dieu créateur ? L'idée de création m'est impensable. Mais pas celle d'un ordonnateur de l'univers. Dieu bon qui nous a créés libres, donc responsables de nous-mêmes, dans l'accomplissement d'une destinée providentielle. Il n'y a « mal » que par mauvais usage de notre liberté. Immortalité de l'âme pour que le juste infortuné, le malheureux opprimé soient compensatoirement heureux en une autre vie. L'enfer ? Il est ici-bas, « dans le cœur des méchants » (*E.* 592).[43] Ni miracles, ni chute, ni péché originel, ni rachat par la croix, ni grâce.

« Que d'hommes entre Dieu et moi ! » s'exclame le Vicaire (610). Et comment croire, quand tant d'hommes ne savent point lire, qu'il faudrait un livre pour me révéler ce que Dieu peut me faire savoir sans les bons offices d'un Moïse ou d'une quelconque Église ? Ne m'a-t-il pas pourvu, comme tout homme, d'un pouvoir de comprendre et de choisir ? L'Évangile est « le plus sublime de tous les livres », « ... mais enfin, c'est un livre » (à J. Vernes, 25.3.58, CC.V, 65-6). Rejetant comme Voltaire le surnaturel, Rousseau n'en croit pas moins à la divinité de Jésus — sans admettre la résurrection. Quand il entame, en 1762, la rédaction des *Confessions* : il se procure une *Imitation de Jésus*. En Jean-Jacques comme en Jésus, l'universel se fait palpable leçon d'une vie. Héros persécutés, l'un et l'autre, d'une morale une et universelle. Et c'est cette morale qui nous livre le sens *pratique* de la religion naturelle. C'est pourquoi le discours de la raison énonçant ce credo est fidèle au sentiment intérieur. C'est par cette finalité pratique que la religion de Rousseau s'accorde aussi bien, pense-t-il, à ses besoins propres qu'aux intérêts de l'entière humanité. Condorcet écrira plus tard, en son *Esquisse d'un tableau historique des progrès de l'esprit humain,* que les peuples d'Amérique et d'Afrique n'auront qu'à « lire nos livres » pour s'émanciper eux aussi à la clarté du siècle. Jean-Jacques est assuré que la religion naturelle selon Rousseau est la seule qui convienne à tous les peuples. Pourquoi la publication d'*Émile* ne donnerait-elle pas sa chance au grand rêve de paix universelle ? On saura désormais qu'une religion humaine est possible qui ne soit plus pouvoir d'excommunier et d'exclure, instrument d'un clergé qui veut dominer les âmes pour régner ici-bas. Chaque peuple, chaque individu n'en aura pas moins le droit de suivre les règles et rites fixés par un culte historiquement constitué, variable de pays à pays. Toutefois, écrit-il de Môtiers en mai 1763, « on n'est obligé de se conformer à la religion particulière de l'État [...] que lorsque la religion essentielle s'y trouve... » (*LPh.* 109).

Aux membres du Petit Conseil qui ont condamné son *Émile* au feu — livre scandaleux, téméraire, impie —, Rousseau répond, en ses *Lettres de la Montagne,* qu'il n'a de fait rien écrit contre la religion de Genève. Pas plus que l'archevêque de Paris, l'exécutif genevois ne soupçonnait qu'à sa manière Rousseau servait la cause de la foi chrétienne dans des temps à venir. On le vérifiera par exemple en France, après la Révolution, dans certains milieux catholiques. Une « religion naturelle » qui, par la voix d'un modeste prêtre, s'adresse au cœur des gens simples semblait aux ennemis de Rousseau plus dangereuse qu'un athéisme mondain ou un matérialisme d'école.

Mais le plus important pour nous, c'est de voir l'auteur des *Lettres de la Montagne* retourner contre les ministres de la religion réformée le principe réformateur : le libre examen de l'Écriture. Rousseau, émule de Marie Huber, n'innove pas. Mais sa façon d'entendre la liberté et de la placer *au principe même de la foi* éclaire en contrecoup toute son œuvre et son dessein le plus profond ; elle permet de mesurer tout ce qui le sépare de ceux qu'il combat, et va faire de lui, de plus en plus, un inspirateur, un appelant, un mobilisateur.

Qu'est-ce que la religion essentielle ? C'est la religion convenable à la nature de l'homme. Mais puisque cette nature est celle d'un être libre, comment contester que, si l'Écriture est l'unique source de l'universel credo, *c'est en tant que telle qu'elle s'adresse à des êtres libres*. La foi ne peut donc se former et vivre que dans la liberté de conscience. (On verra au chapitre suivant comment Rousseau juge antinomique liberté humaine et péché originel.) La profession du Vicaire savoyard n'ayant d'autre adhésion à solliciter que celle de l'être *raisonnable,* la religion naturelle ne peut avoir un sens pour un tel être que parce qu'il est *libre.*

La deuxième *Lettre de la Montagne* ne permet point d'en douter : une même liberté est en acte dans la foi et dans la raison. Notre foi, notre raison ne pouvant être que foi, raison humaines, comment l'une et l'autre s'éveilleraient-elles sinon par cette liberté qui nous fonde en humanité ? Face aux « ministres » et aux patriciens le propos de Rousseau se condense en quelques lignes : « ...il est tellement de l'essence de la raison d'être libre, que quand elle voudrait s'asservir à l'autorité, cela ne dépendrait pas d'elle. Portez la moindre atteinte à ce principe, et tout l'évangélisme croule à l'instant. Qu'on me prouve aujourd'hui qu'en matière de foi je suis obligé de me soumettre aux décisions de quelqu'un, dès demain je me fais catholique, et tout homme conséquent et vrai fera comme comme moi. » (*LM.* 713-714).

La modernité de ce texte tient plus encore à ce qu'il dit de la raison qu'à ce qu'il dit de la foi. Si la religion du Vicaire est la religion essentielle, c'est parce qu'elle se forme toute dans l'exercice et le respect de la liberté essentielle à l'homme. Jean-Jacques en réforme est donc moniteur de liberté pour tous les hommes, quelle que soit leur croyance, et quel que soit leur refus de croire. La mission d'un véritable réformateur, ce n'est pas d'enseigner un culte. Il n'a qu'un enseignement à donner : l'enseignement de la liberté. Comment les théologiens s'en accommoderaient-ils puisqu'ils soumettent la religion à une volonté de puissance ? Puisqu'ils font du christianisme un moyen d'aliéner cette liberté sans laquelle la foi et la raison perdent l'âme ?

Tout consistoire est donc récusable par celui qui rappelle que le « principe » sur lequel les réformés se réunirent pour faire « corps contre l'Église catholique » (713) était de placer la raison de chacun « sous sa propre juridiction » en matière de « doctrine » (712) (dans le manuscrit de Neuchâtel : « croyance »). De là quelques conséquences...

1. L'Évangile n'étant propriété de nulle Église, n'est-ce pas le trahir qu'aliéner le droit qu'a tout être raisonnable de l'interpréter ? Si la tolérance est « essentielle » à la religion protestante, c'est parce que la liberté essentielle à l'homme, c'est, en chacun de nous et chaque fois, moi-libre. Les « Ministres » qui oublient la tolérance-principe ne sont plus que de « mauvais valets des Prêtres, qui les servent moins par amour pour eux que par haine contre moi » ; le clergé romain qui pour l'heure les laisse faire et rit saura, le moment venu, « les chasser armé d'arguments *ad hominem* sans réplique, et les battant de leurs propres armes » (716).

2. S'il n'est Réformation qu'en liberté évangélique, celle-ci ne vit que dans l'immanente et première liberté. C'est en cette liberté de l'homme-individu qu'une foi fait événement. L'Église de Genève, en tant que réformée, ne doit avoir « aucune profession de foi précise, articulée et commune à tous ses membres. Si l'on voulait en avoir une, en cela même on blesserait la liberté évangélique, on renoncerait au principe de la Réformation, on violerait la Loi de l'État » (717). Ainsi l'Église de Genève... a moins de droits que le Vicaire savoyard. Au moins celui-ci est-il autorisé par Jean-Jacques à faire une « profession de foi ». Le concept d'essentialité enveloppe conjointement liberté et raison humaines, religion naturelle et tolérance. Dès lors, quelle autre Église concevoir qu'une fédération des libres consciences ? République des croyances où chacun se forme de « bonne foi » sa doctrine.

Au-delà de la démocratie calvinienne, la cité légitime est, selon Rousseau, constituée par une libre association d'individus qui se garantissent en corps la libre possession personnelle de leurs moyens de subsister. A lire cette *Lettre de la Montagne* il se découvre que ma religion m'appartient comme mon champ, ma maison, mon outil. Chacun en soi. Chacun par soi. Chacun pour soi...

Si, d'autre part, bonne foi fait foi, n'y aura-t-il pas autant d'Églises qu'il y a d'individualités autonomes ? Tout se passe comme si l'auteur de la *Lettre* attirait à lui, par un sacerdoce universellement intériorisé, une logique immanente au protestantisme. Edgar Quinet disait que, de chaque homme, Luther a fait un pape et un concile. Pourquoi dès lors y aurait-il berger et brebis ? Le meilleur des prêtres est ma conscience et ce n'est que lorsque je marchande avec elle que j'ai recours aux bons offices d'un directeur. Si d'ailleurs celui-ci écoute sa voix intérieure, que m'enseignera-t-il que je ne sache ?

Pour Rousseau, quoi qu'il en soit, la fonction pastorale en Réformation n'est pas d'assujettir quiconque à une quelconque autorité, mais de mettre chacun « en état de bien choisir » (713). Où se retrouve le principe d'éducation négative appliqué dans *Émile,* propédeutique préfigurée dans la *Religion essentielle* de M. Huber : la première tâche d'une formation spirituelle est d'écarter tout obstacle à l'exercice d'une volonté droite.

On observera que la représentation que l'auteur des *Lettres de la Montagne* se fait de la liberté du chrétien ne lui semble en rien contestée par le constat de finitude qui, préliminaire à la quête de la sagesse, est au centre d'*Émile :* l'homme ne peut conquérir le bonheur que s'il prend conscience de sa limite (ainsi le sage cartésien qui sait ne pas désirer au-delà de son pouvoir). Mais de sa finitude il tire sa force ; il est, indivisiblement, créature-libre. Si donc je n'ai pas le droit d'exiger que les autres pratiquent la religion de mes pères, les autres, fussent-ils plus perspicaces que moi, n'ont pas davantage le droit de m'imposer leur choix.

L'argumentation de Rousseau sur la libre essentialité de la foi en tout individu a pour effet de placer Genève sous un statut sans équivalent. Ce qui fit Genève patrie, c'est que les réformés — où qu'ils soient nés et d'où qu'ils viennent — purent s'y reconnaître dans la liberté de leur foi. Si Genève était fidèle à la Réforme il n'y aurait pas besoin de porter les yeux hors les murs pour savoir, en quelque pays que ce soit, ce qui fait que les hommes sont frères en leur liberté. Et le peuple d'une telle cité n'est peuple que s'il n'oublie jamais que, plus qu'une terre, un rond sur la carte, un état civil, sa patrie, c'est la liberté.

Mais si les ministres ont failli, si l'esprit de la Réformation n'habite plus la Genève de nos pères, alors Rousseau n'y peut être chez lui. Tout s'inverse. La vraie question n'est plus que Rousseau aille à Genève, mais que Genève aille à Rousseau. Genevois, Genevois, le comprendrez-vous, votre vraie patrie, c'est Jean-Jacques.

On imagine que la « religion » de l'auteur des *Lettres de la Montagne* n'avait pas l'oreille de nombreux réformés genevois. La correspondance conservée à Neuchâtel donne un aperçu des réactions des ministres aux *Lettres.* Un pasteur comme Roustan, qui a défendu Rousseau devant Montmollin, ne le suit pas jusqu'au bout ; ceux qui ont besoin de « miracles » pour croire, la « beauté seule de l'Évangile » peut-elle les convertir ? (15.4.65 ; CC.XXV, 108) Mais tel autre, pasteur d'Amsterdam, s'indigne... Celui qui se plaint d'avoir été condamné sans qu'on

l'entende, a-t-il « entendu tous les réformés, tous les ministres » ?
Comment M. Rousseau ose-t-il prétendre qu'ils sont tous ignorants de
leur religion ? Et voici le point fort de la lettre du pasteur : opposer à
Rousseau son propre principe, celui de la libre foi ; « ...ne peut-on
donc connaître et aimer la Religion, à moins que de voir dans votre
livre [Émile] ce que vous y voyez ? » (CC.XXIII, 93).

Opposer Rousseau à lui-même ? C'est ce que fera le rude curé de
Limeuil en Périgord, compatriote de l'archevêque de Paris. Il combat
Émile en invoquant ce « cœur » qui fonde le discours de l'auteur :
« ... Tout le monde a été d'accord que vous n'avez pas écouté la vérité
qui a parlé et parlera toujours dans nos cœurs [...] Si vous avez relation
avec M. de Voltaire faites-lui les mêmes observations. » (CC.XXIII,
172 sq.)Savoureuse recommandation, pour qui connaît l'état des
« relations » Voltaire-Rousseau, ces années-là ![44]

Plus profondément, les adversaires de Rousseau pouvaient-ils souscrire
à une thèse indéliable de son anthropologie ? Les multiples religions et
cultes sont autant d'« institutions » qui, participant d'une culture viciée
par le rapport Domination/Servitude, s'approprient et retournent contre
« l'homme de l'homme » le mouvement libre et premier qui unit
l'homme à Dieu. La religion « naturelle » (= essentielle) pense et
réactive ce mouvement pour l'inscrire universellement dans une culture
régénérée, rationnellement affranchie des pouvoirs d'aliénation. Émile
adolescent n'est initié à la religion essentielle que lorsque sa raison est
assez mûre pour l'entendre.

Quelque jugement qu'on ait sur les Lettres de la Montagne, ne voit-
on pas se résumer, s'unir en elles les figures, les situations qui composent
le tableau de la « réforme » de Rousseau ? Apôtre de la religion
naturelle, ressourceur de patrie, témoin de l'humanité, admoniteur de
liberté. Et les échos de la bataille ne couvrent pas la voix de ceux qui
saluent la Profession de foi comme un message attendu.

B. Groethuysen considérait que ce que Rousseau « pensait de la
religion [...], c'est le meilleur moyen de nous faire connaître une
mentalité générale qui s'est développée plus ou moins consciemment au
cours du 18e siècle. »[45] Il est vrai que le Vicaire savoyard est assez
« philosophe » pour qu'en lui se retrouve quiconque est ami des
Lumières, sans vouloir céder au scepticisme ou rejoindre l'athéisme.
Mais surtout l'humble prêtre, « né pauvre et paysan », qui a souffert
persécution dans son Église et dans le monde, est favorablement reçu
de ceux qui se persuadent comme lui qu'une croyance naît dans la
« simplicité » du cœur (E. 566) ? Faut-il être si savant pour suivre la
« lumière intérieure » (569) ? Autour de Rousseau, et avec lui pour
une bonne part, se constitue, dans les dernières décennies du siècle,
surmontant les clivages confessionnels, un large consensus de l'âme et
de l'esprit pour une religion plus douce aux hommes.[46]

Mais ne doit-on pas estimer aussi que Rousseau (quoi qu'il en eût)
œuvrait pour autre chose. Si nulle foi n'a sens et vie que par l'acte

souverain d'une liberté essentielle à l'homme, toute présente en chaque individu, la « réforme » du Genevois n'invitait-elle pas à l'existence une philosophie de la liberté ? Philosophie par quoi le religieux est, sinon dépassé, déplacé. Et quel objet donner dès lors à une foi sinon la liberté même ? Quel « culte » avouer qui ne soit celui de la liberté ? Nul autant que Rousseau n'aide à reconnaître qu'il y a bien un chemin de la Réforme, née en Occident, à la Révolution française.[47] Ni croisés ni missionnaires, les disciples de Jean-Jacques travailleront à la libération des peuples.

C'est un fait que le credo de Jean-Jacques offre prise à une christologie transformée. Dans la *Lettre à M. de Franquières,* Jésus prendra le visage d'un libérateur de l'humanité. Son « noble projet » était « de relever son peuple, d'en faire derechef un peuple libre et digne de l'être ; car c'était par là qu'il fallait commencer ». « Mais ses vils et lâches compatriotes au lieu de l'écouter le prirent en haine précisément à cause de son génie et de sa vertu qui leur reprochaient leur indignité » ; « [...] ce ne fut qu'après avoir vu l'impossibilité d'exécuter son projet qu'il l'étendit dans sa tête, et que, ne pouvant faire par lui-même une révolution chez son peuple, il voulut en faire une par ses disciples dans l'univers. » (1146)

Radicalisée, cette figure du Christ émancipateur des peuples sera portée loin par un courant de la Révolution française. Ainsi chez l'abbé Cl. Fauchet, futur fondateur du « Cercle social ». Il expose en son sermon sur l'accord de la Religion et de la Liberté que, si « Jésus a voulu jusqu'au bout subir les tyrans », c'était pour annoncer par sa mort « la sûre victoire de la liberté, de l'égalité, de la fraternité générale des peuples ».[48] Encore quelques années, et tous les membres du Conseil d'État entendront Bonaparte déclarer, pratique et péremptoire : « La religion rattache au ciel une idée d'égalité qui empêche le riche d'être massacré par le pauvre. »[49]

« Souffrir pour la vérité »

Au printemps 1759, après l'Hermitage, Rousseau avait accepté l'hospitalité que lui offrait, à Montmorency, le maréchal-duc de Luxembourg. Le Genevois veut croire que le maréchal, oubliant qu'il est un « Grand parmi les Grands », le traitera, par tacite contrat, « sur le pied d'égalité », le laissera poursuivre son œuvre en paix. Une inquiétude transparaît néanmoins dès le début dans sa correspondance. La postérité admettra-t-elle qu'un Jean-Jacques Rousseau ait pu être l'obligé des Grands ? Il se reprochera dans les *Confessions* de s'être pris pour les Luxembourg d'une amitié qu'il n'est permis d'avoir que pour ses égaux.

Rousseau exerce un attrait sur cette vieille noblesse d'épée. On peut tenir à ses privilèges et s'émouvoir d'idéal en lisant un auteur qui plaide avec éloquence la cause de la pure humanité. (Mme de Boufflers, maîtresse du prince de Conti, intime des Luxembourg, ne se piquait-elle pas de républicanisme ?) Et puis Rousseau aimerait se persuader qu'en un tel milieu le cœur est assez haut pour préférer toujours l'honneur à l'argent. Il saura plus tard que la maréchale, si sensible aux malheurs de Julie et Saint-Preux, « était un de ces gagneurs d'argent qui s'intéressaient aux sous-fermes et qui avaient fait déplacer Silhouette » (*C.* 532). On imagine son état d'âme lorsque Rousseau lui donne à lire la lettre qu'il avait envoyée en décembre 1759 au contrôleur général des Finances pour le féliciter d'avoir sévi contre ces « misérables » et ces « fripons » !

Mais la politique est pour quelque chose dans le séjour de Rousseau à Montmorency... Luxembourg, Conti, Malesherbes ont une commune ambition : faire prévaloir, contre le « despotisme ministériel », une réforme libérale, assurant à la noblesse de robe et d'épée la place et l'autorité que l'évolution d'un pouvoir autoritaire et centralisé leur refuse. Pourquoi M. Rousseau, républicain à Genève, ne serait-il pas le brillant avocat d'une monarchie libérale en France ? Conti et ses amis entendent ménager à la fois les philosophes et les dévots. Une option Tiers Parti comme celle qu'adoptait l'auteur de *la Nouvelle Héloïse* entrait dans leur vue : respectez-vous les uns les autres, à l'exemple de la pieuse Julie et de Wolmar, son agnostique époux.

Mais Rousseau, qui veut agir par son œuvre sur une large opinion, ne s'inscrit pas dans un dessein qui ne lui sera clair que rétrospectivement. Et ses hauts protecteurs refluent prudemment quand, en 1762, *Émile* est condamné au feu par le Parlement de Paris. Décrété de prise de corps, Rousseau se voit déjà plaidant devant ses juges la cause de l'humanité. Mais les Luxembourg estiment que, pour se protéger eux-mêmes, mieux vaut décider leur hôte à se soustraire aux poursuites en quittant le territoire français.[50]

En ces moments décisifs, Jean-Jacques se sent seul. Thérèse est prête à l'épreuve. Mais l'écrivain prend conscience que le maréchal, s'il n'est pas méchant homme, reste un homme de cour. « ...Il est bien difficile, écrira-t-il dans ses *Confessions,* qu'un courtisan garde le même attachement pour quelqu'un qu'il sait être dans la disgrâce des puissances. » (619)

Mais le Petit Conseil de Genève a condamné *Émile* et le *Contrat,* décrété la prise de corps. Et le gouvernement de Berne ne veut pas de lui sur ses terres. Pour l'oligarchie des deux cités suisses, la religion de Rousseau est inséparable de la pernicieuse théorie politique du *Contrat.* Les deux livres, selon la déclaration du Petit Conseil, tendent à « détruire la religion chrétienne et tous les gouvernements ». Le patriciat genevois redoute le parti que le camp populaire peut tirer du *Contrat.* Et ménager Rousseau serait contrarier les affaires avec la France. Pour

Voltaire, qui n'est pas chevalier de la foi chrétienne, Rousseau a la « philosophie d'un gueux ». « C'est un homme, écrit-il après la condamnation d'*Émile* par la Grand-Chambre, qui ne convient ni dans une république ni dans un royaume ni dans une société... » Non que le malveillant grand homme soit l'inspirateur omniprésent d'une persécution. C'est une société, ce sont des pouvoirs qui se défendent et sacralisent la fructueuse inégalité. Quant aux sophistes rétribués, leur moindre rôle n'est pas de soustraire aux contestations publiques les réalités qu'un Rousseau aborde le front.

Il avait découvert dans le *Cleveland* de Prévost la figure du juste persécuté. « Le sens de l'amour de la vérité m'est devenu cher parce qu'il me coûte », lit-on dans un fragment.[51]

Eut-il tort ou raison de croire au « complot » ? Pourquoi ne pas rappeler que, dans la France de ce temps, la représentation du « complot » (ténébreux par essence) habite la conscience populaire, qui a des souvenirs ? Une attention exclusive au « complot » — imaginaire ou non —, ferait oublier que le fond du débat tient aux contradictions d'un monde que Rousseau dénonce et réprouve, mais dont il est captif quoi qu'il veuille. Défendre justice, égalité, droit du pauvre, quand il faut, pour exister dans une pareille société, être l'hôte des privilégiés de l'or ou du sang..., n'y a-t-il pas de quoi conduire au délire celui qui, après l'Hermitage, rêvait une « retraite absolue »[52] (*C.* 503) ? C'est en 1770 enfin — après le voyage anglais, la brouille avec Hume, l'errance une fois de plus, le pseudonymat — que Jean-Jacques et Thérèse s'installent à Paris, dans leurs meubles brocantés. Ils ne quitteront la rue Plâtrière (mai 1778) que pour Ermenonville où Jean-Jacques meurt après une dernière promenade dans la lumière de juillet.

A Paris, la police ne perd de vue celui que sa réputation protège. Herborisation ; copie de musique ; composition de romances, d'une nouvelle version du premier acte de *Daphnis et Chloé*. Il se fait des amis, achève ses *Considérations sur le gouvernement de Pologne*. Il lit en cercle fermé ses *Confessions*. Lecture interdite dès 1771, à la demande de Mme d'Épinay. Il n'a pas renoncé à la lutte.[53] Mais les *Dialogues* ne verront pas le jour de son vivant. L'indépendance ultime est silencieuse.

« Réforme », régénération, révolution

Mais solitude n'est pas isolement. S'il relisait les lettres de ses lecteurs fervents, Rousseau y retrouverait le langage de sa « réforme ». Celui du renouveau. *Post tenebras lux.* Au livre IV d'*Émile* l'« honnête ecclésiastique » n'endoctrine pas le « jeune fugitif » ; il veut « réveiller en lui l'amour-propre et l'estime de soi-même » (562). Mais c'est surtout l'*Héloïse* qui réveillait les âmes. Roman antiroman. Non plus l'imaginaire de la diversion (chimères et mirages d'une humanité de convention).

Un imaginaire qui change de signe pour prêter ses forces à l'humanité méconnue. La « sagesse » apprend à manier les armes de son immortel ennemi. Plus : l'imaginaire introduit à la « sagesse ». Le rêve est accoucheur.

L'*Héloïse* veut faire aimer l'humain dans son évidence reconquise et régénérante.[54]

La régénération a un très long passé. Mais Rousseau ne s'approprie l'héritage judéo-chrétien qu'en le transformant. Totale est, dans l'Ancien Testament, la corruption des enfants de Dieu. Lui seul peut les régénérer. Et Jésus révèle à Nicodème qu'il n'y aura salut que par une nouvelle naissance, qui n'est pas du pouvoir de l'homme seul. La théologie réformée reconduit ces enseignements. Mais Rousseau, néo-pélagien[55] pour qui la nature n'est point corrompue, ne peut entendre régénération comme refonte de l'être homme. C'est une retrouvaille de la nature délaissée.

Dans l'Évangile ou dans Paul repentance ne suffit pas, le nouvel homme advenant par médiation christique. Mais pour Rousseau, sinon pour Julie de Wolmar, c'est par les seules vertus de l'homme que l'humain se régénère.

Voltaire s'irrite de ce Jean-Jacques clamant : le genre humain et moi. Faut-il donc se séparer des hommes pour s'unir à l'Homme ? Non que Rousseau soit à l'abri du doute. Mais la certitude lui demeure qu'il fut le cri de l'humanité. Tolstoï l'entendra.

Pour Fichte, pour Hegel, la pensée de Rousseau est inaboutie : la conscience morale ne sait pas encore dissiper la pénombre du sentiment, dominer le pathos de l'individualité souffrante et rebelle, s'élever à l'universalisante rationalité. Et le lecteur d'aujourd'hui n'assumerait pas sans difficulté une concience morale qui soit à la fois amour de soi et dictamen. Mais dans une société conflictuelle et nouée où la crise des années 1770 offrait des conditions propices à la prochaine floraison d'utopies nouvelles, où les forces de mutation doutaient de l'avenir, l'immaturité de Rousseau consonait avec ceux qui cherchaient le sens de leur vie.

L'attention jalouse qu'il se porte induit deux effets qui ne s'excluent qu'apparemment. L'estime de soi lui suffit ; mais il ne peut se passer d'être reconnu. « Vous avez beaucoup vécu dans l'opinion des autres » (27.10.66 ; CC.XXXI, 77) : Mirabeau l'économiste voit juste. Il faut donc que la « réforme » soit authentifiée par des témoins. Que Jean-Jacques ait en telle occasion flatté un goût pour l'attitude, qui le nierait ? Mais il sut prendre et tenir poste sur la ligne de partage et de front entre l'humanité qu'il défend et la société qu'il conteste. C'est ainsi qu'il a transmué des consciences. Il a donné confiance à ceux qui, lui disparu, avaient une histoire à faire.

En Rousseau, Fichte salue celui que d'autres, livrés à l'« empirisme », ont réputé chimérique. Il a réveillé l'esprit, qui est liberté. Liberté à l'œuvre dans la Révolution française, qui intéresse toute l'humanité, comme l'avait compris Kant. Pour Hegel, l'essence de la Réforme, au seuil des temps modernes, fut autodétermination consciente à cette liberté dont la Révolution est l'enfant lumineux.[56]

La liberté étant humaine essentialité, les acteurs d'une telle révolution se pensent initiateurs d'une entreprise universalisable. Le « sentiment » intime à tout individu, homme sans autre qualité que sa qualité d'homme, atteste le principe révolutionnant. Toutes choses connues... Mais on ne se dispensera pas d'une réflexion qui fait relais vers le prochain chapitre. Ceux qui se présentent (pour eux-mêmes et pour tous les peuples) comme premiers apprentis d'une radicale novation historique jugent que cette révolution est rappel émancipant d'une « nature » qui n'est pas histoire ; puisqu'elle est, pour eux comme pour Jean-Jacques, l'être intemporellement générique de l'humain. Ainsi se rejoignent, en leur conscience de ce qu'ils font, deux significations maîtresses du mot « révolution » : subvertissante invention du tout nouveau ; circularité régénérante du retour.

NOTES DU CHAPITRE 2

1. Lettre à Mme de Créqui (novembre 1752 ; CC.II, 201).
2. *Essai sur la société des gens de lettres avec les Grands,* 1753. Liberté, vérité, pauvreté devraient être les maximes de ceux qui refusent la domestication.
3. Lettre à Rey (8.11.54 ; CC.III, 48), à propos du *Discours sur l'inégalité.*
4. Dans les *Rêveries (Troisième Promenade),* Rousseau parlera des commencements de sa « réforme » en termes moins héroïques que ceux que nous avons cités, qu'on rapprocherait de bien d'autres : « Dès ma jeunesse j'avais fixé cette époque de quarante ans comme le terme de mes efforts pour parvenir et celui de mes prétentions en tout genre. Bien résolu, dès cet âge atteint et dans quelque situation que je fusse, de ne plus me débattre pour en sortir et de passer le reste de mes jours à vivre au jour la journée sans plus m'occuper de l'avenir. Le moment venu, j'exécutai ce projet sans peine et quoique alors ma fortune semblât vouloir prendre une assiette plus fixe j'y renonçai non seulement sans regret mais avec un plaisir véritable. En me délivrant de tous ces leurres, de toutes ces vaines espérances je me livrai pleinement à l'incurie et au repos d'esprit qui fit toujours mon goût le plus dominant et mon pendant le plus durable. » (*R.* 1014) S'il en fut vraiment ainsi, resterait à comprendre comment celui qui fait retraite à l'Hermitage se met en devoir de mener à bien trois des plus grands livres du siècle.
   On suit mieux l'évolution de Rousseau si l'on fait retour sur des textes antérieurs. Jeune précepteur des enfants Mably, Rousseau esquissait dans son *Mémoire* (*cf.* chapitre 1) un autoportrait dont les analogies sont nombreuses, et frappantes, avec celui qu'en 1762, de Montmorency, il destine à M. de Malesherbes. Mais une différence capitale saute aux yeux. Dans le *Mémoire à M. de Mably* pas un mot de cet « indomptable esprit de liberté » qui, dans la Première *Lettre à Malhesherbes,* apparaît quasiment comme l'essence de l'homme Rousseau. Esprit que « rien n'a pu vaincre, et devant lequel les honneurs, la fortune et la réputation même ne me sont rien ». « Il est certain que cet esprit de liberté me vient moins d'orgueil que de paresse ; mais cette paresse est incroyable ; tout l'effarouche ; les moindres devoirs de la vie civile lui sont insupportables. » (*LMM.* 1132) Liberté-paix, liberté de la non-dépendance... Mais pourquoi fit-il dans sa jeunesse « quelques efforts pour parvenir » ? La réponse est que « ...ces efforts n'ont jamais eu pour but que la retraite et le repos dans ma vieillesse » (1133). Le mouvement vers le bonheur est ainsi mouvement vers un point zéro, d'où il n'y a plus à sortir. Tant que je n'avais pas compris cela, « j'étais actif parce que j'étais fou » (1134). Mais c'est justement la recherche de la sagesse entendue comme ultime équilibre et pacification qui a fait de Jean-Jacques l'auteur célèbre et malheureux qui conte son histoire à M. de Malesherbes. Le même « indomptable esprit de liberté » a fait de ̶ ̶lui un solitaire et un homme public. La même passion qui l'éloignait de la « société des hommes » a fait de lui l'homme-témoin qui se donne la mission de rappeler le genre humain à sa loi profonde, celle qui s'est révélée à Jean-Jacques sur le chemin de Vincennes, en cette journée qu'évoque la lettre du 12 : « ...je devins auteur presque malgré moi. » (1136)
5. L'opposition lumière/ténèbres est essentielle à l'Évangile selon saint Jean. Le Sauveur est lumière. « Marcher » dans la « lumière » est la recommandation introductive de la 1re Épître de saint Jean ; peut-être Jean-Jacques a-t-il souvenir de ce texte quand, dans sa lettre du 26 février 1770 à M. de Saint-Germain, il parle ainsi de ses « ennemis » cachés et de lui-même : « ...ils s'enfoncèrent dans des souterrains pour creuser des gouffres sous ses pas, tandis qu'il marchait à la lumière du soleil et qu'il défiait le reproche du

crime d'oser soutenir ses regards » (*Lettres philosophiques* présentées par H. Gouhier, 210). La peur des ténèbres est une constante chez Rousseau. Émile enfant doit apprendre comment vaincre la peur nocturne (*E*. 388).

6. « ...Faire sentir à l'esprit sa servitude et la dépendance où il est de toutes les choses sensibles, afin qu'il se réveille de son assoupissement et qu'il fasse quelques efforts pour sa délivrance » (Malebranche, *Recherche de la vérité,* éd. Rodis-Lewis, I, p. XX). Socrate accouche les âmes qu'il éveille à la lumière intérieure du vrai. On rappellera aussi le motif de l'éveil dans la tradition stoïcienne ; le sensible, approfondi, s'éclaire du dedans, et devient transparent à la raison qui lui est immanente.

7. Le réveil d'avril à l'Hermitage en évoque d'autres au lecteur des *Confessions*. 1731 ou 1732, Lyon : après une nuit à la belle étoile le jeune homme s'éveille au chant du « rossignol » sur la rive du Rhône ou de la Saône (*C*. 168-9). 1736, aux Charmettes : « Je me levais avec le soleil et j'étais heureux. » (225) A Venise, Rousseau, qui s'est endormi au théâtre de Saint-Chrysostome, est réveillé par la « douce harmonie » et les chants angéliques » des castrats. Ravissement. Extase. « Ma première idée fut de me croire en Paradis. » (314) Il se procure cet « air divin » ; mais nulle exécution n'effacera le souvenir d'un bonheur d'aurore. Nous retrouverons éveil, réveil, — particulièrement dans l'*Héloïse*. — La sagesse elle-même n'est-elle pas un perpétuel commencement, comme l'innocence ? Au livre IV d'*Émile,* la *Profession de foi du Vicaire savoyard* se donne son moment et son lieu sur les hauteurs qui dominent le Pô, quand les « rayons du soleil levant » (*E*. 565) découvrent au regard un grandiose paysage de plein été. Mais il faut aussi retenir l'intérêt d'un texte non titré, difficile à dater, « fiction ou morceau allégorique sur la Révélation » (Pl. IV 1044-54). La montée vers la lumière s'y fait en trois moments. Moment du premier homme qui tenta de « philosopher » sur l'univers (ordre et loi). Moment du sage, qui ressemble à Socrate, condamné par le tribunal populaire abusé à « boire l'eau verte ». Moment du « fils de l'homme » (vêtement d'artisan, regard céleste) qui vient « détruire la sanguinaire intolérance » des « officiers du Temple ennemis par état de toute humanité » et qui n'a, pour gagner le cœur du peuple, que « l'amour des hommes ». L'importance donnée en ces quelques pages à l'image de la statue voilée (comme dans *Pygmalion*) incline J. Starobinski à penser que nous est suggérée une « théorie du dévoilement » (*la Transparence et l'obstacle,* 92 *sqq.*) : ce que l'apparence nous dérobe, c'est l'intérieure vérité de la nature humaine. — Remarque : les trois moments d'une progressive initiation sont comme un archétype de l'apprentissage en ce siècle. Par exemple en milieu maçonnique.

8. Préface de *l'Esprit des lois*.

9. Lettre à sa sœur Pauline (6.2.1806, éd. Pléiade, I, 281).

10. Lettre à Ribotte (24.10.61 ; CC.IX, 201). Il écrivait dans la *Lettre à d'Alembert sur les spectacles* : « Jamais vue particulière ne souilla le désir d'être utile aux autres qui m'a mis la plume à la main, et j'ai presque toujours écrit contre mon intérêt. » (242 n. I). Suit l'énoncé de la devise « *Vitam impendere vero* ». A rapprocher de Spinoza : « Ceux qui le veulent, certes, peuvent mourir pour leur bien, pourvu qu'il me soit permis à moi de vivre pour la vérité. » (*Lettre à Oldenburg, Œuvres complètes,* éd. Pléiade, p. 1231.)

11. Lettre à M. de Saint-Germain, éd. cité, p. 199.

12. Sur le problème de l'abandon des enfants et de l'admission à l'Hospice des Enfants-Trouvés, sur l'accroissement considérable, durant la première moitié du siècle, du nombre des enfants ainsi recueillis, nous renvoyons aux notes de B. Gagnebin et M. Raymond dans l'édition des *Confessions,* 1415 *sqq.* Consulter également Michel Launay, *J.-J. Rousseau écrivain politique*.

13. *Sur un prétendu droit de mentir par humanité* (1797), trad. L. Guillermit, Paris 1967, p. 65 *sqq.* Guillermit rappelle une conclusion de Kant en sa

Doctrine de la vertu, paragraphe 9 : « ...ainsi le menteur est-il moins un homme véritable que l'apparence trompeuse d'un homme. »

14. a) « Être éternel, rassemble autour de moi l'innombrable foule de mes semblables : qu'ils écoutent mes confessions, qu'ils gémissent de mes indignités, qu'ils rougissent de mes misères. Que chacun d'eux découvre à son tour son cœur au pied de ton trône avec la même sincérité ; et puis qu'un seul te dise, s'il l'ose : *je fus meilleur que cet homme-là.* » (*C.* 5). « Je connais mes grands défauts, et je sens vivement tous mes vices. Avec tout cela je mourrai plein d'espoir dans le Dieu Suprême, et très persuadé que de tous les hommes que j'ai connus en ma vie, aucun ne fut meilleur que moi. » (*LM.* 1133) Jacques Maritain écrit : « ...Il s'accuse, mais c'est pour se donner lui-même l'absolution, la couronne et la palme. » (*Trois Réformateurs,* 156.) (Mais quel croyant ne s'est jamais mis à la place de Dieu ?)

b) Informé de « quelque fable de La Fontaine », le fils de Mme de Wolmar lui demande si les corbeaux parlent. « A l'instant je vis la difficulté de lui faire sentir bien nettement la différence de l'apologue au mensonge, je me tirai d'affaire comme je pus, et convaincue que les fables sont faites pour les hommes, mais qu'il faut toujours dire la vérité nue aux enfants, je supprimai La Fontaine. » (*NH.* 581) Rousseau poussera plus avant au Premier Livre d'*Émile.* Célèbres pages sur *le Corbeau et le Renard.* « Nul d'entre nous n'est assez philosophe pour savoir se mettre à la place d'un enfant. » (*E.* 355) Mais quel enfant saurait se mettre à place du « philosophe » pour comprendre le fabuliste ? Au lieu de se « corriger sur la dupe », ne se « formera » -t-il pas « sur le fripon » ? (357)

c) On ne fera pas une recension de tous les travaux consacrés aux problèmes posés par l'intention autobiographique de Rousseau. Au moins signalerons-nous ici Nicolas Bonhôte, *Essai sur la genèse et la structure de l'autobiographie chez Rousseau, Revue de théologie et de philosophie,* vol. 110, 1978, IV, p. 341-361 ; Jean-Marie Goulemot, *les « Confessions » : une autobiographie d'écrivain, Littérature* n° 33, février 1979, p. 58-74. On rappellera plus largement Yvon Belaval, *le Souci de sincérité,* Paris 1944, rééd. 1967. Une belle étude de Paul Tolila : « Rousseau et le problème de la personne », dans *J.-J. Rousseau au présent,* ouvrage collectif, éd. par l'Association des amis de J.-J. R., juillet 1978, I.E. Grenoble.

d) Nous avons cité une phrase d'un texte peu connu : *Idée de la méthode dans la composition d'un livre* (Pl. II, 1242-7). Texte instructif à divers titres. Par exemple : n'établir son « sentiment » propre qu'après avoir détruit le « sentiment opposé ». Ici et là « on tire ses raisonnements du fond même de la chose, ou de ses rapports avec d'autres. C'est surtout le choix de ses preuves, l'arrangement qu'on leur donne, et le jour dans lequel on les met qui montre l'écrivain judicieux et l'habile dialecticien ». Une très précieuse demi-page sur la marche que suit le botaniste (étude des rapports externes qui ne dispense pas de celle, plus profonde, de la « structure intérieure » de la plante. Comparaison avec les « recherches morales » : de l'examen de « l'esprit humain pris en lui-même et considéré comme individu » à celui, plus fécond, de ses « relations » ; marche qui permet un retour éclairant sur le point de départ qui n'était qu'obscur et incertain.

15. a) Consulter notamment Henri Guillemin, *Un homme, deux ombres,* Genève 1943.

b) « Je t'ai imaginée... » (Éluard, *Corps mémorable,* ŒE.C., Pl. II 132.)

c) Cette lettre envoyée ver le 1er octobre 1757 (?) à Sophie d'Houdetot (CC.IV, 273 *sqq.*) serait à reproduire *in extenso.* Quelques fragments. « ...Rappelle-toi ces temps de félicité qui pour mon tourment ne sortiront jamais de ma mémoire. Cette flamme vivifiante dont je reçus une seconde vie plus précieuse que la première, rendait à mon âme ainsi qu'à mes sens toute la vigueur de la jeunesse ; l'ardeur de mes sentiments m'élevait jusqu'à toi : combien de fois ton cœur plein d'un autre amour fut-il ému des transports du mien ! Combien de fois m'as-tu dit dans le bosquet de la cascade : vous êtes l'amant le plus tendre dont j'eusse l'idée ; non jamais homme n'aima comme vous. Quel triomphe pour moi que cet aveu dans ta bouche ! assurément il n'était pas suspect. Il était digne des feux dont je brûlais de t'y rendre sensible en dépit des tiens, et de t'arracher une pitié que tu te reprochais si vivement. Eh pourquoi te la reprocher ? En quoi donc étais-tu coupable ? En quoi la fidélité était-elle offensée par des bontés qui laissaient ton cœur et tes sens tranquilles ? Si j'eusse été plus aimable et plus jeune, l'épreuve eût été plus dangereuse ; mais puisque tu l'as soutenue, pourquoi t'en repentir ? Pourquoi changer de conduite avec tant de raisons d'être contente de toi ? Ah ! que ton amant même serait fier de ta constance s'il savait ce qu'elle a surmonté ! Si ton cœur et moi sommes seuls témoins de ta force, c'est à moi seul à m'en humilier ; étais-je digne de t'inspirer des désirs ; mais quelquefois ils s'éveillent malgré qu'on en ait, et tu es toujours triompher des tiens. Où est le crime d'écouter un autre amour, si ce n'est le danger de le partager ? Loin d'éteindre tes premiers feux, les miens semblaient les irriter encore. Ah ! si jamais tu fus tendre et fidèle, n'est-ce pas dans ces moments délicieux où mes pleurs t'en arrachaient quelquefois ; où les épanchements de nos cœurs s'excitaient mutuellement ; où sans se répondre ils savaient s'entendre ; où ton amour s'animait aux expressions du mien, et où l'amant qui t'es cher recueillait au fond de ton âme tous les transports exprimés par celui qui t'adore ? [...] Sophie, j'aimai trente ans la vertu. Ah ! crois-tu que j'aie déjà le cœur endurci au crime ? Non, mes remords égalent mes transports ; c'est tout dire. Mais pourquoi ce cœur se livrait-il aux légères faveurs que tu daignais m'accorder, tandis que son murmure effrayant me détournait si fortement d'un attentat plus téméraire ? Tu le sais, toi qui vis mes égarements, si, même alors, ta personne me fut sacrée ! Jamais mes ardents désirs, jamais mes tendres supplications n'osèrent un instant solliciter le bonheur suprême que je ne me sentisse arrêté par les cris intérieurs d'une âme épouvantée. Cette voix terrible qui ne trompe point me faisait frémir à la seule idée de souiller de parjure et d'infidélité celle que j'aime, celle que je voudrais voir aussi parfaite que l'image que j'en porte au fond de mon cœur, celle qui doit m'être inviolable à tant de titres. J'aurais donné l'univers pour un moment de félicité : mais t'avilir, Sophie ! ah, non, il n'est pas possible, et quand j'en serais le maître, je t'aime trop pour te posséder jamais. »

C'est à la fois le vocabulaire et la philosophie de *la Nouvelle Héloïse*. Flamme qui vivifie. Naissance à la vie nouvelle. Émulations des âmes sœurs. Ardeur ; transport ; plus loin « charme »... Et cette dialectique dont on traitera : « Le premier fruit de tes bontés fut de *m'apprendre à vaincre mon amour par lui-même* » (nous soulignons ; c'est l'essence de la pédagogie de Julie). C'est aussi la nostalgie... Mais il y a ici trois personnes. Saint-Lambert n'étant pas effaçable... L'amour de Jean-Jacques s'approprie, selon sa loi propre, l'irréductible réalité : « ...tu soupirais pour un autre, mais ma bouche et mon cœur recueillaient tes soupirs. » Aussi bien, Sophie ne fait pas mystère à l'absent-présent de ces « entretiens qui tournaient au profit de [son] amour »... Pourquoi donc Jean-Jacques aurait-il mauvaise image de soi ? Mieux... : « Je suis coupable, je le sens trop ; mais je m'en console en songeant que tu ne l'es pas. » Voilà comment Jean-Jacques se sauve en Sophie... Il est dans l'*Héloïse* un mouvement apparemment semblable, mais tout autre : Julie fautive n'existant plus à ses propres yeux que par la « vertu » de son amant.

16. Voir la belle lettre de Sophie d'Houdetot (26.10.57, CC. 306-7) : « ...ne méprisons pas, mon ami, un sentiment [l'amitié] qui élève autant l'âme que

le fait l'amour. » Elle exhorte Rousseau (« mon cher citoyen ») à poursuivre son œuvre.

17. « Crise » est un des vocables préférés de Rousseau — en son sens le plus proche de l'étymologie grecque. Moment où s'effectue le décisif partage entre des possibles, la crise apparaît toujours chez lui comme irrécusable expression d'un changement irréversible. Une enquête serait à faire sur les significations, dans la pensée et la langue du siècle, d'un mot dont Marivaux connaissait les ressources non moins que Montesquieu.

18. *L'Apôtre* (1848) a fait l'objet d'une traduction française par Jacques Gaucheron, éd. Corvina, Budapest. Dans la collection du Centre d'études et de recherches marxistes (CERM), n° 158, Paris 1979, *Entretien sur* « *l'Apôtre* », par B. Köpeczi, G. Besse, J. Gaucheron.

19. Au pasteur Perdriau, 28.11.54 ; CC.III, 59.

20. A Mme d'Épinay, 23.11.57 ; CC.IV, 372.

21. 10.3.56 ? CC.III, 292. Dans la lettre plus haut citée à Sophie d'Houdetot, Rousseau fait allusion aux intrigues de son « indigne sœur » (belle-sœur). Le 10.11.57 (CC.III, 348 *sqq.*) Sophie saura de son infortuné correspondant qu'« insensiblement » Mme d'Épinay « jeta sur son ami les liens de l'assujettissement ». Il évoque aussi ses efforts pour utiliser la bonne Thérèse contre lui, pour la persuader de « se réfugier chez elle »...

22. Cette longue lettre à Grimm est du 26.10.57 (CC.IV, 297 *sqq.*). Les résistances que Mme d'Épinay eut à vaincre furent celles d'un homme qui était « prêt à [se] retirer dans sa patrie », qui le désirait « vivement », qui l'aurait « dû »... Peut-être... mais on n'oublie pas que Jean-Jacques républicain craignait assez l'improbation tracassière des pouvoirs temporels et spirituels de Genève pour se résoudre à n'y point séjourner. Quoi qu'il en soit, il se reproche d'avoir accepté l'invitation de Mme d'Épinay : « ...cet instant de complaisance m'a déjà donné de cruels repentirs. » On citera plus loin l'*Ecclésiastique,* lecture de Rousseau : s'y exprime fortement une conviction qui est non moins celle qui soutient la lettre à Grimm et bien d'autres textes : il n'y a pas de communications humaine entre le monde du pauvre et celui du riche ; si elle s'amorce, c'est toujours aux dépens du pauvre. Donc chacun chez soi...

23. Dans la lettre à Grimm, Rousseau énumère toutes les raisons du « pauvre », insoupçonnées des gens qui jouissent de toutes les commodités de la vie. Deux pages des *Confessions* décrivent les servitudes que lui impose, à l'insu des personnes fortunées qui croit lui rendre service, une domesticité qui abuse d'autant mieux de l'hôte pauvre qu'il en a plus besoin. « Chez Mme Dupin même où j'étais de la maison et où je rendais mille services aux domestiques, je n'ai jamais reçu les leurs qu'à la pointe de mon argent. » Les bonnes dames qui, l'invitant, lui épargnent les vingt-quatre sols d'un fiacre ne songent pas qu'il doit verser un écu au laquais et au cocher. Le recevoir huit ou quinze jours en leur « campagne » (ce sera toujours une économie pour celui qui aura table gratuite) ? L'hôtesse n'imaginait point ce qu'il en coûtait à Rousseau : interruption de son travail de copiste ; incompressibles frais de son « ménage », etc. Voilà le malheur de qui fréquente des « gens d'un autre état que le sien » (*C.* 514-5).

24. B. Gagnebin et M. Raymond rappellent ici La Bruyère, que Rousseau n'oublie pas : « Il y a une dureté de complexion ; il y en a une autre de condition et d'état. » (*Les Caractères, ou les mœurs de ce siècle,* IV-34.) Sur la portée critique de la pensée de La Bruyère, voir notamment Pierre Barbéris, *Aux sources du réalisme : aristocrates et bourgeois,* collection 10/18, p. 330-340.

25. Rousseau avait évidemment pratiqué, dans les *Essais* de son maître Montaigne, le chapitre *De l'amitié* — « le fruit le plus parfait de la société » (*I.* 28) ; voir aussi III 9, sur le « vrai but de l'amitié ». Rousseau pratique

aussi Louis de Sacy, *Traité de l'amitié*, 1703. Sur ce point consulter W. Acher, *Jean-Jacques Rousseau écrivain de l'amitié*, Paris 1971.

26. Au livre VIII des *Confessions* Rousseau évoque les sentiments qui le dissuadaient d'accepter l'offre du roi, qui souhaitait le recevoir lui-même : incontinence urinaire ; lenteur d'esprit ; difficulté d'« enveloper quelque grande et utile vérité dans une louange belle et méritée » ; peur de laisser échapper une de ses « balourdises ordinaires »... « Je perdais, il est vrai, la pension qui m'était offerte [...] ; mais je m'exemptais aussi du joug qu'elle m'eût imposé. Adieu la vérité, la liberté, le courage. [...] Il ne fallait plus que flatter ou me taire en recevant cette pension : encore qui m'assurait qu'elle me serait payée ? Que de pas à faire, que de gens à solliciter ! » (*C.* 380) Que Diderot ait gardé son opinion sur ce refus qu'il juge inopportun (le philosophe ne doit-il pas tâcher de s'assurer, selon l'*Encyclopédie* — art. *Philosophe* —, confort et sécurité ?), une lettre du 14 mars 1757 en témoigne ; après avoir signifié à Jean-Jacques qu'il est prêt à parcourir à pied le chemin conduisant de Paris à l'Hermitage où loge le « réformé » (« ma fortune ne me permet pas d'y aller autrement »), Diderot écrit, comme en passant : « ...il faut bien que je me venge de tout le mal que vous me faites depuis quatre ans. » (CC.IV, 172) Cela fait en effet un peu plus de quatre ans que Rousseau a refusé de se rendre à l'audience royale de Fontainebleau.

27. Consulter *Diderot Studies*, X, 1968.

28. « ...Je me fais honneur d'avoir imité le scélérat Descartes quand il s'en alla méchamment philosopher dans sa solitude de Nort-Holland. » (Lettre à M. de Saint-Germain, 26.2.70, *LPh.* 202.)

29. « ...La doctrine intérieure dont Diderot m'a tant parlé, mais qu'il ne m'a jamais expliquée. » (*C.* 468) Mais les philosophes pouvaient-ils écrire en clair tout ce qu'ils pensaient ? Paul Vernière (*Revue d'histoire littéraire de la France*, octobre 1955) évoque le regret du baron d'Holbach devant sa vocation contrainte de « philosophe masqué ». — Quant à Grimm, Mme d'Épinay confiait au Genevois que le « sommaire de sa morale » (par elle-même adopté) « consistait en un seul article, savoir que l'unique devoir de l'homme est de suivre en tout les penchants de son cœur... » Cette morale quand je l'appris me donna terriblement à penser. (*C.* 468) On sait que, pour le Genevois, il y a « cœur » et « cœur ». Encore ne pouvait-il lire dans la *Correspondance littéraire,* publiée bien plus tard, comment l'arrogant « parvenu » exposait que la « science du calcul et des différentes forces » fait les « véritables éléments du droit naturel et du droit des gens » (cité par E. Schérer, *Melchior Grimm, l'homme de lettres, le factotum, le diplomate,* Paris 1887, p. 131).

30. *Le Neveu de Rameau,* éd. R. Desné-J. Varloot, p. 179.

31. Jacques Proust (*Diderot et l'« Encyclopédie »,* Paris 1962) souligne cette opposition d'idées. La « morale sensitive » de Rousseau ne conduisait pas à un matérialisme de type diderotien. Ce qui est « cause » pour Diderot est « condition » pour Rousseau : « ...forcer l'économie animale à favoriser l'ordre moral qu'elle trouble si souvent. » (*C.* 409) Nul déterminisme moral pour le Genevois. J. Proust observe qu'un matérialisme mécaniste (comme l'optimisme leibnizien) est une doctrine conservatrice. La conception rousseauiste de la liberté peut fonder une volonté révolutionnaire. Dans sa *Lettre à Voltaire* (28.8.56) sur le désastre de Lisbonne, Rousseau distingue « ordre physique » et « ordre moral », celui-ci n'ayant sens que pour un libre et responsable vouloir, qui est à l'œuvre dans l'histoire. Or Diderot écrit à Landois : « ...le mot de liberté est un mot vide de sens » (29.6.56) ; la réalité d'un « je veux » est illusoire.

32. Si IV, 27-28. Nous empruntons ce fragment à l'édition de la Sainte Bible procurée par l'École biblique de Jérusalem, Éditions du Cerf, Paris 1956, p. 899. Sans prétention œcuménique à l'égard du Genevois.

33. Ami commun du « philosophe » et du « réformé », Deleyre, directeur du *Journal étranger,* écrit à Rousseau : « Qui aimerez-vous, Messieurs, quand votre amitié réciproque aura cessé ? » [...] « Vous m'avez donné de si nobles idées de la vérité et de la vertu ; serais-je donc encore trompé, moi qui le fus jusqu'au moment où je vous ai connus tous deux ? » (31.1.57, CC.IV, 205-6). Voir F. Venturi, *Un encyclopédiste : Alexandre Deleyre,* dans *Europe des Lumières, Recherches sur le 18ᵉ siècle,* Paris-La Haye 1971, p. 51-90. Venturi écrit : « Rousseau lui avait donné, par sa vie, un modèle idéal ; Diderot lui ouvrait une voie pratique d'action philosophique. »

34. *Parler de philosophie ou parler de la philosophie,* dans *Revue internationale de philosophie,* n° 124, septembre 1978, fasc. 2-3, p. 197-213.

35. Cette condamnation figure dans l'admirable lettre retrouvée par H. Dieckmann : *Lettre apologétique de l'abbé Raynal à M. Grimm.* Il ne pardonne pas à Grimm de ne pas respecter les « philosophes » qui, ayant le courage de leurs idées, préfèrent la vérité à leurs commodités. Il oppose Rousseau, « vrai, même quand il dit faux », à Linguet, « sans principes [...] faux, même quand il dit vrai ». Voir *Œuvres philosophiques,* éd. Paul Vernière, p. 627-644.

36. Il s'agit alors du débat sur l'inégalité des conditions : ce que demandent les « philosophes », parmi lesquels se compte l'auteur de cette lettre, ce n'est pas que l'on confonde « tous les états », mais que les nobles n'abusent pas de leur prérogatives pour protéger ceux qui calomnient les philosophes. Que les grands fripons n'échappent pas à la justice qui frappe les petits, et que la loi soit la même pour tous !

37. Dans notre étude *Civiliser la nature, Revue d'histoire et de philosophie religieuses,* 1975, n° 1 (p. 12, note 2), nous avons formulé l'hypothèse que le « dictamen de la conscience » (qui figure aussi dans la *Quatrième Promenade — R.* 1028) vient tout droit de Pierre Bayle, dont l'influence sur la formation de Rousseau est irrécusable. Protestant contre les effets de la révocation de l'édit de Nantes, et soulignant les causes de l'intolérance ne sont pas le propre d'un seul parti, Bayle publie, début 1687, son *Commentaire philosophique sur ces paroles de Jésus-Christ : contrains-les d'entrer,* complété en 1688 par un *Supplément,* réponse à la réfutation du *Commentaire* par Jurieu. Il y a, écrit Bayle, « une loi éternelle et immuable, qui oblige l'homme, à peine de plus grand péché mortel qu'il puisse commettre, de ne rien faire au mépris et malgré le dictamen de sa conscience » (*I.* 401). Et ceci : « ...Tout ce qui est fait contre le dictamen de la conscience est un péché. » Cité par Marcel Raymond : *Pierre Bayle. Textes et Introduction,* Paris 1948. Cette filiation est d'autant plus probable que Rousseau forma le projet d'une histoire des protestants en France. La lecture de la grande thèse d'Élisabeth Labrousse sur Bayle nous confirme en cette hypothèse. Bien des convictions de Bayle se retrouvent dans la *Profession de foi du Vicaire savoyard.* Sa théologie pratique en appelle avec confiance au cœur et à la raison de l'individu, pourvu qu'il sache faire taire ses « passions ».

38. Une comparaison serait à faire avec Prévost, notamment l'*Histoire du chevalier Des Grieux et de Manon Lescaut* (1731). Les personnages du roman agissent mal. Leur « nature » n'en reste pas moins bonne.

39. Le « sentiment intérieur » selon Rousseau ne s'oppose pas moins à l'immatérialisme qu'au matérialisme... ; « ...l'évêque Berkeley s'élève et soutient qu'il n'y a point de corps. Comment est-on venu à bout de répondre à ce terrible logicien ? Otez le sentiment intérieur, et je défie tous les philosophes modernes ensemble de prouver à Berkeley qu'il y a des corps. » (*Lettre à Franquières,* 1139.) Dans sa *Lettre sur les aveugles* (1749), Diderot, parlant des philosophes « idéalistes » et du système « extravagant » de Berkeley, constatait qu'un tel système, « à la honte de l'esprit humain et de la philosophie, est le plus difficile à combattre, quoique le plus absurde de tous » (textes choisi, éd. J. Varloot, Paris 1952). Ce qui fait spéculativement problème pour Diderot ne soulève nulle difficulté pour Rousseau, comme pour Pascal : « Le cœur sent qu'il y a trois dimensions dans l'espace et que les nombres sont infinis... » ; raison et raisonnement prennent appui sur cette « connaissance des premiers principes » (*Pensées,* éd. Sellier, p. 80). Le sentiment interne a donc, pour Rousseau, à la fois pouvoir éthique et pouvoir de connaissance immédiate et fondarice. Comme Pascal, Rousseau fait confiance à l'expérience. Le sentiment a statut d'« expérience », si l'on peut dire. — Ajoutons que c'est aussi par sentiment interne que l'homme prend conscience du « beau ». Voir P. Burgelin, *la Philosophie de l'existence de J.-J. Rousseau.*

40. « Le cœur est la particularité de la conscience qui veut être immédiatement l'universel. » (Hegel, *Phénoménologie de l'esprit,* trad. S. Jankélévitch, I, 309.)

41. *Le Neveu de Rameau,* éd. citée, p. 109.

42. *Le Déisme réfuté par lui-même, ou examen des principes d'incrédulité répandus dans les divers ouvrages de M. Rousseau, en forme de lettres,* 1765.

43. Dans une lettre au pasteur Vernes (18.2.58) Rousseau écrit « qu'il se pourrait bien que les âmes des méchants fussent anéanties à leur mort » (*Lph.* 54).

44. Le fonds de Neuchâtel détient une lettre de Paul Chappuis (Genève, 10.3.65 ; CC.XXII) qui défend Rousseau contre le Consistoire, mais critique certains aspects de la *Profession de foi du Vicaire* qui, sous sa plume, devient « confession », ce que Rousseau n'admettrait évidemment pas.

45. *Jean-Jacques Rousseau,* Paris 1949, p. 312.

46. On reviendra sur la religion et le Dieu de Rousseau. Quelques remarques sont regroupées ici :
a) Si forte soit l'attache du 18e siècle à la Renaissance, on ne doit pas méconnaître combien l'idée de « réforme » est activement présente à ce siècle. Voltaire, qui rejette la divinité de Jésus — le Socrate de la Galilée —, apprécie la *Profession de foi du Vicaire savoyard* (bien plus que tout le reste d'*Émile*). Et René Pomeau (*la Religion de Voltaire,* nouvelle édition, Paris 1969) a montré l'intérêt de Voltaire pour une seconde Réforme. On rappellera l'inquiétude de nombreux intellectuels qui ont vécu la dernière phase du règne de Louis XIV. La France suivra-t-elle la pente suivie par l'Espagne, l'Italie, pays d'Inquisition, ou l'exemple des nations montantes, de l'Angleterre et des Pays-Bas, pays de Réforme ?
b) Aux premières décennies du siècle, le protestantisme se transforme sous l'influence de la philosophie moderne. De ce mouvement naît en pays genevois la recherche de Jean-Alphonse Turettini sur une « théologie naturelle ». Son élève Jacob Vernet traduit du latin sa *Vérité de la religion chrétienne,* ses *Pensées sur la religion.* Rousseau, durant son séjour de 1754 à Genève, se lie avec Vernet, Vernes, d'autres ; il porte le plus grand respect à Firmin Abauzit. Mais si, dans les années soixante, il imprime un élan nouveau à ceux qui, de toutes parts, s'interrogent sur les formes désormais possibles d'une expérience, d'une conscience, d'une sociabilité religieuses, c'est par cette immanentisation de la liberté de l'homme générique à la raison, que nous avons soulignée. (La pédagogie de Marie Huber n'avait pu que l'y encourager : la première tâche d'une formation spirituelle, c'est d'écarter tout obstacle à l'exercice d'une volonté droite, — ouvrage cité, *Lettre 24.*) Goethe croyait entendre l'Évangile de l'humanité. La théologie de Schleiermacher théorisera ce droit de la libre conscience religieuse proclamé par Jean-Jacques. *Mutatis mutandis,* la liberté que Rousseau enracine au principe des certitudes n'a-t-elle pas affinité avec la conception d'un Lequier, d'un Renouvier ? [Et si, pour celui-ci, Dieu, c'est l'ordre moral en tant qu'il existe, sommes-nous loin du Vicaire savoyard ?] « ...Ce qu'il y avait de théologiquement nouveau chez Rousseau, écrit K. Barth,

[c'est] qu'il a entièrement rompu avec la doctrine, depuis longtemps attaquée de toutes parts, du péché originel, et avec la conception, également menacée depuis longtemps, de la *Révélation entendue comme un événement qui serait autre chose qu'un développement immanent de l'humanité* » (nous soulignons) (cité par Godet, *Images du 18ᵉ siècle, 1947*). *Mais la Révélation n'est-elle pas émergence d'un sens* qui éclaire toute l'histoire ? C'est dans l'apprentissage de leur liberté générique que les hommes, selon Rousseau, découvrent et formulent le sens d'une histoire qui est leur œuvre.

c) Le Vicaire savoyard déplore que tant d'hommes fassent écran entre Dieu et lui. Mais la nature, non moins que le « sentiment interne », l'invite à entendre Dieu qui nous parle en elle aussi. « On eût dit que la nature étalait à nos yeux toute sa magnificence pour en offrir le texte à nos entretiens. » (*E.* 565) Pour autant, le Vicaire ne se dispense pas d'argumenter ses preuves de l'existence de Dieu (592 *sqq.*). Nous renvoyons à l'étude précise de M. Henri Gouhier (ouvrage cité, 77 *sqq.*). L'ecclésiastique a lu Descartes, mais n'oublie point son thomisme de séminaire. Sa théodicée va de l'homme à Dieu. Elle s'appuie sur l'expérience intime que j'ai de ma volonté qui meut mon corps ; sur l'indubitable constat que l'homme est intelligent. Cet Être « qui meut l'univers et ordonne toutes choses, je l'appelle Dieu. » (*E.* 581) Mais si l'homme est « intelligent quand il raisonne », l'intelligence divine est « intuitive ». Rousseau ne croit pas plus que les matérialistes du siècle à la création de la matière. Mais il écrit en *Émile* (579) que « l'organisation et la vie » ne sauraient résulter d'un jet d'atomes ; « ...des combinaisons et des chances ne donneront jamais que des produits de même nature que les éléments combinés... ». Après une allusion à Diderot : « ...Si l'on me venait dire que des caractères d'imprimerie projetés au hasard ont donné l'*Énéide* toute arrangé, je ne daignerais pas faire un pas pour aller vérifier le mensonge. » [C'est méconnaître et appauvrir la pensée de son ancien ami.] Il reviendra sur la question dans la *Lettre à Franquières* (1139), avec référence expresse à l'auteur des *Pensées philosophiques* — « qui ne vous sera pas suspect » (Franquières est matérialiste).

Nous parlerons encore du Dieu de Rousseau. Une étude serait à faire sur sa terminologie : Dieu, Être suprême, Être éternel, Être immense, Être des êtres, Grand Être, etc. (Ce n'est pas dans un texte publié de son vivant qu'on lirait... « Dieu Suprême », télescopage dont le lecteur de la première *Lettre à Malsherbes* est témoin.) Le contexte interne, la destination de l'ouvrage publié par Rousseau sont éclairants sur ses choix. Exemple : aux premières pages de la *Lettre à d'Alembert sur les spectacles,* Rousseau genevois n'emploie pas par hasard l'expression d'« Être éternel » (58). [Quant au « socinianisme parfait » que d'Alembert (art. *Genève*) attribue à plusieurs pasteurs de la ville où Jean-Jacques naquit, Rousseau se garde bien d'en créditer les ministres... Respectons « les secrets des consciences » — ce que n'ont pas fait, hélas, les personnes qui ont accusé M. Rousseau de « manquer de religion » (62). « Je ne sais ce que c'est que le socinianisme, écrit-il benoîtement, ainsi je n'en puis parler ni en bien ni en mal... » (58) Il sait fort bien que les sociniens, pour le plus grand bonheur de d'Alembert et Voltaire, congédient la divinité de Jésus.]

d) Si le projet de « sagesse » s'accomplit dans l'harmonieuse autarcie d'une vie raisonnée, comment s'accorde-t-il, en Rousseau, avec l'attestation d'une conscience chrétienne ? Et si l'estime de soi suffit au bonheur du Genevois, l'appel de transcendance garde-t-il signification ? Questions classiques, interminablement récurrentes. Reste que Rousseau s'affirme chrétien selon l'Évangile. « Oui, si la vie et la mort de Socrate sont d'un sage, la vie et la mort de Jésus sont d'un Dieu. » (*E.* 626) A Môtiers comme à Genève il sollicite et obtient sa place dans la communauté des fidèles. Un des plus célèbres moments de la Profession de foi donnerait lieu à d'amples commentaires. « Il est un âge où le cœur libre encore, mais ardent, inquiet, avide du bonheur qu'il ne connaît pas, le cherche avec une curieuse incertitude, et trompé par les sens se fixe enfin sur sa vaine image, et croit le trouver où il n'est point. Ces illusions ont duré trop longtemps pour moi. [...] J'aspire au moment où, délivré des entraves du corps je serai *moi* sans contradiction, sans partage, et n'aurai besoin que de moi pour être heureux. » (604-5) De l'inquiétude à la bienheureuse unification de soi en une autre vie, faut-il penser que le bonheur céleste ne se trouve pas dans la présence au Père, mais dans l'intégrale spiritualisation d'une présence de moi à moi ? — Rousseau ne se veut pas moins chrétien... N'a-t-il pas, sinon la croyance au péché originel, au moins le sentiment du péché ? Ne croit-il pas au Salut ? A l'île des Peupliers on aurait pu écrire sur sa tombe ce qui se lit sur celle de Lamartine à Saint-Point : « *Speravit anima mea.* » — Sa conception, sa pratique de la « prière » s'accorderaient-elles avec celles de notre temps ? Impossible en tout cas d'ignorer que sa conception du rapport liberté humaine-foi ne peut s'entendre, semble-t-il, qu'au détriment (si l'on ose dire) de la liberté même d'un Dieu se révélant en Jésus-Christ Son indifférence à la « grâce » fait inévitablement problème. Jacques Maritain voyait en Luther un « saint manqué » ; dira-t-on que Rousseau fut un pélagien réussi ? (Sur le sens du mot, voir note 55.) Mais si la conviction que, toute religion, toute confession étant œuvre de culture, Dieu n'a institué aucune Église lui valut beaucoup d'adversaires, n'est-elle pas de nos jours partagée par bien des chrétiens ? Et le « culte du cœur » que le Vicaire professe (après Marie Huber) encourage en son siècle l'individualisation des conduites et du sentiment religieux. Rousseau nous eût-il permis de paraphraser une célèbre interpellation du *Discours sur l'inégalité* ? Dieu n'est à personne et sa parole est pour tous...

47. Les pages de Hegel, Marx, Engels sur Réforme et Révolution française sont célèbres. On connaît moins les jugements d'Edgar Quinet. Dans son cours du Collège de France, *le Christianisme et la Révolution française* (publié en 1845), dans *la Révolution* (1865) il regrette que les révolutionnaires français n'aient pas mieux entendu l'inspiration de la Réforme en son aspect puritain, comme en Amérique. Avec la Convention, Robespierre, le culte de l'Être suprême, la Révolution a régressé vers le catholicisme médiéval, restauré le temps des conciles. Revanche du passé d'un peuple. — Pierre Leroux conçoit la Révolution française comme expression d'un processus inachevé, « réforme » universelle de l'humanité. Et Tocqueville, loin de reprocher aux Français de la Révolution d'avoir eu l'ambition de « régénérer notre espèce », leur en fait honneur : « ...plus incrédules que nous en fait de religion, il leur restait du moins une croyance admirable qui nous manque. Ils ne doutaient pas de la perfectibilité, de la puissance de l'homme ; ils se passionnaient volontiers pour sa gloire, ils avaient foi dans sa vertu » (*l'Ancien Régime et la Révolution,* III 2).

48. Sermon du 4.2.1791. Texte de haut intérêt. La voix du peuple étant celle de Dieu, c'est Dieu lui-même qui est le « souverain auteur de la révolution qui nous rend libre ». Reconnaissons sa loi dans nos lois, et son éternelle volonté dans la volonté générale. Dieu s'est deux fois manifesté sur la terre : alliance avec un seul peuple ; puis avec toutes les nations. « La divinité, dans ces deux interventions solennelles, s'est montrée populaire ; elle a dicté des lois de démocratie nationale au peuple juif, et ensuite des lois de démocratie fraternelle au genre humain. » Le « vrai régime du catholicisme est celui de la liberté universelle ». Fauchet évoque la primitive Église : société d'égaux, élisant ses pasteurs. Le lien proprement fondateur et constituant entre Jésus et la Révolution française s'affirme par de multiples voix dans cette période et au-delà. Pierre Leroux écrira : « L'Évangile est semblable à la Révolution française, il n'a pas encore été bien compris. La Révolution française a servi à faire comprendre l'Évangile ; mais ces deux

grandes choses [...] sont encore des prophéties. » (Cité par H. Mougin, *Pierre Leroux*, Paris 1948, p. 209.) On sait comment la guerre des paysans voulait ranimer une flamme évangélique égalitaire ; mais, selon la formule de Brecht, la défaite des révoltés fit le malheur à la fois de l'Allemagne et de la Réforme à qui fut « arrachée » la « dent de la critique sociale ».

49. Cité par M. Bouvier-Ajam, *Europe*, avril-mai 1969, 480-1 (« Napoléon et la littérature »), p. 63.

50. Le souci du prince de Conti est moins de protéger Rousseau contre le Parlement que d'épargner à celui-ci les risques d'un procès contradictoire. Les jansénistes du Parlement ont certes noué provisoire alliance avec Choiseul et le pouvoir royal contre les jésuites (expulsés en cette année 1762) ; mais leur condamnation du livre de Rousseau peut desservir leur crédibilité en un temps où ils ne manquent pas d'ennemis. Conti a-t-il tort de penser, au demeurant, qu'un procès contre un auteur de cette taille nuirait à la popularité de ce Parlement qui — jansénistes ou non — est son allié contre le « despotisme ministériel » ? Sur cet ensemble de questions, J. Fabre, *Rousseau et le prince de Conti, AJJR*. XXXVI, 7-48.

Gilbert Py (*J.-J. R. et la congrégation des Prêtres de l'Oratoire de Jésus, AJJR*. XXXVIII 127-53) porte un jugement sévère sur les oratoriens auxquels Rousseau s'était lié durant son séjour à Montlouis. Conti est protecteur des oratoriens, qui s'intéressent eux aussi à la politique. G. Py interroge : « Jean-Jacques n'a-t-il pas été vraiment le jouet d'un complot ? On utilise sa plume en le flattant ou en tablant sur sa grande sensibilité contre ses anciens amis, puis on troque sa condamnation contre celle des jésuites et de quelques philosophes. » Michel Launay (ouvrage cité, 359 *sqq.*) observe que si, à Genève, les motifs religieux de la condamnation d'*Émile* et du *Contrat* furent le paravent d'une condamnation polìtique (le procureur Tronchin lui-même l'avoua plus tard), divers indices donnent à penser qu'il en fut de même à Paris, ce qui n'eṣt pas sous-estimer les aspects religieux et philosophiques de la condamnation.

51. « L'amour de la vérité devenu ma passion dominante... » (*Cartes à jouer,* 1164). (On évoquerait ici la « réforme » d'un Renan.) Les condamnations d'*Émile*, du *Contrat* ne découragent pas Rousseau. « Oui, Monseigneur, la persécution, loin de m'avilir, m'élève l'âme, je me sens honoré de souffrir pour la vérité. » (Fragments de la *Lettre à Ch. de Beaumont*, 1011.) On lit encore dans ces *Fragments :* « Obscur, isolé, fugitif, pauvre qui pis est, car si j'avais cinquante mille livres de rentes, cela me donnerait déjà de la consistance, je commencerais d'être pour vous quelque chose et vous prendriez en parlant de moi un langage un peu plus modéré. Mais dans l'état où je suis vous pouvez en toute sûreté me calomnier, m'outrager, me traiter publiquement d'imposteur, d'homme abominable, vous pouvez m'imputer tous les crimes qu'il vous plaira, on ne vous citera devant aucun tribunal, on ne vous fera point rendre compte de vos imputations. Au contraire le peuple vous admirera, vous respectera même pour vos mensonges, vous regardera comme un zélé défenseur de la foi et l'ami de la vérité. Proscrit, poursuivi, flétri, devenu par votre parole un objet d'horreur pour les peuples [il] n'aura pas même la liberté d'élever la voix pour sa défense sans être taxé d'insolence et de témérité. Qu'importe que ma vie et ma liberté soient compromises, je ne suis qu'un homme du peuple, m'est-il permis d'avoir un honneur à défendre, mais vous, vous êtes un homme constitué en dignité dont l'état, les droits, les prérogatives sont d'être injuste impunément, et qui ne peut jamais avoir tort avec les faibles... » (1015) Texte évidemment moins connu que la conclusion de la *Lettre* publique où les mêmes idées s'expriment. « ...Sous les moindres convenances d'intérêts ou d'état, vous nous balayez devant vous comme la poussière. » (*LB.* 1007)

52. Sur le « complot », voir M. Launay (*op. cit.,* 359) ; il cite G.-H. Morin, *Essai sur la vie et le caractère de J.-J. Rousseau*, Paris 1851 ; et le mémoire

de maîtrise de J.-Ch. de Poli, *le Thème du complot chez J.-J. R. de 1760 à 1778* (Nice 1969, dactylographié). Consulter aussi J.-L. Lecercle, Introduction aux *Confessions,* Paris 1962 : le complot « création d'une imagination maladive », sur une « base réelle ».

53. Avril 1776 : Rousseau diffuse dans les rues un message *A tout Français aimant encore la justice et la vérité.* — Il n'est pas superflu de préciser d'autre part que l'ordonnance de prise de corps (1762) n'a jamais été levée.

54. **a)** Dans *Civiliser la nature* (*op. cit.,* p. 124-5-6) nous avons cité quelques-unes des lettres qui témoignent de cette action sur les âmes. Éclairer. Révéler. Régénérer. C'est dans la langue de Rousseau que ses correspondants lui disent leur gratitude ou l'appellent à l'aide : « Puisqu'il faut que je vive, apprenez-moi à vivre » ; « ...je dois me perdre insensiblement pour me retrouver transformée et recréée en un nouvel être » (d'Henriette, 28.3.65 ; CC.XXIV, 321). Deleyre, 17 mars 1758 : « ...aidez-moi à être honnête homme. » Un mois après la mort de Rousseau il écrira au marquis de Girardin : « Vous aimiez Rousseau, non seulement pour lui, mais pour tous les hommes. » « Soyons unis en Rousseau, comme les chrétiens le son ent J.-C. » (5.8.78 ; CC.LXI, 130 *sqq.*)
b) Si l'histoire de « régénérer-régénération » en amont de Rousseau et de son siècle reste à écrire, n'est-ce pas le lieu de rappeler que le fondateur du « piétisme », Spener, avait prêché en milieu protestant la nécessité d'une nouvelle naissance, et d'une seconde Réforme, celle de Luther n'ayant pas abouti ? (On connaît l'influence du piétisme à Genève, l'option piétiste pour la conscience de l'individu, pour une théologie pratique, pour le sacerdoce universel, qui n'est donc pas propriété d'un clergé.)
c) En aval de Rousseau le champ qui s'ouvre à « régénérer-régénération » est illimité. On prodiguerait les textes, où régénération et « révolution » universelle se conjoignent souvent. Pour Babeuf c'est l'égalité vraie qui régénère. Une étude d'ensemble sur le devenir de ces aspirations au 19ᵉ siècle reste à faire. Fourier était plus critique en ce point que ses aînés. Et nous avons eu l'occasion de rappeler que Marx, rédigeant *la Guerre civile en France,* n'hésite pas devant l'emploi du vocabulaire de la régénération, en un sens éloigné de son anthropologie première. (G. Besse, *Homme, Peuple, Démocratie,* colloque Marx et la Révolution française, IRM 1985, *la Pensée,* n° 249, janvier-février 1986.) On sait d'autre part ce que la littérature des deux derniers siècles doit à la « régénération ». Mais si Tolstoï a Rousseau pour maître, les différences ne sont pas mineures. Les disciples de Tolstoï ne prendront pas le chemin de la révolution, qui fut celui de nombreux rousseauistes.

55. Pélage professait que l'homme peut faire son salut, non par grâce divine, mais par l'exercice de son libre arbitre et de ses forces propres. Nulle faute adamique n'a corrompu les créatures de Dieu ; l'enfant ne naît pas pécheur. C'est contre l'hérésie pélagienne que saint Augustin livra le combat qui fit de lui le théologien du péché originel, de la prédestination, de la grâce, de la déréliction. Si Rousseau doit quelque chose à l'augustinisme, ce n'est pas sur ce terrain. (Remarque : pour les pélagiens, il y a libre contrat entre Dieu et ses créatures.)

56. C'est dans ses *Considérations destinées à rectifier le jugement du public sur la Révolution française* que Fichte revendique Rousseau face à ceux qui ne soupçonnent pas même cette libre vie de l'Esprit à l'œuvre dans les mutations du monde contemporain. On sait que Fichte souligne la filiation historique entre le combat révolutionnaire de la nation française et l'élaboration de sa *Doctrine de la science.* Sur les rapports Rousseau-Fichte voir les études approfondies d'Alexis Philonenko dans *Théorie et Praxis dans la pensée morale et politique de Kant et de Fichte en 1793,* Paris 1968. C'est au dernier chapitre de ses *Leçons sur la philosophie de l'histoire* (siècle des Lumières et Révolution) que Hegel évoque le superbe lever de soleil de

1789, l'émotion sublime, l'enthousiasme de l'esprit dont le monde pensant fut saisi ; pour la première fois l'homme, faisant valoir le concept du droit, se fondait sur l'idée pour édifier le réel. On reviendra sur Rousseau-Fichte, Rousseau-Hegel.

CHAPITRE 3

Nature, histoire, apprentissage

Philosophes et théologiens échouent à fonder (les uns dans la raison, les autres dans la Révélation) cette « société naturelle et générale entre les hommes » que nie l'auteur du *Contrat*. En particulier dans la première version.[1] L'espèce humaine ne fut pas créée sociale. Le « besoin » naturel isole les individus : « ... on voit [...] au peu de soin qu'a pris la nature de rapprocher les hommes par des besoins mutuels, et de leur faciliter l'usage de la parole, combien elle a peu préparé leur socialibilité, et combien elle a peu mis du sien dans tout ce qu'ils ont fait, pour en établir les liens » (*DI*. 151). (Sur ce point décisif Rousseau s'oppose à Montaigne.)

Mais, préfaçant le *Deuxième Discours,* Rousseau souligne que la « constitution originelle » (*DI*. 122) donnée par la « nature » aux hommes a subi des « changements successifs » (*DI*. 123), effets de notre histoire. Cette « constitution modifiée » est l'œuvre des hommes. Si donc la nature n'est pas source de société, elle n'exclut pas la sociabilité. Impuissants à détruire en eux-mêmes cette « nature » qui leur vient de Dieu, ils ont faculté de former entre eux des « rapports » qui peuvent faire de tout individu l'ennemi de son semblable, ou son ami.

Nature et rapports

Rousseau est fort d'une certitude omniprésente comparable à celle qui rayonne d'une proposition axiomatique quoique informulée : une même *nature* produit des effets différents, selon les *rapports* où elle est placée. Différence qui peut induire des effets contraires dans la durée ou la simultanéité. « Rapport », notion cartésienne et malebranchienne, qui se réactive en Montesquieu, en Buffon. Parce que le législateur du *Contrat* connaît la « nature » de l'homme, sa science des « rapports » est féconde. Il sait, comme le gouverneur d'*Émile*, que cette nature — dispositions primitives —, l'« art » peut la « déguiser », mais non la « changer tout à fait ». Elle opère non moins quand l'art la méconnaît ou se flatte de la transgresser. La nature est mère. Elle n'abandonne jamais ses enfants. Fabriquez un monstre, « la loi de la végétation sera gardée en dépit de vous » (E. 1re r. 56)[2]. D'où suit que la « perfectibilité » propre à notre espèce est en acte dans la perversion de la nature comme dans son épanouissement. Ce qui rend le vice si redoutable c'est que, produit de la société, il puise son élan, sa force, sa résistance au bien dans la nature elle-même. Le vice n'est pas de nature, mais il est nature déviée. Ainsi chez Malebranche : la volonté du pécheur dévie un mouvement foncièrement droit.

De nature, l'homme du *Discours sur l'inégalité* est être « composé » (âme-corps) ; qui se porte un amour spontané et constant ; non sociable, mais apte à se reconnaître en ses « semblables », dans l'élan de la « commisération » (126) ; distinct de toute espèce animale par sa « qualité d'agent libre » (141) et la « faculté de se perfectionner » (142).

Si complexes soient les problèmes posés par une confrontation entre *Discours* et *Contrat*[3], comprendrait-on l'entreprise du législateur s'il ignorait ces propriétés de la nature humaine ? L'échange entre « liberté naturelle » et « liberté civile » *(Contrat)* serait impossible si la « qualité d'agent libre » *(Discours)* n'était point propre à l'homme. Traité par l'auteur du *Contrat* comme un progrès, cet échange suppose la « perfectibilité » *(Discours)* dont l'homme est ontologiquement capable. « Naturelle » ou « civile », la liberté est toujours, dans le corpus notionnel de Rousseau, non-dépendance de la volonté d'un individu par rapport à celle de tout autre.

Quant à cet « amour de soi » qui, à l'état de nature » *(Discours)*, absolutise inconsciemment l'individu (il n'existe que pour lui-même), le législateur du *Contrat* n'en médite pas l'impossible éradication. C'est ici plutôt que Rousseau nous invite à reconnaître le génie constituant du législateur : relativiser l'absolu. « Celui qui ose entreprendre d'instituer un peuple doit se sentir en état de changer, pour ainsi dire, la nature humaine ; de transformer chaque individu, qui par lui-même est un tout parfait et solitaire, en partie d'un plus grand tout dont cet individu reçoive en quelque sorte sa vie et son être ; d'altérer la constitution de l'homme pour la renforcer ; de substituer une existence partielle et morale à l'existence physique et indépendante que nous avons tous reçue de la nature. Il faut, en un mot, qu'il ôte à l'homme ses forces propres pour lui en donner qui lui soient étrangères et dont il ne puisse faire usage sans le secours d'autrui. Plus ces forces naturelles sont mortes et anéanties, plus les acquises sont grandes et durables, plus aussi l'institution est solide et parfaite : en sorte que si chaque citoyen n'est rien, ne peut rien, que par tous les autres, et que la force acquise par le tout soit égale ou supérieure à la somme des forces naturelles de tous les individus, on peut dire que la législation est au plus haut point de perfection qu'elle puisse atteindre. » (*CS.* 381-2)

Les différences avec la première version n'ont pas un caractère notionnel. Observons pourtant que Rousseau a d'abord écrit « ... qu'il *mutile* en quelque sorte... » ; verbe utilisé déjà dans un fragment de ses *Écrits sur l'abbé de Saint-Pierre* (*ESP.* 653). Dans les deux rédactions le changement (« pour ainsi dire ») consiste à placer les individus en des rapports tels que nul ne puisse exister-moi, se vouloir-moi, s'aimer-moi que par et dans ses rapports avec ses cosociétaires. Les « forces étrangères » dont il ne peut se passer sont celles qui lui viennent de ces rapports. Par différence avec les « forces propres » à l'individu antérieur à cette « forme d'association » qui (selon le *Contrat*) « défende et protège de toute la force commune la personne et les biens de chaque associé, et par laquelle chacun s'unissant à tous n'obéisse pourtant qu'à lui-même et reste aussi libre qu'auparavant » (*CS.* 360).

C'est parce que la nature humaine est dispositions que le législateur peut, non lui substituer une autre nature — il n'est pas Dieu — mais introduire l'homme-individu à une nouvelle existence, indivisément sociale et morale. La dénaturation selon le Législateur n'est pas anéantissement de la nature-homme ; elle est socialisation raisonnée de l'homme-individu.

Si les hommes sont devenus « malheureux et méchants en devenant sociables » (*CS.* 1re vers. 288), c'est parce que leur nature est d'un être qui ne fut pas créé social. Mais la même nature qui les porte à se combattre dans une société du chacun pour soi les portera à s'entraider si le lien social les solidarise. L'association conçue par le législateur n'annule pas l'intérêt que tout individu, par loi de nature, a spontanément pour lui-même, mais elle permet de construire des rapports tels que nul ne sache se vouloir sans vouloir les autres, dans une socialisante confraternité.

Société divisante, homme divisé

Pas de faute originelle aux sources du malheur humain ! Mais une « société », qui prétend unir les hommes qu'elle attroupe, livre l'individu à la compétition sans fin. Ainsi cette union-leurre qui offre au « riche » le plus sûr moyen de faire accepter par les « pauvres » l'inégalité, l'assujettissement, en les persuadant qu'ils sauvent leur liberté.

Pour Rousseau, la guerre entre individus comme entre peuples est fille du rapport social. Mais, tant que l'homme-individu est soumis aux conditions d'une « société » qui est affrontement, ruse, combat pour le pouvoir sur autrui, il est deux fois malheureux : l'originelle indépendance n'est plus ; la liberté du citoyen n'est pas. C'est ce conflit intime à la conscience, aux sentiments, aux conduites, aux finalités qui fait de l'homme un loup pour l'homme. Il ne peut s'affirmer sans nier son semblable.

L'humanité est intérieurement divisée par une « société » qui divise les hommes. Là est le foyer de vice et corruption. Mais Rousseau parle alors une « langue étrangère » inintelligible à l'archevêque de Paris qui condamne son *Émile* (*LB*. 937)[4]. Christophe de Beaumont ne comprend pas que le mal va du dehors au dedans. Il croit que le point-origine est intime à l'homme. Parce qu'il est, comme tout auteur du discours moralisant que Rousseau veut démystifier (et comme Hobbes lui-même, qui pourtant...), victime du faux-semblant qui fait voir dans le produit de l'histoire, dans l'homme social, une nature illusoirement traitée comme nature de l'homme en soi.

Tant que nous ne savons pas ressaisir le fil d'une histoire méconnue, la fabulation est notre recours. Et c'est dans le mythe du « péché originel » que la religion de Ch. de Beaumont cherche le pourquoi de l'humanité divisée : n'a-t-il pas fallu que les enfants se séparent du Père pour que leur propre image se brise, pour que tout leur être soit repétri dans l'orgueil et le ressentiment, pour que chacun ne fasse l'apprentissage de son humanité que dans l'universelle mêlée des désirs et des intérêts ?

Mais comment ignorer que la « doctrine du péché originel » (*LB*. 937) ne rend raison de la méchanceté des créatures qu'en postulant celle du créateur ? Comment admettre qu'un Dieu juste et bon ait pu donner à ses enfants une existence innocente pour les exposer à la faute et les damner ? Et si la même doctrine enseigne que le baptême purifie, et nous rend « aussi sains de cœur qu'Adam sortit de la main de Dieu », faut-il admettre qu'ainsi le sang du Christ ne fut pas « assez fort pour effacer entièrement la tache » ?[5]

Rousseau cherche vainement dans l'Évangile la doctrine de ce péché d'Adam qui « explique tout, excepté son principe » (939). La liberté générique étant essentielle à chaque individu, il est impensable que tout homme soit lié, d'âge en âge, par la faute adamique. Ce n'est pas une désobéissance au Père qui a perdu le genre humain. C'est un rapport social aliénant. Toute servitude est matrice de corruption. « Depuis que le monde a des maîtres, écrit Rousseau dans un *Fragment sur la liberté,* la corruption est devenue générale ainsi que la servitude. Et c'est celle-ci qui a mené l'autre. » S'il restait quelque part « un seul désert où l'on pût être libre impunément il deviendrait bientôt la patrie du genre humain et c'est alors qu'on verrait à la honte de tous nos Législateurs que leurs lois ont pu faire quelques hypocrites, mais/et qu'il n'y a que celles de la nature qui fassent les gens de bien ».[6]

Il y a loin de ce texte au *Contrat.* Mais Rousseau ne s'écartera pas de l'idée que les « lois » de la « nature » sont référence ultime. C'est en découvrant les principes d'une constitution civile propice à la socialisation vraie d'une humanité écartelée entre une nature occultée et une « concorde artificielle » (*ESP.* 603) que le législateur manifestera son intelligence du dessin de cette nature qui nous destine au bonheur. Le rapport social n'est pas essentiel à l'enfant de Dieu. Mais, puisqu'il s'est formé par les hommes, il faudra qu'en effet la société soit pour que l'humanité soit.

« Confédération sociale »

« Plus l'humanité lui doit, plus la société lui refuse. » Telle est, dans le *Discours sur l'économie politique* (chronologiquement situé entre *l'Inégalité* et le *Contrat*), la condition du « pauvre » en cette « confédération sociale » où le « droit de l'homme riche » ne pourrait s'exercer sans le non-droit de ceux qu'il dépouille. (A rapprocher du *Discours sur les richesses,* composé vraisemblablement peu après *l'Économie politique :* Chrysophile a beau vouloir se donner le change, nul ne s'enrichit sans appauvrir une foule de malheureux ; le riche peut se persuader qu'il fera l'aumône aux pauvres pour qu'on lui pardonne sa richesse ; son or fructifie de leur misère.)

« Résumons en quatre mots le pacte social des deux états. Vous avez besoin de moi, car je suis riche et vous êtes pauvre ; faisons donc un accord entre nous : je permettrai que vous ayez l'honneur de me servir, à condition que vous me donnerez le peu qui vous reste, pour la peine que je prendrai de vous commander. » (*EP.* 273) Le pauvre doit payer, peiner, végéter en permanente humiliation pour assurer l'arrogante félicité du privilégié parasitaire, à qui tout est dû ; « ... la difficulté d'acquérir croît toujours en raison du besoin. » Mais « tout ce que le pauvre paye [...] reste ou revient dans les mains du riche » (272). Et celui-ci n'a rien à débourser pour jouir sans effort de tous les avantages d'une société faite pour lui.

Mais cette longue page de critique sociale, concrète et percutante, est inséparable d'une célébration de la « loi ». Non plus domestiquée par le riche, mais « organe salutaire de la volonté de tous », la loi « rétablit dans le droit l'égalité naturelle entre les hommes » (248). Pas d'authentique « union » si « liberté » et « justice » sont disjointes. Le législateur du *Contrat* donnera donc deux objets à son entreprise : « liberté », « égalité », qui sont « le plus grand bien de tous ». L'égalité n'est pas une écorce. Sans elle, il n'est pas ou plus de liberté pour l'homme social. Il n'y a que l'égalisation des faibles sous le joug des puissants. Et la violence faite au citoyen est, non moins, attentat contre l'homme.

Ce qui est bon à l'« état de nature » s'inverse dans l'« état civil ». L'individu présocial vit sa liberté sans rien devoir à ses semblables. L'individu associé ne peut être libre que d'une liberté qui est celle de tous ses égaux. Il ne peut la faire valoir en les opprimant.

« Théorie de l'homme »

La philosophie politique du législateur ne sera donc pertinente que si, prenant appui et prise sur l'être et les possibles de la « nature » reconnue, elle n'oublie jamais que c'est nature d'homme. C'est pourquoi Rousseau souligne, en sixième *Lettre de la Montagne,* que l'« engagement » qui fonde la cité du *Contrat* est « convenable à des hommes » et n'a « rien de contraire aux lois naturelles » (universellement humaines) ; « ... car il n'est pas plus permis d'enfreindre les Lois naturelles par le *contrat social,* qu'il n'est permis d'enfreindre les Lois positives par les contrats des particuliers, et *ce n'est que par ces lois-mêmes qu'existe la liberté qui donne force à l'engagement.* » (Nous soulignons.) (807) Texte pilote qu'une analyse et une évaluation du *Contrat* ne devraient jamais perdre de vue. (Les lois « positives » sont l'ouvrage historique de l'homme social. Les lois « naturelles » sont immanentes à la nature d'un être ontologiquemenet capable de libre choix ; capacité mise à l'épreuve par la socialisation-moralisation de l'espèce homme.)

Nous avons en d'autres temps repéré la position centrale de « prise » (image et concept) dans la pensée et la conduite de Rousseau. La « prise » est déjà dans Montaigne[8]. De l'adolescence aux dernières années, Jean-Jacques, qui porte tant de respect à l'« attachement » (maître mot), craint toujours de tomber sous quelque « prise » aliénante. Mais la « prise » sur l'enfant est un impératif du gouverneur. L'enfant lui-même s'exerce à la « prise » sur l'environnement. Sa raison ne doit-elle pas s'élever du sensori-moteur à l'intellection ? Une philosophie « avide de tout expliquer » s'égare dans des « systèmes absurdes » — Descartes lui-même — ou dans les rêveries quand sa dialectique ne trouve pas « prise » dans l'expérience sensible. « Ce n'est pas tant le raisonnement qui nous manque que la prise du raisonnement. » (*LMo.* 1095) (L'heure de Kant approche...) La sagesse, maîtrise de moi, suppose le discernement des effets qu'exercent à mon insu sur moi le milieu, les circonstances ; « ... tout nous offre mille prises presque assurées pour gouverner dans leur origine les sentiments dont nous nous laissons dominer » (*C.* 409). Et voici *Émile* livre V : « ... comme s'il ne fallait pas une prise naturelle pour former des liens de convention. » (*E.* 700) Le pacte social supposant l'aptitude à de tels liens, il faut donc qu'il ait, lui aussi, quelque prise en la nature Homme.

L'auteur de la *Lettre à Ch. de Beaumont* revendique, dans la langue souveraine des moments décisifs, cette « théorie de l'homme » qui n'est pas « vaine spéculation [...] lorsqu'elle se fonde sur la nature, qu'elle marche à l'appui des faits par des conséquences bien liées, et qu'en nous menant à la source des passions, elle nous apprend à régler leurs cours » (*LB.* 941). Une telle théorie est inséparable intelligence de « l'homme de la nature » et de « l'homme de l'homme ». Comment l'un devient l'autre par les rapports de société. Et comment, l'histoire n'étant pas répétition, « le genre humain d'un âge » n'est pas celui « d'un autre âge » *(DI.)*. Rousseau déplore que les philosophes ne sachent, pour entendre l'homme, que se « substituer aux autres » *(EOL.)*. Il inscrit la « comparaison » (dans l'espace et le temps) au principe de sa méthodologie.

Indispensable au législateur comme à l'éducateur, l'anthropologie de Rousseau s'expose dans l'*Émile*. Or Jean-Jacques se plaît à souligner la fondamentale unité d'inspiration entre cet ouvrage et deux autres : le *Discours sur l'inégalité ;* le *Contrat.* Au début de la préface du *Discours,* ne déplore-t-il pas qu'entre « toutes les connaissances humaines » « la plus utile et la moins avancée » soit « celle de l'homme » (*DI.* 122) ? C'est cette science-là, « science commune des sages », que voulaient acquérir Platon, Thalès, Pythagore lorsqu'ils voyageaient loin pour « apprendre à connaître les hommes par leurs conformités et par leurs différences » (213). On rapprochera de l'*Essai sur l'origine des langues* (« Quand on veut étudier les hommes il faut regarder près de soi ; mais pour étudier l'homme il faut apprendre à porter sa vue au loin ; il faut d'abord observer les différences pour découvrir les propriétés ») (*EOL.* 89) et de la deuxième préface de l'*Héloïse* (« ... discerner ce qui fait les variétés de ce qui est essentiel à l'espèce ») (*NH.* 12).

Mais l'« histoire naturelle » d'Émile, éduqué à l'universelle et pure humanité, ne peut l'acheminer à l'âge adulte s'il ne fait pas l'apprentissage de la philosophie politique. Voilà qui devrait alerter contre une mésentente du concept d'« éducation négative » — formé sans doute par analogie avec la « théologie négative » que recommande Marie Huber. Cette éducation préserve Émile d'une société qui, violentant « l'homme naturel », enferme les hommes dans le rapport Domination/Servitude, et les porte au mal, au mensonge. Elle a pour objet, non de fixer l'enfant dans « l'éducation domestique », faute de mieux — comme ont paru le penser de bons auteurs —, mais tout à la fois de faire mûrir l'humanité dans l'enfant et de préparer l'adolescent aux devoirs d'un citoyen exemplaire. « Il y a bien de la différence entre l'homme naturel vivant dans l'état de nature, et l'homme naturel vivant dans l'état de société. Émile n'est pas un sauvage à reléguer dans les déserts ; c'est un sauvage fait pour habiter les villes. » (*E*. 483-4)

L'« histoire naturelle » d'Émile est ainsi contre-épreuve de l'histoire du genre humain telle que la recompose le *Discours sur l'origine et les fondements de l'inégalité* (et *l'Essai sur l'origine des langues*). Car le genre humain a, lui aussi, fait un apprentissage dont Rousseau tire l'enseignement. Si même il pense que, le temps d'apprendre, il est déjà trop tard.[9]

« Creuser jusqu'à la racine »

Les clercs salariés par les maîtres sont hostiles par état à l'entreprise de Rousseau : « Creuser jusqu'à la racine. » (*DI*. 160) Pour comprendre comment, pourquoi est apparue « parmi les hommes » et s'est perpétuée une inégalité qui n'est pas de nature, ni ne dérive du péché originel, comme le croyait Malebranche. On traitera de l'inégalité au chapitre 5. On retient ici l'originalité de Rousseau : pour entendre l'histoire du genre humain, « commençons donc par écarter tous les faits, car ils ne touchent point à la question » (*DI*. 132). Instructive confrontation : bien plus tard, *Rousseau juge de Jean-Jacques (Deuxième Dialogue* 820) usera d'un procédé comparable. Pour aider son interlocuteur à se libérer d'une fausse image de Rousseau.

Comparable au doute hyperbolique de Descartes, la méthode adoptée par Rousseau lui paraît propre à nous défaire de l'illusion où se sont pris tous ceux qui ont cru pouvoir connaître l'homme en méconnaissant les effets de l'histoire. Écarter tous les faits, non par indifférence pour ce qui s'est passé, mais pour construire imaginairement ce pur état de nature « qui n'existe plus, qui n'a peut-être point existé, qui probablement n'existera jamais, et dont il est pourtant nécessaire d'avoir des notions justes pour bien juger de notre état présent » (*DI*. 123). Parce qu'il mesure ce que ses devanciers ont sous-estimé — irrésistibles forces de l'histoire, invincible durée qui modifie — Rousseau s'impose de restaurer la statue de Glaucus, de « démêler ce qu'il y a d'originaire et d'artificiel dans la nature actuelle de l'homme » (*DI*. 123).[10] Cherchant l'homme avant l'histoire, les autres n'ont su que transporter à « l'état de nature des idées qu'ils avaient prises dans la société ». (132) Car cet homme d'avant la société est insaisissable. L'histoire nous astreint à penser en elle ce qui n'est pas elle.

Mais, pour comprendre ce qu'elle a fait de nous, il n'est pas nécessaire de réussir l'impossible, de repérer l'irrepérable. Les physiciens et Descartes ont-ils besoin d'assister à la genèse de l'univers pour raisonner sur hypothèses ? La « nature de l'homme » n'est pas plus à voir que le premier moment de la création. Pas plus que n'est à voir, dans la philosophie critique, ce « transcendantal » sans lequel une expérience sensible est inconstructible. Mais cette nature est pensable puisque enfin je suis homme. Et j'atteindrai mon objet si je me forme une représentation de l'homme qui me permette de comprendre l'histoire de l'humanité, de concevoir la nécessité de ces « enchaînements » qui ont graduellement fait de l'homme de Dieu l'homme de l'homme. « Déterminer », par travail d'hypothèse, les « faits » propres à lier intelligemment des faits avérés, telle est la tâche de la « Philosophie », quand l'histoire est défaillante (*DI*. 163).

Certes les récits de voyageurs, et Lucrèce, Buffon nous assistent en ce travail d'approche. Puisque l'histoire est éloignement-déformation, tout ce qui nous aide à remonter son cours nous prépare à connaître l'« homme ». Mais je n'ai chance d'aboutir que si je puis concevoir une « nature » qui porte en elle sinon la nécessité, du moins la *possibilité* d'une histoire. Le problème n'est pas d'existence, mais *d'essence*. A l'état de « nature », il n'y a que des individus, isolés et semblables. Mais telle est leur « nature » que, si le besoin les assemble, ils commenceront une nouvelle existence. Non historique, leur nature est perfectible. Elle est d'un être qui peut faire quelque chose de lui-même — se donner, dira Kant, « un caractère ». Et qui peut le faire dans la guerre avec ses semblables ou dans le concours et l'union. Nous sommes, depuis l'inassignable origine, cet être « composé », capable, si ses virtualités s'actualisent, de s'opposer aux autres et à soi, de se parler, de leur parler, de parler le langage du vrai ou de la tromperie.

Il n'est pas nécessaire d'avoir vu Dieu créer les animaux pour comprendre que la bête n'a pas d'histoire. Il suffit de reconnaître que, si proche l'animal soit de l'homme, son essence lui interdit d'apprendre ce que notre espèce apprend. Toute nature n'est pas civilisable.

Les trois grands textes de maturité, *Contrat social, Nouvelle Héloïse, Émile,* donnent une double fonction à la nature « Homme ». *Heuristique* puisque, pour déchiffrer l'homme-devenu, je dois avoir identifié l'universelle structure de l'humain ; tant que cette structure n'est pas reconnue, l'homme de l'homme est inintelligible. *Normative,* car notre nature est finalisée. L'histoire n'est pas d'essence inscrite en elle. Mais, puisqu'elle est prise en cette histoire, c'est en elle qu'elle doit apprendre à vivre humainement. Dieu a créé l'inaccompli.[11]

Liberté, Perfectibilité

Si connues soient les pages consacrées en première partie du *Discours* à liberté, perfectibilité, elles importent trop à notre recherche pour qu'un classique renvoi suffise.

La méthode comparative de Rousseau accorde plus à la « Bête » que ne consentaient les cartésiens. L'animal a des « idées » puisqu'il a des « sens », comme en jugent Montaigne et Condillac. L'entendement n'est pas privilège humain ; entre la bête et nous la différence est dans le degré. Mais ce que Rousseau préserve jalousement en l'homme, ce sont les deux seules qualités « spécifiques » qui lui paraissent nécessaires et suffisantes pour que soit possible une histoire : liberté, perfectibilité. Octroyer à l'homme sortant des mains de Dieu une raison toute formée déjà, comme l'enseignent traditions et magistères, serait canaliser à la source et discriminer les indénombrables, insoupçonnables possibles qui s'ouvrent à une espèce perfectible et libre. Une science des genèses de l'intellect, fille du siècle, aide ainsi Rousseau à déborner l'histoire de l'humanité, à ne circonscrire ni ses risques ni ses ressources.

Perfectibilité, liberté ne sont pas synonymes. Dieu, qui est libre, est imperfectible. Confondre en la nature « Homme » liberté et perfectibilité ne serait pas comprendre leurs effets, qui interagissent, se conjuguent.

Dire que l'homme à « l'état de nature », assujetti aux déterminations matérielles, ne l'est pas à la volonté d'un quelconque entre ses semblables, c'est définir un hypothétique état de non-dépendance, extérieur à l'individu pris en soi. Ce n'est pas définir l'essence immanente de la « liberté », dont l'individu-homme (= J.-J. Rousseau) fait l'épreuve en lui-même. Nul membre de notre espèce n'est, plus qu'animal ou machine, physiquement soustrayable aux lois du système univers. Mais l'homme « métaphysique et moral » a la « qualité d'agent libre » (*DI.* 141) en ceci précisément qu'« il se reconnaît libre d'acquiescer ou de résister ». Rien de tel dans tout autre espèce animale ; « ... et c'est surtout dans la conscience de cette liberté que se montre la spiritualité » de l'« âme » humaine (*DI.* 142). En quelques lignes se condense une philosophie que le Vicaire savoyard amplifiera, argumentera. Mais le texte du *Discours* est de ceux où l'on voit Rousseau — quand il y va de la liberté de l'homme — remonter en amont de Malebranche jusqu'à Descartes. Cette « puissance de vouloir ou plutôt de choisir » (« choisir » étant volontaire, « plutôt » n'efface pas « vouloir ») couple, de droit cartésien, volonté-liberté, volonté-jugement. Et l'irrécusable « sentiment » d'une telle puissance en moi vaut preuve pour l'auteur du *Discours* comme pour Descartes. En tout membre de l'espèce Homme, l'ontologique liberté d'un vouloir-choisir est concrétisable. On comprend donc que, dans une situation qui n'est plus celle de l'état de nature, l'homme-individu dispose du pouvoir essentiel (inséparablement « métaphysique et moral ») de se choisir lui-même, de se décider bien ou mal agissant.

On remarquera qu'en une phrase s'effectue passage immédiat de ma « conscience » de cette liberté volitive-optante à l'assertion de la « spiritualité » de l'âme. Pourquoi tenter une médiation, esquisser une démonstration puisque cette spiritualité « se montre » « dans » la conscience même de ma liberté ? (« ... dans le sentiment de cette puissance, on ne trouve que des actes purement spirituels ») (142). Jean-Jacques pourtant n'a pas plus que Malebranche une « idée » de son âme...

L'auteur s'oppose ici aux matérialistes du temps, comme à Hobbes. Non sans infléchir Descartes puisque, pour celui-ci, c'est en *dubito-cogito sum* que s'initie la certitude de *res cogitans (chose pensante)*. Il est vrai, comme l'explicite J.-M. Gabaude, qu'un libre vouloir est au travail dans « je doute », « je pense ».[12]

Rousseau admet que les « difficultés qui environnent toutes ces questions » laissent « lieu » à dispute sur une liberté intuitionnable que les matérialistes déboutent. Mais qui contesterait un fait universellement observable ? La « faculté de se perfectionner » (« presque illimitée ») (*DI*. 142) sépare irrécusablement l'homme de la bête. Buffon l'a marqué ; après Bossuet. L'animal est individuellement, en quelques mois, ce qu'il sera sa vie durant. Et l'espèce animal est immuable sur une très longue période. (Dès 1752 pourtant, dans son *Traité des animaux*, un des plus beaux livres du siècle, Condillac, ami de Rousseau, déstabilisait ce fixisme rassurant ; l'instinct est habitudes, l'animal apprend et progresse.) Mais le Genevois, encore encyclopédiste, réactive Bacon : c'est cette faculté de se perfectionner qui, « à l'aide des circonstances, développe successivement toutes les autres » (142), en l'homme-espèce et individu.[13]

Liberté, perfectibilité n'ont pas dans la structure de l'homme « moral » une position symétrique. L'une est faculté parmi d'autres, bien qu'éminente et qualifiante en humanité. Mais nos diverses facultés sont perfectionnables ; la perfectibilité est donc moins faculté *stricto sensu* que cette capacité originairement sommeillante qu'ont toutes les puissances de l'homme de se développer. (Il n'est pas moins perfectible au « physique » qu'au « moral » puisque, en état de nature, son corps est à l'école de la mécanique animale.)

Perfectible, l'agent libre peut se moraliser ou déchoir. Car tel est le contradictoire effet de la perfectibilité en acte, sous les conditions nées du rapport interhumain. Opposant la liberté humaine à l'« instinct » animal (ce n'est plus la traditionnelle opposition entendement-instinct), Rousseau souligne les risques de l'homme : il peut choisir l'« excès ». Au-delà de la satisfaction du besoin qui régule inconsciemment la bête. Il advient ainsi qu'au mépris de la sagesse animale « la volonté parle encore quand la nature se tait » ; et que les « sens », qui ont fonction d'adaptation, non de connaissance (rappel cartésien), soient surmenés par un « Esprit » qui les « déprave » (*DI*. 141).[14]

Allégués contre une liberté sans frein, de tels comportements ne sont possibles que parce que notre espèce est apte à « se perfectionner ». Si la perfectibilité a permis l'éclosion, au lent cours des âges, de nos lumières et de nos erreurs, de nos vices et de nos vertus, c'est en causant le « malheur » d'une humanité enlevée à l'heureuse innocence de sa « condition originaire ». L'homme s'est ainsi fait, au long des siècles, le tyran de lui-même et de la nature.

Hors toute histoire, le « pur état de nature » (147) est celui de l'interchangeable et anonyme individu, borné aux besoins et satisfactions d'une vie uniforme, simple, errante, solitaire, qui ne requiert nul exercice d'un langage articulé. Quelle cause immanente pourrait interrompre un état qui semble indéfiniment reproductible ? L'émergence de la sociabilité, la recherche d'une existence stable et continue entre semblables sont provoqués du dehors. « Celui qui voulut que l'homme fût sociable toucha du doigt l'axe du globe et l'inclina sur l'axe de l'univers. A ce léger mouvement je vois changer la face de la terre et décider la vocation du genre humain. » (*EOL.* 109) Ainsi parle, dans l'*Essai sur l'origine des langues,* un Rousseau qui a lu le *Spectacle de la nature* de l'abbé Pluche. Dans le *Discours,* nul phénomène de ce type n'est suggéré pour expliquer les premières agglomérations humaines ; simplement le « concours fortuit de plusieurs causes étrangères qui pouvaient ne jamais naître, et sans lesquelles [l'homme naturel] fût demeuré éternellement dans sa constitution primitive » (*DI.* 162).

Quoi qu'il en soit, le lecteur ne suit au mieux la pensée de Rousseau que s'il distingue entre un état de « pure » nature, dont le site est métahistorique puisqu'il a pour fonction — dans la problématique du *Discours* — de donner à penser l'homme essentiel, et une préhistoire antérieure à la société civile que va générer l'égoïste accaparement de la terre. L'acteur de cette protohistoire (objet possible d'une étude où l'anthropologique et le social se compénètrent) est cet homme des sociétés sauvages qui, fort éloigné déjà de l'originel, garde avec l'homme naturel une ressemblance physique et morale méconnaissable en l'homme de nos temps. Notre chapitre 5 évoquera la marche du genre humain vers l'état de guerre. Notons seulement que cette « société naissante » avait trouvé l'état « le meilleur à l'homme ». « Juste milieu entre l'indolence de l'état primitif et la pétulante activité de notre amour-propre. » Ainsi la plupart des sauvages que nos sociétés découvrent et prétendent civiliser (voire christianiser) pour leur malheur. Le « funeste hasard » qui mit fin à cette « jeunesse du monde » (souvenir de Lucrèce)[15] ouvrit la voie à « tous les progrès ultérieurs » qui ont été « en apparence autant de pas vers la perfection de l'individu, et en effet vers la décrépitude de l'espèce » (*DI.* 171). Dissolution de l'économie primaire, division du travail, esclaves et maîtres... Tout ce qui civilise « les hommes » va perdre « le genre humain » (171). Pour que la dialectique de la perfectibilité naturelle induise de tels effets — civiliser/déshumaniser —, il aura fallu que l'irréversible socialisation, inséparable des conquêtes de la parole et du travail, multiplie les situations de dépendance qui aliènent la liberté native, tourmentent la nature, font les frères ennemis. Ne valait-il pas mieux la dormance originelle ?

« C'est un grand et beau spectacle de voir l'homme sortir en quelque manière du néant par ses propres efforts ; dissiper, par les lumières de sa raison, les ténèbres dans lesquelles la nature l'avait enveloppé ; s'élever au-dessus de soi-même ; s'élancer par l'esprit jusque vers les régions célestes... » (*DS.* 6) Le mémorable exorde du *Discours sur les sciences et les arts* n'était que prélude à la critique d'une civilisation qui n'a su porter les hommes si haut qu'en rompant la filiale attache avec la nature qui les préservait à la fois des lumières et du vice. Mais, dans l'*Inégalité*, la dialectique de la perfectibilité donne au mouvement des contraires un souffle nouveau. Car si l'histoire ne rétrograde point, ce n'est pas seulement que l'âge précivil soit révolu. C'est en elle que notre espèce, une et déchirée, doit tenter de rejoindre et d'accomplir son essentielle humanité. Qui n'a rien acquis n'a rien à perdre. Mais perdre tout ce qui nous élève au-dessus de l'animalité serait tomber « plus bas que la bête même » (*DI.* 142). Hommes, veillez...

Tirer du mal le remède

La longue note IX du *Discours* recense les malheurs que notre espèce a pris tant de « peine » à s'infliger. Voici pourtant la renversante interpellation de Rousseau : « Quoi donc ? Faut-il détruire les sociétés, anéantir le tien et le mien, et retourner vivre dans les forêts avec les ours ? » (207) L'« originelle simplicité » est perdue sans retour. Mais, même si les institutions humaines produisent toujours « plus de calamités réelles que d'avantages apparents » (208), la destinée assignée à notre espèce par son créateur est de donner à ses actions une « moralité » inconnue de l'état de nature. « Et la vertu d'un seul homme de bien ennoblit plus la race humaine que tous les crimes des méchants ne peuvent la dégrader. » (*FP.* 505)

Ce dernier mouvement de la note 9 fait relais avec la fin de l'exorde du *Discours sur les sciences* plus haut cité : l'homme maître de l'univers rentrant en soi pour connaître « sa nature, ses devoirs et sa fin » (*DS.* 6). Mais la note IX s'accorde aussi avec le *Contrat* (première version) : « ... quoiqu'il n'y ait point de société naturelle et générale entre les hommes, quoiqu'ils deviennent malheureux et méchants en devenant sociables, [...] loin de penser qu'il n'y ait ni vertu ni bonheur pour nous, et que le ciel nous ait abandonnés sans ressource à la dépravation de l'espèce, efforçons-nous de tirer du mal même le remède qui doit le guérir. Par de nouvelles associations, corrigeons, s'il se peut, le défaut (= l'inexistence) de l'association générale (= une société naturelle-universelle) » (288). Tourner le mal en bien, c'était la conclusion de la préface du *Discours sur l'inégalité*.

L'homme originel est libre et bon. Mais, tant que ne s'est pas déliée la dialectique de la perfectibilité, quel besoin aurait-il d'apprendre ce que sont « liberté morale » et vertu ? Ne connaître ni bien ni mal, telle est la « bonté naturelle » de l'enfant d'un Dieu qui, Montaigne l'enseignait, a fait tout bon. C'est en cette bonté-nature que l'amour de soi a son lieu natal. Pour que s'éveille une conscience du licite et de l'interdit, du juste et de l'injuste, du mal et du bien, ne faut-il pas que l'originelle unité se dédouble ? L'histoire de l'individu comme des sociétés est impossible sans ce dédoublement à la fois psychique et moral — Rousseau considérant que cette opération est autorisée par la composition duelle de l'homme. L'histoire faisant son œuvre, « la bonté convenable au pur état de nature n'était plus celle qui convenait à la société naissante » (*DI*. 170). On lira dans la *Lettre à d'Alembert* : « L'homme n'est point un chien ni un loup. Il ne faut qu'établir dans son espèce les premiers rapports de la société pour donner à ses sentiments une moralité toujours inconnue aux bêtes. » (*LA*. 174)

Docile aux lois de l'univers et du corps, l'individu non socialisé suit ses « penchants » sans imaginer ce qu'est règle. Le lien d'interdépendance conviviale impose à chacun de s'obliger selon ce qu'il doit être et faire. La « bonté naturelle » est préconsciente indivision. Ignorant son bonheur, l'individu (on demandera si pareil mot a signification ici...) ne jouit que de son immédiate existence. Ainsi Jean-Jacques à l'île Saint-Pierre. Il n'appartient qu'à l'homme social de goûter le plus délicieux sentiment de l'âme, l'amour de la vertu. Cet amour moral et militant, qui n'anéantit point l'amour vital et spontané de soi (équivalent existentiel du principe d'identité). Mais cet amour de la vertu, dissolvant la prime innocence, me somme d'exercer en moi-même et sur moi cette souveraineté du libre choix qui m'habite essentiellement. Je ne puis me vouloir juste et bon que si je me refuse injuste et méchant.

Nous retrouverons la thématique de la vertu-combat qui, dans l'*Héloïse,* est co-native et consubstantielle à l'amour des amants. Cette vertu, négation-dépassement de la bonté naturelle, est elle-même niée-dépassée quand la conscience jouissante et malheureuse du soldat de la moralité accède à l'unité supérieure du sage — nature seconde qui, sous la paisible hégémonie de la raison, surmonte la séparation entre norme et penchant, universalité et particularité, moi-désir et moi-loi.

Volonté voulante et volonté voulue

L'avènement et l'assomption d'une « liberté morale », tel est le signe que, en cette société sans laquelle nulle conscience de devoir et de loi n'est objectivement formable et formulable, la « nature » Homme poursuit les fins auxquelles notre espèce est universellement appelée.

L'homme est et n'est pas. L'enfant de Dieu n'a pas choisi d'être. Mais il lui revient, par découverte et acculturation de sa libre nature,

104

de forger méritoirement son humanité. En édifiant la société qu'il lui doit. Ce qui, toutefois, n'épuise pas sa tâche.

La dialectique du lien de société et de l'obligation morale est à l'œuvre dans le politique, qui subsume la socialité sous la loi. Quelle que soit la dette de Rousseau à Machiavel (ainsi pour religion civile et république), le Genevois creuse l'écart. Seuls les membres d'une espèce apte à se tracer une loi de moralité savent construire le social en cité. Le droit civil n'est droit qu'en respect de ce « droit naturel raisonné » (*CS.* 1re vers. 329), historiquement élaboré, mais acculturant rappel de ce « droit naturel » historiquement inassignable, qui atteste universellement l'égale et franche humanité, et marque d'indélébile illégitimité toute institution qui la méconnaît. Il n'est point de légitimité civile sans consentement des volontés ; mais tout consentement n'est pas humainement légitimable.

Il y a matière à débat sur la pertinence du recours à la catégorie juridique de « contrat » dans la philosophie politique de Rousseau. Le plus important demeure que cette philosophie n'aurait sens et valeur à ses yeux si l'agir politique n'était pas un agir moral. La volonté du contractant est une volonté qui s'engage (moralement) à soi-même et devant soi-même. La coprodution par les citoyens assemblés d'une loi obligeant chacun d'eux comme « sujet » n'est concevable et possible que parce que chacun peut se penser, se choisir, se vouloir autonome. L'universalité de la loi à l'échelle d'une cité serait-elle concevable si la conscience du plus humble sociétaire ne savait finaliser ses conduites sous un principe universel ? La moindre convention serait-elle imaginable sans un agent qui s'oblige à l'honorer ? C'est précisément parce que Rousseau veut élucider les principes du droit politique qu'on se défendra d'enclore son projet dans le politique. L'intentionnalité de droit n'est assumable que par un agent de moralité. C'est pourquoi la meilleure des lois n'est opérante qu'en une cité où l'état des mœurs ne lui ôte point tout efficace.

Liberté de l'état de nature. Liberté civile. Liberté morale. La philosophie politique de Rousseau s'édifie dans le mouvement qui enlève l'indestructible liberté d'essence à la condition originelle. Le rappel de ce mouvement civilisateur et finalisé aide à comprendre que Rousseau parle du pacte social en termes qui semblent parfois s'exclure.

Pour qu'un penseur découvre enfin l'être philosophique du pacte social, il aura fallu que l'humaine raison atteigne à la maturité des Lumières. Il aura fallu que l'esprit humain s'élève assez pour que s'énonce enfin « une méthode pour la formation des sociétés politiques » — « *quoique,* ajoute Rousseau (nous soulignons), *dans la multitude d'agrégations qui existent actuellement sous ce nom, il n'y en ait peut-être pas deux qui aient été formées de la même manière, et pas une qui l'ait été selon celle que j'établis* » (*CS.* 1re vers. 297). On lit pourtant dans la version définitive que les clauses d'un tel contrat « sont *partout les mêmes, partout tacitement admises et reconnues* » (nous soulignons)

(360). Faut-il conclure que la rédaction du *Contrat* était superflue ? Mieux vaut dire que — la volonté voulue n'étant pas, dans l'histoire obscure et tourmentée des peuples, adéquate à la volonté voulante — la vection qui porte des individus génériquement libres vers une forme de communauté qui préserve égalitairement la liberté et la sécurité de tout sociétaire n'induit point accomplissement spontané de l'intention constituante. Mais pourquoi « l'art perfectionné » n'apprendrait-il pas, non certes à recommencer l'histoire, mais à réparer les « maux que l'art commencé fit à la nature » ? (*CS*. 288) Et pourquoi tout peuple ne disposerait-il pas désormais, grâce au *Contrat social* de J.-J. Rousseau, non d'un modèle à suivre (y a-t-il jamais deux peuples identiques ?), mais d'une pierre de touche qui l'aide à reconnaître la légitimité d'une institution ? Ou même à concevoir et produire un acte inaugural et constituant ?

On reviendra au chapitre 5 sur le « contrat », traité par l'auteur comme une essence qui n'est pas plus assignable diachroniquement que le pur état de nature. Il s'agit ici de reconnaître le sens et la place de la philosophie politique, théorie du pacte essentiellement identifié, dans l'apprentissage d'une espèce perfectible qui manifeste — par l'usage rationnellement réglé de sa « liberté civile » — cette aptitude au progrès qui s'effectue dans l'exercice singulier d'une « liberté morale ».

Mais, puisque la « liberté morale » est cette figure suprême de notre liberté d'essence dans le devenir social d'une humanité qui réfléchit ses devoirs et ses fins, on conçoit qu'en une cité ordonnée sous les principes du *Contrat* la volonté générale, intime à la conscience de chacun des concitoyens, participe de l'indestructible impulsion du vouloir humain vers le Bien. Cette juste « première volonté », pour parler comme le Vicaire savoyard. La volonté authentiquement générale d'un ensemble humain qui fait cité atteste que l'état de guerre n'est point la destinée de notre espèce. Ici se donne à penser la possibilité d'une cité universelle. Kant, on l'a vu, reconnaît à Rousseau le mérite d'avoir ouvert la perspective d'une éducation de l'homme, en même temps du citoyen, qui accomplirait les fins de notre espèce comme « espèce morale » de telle sorte qu'elle ne s'oppose plus à soi comme « espèce naturelle » (dont chaque membre n'a pour finalité que son individu). Et c'est Kant aussi qui, explorant une intuition de Rousseau, donne un nouvel essor à la recherche d'une paix des peuples, conforme au plan de la nature « qui vise à l'unification politique parfaite dans l'espèce humaine »[16].

Comment le Genevois ne se fût-il pas posé la question ? Si le pur état de nature est l'état originel et pacifique de tous ces individus épars qui composent un genre humain, et si la guerre entre semblables est le produit d'une socialisation conflictuelle, pourquoi la raison majeure ne concevrait-elle pas une situation de droit propre à surmonter la contradiction entre devoir de cité et devoir d'humanité, à confédérer librement les États qui s'affrontent, comme s'affrontent les individus avant la conclusion du pacte associatif ?

Or si l'art du législateur résout par un tel pacte la contradiction, avivée au point de menacer la conservation de l'indivu, entre l'« indépendance de l'état de nature » (moi absolu) et les « besoins de l'état social » (moi relatif), cette création du « corps politique » entraîne une conséquence, inévitable puisqu'il n'y a point de « société » naturelle du genre humain : chacun de ces corps est état de droit, mais ils se trouvent entre eux dans l'« état de nature » (état du chacun pour soi) (*ESP.* 614). L'intime antinomie d'une humanité mi-socialisée se reconduit à l'échelle de l'univers humain. L'Europe des Lumières est la proie des puissances qui se disputent territoires, richesses, populations. Démontrant dans ses *Écrits sur l'abbé de Saint-Pierre,* le *Contrat,* et des textes fragmentaires que la guerre n'est pas relation d'homme à homme (comme le croyait Hobbes), mais d'État à État, Rousseau observe que ce que ceux-ci dénomment paix n'est que précaire « trêve », dictée par un muable rapport de forces, par un instable accord d'intérêts. Nul contrat n'imposant à la pluralité des sociétés qui se côtoient une loi par tous voulue et reconnue, il n'est point d'état « civil » universel. Comme l'enseigne un des plus beaux chapitres du *Contrat* (354), le propre d'un rapport de droit c'est que — quelle que soit l'évolution du rapport des forces — il implique et exige respect (qui est sentiment moral). Il n'y a donc point (ou pas encore) de « droit des gens », si même il existe un commerce international. (Il faudra que la bourgeoisie capitaliste universalise sa domination pour que l'espoir d'une humanité pacifiée trouve appui dans une problématique toute nouvelle, solidaire de l'action internationale pour la libération du travail.)

Sans doute Rousseau conçoit-il la possibilité d'une confédération entre petits États démocratiquement constitués. Mais un pacte entre les puissances, que l'abbé de Saint-Pierre préconisait pour l'Europe, ne prendrait vie que si chacun des États-individus était capable d'entendre, comme chacun des individus qui s'unissent en corps politique, la voix de la seule raison. Leurs intérêts les en dissuadent. Mais nul pouvoir humain ne peut anéantir cette « loi naturelle » qui oblige tout homme à tenir ses engagements, ni cette bienveillance pour le semblable qui ne connaît pas les frontières. Rousseau réprouve l'attitude de M. Joli de Fleuri qui a requis contre *Émile* au Parlement : « Pour établir son Jansénisme, [il] veut déraciner toute loi naturelle et toute obligation qui lie entre eux les humains ; de sorte que selon lui le chrétien et l'infidèle qui contractent entre eux ne sont tenus à rien du tout l'un envers l'autre, puisqu'il n'y a point de loi commune à tous les deux. » (*LB.* 969) Si nul pacte social ne fédère l'humanité, la « religion naturelle » peut l'unir de cœur et de raison. Un dialogue universel et libre entre hommes de toute contrée ne leur découvrirait-il pas qu'elle est universelle ? « Loi naturelle », bienveillance, religion naturelle ont en effet leur siège dans l'individu, pouvoir fondateur et ultime instance.[17]

Conscience, raison, sens

Rappelant que notre espèce « ne remonte pas vers les temps d'innocence et d'égalité », le Rousseau des *Dialogues* précisera que, ne pouvant « ramener les peuples nombreux ni les grands États à leur première simplicité », son unique ambition avait été « d'arrêter s'il était possible le progrès de ceux dont la petitesse et la situation les ont préservés d'une marche aussi rapide [que les grands] vers la perfection de la société et vers la détérioration de l'espèce » (*D*. 935). Perfection d'une société déshumanisante, on s'en doute.

Le Rousseau des vieux jours confiait que son *Contrat* était un livre « à refaire ». On présume que l'élaboration des principes de ce « droit des gens » qu'il mentionne au terme de l'ouvrage l'eût conduit à « réaménager », selon la formule de V. Goldschmidt (*op. cit.*, 631), le droit public interne lui-même, objet de ce *Contrat social* où la pensée moderne puise encore. Mais Rousseau mesurait, mieux que ses admirateurs, combien le « pacte fondamental » dont il avait fait la théorie novatrice est intérieurement menacé. On en traitera. Mais on relèvera une instructive analogie avec l'*Héloïse*. Seule une vigilance continue du vouloir moral préserve Julie d'un réveil imprévu de la passionalité dominatrice. Ainsi la paix civile, œuvre raisonnée du pacte fédérateur, est-elle à tout instant conquise contre la force des intérêts dissociatifs. La « liberté morale » est la plus haute conquête de l'homme civil. Mais, parce qu'en elle le pouvoir d'élire atteint son moment le plus élaboré, parce que la volonté qui s'ordonne au meilleur pourrait s'ordonner au pire, parce qu'une telle liberté trouve en l'association un support de droit, on imagine les ressources (insoupçonnées dans l'état précivil) qu'une volonté dissolvante (individuelle ou plurale) sait trouver, à ses fins propres, dans une maligne utilisation des avantages et des valeurs de l'association. Ainsi se comprend l'appel à la conscience du citoyen, suprême rempart de la patrie.

Jean-Jacques en revient toujours à la « conscience », lieu-moment inconfondable et privilégié où l'homme de l'homme s'unit du dedans à l'homme de la nature. Que la morale se forme dans la dialectique du rapport social, Rousseau l'a mieux compris que plus d'un matérialiste de ce temps. Il ne saurait y avoir morale qu'il n'y ait conscience. Mais, comme notre auteur l'explique à Ch. de Beaumont, qui croit la morale révélée, la conscience « ne se développe et n'agit qu'avec les lumières de l'homme. Ce n'est que par ces lumières qu'il parvient à connaître l'ordre, et ce n'est que quand il le connaît que sa conscience le porte à l'aimer. La conscience est donc nulle dans l'homme qui n'a rien comparé, et qui n'a point vu ses rapports » (*LB*. 936).

L'homme est bon de « nature », mais cet être perfectible n'advenant à lui-même que par socialisation, il doit, par libre effort sur soi, construire la moralité, inséparable des « lumières » graduellement conquises par sa raison. La bonté naturelle est don ; la morale s'apprend. Il incombe à la raison instruite d'exposer au regard de l'intellect le système des rapports, des valeurs, des obligations qui donnent cohérence à la vie d'un individu responsable de ses choix. Mais c'est la conscience seule qui a pouvoir d'ancrer cette raison dans la bonne nature originaire et fondatrice. Conscience, ou « cœur » de l'Homme inamovible. Les deux mots s'équivalent, comme en l'apôtre Jean.

Ici se rappelle à mon individu raisonnant-déraisonnant l'imprescriptible humanité. L'homme en pur état de nature n'a qu'à suivre l'élan de l'amour de soi pour être dans l'Ordre institué par Dieu. La conscience est, dans l'homme éveillé, le mouvement éployé, intériorisé, de ce juste amour de soi. Un soi qui s'éprouve uni à lui-même dans l'ordre des êtres et des valeurs. Épreuve, car l'accord entre ce que je suis et fais et ce que je dois être et faire se signale par un sentiment d'heureuse égalité de moi à moi-même. Ce « sentiment », qui évoque l'originaire unité de l'homme de la nature, on n'en cherchera pas trace dans les descriptions romantiques de l'effusion lyrique. On restituerait plutôt, malgré ce qui singularise Rousseau, la classique harmonie du sage.

Seul ce témoignage secret m'assure contre l'erreur qu'un intellect désancré argumente et flatte. Ainsi se retrouve la maîtresse image de la « prise » : c'est par la conscience unifiante que la conduite et le propos de l'agent moral adhèrent à la prime et vive humanité. Mais c'est aussi la ressourçante dynamique du cercle : par le témoignage de cette conscience historiquement générée, qui ne peut être que d'un individu perfectible en raison, sujet d'une liberté-devenue, s'authentifie la nature Homme retrouvée, qui n'a dans l'histoire ni son séjour ni sa vérité.

Dans aucun de ses grands ouvrages Rousseau, quoi qu'on ait cru, ne déserte raison pour conscience. Ce serait ruiner toute son entreprise. Le « sens » immanent à la nature sommeillante ne s'éclaircit que par le travail d'une raison perfectionnée. Mais ce travail s'accomplit, dans la raison même, contre tout ce qui la dispute à notre humanité. Ce qui se conçoit par la dialectique de la perfectibilité. Celle-ci ne s'actue dans le développement de chacune des puissances de l'homme que parce qu'elle possibilise leur différenciation historique. Différenciation qui possibilise elle-même leur opposition, leurs conflits. Jusqu'à la rébellion passionnelle, qui subvertit l'ordre des facultés. Au point de s'approprier et domestiquer cette faculté de l'ordre qu'est la Raison ; mal et malheur d'autant plus profonds que — on l'a vu au précédent chapitre — la liberté essentielle à notre nature est essentielle à l'être et à l'exercice de la raison. D'où suit que l'aliénation du rationnel déroute une liberté qui ne sait plus s'orienter sur les fins de l'homme. Toute l'histoire du rapport Domination/Servitude est consubstantielle à l'histoire psychologique et morale du genre humain. Pour qu'une raison dépiégée assure son hégémonie sur une subjectivité humainement recomposée, comme dans la sage ordination d'une cité d'hommes libres, il faut que son discours laisse passer la « voix », immuablement présente bien qu'oubliée. Cette voix de l'homme de la nature dans l'homme de l'homme, c'est la conscience qui l'élève.

Le Vicaire savoyard invoque la conscience, « instinct divin », qui donne « règles » à l'entendement et « principes » à la raison. Mais dire « instinct », n'est-ce pas dire nature ? Nature de l'homme essentiel, ouvrage « divin ». Si Rousseau est redevable au piétisme de cet instinct divin, c'est au bénéfice de l'homme de la nature. Et si la conscience attestée en dépit des « philosophes » est « immortelle et céleste voix » (*E.* 600), ce n'est pas pour suggérer que consulter sa conscience soit s'en remettre à Dieu. Créé libre, capable d'autonomie par les progrès de sa raison, l'homme ne fut confié qu'à lui-même. La seule « grâce » qui soit, c'est sa cultivable « nature ».

La conscience est nature-culture. Nature cultivée en une raison qui apprend à l'entendre. C'est par cette dialectique de conscience et raison qu'est pensable et possible, quoique ponctuelle et menacée, une écoute de l'homme essentiel par l'homme social. Immédiat à l'être générique, le sens de l'humain est à reconnaître laborieusement contre un rapport de société qui le dénie. D'où la mission de l'éducation négative : l'apprentissage du monde perdrait sens s'il n'allait pas à la reconnaissance de soi dans l'universel humain. Le sens de l'humain séjourne en une « nature » qui est le tout-autre de cette histoire des hommes qui l'occulte et où ils doivent pourtant la découvrir. Heureusement Rousseau les assiste...

Sous sa plume, nature, état de nature, bonté naturelle ne sont pas matière à spéculation, mais point d'appui, notionnel et mythique, d'une contestation radicale. Identifier l'homme archétypal pour démystifier la société. N'est-ce pas le lieu de rappeler, avec Ernst Bloch, la fonction pratiquement révolutionnaire dévolue à l'attestation de l'essence humaine contre l'ordre établi ?[18]

« L'historien de la nature » est enfin venu, qui trouve en « son propre cœur » le « modèle » de cette « nature aujourd'hui si défigurée et si calomniée ». « ... L'homme de la nature qui vit vraiment de la vie humaine » (*D.* 936), on peut au moins le rêver désormais, grâce à celui qu'une « destinée » sans équivalent soustrait à l'involution générale.[19]

Quelle essence ?

Rousseau prend ainsi place parmi les découvreurs de l'essence homme. Sa définition d'un homme en « pur état de nature », sans liens avec ses semblables, absolutise, hors toute histoire, une représentation de « l'individu » enfantée par la dissolution des formes d'existence antérieure à l'atomisation des sociétaires. Mais son originalité stimulante, c'est d'en appeler à cet individu illusoirement « naturel » pour dénaturaliser une inhumaine société illusoirement « naturelle ». Rousseau n'est pas Adam Smith...

Le langage du Genevois ne facilite pas toujours la tâche.[20] « État de nature » n'est pas univoque. Pas plus qu'« originel » ou « constitution ». L'emploi de l'adjectif « pur » caractérise l'état de nature propre à l'homme sortant des mains du créateur. État qu'il faut hypothétiquement concevoir pour évaluer ce qui sépare l'homme de la nature de l'homme de l'homme ; et pour comprendre que la « nature » Homme n'est point actuable pareillement ici et là. État de nature, sans adjectif, peut s'entendre soit du mode d'existence sociale antérieur à la « société civile » (propriété), soit du mode antérieur à la formation du lien politique (loi).

Si le contexte permet le plus souvent de lever l'hésitation, il est indubitable que la « nature » Homme s'entend comme essence générique immédiate et toute présente à chacun des membres de notre espèce.[21] Ce n'est pas dire que l'individu en ait spontanément conscience puisqu'il faut se battre à contre-société pour retrouver la nature.

Tout membre de l'espèce homme en pur état de nature portant en lui l'intégrale essentialité de l'humain, comment l'entrée dans l'histoire ne serait-elle pas contingente à sa « nature » ? Cette histoire, il est vrai, offre à l'essence humaine la possibilité d'objectiver ses puissances. Elle est maïeutique. Mais dans des conditions si tragiquement conflictuelles à terme que cette socialisation, nécessaire à l'accomplissement des fins de l'humanité, éveille en Jean-Jacques la nostalgie de la non-histoire.

Pour Rousseau comparatiste une essence est concevable moyennant partage idéel entre le variable et l'invariant, entre le particulier et le commun. S'il s'agit de l'homme, tout individu est psychologiquement dépositaire de cette essence, en dépit des dissimilitudes. C'est cet universel « semblable » que cherche Rousseau-Diogène, s'il faut en croire les *Confessions*.

Dès lors, quand le comparatiste confronte à toute espèce animale la nature Homme (« métaphysique et morale ») anhistorique, psychologiquement circonscrite en l'individu, la différentielle se discerne en toute logique dans le champ des facultés propres à l'individu. Or il se trouve que la différence qui spécifie notre espèce n'est une faculté ni de l'homme « physique » ni de l'homme « métaphysique et moral ». C'est le travail outillé. L'humanité n'est pas génériquement antécédente à une histoire qui serait temporalisation d'une essence déjà là, habitant chaque individu. Elle se produit et se reproduit en produisant ses moyens d'existence, et d'un même mouvement les multiples et complexes rapports sociaux dont la dialectique donne support au développement individué. Le fictif individu-nature n'est qu'une abstraction tardive ; son élaboration philosophique suppose un degré de socialisation propice à l'illusion générique. Celle-ci n'est dépassable que lorsque les transformations du travail, de la société et les avancées du savoir inclinent à reconnaître l'essentialité sociale de l'humain.

On mesure ainsi comment la vieille conception de l'essentialité générique obère l'initiative théorique fièrement prise par l'auteur du *Discours sur l'inégalité,* quand il ouvre à la seule espèce humaine — grâce à liberté, perfectibilité — la possibilité de se faire une histoire et de modifier sa constitution. « Je ne sache pas qu'aucun philosophe ait encore été assez hardi pour dire : voilà le terme où l'homme peut parvenir et qu'il ne saurait passer. Nous ignorons ce que notre nature nous permet d'être ; nul de nous n'a mesuré la distance qui peut se trouver entre un homme et un autre homme » (*E.* 281).

Certes le Rousseau de l'*Inégalité,* plus lucide que Feuerbach, donne au travail outillé une importance de premier plan dans l'évolution du rapport social-humain. Et l'on découvre en *Émile* comment le travail du libre producteur est apprentissage et sauvegarde d'une libre humanité. Mais l'inscription de la « perfectibilité » en une essence hors histoire interdit de concevoir le caractère concrètement illimitable du progrès de notre espèce. (Ce n'est point dire linéaire, ni automatique ou inéluctable ; nul progrès n'est assuré contre stagnation ou régression.) L'essence humaine ne fait qu'un avec l'inévaluable ensemble historiquement élaboré, indéfiniment transformable, des rapports objectivement-subjectivement constitutifs d'humanité. C'est ainsi comme être social que l'individu, qu'il en ait ou non conscience, effectue l'appropriation différenciante de ces forces d'humanisation, qui ne lui sont pas génériquement octroyées (moins encore génétiquement), mais qui sont la condition de son développement universel-singulier.

Rousseau n'était pas plus qu'un autre en mesure, dans les années 1750-1770, de révolutionner la problématique de l'individu. Mais c'est lui qui tire le parti maximal en son siècle de deux conceptions qui ne paraissaient pas encore antagoniques.[22]

Prêtant sa voix à la « nature », forme universelle immanente à l'individu, il s'en fait un allié inlassablement disponible contre l'inhumanité du lien social. Mais c'est aussi par son génie que la conception encore immature d'un être qui se transforme en transformant le rapport social qui l'a formé trouve sa plus prometteuse expression. Nul avant lui n'avait compris avec une telle acuité qu'une société peut briser des vies, évider les âmes, anéantir à jamais l'aspiration d'un individu à être soi, retourner les forces de l'homme contre le droit des hommes à l'humanité. Si précieux lui soit l'héritage des grands contractualistes, il renouvelle anthropologie et philosophie politique par une réflexion sur l'histoire, inséparablement comprise comme histoire du lien social et de l'être individuel ; « ... notre espèce ne veut pas être façonnée à demi. Dans l'état où sont désormais les choses un homme abandonné dès sa naissance à lui-même parmi les autres serait le plus défiguré de tous » (*E.* 245). Rousseau est ainsi conduit, tout en préservant l'archétype de l'homme asocial, à concevoir que, l'histoire étant irréversible, une socialisation pleinement solidarisante d'individus autonomes offrirait aux hommes, qui ne sont qu'à demi-socialisés, l'unique chance d'une existence matérielle et d'une vie morale dignes de l'humanité. Une vraie société ne se fonde pas sur ce qui ne peut les assembler qu'en les séparant (marché ; comédie), mais sur ce qui les unit d'humanité. Méconnue par ceux qui mettent précipitamment le signe « égal » entre étatisation et socialisation, une telle ouverture était innovante et féconde. Encore observera-t-on que, portant au premier plan l'étude des mœurs et formes de sociabilité quotidienne, cette recherche d'une humanisante communauté ne s'enferme pas dans la théorie du contrat et de la loi.

L'autoproduction d'une telle communauté suppose que la liberté essentielle à l'homme de l'état de nature vienne historiquement à soi comme liberté civile et liberté morale, l'une et l'autre impliquant exercice et culture d'une volonté raisonnable. L'assomption conjointe de ces deux libertés par la conscience de l'homme, individu-citoyen, est un grand moment de modernité. Cet acquis sera perdu par le spiritualisme du siècle suivant, qui méritait la critique d'un Pierre Leroux.

Mais, si la problématique de l'individu social congédie la perfectibilité générique, elle invite aussi à dépasser l'alternative dont nul penseur du 18e siècle ne pouvait s'affranchir : ou le nécessitarisme matérialiste, qui fait de l'acte libre un impossible, un impensable ; ou le dualisme âme-corps, qui confère garantie métaphysique à une autodétermination individuelle, liberté du tout ou rien, indépendante des conditions sans lesquelles pourtant liberté n'est qu'abstraction. Il ne peut y avoir d'acte libérant sans conquête historique d'une nécessité socialement maîtrisée.

NOTES DU CHAPITRE 3

1. Nous donnerons des extraits de ce chapitre de la 1re version au chapitre 5 du présent ouvrage. — On n'est pas surpris qu'Helvétius ne croie pas plus que Rousseau à l'existence originelle d'une société du genre humain. Si une mutuelle et pure attraction d'humanité était universellement spontanée entre les hommes, le céleste législateur ne leur eût pas fait commandement de s'aimer...

2. Dans la version définitive voir p. 247-8 : « Avant cette altération [provoquée du dehors : habitudes, opinion] les dispositions "sont ce que j'appelle en nous la nature". »

3. Dans un article de la *Revue philosophique* (mai-juin 1941) M. Guéroult marque avec précision ce qui oppose le *Contrat* au *Discours sur l'inégalité*. (Texte repris, légèrement corrigé dans *Cahiers pour l'analyse*, n° 6) : « Nature humaine et état de nature chez Rousseau, Kant et Fichte ».) Mais il ne nous paraît pas que le lien entre les deux ouvrages de Rousseau ne soit qu'un lien « psychologique », incapable de suppléer au lien « logique » et de « tenir lieu de conciliation philosophique valable » (16). Le corps notionnel du *Discours* offre une assise anthropologique à l'opération du législateur dans le *Contrat*.

4. On évoquera l'arrivée de Saint-Preux à Paris : « Je n'entends point la langue du pays, et personne ici n'entend la mienne. » (*NH.* 231) Dans sa belle étude stylistique de la *Lettre de J.-J. Rousseau à Christophe de Beaumont* (université de Nice, éd. Cannes 1977), Marie-Hélène Cotoni analyse les fonctions d'un langage qui ne traduit pas de son mieux une idée, mais fait « masque » et donne le change. Mais tel est le langage de la société qu'il privilégie le « paraître » aux dépens de l'« être », donc au bénéfice des inégalités. Les théologiens excellent à pratiquer un tel langage.

5. Dans *XVIIIe siècle* (1971, n° 3, 41-50), Bernard Gagnebin publie et commente un fragment inédit de Rousseau *Sur le péché d'Adam et le salut universel*, texte appartenant sans doute aux premiers brouillons de la *Lettre à Ch. de Beaumont*. B. Gagnebin observe que la chute d'Adam trouve chez Rousseau une interprétation opposée au « pessimisme chrétien » ; Adam chassé du paradis de l'innocence doit apprendre à développer, pour le mieux, ses facultés supérieures : raison et conscience.

6. Dans *Jean-Jacques entre Socrate et Platon* (p. 43), textes inédits publiés par Claude Pichois et René Pintard, éd. Corti, 1972.

7. Dans le *Capital*, chapitre 24 du livre premier (4e édition allemande) sur la *prétendue accumulation initiale,* Marx rappelle en note une phrase du texte de Rousseau (« Je permettrai...) en l'attribuant au « capitaliste ». Marx écrit : « ...fuseaux, métiers et matériau brut, de moyens d'existence indépendants qu'ils étaient pour les fileurs et les tisserands [en Westphalie] sont transformés en moyens de les commander (ici renvoi au texte de Rousseau) et de leur sucer du travail non payé. » (Trad. J.-P. Lefebvre, Éditions sociales, 1983, p. 838.)

8. Dans les *Essais* (I 26, *De l'institution des enfants*) Montaigne écrit : « Ce sont là préceptes épineux et mal plaisants, et des mots vains et décharnés, où il n'y a point de prise, rien qui vous éveille l'esprit. » I 39. *De la solitude* : « ...dépêtrons-nous de ces violentes prises qui nous engagent ailleurs et éloignent de nous. » Nous n'avons pas publié notre étude « Jean-Jacques Rousseau : la "prise" » (1971), déposée au CNRS, mais nous l'avons communiquée à Michel Launay, qui la mentionne dans sa thèse, *Jean-Jacques Rousseau écrivain politique*, 1972, p. 409, note 5 et bibliogra-

phie. Cette étude a pour point de départ une communication présentée au séminaire de M. Y. Belaval.

9. Sans doute est-ce le lieu de rappeler un témoignage de Mme d'Épinay (témoignage qui ne vaut pas certitude). En juillet 1757, à la Chevrette, Rousseau déclare qu'« il faudrait commencer à refondre toute la société » pour donner aux enfants une éducation qui ne fût pas contradictoire et mensongère. « On n'ose leur dire qu'il faut être menteur, faux, etc. ; mais on sent très bien qu'il faudrait qu'ils le fussent. » *Histoire de Madame de Montbrillant,* cité par John S. Spink, introduction à l'*Émile, manuscrit Favre,* LI-LII.

10. a) *Cf. Rousseau juge de Jean-Jacques, Dialogue troisième :* « Ces traits si nouveaux pour nous et si vrais une fois tracés trouvaient bien encore au fond des cœurs l'attestation de leur justesse, mais jamais ils ne s'y seraient remontrés d'eux-mêmes si l'historien de la nature (= J.-J. Rousseau) n'eût commencé par ôter la rouille qui les cachait. » (*D.* 936)
b) Dans *la République,* livre X, 611, Platon, pour imager l'état de l'âme « défigurée par mille maux », évoque le mythe du marin Glaucos (Glaucus) qui se jette dans la mer après avoir mangé d'une herbe merveilleuse. Devenu dieu marin, les flots, les algues, les cailloux ont rendu méconnaissable sa « nature primitive ». — La préface du *Discours sur l'inégalité,* où Glaucus est évoqué, est indispensable à l'intelligence du projet de Rousseau : « ...tous les progrès de l'espèce humaine l'éloignant sans cesse de son état primitif, plus nous accumulons de nouvelles connaissances, et plus nous nous ôtons les moyens d'acquérir la plus importante de toutes, [...] c'est en un sens à force d'étudier l'homme que nous nous sommes mis hors d'état de le connaître. » (*DI.* 122-3) C'est ce constat d'échec qui motive l'appel d'un Rousseau encore encyclopédiste à l'irremplaçable initiative de la « Philosophie », chargée de « démêler ce qu'il y a d'originel et d'artificiel dans la nature actuelle de l'homme » (*DI.* 123). Discrimination d'essence qui conditionne épistémologiquement toute élucidation de l'origine et des fondements de l'inégalité parmi les hommes. Considérant qu'« il faudrait même plus de Philosophie qu'on ne pense à celui qui entreprendrait de déterminer exactement les précautions à prendre pour faire sur ce sujet de solides observations », Rousseau énonce un problème qui ne lui « paraîtrait pas indigne des Aristote et des Pline de [son] siècle : quelles expériences seraient nécessaires pour parvenir à connaître l'homme naturel ; et quels sont les moyens de faire ces expériences au sein de la société ? » (*DI.* 123-4) ; « ...les plus grands philosophes ne seront pas trop bons pour diriger ces expériences, ni les plus puissants souverains pour les faire. » (*DI.* 124) Dans son *Essai concernant l'entendement humain,* qui est aux sources de la pensée de Condillac, Locke écrivait : « ...je suis certain qu'une colonie de jeunes enfants qu'on enverrait dans une île où il n'y aurait point de feu, n'aurait absolument aucune idée du feu, ni aucun nom pour le désigner, quoique ce fût une chose généralement connue partout ailleurs. » (Trad. Thurot, 1879.) (On sait comment la représentation de l'île, lieu d'une humanité première et vierge, a fécondé la pensée du siècle.) R. Derathé rappelle Buffon qui, en son *Histoire naturelle de l'homme ; variétés dans l'espèce humaine* (1752), suggère le parti que le « philosophe » pourrait tirer de l'étude des enfants élevés par des animaux. Reste que, Rousseau ne disposant pas des conclusions des « expériences » à tenter, il recourt à la fiction pour faire entendre à ses contemporains la « nature Homme ». Fiction logiquement élaborée en utilisant les ressources du raisonnement et les connaissances du temps. (On remarquera ici que Condillac veut retrouver par l'« analyse » le chemin qu'a suivi la « nature ».)

11. Préfaçant l'édition du *Discours sur l'inégalité* procurée par J.-F. Braunstein (*P.* 1981), Jean Deprun écrit : « Cet homme primitif est en fait un "type idéal" projeté imaginairement et mythiquement dans le passé... » Max

Weber donnait au « type idéal » le sens d'un concept-limite permettant de mesurer la réalité, dégagée de ses éléments empiriques et non essentiels.

12. *Liberté et raison, I : Philosophie réflexive de la Volonté,* Toulouse 1970. « Le cogito est l'expérience fondamentale du sujet libre. » (71) Et tous les développements qui suivent.

13. Dans la note X du *Discours sur l'inégalité,* Rousseau estime qu'on méconnaît les « puissants effets de la diversité des climats, de l'air, des aliments, de la manière de vivre, des habitudes en général, et surtout [de] la force étonnante des mêmes causes, quand elles agissent continuellement sur de longues suites de générations ». Commerce, voyages, conquêtes, communications ont entraînés une réduction de « certaines différences nationales ». « Toutes ces observations sur les variétés que mille causes peuvent produire et ont produit en effet dans l'espèce humaine me font douter si divers animaux semblables aux hommes, pris par les voyageurs pour des bêtes sans beaucoup d'examen, ou à cause de quelques différences qu'ils remarquaient dans la conformation extérieure, ou seulement parce que ces animaux ne parlaient pas, ne seraient point en effet de véritables hommes sauvages, dont la race dispersée anciennement dans les bois n'avait eu occasion de développer aucune de ses facultés virtuelles, n'avait acquis aucun degré de perfection, et se trouvait encore dans l'état primitif de nature. » Suivent citations et réflexions sur les singes « anthropomorphes » réputés « monstres » par des observateurs qui ne savent pas que, si l'organe de la parole est naturel à l'homme, la parole elle-même « ne lui est pas naturelle », et ne mesurent pas « jusqu'à quel point sa perfectibilité peut avoir élevé l'homme civil au-dessus de son état original ». Le singe n'est pas une « variété de l'homme », — il ne possède ni la « faculté de parler » ni surtout « celle de se perfectionner qui est le caractère spécifique de l'espèce humaine ». Mais Rousseau suggère qu'une expérience de croisement détermine l'appartenance ou non de l'orang-outang et du pongo à notre espèce ; mais il faudrait plus d'une génération pour vérifier ; et comment tenter cette expérience « innocemment » sans avoir la certitude préalable que la supposition fût bonne... Quoi qu'il en soit, des voyageurs si peu philosophes (Rousseau n'emploie pas encore ce mot en mauvaise part) n'auraient pas su identifier comme être humain cet « enfant trouvé » en 1694 qui « ne donnait aucune marque de raison », marchait à quatre pattes, ne parlait pas... Suit la célèbre page qui, selon Claude Lévi-Strauss, fait de son auteur le fondateur de l'ethnologie (J.-J. Rousseau, fondateur des sciences de l'homme, 1962, dans *Anthropologie structurale,* II). Depuis trois ou quatre siècles que les habitants de l'Europe se répandent sur la planète, « je suis persuadé que nous ne connaissons d'hommes que les seuls Européens ». Nos marins, nos marchands, nos soldats ne peuvent être de « bons observateurs » ; ni les missionnaires : prêcher l'Évangile n'est pas étudier les hommes. Tout ce que nous rapportent ces voyageurs répète « ce que chacun savait déjà ». Si de nos jours — à l'exemple d'un Platon, d'un Thalès, d'un Pythagore —, un Montesquieu, un Buffon, un Diderot, un Duclos, un d'Alembert, un Condillac effectuaient l'enquête exhaustive et authentique qui nous manque, pour composer ensuite « l'Histoire naturelle morale et politique de ce qu'ils auraient vu, nous verrions nous-mêmes sortir un monde nouveau de dessous leur plume, et nous apprendrions à connaître le nôtre ». On saurait alors vraiment quel animal est Homme, quel animal est Bête... — Consulter Michèle Duchet, « Le rousseauisme de Claude Lévi-Strauss ou le territoire de l'ethnologie », dans *le Partage des savoirs, discours historique, Discours ethnologique,* éd. La Découverte, janvier 1985.

14. Si la nature, écrit Rousseau, « nous a destinés à être sains, j'ose presque assurer que l'état de réflexion est un état contre nature, et que l'homme qui médite est un animal dépravé » (*DI.* 138). Comprenons que la conservation de l'animal s'effectue par les seuls moyens d'une adaptation organique ;

rompant cet équilibre, l'espèce humaine ne peut développer ses facultés perfectibles sans radicalement altérer cet état naturel.

15. Lucrèce, *De natura rerum,* V, vers 818 notamment.

16. *Idée d'une histoire universelle au point de vue cosmopolitique,* Neuvième Proposition, *Œuvres philosophiques,* éd. Pléiade, t. II, p. 202. Dans la Septième Proposition Kant fait l'éloge de l'abbé de Saint-Pierre et de Rousseau, dont l'idée fut « tournée en dérision ». La cruelle expérience des peuples les incite à reconnaître enfin que la « nature pousse les États » à tenter, imparfaitement d'abord, ce que « la raison aurait aussi bien pu leur dire » à moindre prix : « Sortir de l'absence de loi propre aux sauvages pour entrer dans une Société des Nations dans laquelle chaque État, même le plus petit, pourrait attendre sa sécurité et ses droits, non de sa propre force ou de sa propre appréciation du droit, mais uniquement de cette grande Société des Nations *(Foedus Amphictyonum),* c'est-à-dire d'une force unie et de la décision légale de la volonté unifiée. » Comme Rousseau, il estime que la paix entre États ne sera durablement assurée que si chacun des peuples dispose souverainement de soi, par voie constitutionnelle.

17. Rappelant dans l'*Inégalité* l'occupation de toute la terre disponible par les sociétés multipliées, Rousseau évoque cette « commisération naturelle qui, perdant de société à société presque toute la force qu'elle avait d'homme à homme, ne réside plus que dans *quelques grandes âmes cosmopolites* (nous soulignons), qui franchissent les barrières imaginaires qui séparent les peuples, et qui, à l'exemple de l'être souverain qui les a créées, embrassent le genre humain dans leur bienvaillance » (*DI.* 178). (Le cosmopolitisme est une des grandes pensées de l'Europe des Lumières ; quand les armées du roi sont en difficulté il donne prétexte à l'accusation contre les philosophes mauvais Français — comme les protestants.) Le sens de cosmopolitisme dans le *Discours* s'oppose à celui qu'il reçoit lorsque Rousseau y décèle un beau prétexte à mépriser l'humanité proche (*CS.* 1re version, 287 ; *E.* 249). Il n'y a donc nulle contradiction dans la pensée de Rousseau. Deux pièces de Rousseau sollicitent l'intérêt de quiconque étudie sa conception des rapports entre peuples : *la Découverte du Nouveau Monde* (l'Océan n'est pas un obstacle à l'amour ; une même morale unit peuples d'Europe et peuples d'Amérique) ; *les Prisonniers de guerre* (la guerre entre États n'empêche point l'amour entre un officier français et une demoiselle hongroise).

18. Ernst Bloch, *Sujet Objet,* trad. française, 1977, p. 157.

19. Point fort de Rousseau dans le siècle — face aux théologiens comme aux philosophes —, cette conscience, « voix » de l'« homme de la nature », occupe une position malaisée. La « parole » humaine étant — comme il le dit d'autre part — le propre d'un être social, que peut proférer la « voix » de la conscience » (= l'être conscient) qui ne soit substantiellement social ? L'individu parlant ou se parlant ne peut se poser qu'il ne pose, le sachant ou non, ces rapports sociaux qui sont immanents à « l'homme de l'homme ». Mais la voix de la « nature » n'est-elle pas celle de Dieu ?

20. V. Goldschmidt observe (ouvrage cité 390-1) que Rousseau finit par présenter comme un fait cet état de nature initialement entendu comme n'ayant peut-être point existé.

21. « Je propose une vie basse et sans lustre, c'est tout un. On attache aussi bien toute la philosophie morale à une vie populaire et privée qu'à une vie de plus riche étoffe ; *chaque homme porte la forme entière de l'humaine condition* » (nous soulignons), *Essais,* III, 2. On sait que Montaigne veut se communiquer au lecteur par son être universel.

22. Marx écrit encore en juillet 1842 : « La philosophie demande que l'État soit l'État de la nature humaine. »

CHAPITRE 4

Nécessité,
utilité-travail,
liberté

Le rapport de la « nature » à l'histoire, de l'histoire à la « nature » n'est pensable que par le recours à la notion d'*apprentissage*. Car, tout à la fois, l'homme n'a pas à apprendre sa nature et il doit la découvrir dans un combat toujours recommencé. L'homme étant ontologiquement libre, l'apprentissage qu'il fait de lui-même est celui de sa *liberté*. Mais cet apprentissage est, processus indivis, apprentissage de la *nécessité*. La liberté s'apprend en son contraire, les deux termes étant médiatisés par l'*utile*.

Ordre des choses

Émile deviendra homme pour avoir su être enfant, et pour avoir appris à ne jamais vouloir que le possible, ce qui est proprement la liberté du sage. La libre disposition de soi est conquise dans la soumission aux lois de la nature. Tant que l'enfant règle sa conduite sur les véritables rapports de l'homme à son environnement naturel il est à l'abri des intérêts factices que l'opinion éveille et flatte et qui nous soumettent au pouvoir d'autrui.[1]

C'est en expérimentant sa dépendance à l'égard d'un ordre rebelle à ses caprices qu'il prend conscience de son pouvoir sur lui-même. Il peut alors être tout entier à ce qu'il fait, dans la pleine adhésion au présent. Qui ne sait pas vivre l'instant est malheureux.

Ainsi Émile menuisant, dans les *Solitaires*. Il oublie son désespoir, il oublie la trahison de Sophie, et tout se passe comme si, dans l'atelier de l'artisan, il renaissait. Comme l'enfant qui n'est qu'enfant, le sage est à chaque aube un « homme nouveau ».

La « sagesse humaine » — « route du vrai bonheur » (*E.* 304) — ne se construit donc pas en expansion, mais dans la limite. Ayant exactement évalué sa force, le sage n'aura jamais à gémir de sa faiblesse. Il veut ce qu'il peut ; il peut ce qu'il veut. Conforme au vœu de la nature, cet équilibre pouvoir-désir fait de l'enfant confié au « gouverneur » un être heureux d'être (*E.* 304)[2]. Émile prendra toujours la mesure de soi. D'où l'importance donnée à l'exercice coordonné, à la discipline conjuguée du corps et de l'esprit, à la maturation de la « raison intellectuelle » dans la « raison sensitive » (*E.* 370).

La culture du « toucher » est ici décisive : quand le regard entraîne l'enfant trop loin, celui-ci apprend de ses mains comment rester à sa « place »[3], maîtriser son corps. C'est parce que les jugements de tact sont « les plus bornés » qu'ils sont « les plus sûrs » (*E.* 389). Condillac l'avait dit : dans le toucher se forme le « sentiment fondamental », et c'est par lui que l'œil s'éduque, s'initie à l'étendue.[4] La « première étude » de l'homme est une « sorte de physique expérimentale » dont les « études spéculatives » (*E.* 370) nous détournent trop tôt. L'homme ne peut s'initier à la sagesse que s'il apprend d'abord qu'il a des mains. Et sa première victoire contre l'illusion le fait frère de l'aveugle tâtonnant qui découvre ce que nos yeux ne savent pas voir.

Rousseau s'instruit chez Locke et Fontenelle. On rappelait l'influence de Fontenelle au premier chapitre. Mais Locke ? Philosophie sans chimères. Comme il y a un *habeas corpus,* pourquoi pas un *habeas mentem ? Ego,* propriétaire de soi, il est illégitime qu'une pensée se produise en moi sans que j'aie juridiction sur elle. Assurer toujours cette présence à soi, la préserver de toute aliénation à autrui ; première leçon du « sage Locke ». Elle sera retenue si j'apprends à faire le partage entre ce qui dépend de moi et ce qui ne peut tomber sous ma prise.

C'est dans une sereine acceptation de la nécessité que l'enfant, d'étape en étape, va s'entraîner à « tirer parti » de soi-même. Retrouver, en dépit des « philosophes », la voie de la sagesse : conquête et sauvegarde d'une indépendance d'homme dans la nécessité des choses.

Ordre du temps

La nécessité n'est pas seulement un système qui se reproduit, régi par des lois auxquelles notre corps est soumis. (L'idée d'une transformation de l'univers physico-chimique est étrangère à Rousseau, qui n'est pas Diderot.) La nécessité est aussi processus, croissance, généalogie. C'est sur les lois de ce développement, scrupuleusement respectées — aussi bien quand il intervient que lorsqu'il laisse aller — que le gouverneur prend appui pour conduire l'enfant jusqu'à l'état d'homme. De la naïveté première jusqu'à la conscience de soi, jusqu'à la raison d'un être né pour la liberté. La nécessité est ordre. L'ordre est genèse. La genèse est finalisée. Le petit enfant qui se rebelle contre le maillot engage déjà le combat pour la liberté. Mais l'entreprise du gouverneur échouerait s'il croyait pouvoir faire autre chose qu'assister son élève dans sa marche à l'humanité. Son premier devoir : observer. Qui serait « assez philosophe pour savoir se mettre à la place d'un enfant » ? (*E.* 355)

Tous les vices imputés au naturel sont « l'effet des mauvaises formes qu'il a reçues » (*NH.* 563). C'est en cultivant la nature dans l'individu et chaque individu dans la nature qu'on aide un être humain à devenir ce qu'il peut être. Étudier en tout enfant sa façon d'être enfant.

M. de Wolmar est leibnizien à sa manière. L'universel se singularise en chacun de ceux qui forment l'ensemble humanité. La nature s'individue en chacun des êtres qu'elle unit et ordonne. Elle appelle chacun par son nom.

Observer l'enfant, pour le respecter. Mais rien n'est plus malaisé que cette observation, l'ordre qu'elle met au jour ayant été perverti par un rapport social vicié. Si le sujet est « neuf » en dépit de Locke, c'est parce que « la première de toutes les utilités, qui est l'art de former des hommes, est encore oubliée » (*E.* 241). « Nous étions faits pour être hommes, les lois et la société nous ont replongés dans l'enfance... » (*E.* 310)

L'objet de l'« éducation négative », c'est de seconder cette « marche de la nature » méconnue par une éducation qui ne prépare pas l'enfant à vivre la vie humaine (*E.* 242), mais le plie dès le premier jour, âme et corps, aux préjugés, aux normes d'une société contraire à « l'ordre naturel ». Éducation négative puisqu'elle protège le cœur de l'enfant contre le vice, assure son esprit contre l'erreur.

Laisser à l'enfant le temps d'être tout ce qu'il peut être. Le disposer ainsi à la découverte du vrai quand il sera en état de l'« entendre », à la pratique du bien quand il sera en état de l'« aimer » (*LB.* 945). La règle la plus impérative n'est donc pas que l'éducateur gagne du temps, mais qu'il en perde. A l'écoute de la nature qui fait son œuvre dans l'enfant, l'éducation négative est « éducation naturelle ».[5]

Prétendre faire un homme sans avoir permis que l'enfant soit un enfant, c'est gâcher l'un et l'autre. Rien de plus difficile qu'une « éducation naturelle ! L'éducation négative est intelligence des rapports qui situent l'enfant parmi les hommes et les choses. Elle ne prétend pas aller plus vite que la vie, mais elle juge du moment, du lieu propices à l'intervention du gouverneur. Chaque âge a la « perfection », la sorte de maturité qui lui sont propres. L'éducation doit déceler, dans la croissance indivisément organique et mentale de l'enfant, le temps propre à l'émergence de chacune des facultés nécessaires à son progrès intellectuel et moral. Il n'est donc pas plus simple d'instituer un enfant que d'instituer un peuple. L'histoire du rapport social n'a pas moins faussé notre image de l'enfant que notre image de l'homme.

Émile ou *De l'éducation* n'est pas un traité de pédagogie. Conjoignant l'analyse notionnelle et les pouvoirs du roman, Rousseau donne à penser l'optime actualisation des « dispositions » naturelles d'un enfant-témoin, humainement socialisable.

Le « gouverneur » fait relais entre le Mentor de Fénelon et le philosophe de la *Phénoménologie de l'esprit*. Au terme de l'initiation de Télémaque, Mentor se révèle Minerve. Rousseau renouvelle la fiction. Le gouverneur incarne les figures successives et progressantes d'une raison laïcisée. Hegel se passera du gouverneur et de l'enfant.

La nature s'annonce en l'enfant, mais c'est le gouverneur qui l'énonce. Le projet de « morale sensitive » ou « matérialisme du sage », c'est en *Émile* qu'il se concrétise prioritairement. L'éducation négative est pratique de cette « morale sensitive » qui fait du milieu physique l'allié du précepteur ; mise en action de ce « matérialisme du sage » qui sait, nous l'avons vu, « forcer l'économie animale à favoriser l'ordre moral qu'elle trouble si souvent ».

Art d'aménager l'existence d'*Émile*, de préparer aux moments décisifs sa rencontre du monde. Au fil d'un parcours jalonné d'épreuves, ruses d'une raison qui tâtonne avec l'enfant, s'égarant avec lui s'il le faut. S'emparer du bébé dès le premier instant ? Oui, mais « vous ne serez point maître de l'enfant si vous ne l'êtes de tout ce qui l'entoure » (*E.* 325). Et voilà comment une pédagogie de la liberté ne peut s'épargner le contrôle des situations.

Les chemins d'Émile sont balisés. Même quand le temps de l'amour approche, il ne peut faire sa vie que le gouverneur ne lui soit toujours présent. L'amour est cette élective découverte qui, supposant maturité du jugement comparatif, freine et règle l'attirance indéterminée pour l'autre sexe. Le gouverneur prévoiera donc assez tôt les inéluctables mutations qui, la puberté venue, engagent l'avenir. « Moment de crise » qui, « bien qu'assez court, a de longues influences » ; « état critique » ; « orageuse révolution » (*E.* 489) qu'annonce le « murmure des passions naissantes ». L'image de soi se trouble, l'adolescent cherche fiévreusement un nouvel équilibre. Celui qui, hier encore, ne savait s'affirmer qu'avec son précepteur se rebelle pour être soi ; « ... il méconnaît son guide, il ne veut plus être gouverné ».

Pour que cette « seconde naissance » ne soit pas manquée sans recours le précepteur ne doit pas un instant quitter le « gouvernail ». Car dans cette crise prochaine l'adolescent va simultanément s'ouvrir à la « sensibilité morale » et à la « raison intellectuelle ». C'est alors que « l'homme naît véritablement à la vie et que rien d'humain n'est étranger à lui » (E. 490).

Mais, au seuil de cette nouvelle époque, la sagesse du gouverneur trouve ses armes là où elle semblait devoir renoncer. Le *temps* qui entraîne Émile loin de la paisible enfance peut offrir à la prévoyante raison les moyens d'assurer l'orthogenèse de l'être affectif. C'est ainsi que la prévoyance décrite au livre II comme la « véritable source de toutes nos misères » (ne nous porte-t-elle pas sans cesse « au-delà de nous » ?) (E. 307) reçoit de l'éducateur, au livre IV, ses titres de sagesse. Peut-on gouverner dans l'imprévoyance ? Former l'adolescent à l'humanité interdit qu'il soit prématurément livré à une société qui ne saurait être l'œuvre du gouverneur. On comprend ici que l'éducation négative n'a pas l'illusoire objet de briser tout lien avec la société — l'histoire de notre espèce est irréversible —, mais de préparer l'adolescent à toujours s'y conduire en homme, témoin, défenseur, acteur d'humanité.

L'éducation négative se fortifie de sa lenteur. L'Émile de la « seconde naissance » ne mettra pas son maître en échec si celui-ci sait étendre autant qu'il se peut l'espace où mûrissent en l'adolescent les « passions » de l'homme. C'est possible à qui connaît les mimétismes d'opinion, les périls d'un imaginaire affolé de tous les phantasmes qu'enfante une société déréglante. Alors le temps si redouté sera votre ami le plus sûr. Il conduira Émile avec vous. Ce temps qu'un rapport social qui violente la nature n'a pas capturé, il manifeste l'Ordre universel et nécessaire qui — loi physique et retour des saisons — est aussi devenir humanisant, progressive assomption d'une liberté.

« A quoi cela est-il bon ? »

Mais, bien avant le moment de la « seconde naissance », c'est dans le choix de *l'utile* que l'enfant se fait une première conscience de sa liberté. Sans doute le libre essor de ses facultés est-il stimulé par l'attrait d'un plaisir proche. Mais dès qu'il sait reconnaître la différence entre le plaisant et l'utile, sa liberté, jusqu'alors protégée par la soumission aux lois naturelles, apprend à se poser comme telle, à se penser dans sa différence. « Voyez comment nous approchons par degrés des notions morales qui distinguent le bien et le mal ! Jusqu'ici nous n'avons connu de loi que celle de la nécessité : maintenant nous avons égard à ce qui

est utile ; nous arriverons bientôt à ce qui est convenable et bon. »
(*E.* 429). « *A quoi cela est-il bon ?* » (*E.* 446) N'est-ce pas la grande
question du siècle ? Elle se retrouve, formulée ou suggérée, à chaque
page de l'*Encyclopédie.* « ... L'utile circonscrit tout », écrit Diderot
dans *De l'interprétation de la nature.*[6]

Groethuysen définissait l'*Encyclopédie* comme appropriation de l'univers aux seuls besoins de l'homme. Constatant la faillite des grands
« systèmes », elle n'a d'autre objet que de déterminer la possession
d'un monde « qui n'est accessible aux hommes que par leur activité ».
Un « monde des choses » substitué à celui des êtres (l'en-soi des
métaphysiciens). Pour la première fois, sous la conduite du « bourgeois
éclairé » — positiviste avant la lettre — notre espèce fait le tour du
propriétaire. Propriété conquise. Le bourgeois pensant « ne veut devoir
qu'à lui-même ce dont il s'est rendu maître ». Nous ne sommes plus à
l'âge des grandes métaphysiques découronnées par Bayle. La vérité de
notre savoir a désormais pour lieu, non la parole divine, mais la parole
de l'homme. La fonction de l'intellect n'est plus de déchiffrer le texte
d'une science garantie par Dieu. Tout ce qu'il découvre porte marque
d'une expérience sensible. Et l'humanité ne parle jamais de l'univers
(ou de Dieu) qu'elle ne parle de soi.

La « réforme » éloigne Rousseau des encyclopédistes. Mais pour lui
aussi, savoir, c'est s'approprier. Et le Vicaire savoyard démontre que
la « religion naturelle » est la seule qui s'accorde aux besoins de
l'humanité, la seule qui soit utile à l'être raisonnable et libre prenant
conscience de sa limite et de sa dignité. L'homme faible est « roi » de
la terre, certitude biblique dont le « réformé » ne s'éloigne pas. Cet
homme majeur ordonne à ses « intérêts » tout rapport connaissable.
Inter-esse, l'étymologie reprend sa densité.

Émile ne venant à soi qu'en venant au monde, l'appropriation de soi
dans l'appropriation du milieu exige curiosité, effort, recherche.

L'éducateur exploite ou suscite les occasions propices à la culture des
intérêts qui affleurent. La représentation de l'utile s'élargit par l'exercice
d'activités différenciantes auxquelles chaque fois son élève est préparé,
et se prépare sans le savoir. Quand Émile commence à connaître le prix
du temps, il devient possible de l'initier à son emploi pertinent, occupé
par d'utiles objets.

L'éducation du jugement indispensable à la conquête d'une autonomie
s'effectuant dans l'évaluation de l'utile, c'est par cette voie que l'enfant
appropriateur s'élève au gouvernement de soi. Ne faut-il pas que le
monde des « rapports » soit le monde d'Émile ? En attendant qu'Émile
soit physicien, géomètre, maître d'œuvre, le jugement d'utilité se
formera sur l'exemple de Robinson : « Robinson Crusoé dans son île,
seul, dépourvu de l'assistance de ses semblables et des instruments de
tous les arts, pourvoyant cependant à sa subsistance, à sa conservation,
en se procurant même une sorte de bien-être, voilà un objet intéressant
pour tout âge et qu'on a mille moyens de rendre agréable aux enfants.

[...] Cet état n'est pas, j'en conviens, celui de l'homme social ; vraisemblablement il ne doit pas être celui d'Émile ; *mais c'est sur ce même état qu'il doit apprécier tous les autres* (nous soulignons). Le plus sûr moyen de s'élever au-dessus des préjugés et d'ordonner ses jugements sur les vrais rapports des choses est de se mettre à la place d'un homme isolé, et de juger de tout comme cet homme en doit juger lui-même *eu égard à sa propre utilité* (nous soulignons) (*E*. 455).

Texte clé.

Pour être lui-même, Émile (comme Jean-Jacques) ne doit s'identifier à personne. S'il étudie l'histoire, ce n'est point pour avoir « le regret de n'être que soi » (535). Dans ceux d'autrefois c'est moi que je cherche. Fût-on Socrate ou Caton, qui aurait droit de m'enlever à moi-même ? Mais Robinson... Robinson n'est pas quelqu'un. Est donc légitime et fertile l'identification à l'homme simplifié, épuré, affrontant seul une terre inconnue. Le roman de D. Defoe, c'est « le vrai château-en-Espagne de cet heureux âge, où l'on ne connaît d'autre bonheur que *le nécessaire et la liberté* (nous soulignons) (*E*. 455).[7]

Ainsi s'opère dans la conscience de l'enfant qui se projette en Robinson la jonction nécessité-liberté. Dès lors que son élève a pu se former une idée du mot « utile » (*E*. 445), le gouverneur a sur lui une « grande prise de plus » pour le conduire, sans y paraître, à l'âge d'homme.

Car le maître a son programme : aller pas à pas de l'utilité immédiate et bornée à l'*utile réel*. Cet « utile réel » qui, dans l'*Héloïse,* finalise l'économie de Clarens : « ... Un ordre de choses, où rien n'est donné à l'opinion, où tout à son utilité réelle et qui se borne aux vrais besoins de la nature » (*NH*. 547). « Utilité réelle », indifférente à l'« opinion ».

Apprentissage et discernement de l'utile réel s'opèrent selon deux vections : méthodologique, morale.

1. Figure de la rationalité (ne l'est-il pas chez Descartes ?), l'utile réel est régulateur de recherche. Il ne tient pas lieu de science ; mais l'esprit qui s'ingénie à le discerner se dispose à reconnaître et cultiver, le moment venu, tout savoir ordonné à l'art de vivre humainement.

2. L'utile réel est introducteur de moralité puisque l'enfant qui l'identifie expérimente un mode d'être qui le libère du mouvement spontané vers l'agréable et le dispose à vouloir le meilleur, à se vouloir meilleur.

Ici et là, la recherche de l'utile réel aplanit les accès qui conduisent de la loi de l'objet à la loi du sujet, de la nécessité acceptée à la conscience de l'obligation. Émile se forge ainsi une liberté qui prendra possession de soi quand viendra le temps de la « seconde naissance » décrite au début du livre IV. Tant qu'il ne se connaissait que par son « être physique », il s'ouvrait à l'humanité par l'étude de ses « rapports avec les choses ». Quand naît le sentiment de son « être moral », il croît en humanité par l'étude de ses « rapports avec les hommes ». C'est désormais « l'emploi de sa vie entière » (*E*. 493). La découverte de l'autre prélude à la vie morale. Le choix de l'utile s'effectuera sous l'horizon de l'humanité désormais reconnue, quand Émile comprendra que ce qui lui est pleinement, constamment, irréversiblement utile, c'est ce qui est *convenable à sa nature d'homme*. Rousseau retrouve implicitement Aristote et Cicéron. Est utile à l'homme ce qui est conforme à son essence *(Éthique à Nicomaque)*. La rigoureuse observance du χαθῆχον stoïcien lève en principe toute contradiction entre le moral et l'utile *(De Officiis)*. Dès lors qu'il s'agit de l'intérêt « véritable » de l'homme rien ne peut lui être utile qui ne soit conforme au bien.[8]

L'intérêt ! Ce siècle a tout espéré d'une philosophie de l'intérêt. Rousseau combat les doctrinaires de l'intérêt. Leur « morale » ? Stratégie sans âme, froid calcul des rapports de forces. Jamais l'entendement ne pourra faire l'économie du « cœur ». Mais Rousseau, fils du siècle, se compose, lui aussi, une philosophie de l'intérêt bien entendu.[9] Ainsi cette réponse à M. d'Offreville (4.10.1761 ; *LPh*. 71-4), contemporaine des œuvres de maturité. Son correspondant pense à tort que nous pourrions agir sans un « motif » qui nous soit aussi proche que nous-mêmes. (Un corps se meut-il sans cause ?) « Agir sans nul intérêt » est inconcevable. Mais distingons trois sens du mot.

« Un intérêt sensuel et palpable » qui, pour quelque avantage sensible, nous soumet aux lois de l'opinion. Chacun ici se comporte en « marchand » qui « fait son bien en vendant sa marchandise le mieux qu'il peut ». Servir autrui pour qu'il me serve. Une telle conduite ne se règle point sur un intérêt moral.

Un intérêt « spirituel ou moral », qui ne tient qu'au bien de notre âme, à notre « bien-être absolu ». Adhérant à « notre nature », il tend à « notre véritable bonheur ». Il parle en nous pour Dieu, auteur de notre être et notre ultime juge. « La loi de bien faire est tirée de la *raison* même (nous soulignons) et le chrétien n'a besoin que de logique pour avoir de la vertu. »

Un intérêt qui ne dérive pas d'une « expresse volonté de Dieu », mais qui, dans le secret du cœur, nous lie invinciblement à la vertu aimée « uniquement pour elle-même », quelque prix qu'elle nous coûte. « Faire le bien pour le bien c'est le faire pour soi, pour notre propre intérêt » puisque c'est procurer à notre âme cette « satisfaction intérieure », ce « contentement d'elle-même », cette égalité à soi-même sans lesquels il n'est pas de « vrai bonheur ». Sans doute est-il faux que « les bons soient tous heureux dès ce monde », mais il est vrai que les méchants sont tous misérables.

L'argumentation prend appui sur l'histoire de ce juré britannique qui préfère mourir de faim plutôt que de laisser condamner un innocent à sa place. Ce recours à la chronique évoque telle page de Kant, par exemple dans *la Critique de la raison pratique*.

Trois figures[10] de l'intérêt sont donc distinguées. Trois langages : opinion, raison, cœur. L'erreur des « philosophes » n'est pas de rechercher un intérêt au principe du vouloir, mais d'en restreindre le concept ! Il est bien vrai que nous ne pouvons nous désintéresser de nous-mêmes ; mais c'est M. Rousseau qui sait déchiffrer les langages de « l'intérêt ».

C'est ce que signifiait déjà la préface de *Narcisse* (décembre 1752). La constance, l'universalité de la maxime de l'intérêt ne dispensent pas d'une étude différentielle des sociétés. L'intérêt que tout homme se porte s'inscrit « parmi les sauvages » en un système tout autre que le système qui prévaut en Europe. Ici chacun ne peut s'affirmer que contre les autres, tromperie ou guerre. Là-bas chacun ne peut et ne veut être lui-même qu'avec tous les autres. Alors l'intérêt unit, au lieu de diviser. « L'homme de bien est celui qui n'a besoin de tromper personne, et le Sauvage est cet homme-là. » (*N.* 970) Comme Émile ! Accédant au « monde moral » (*E.* 334), quel intérêt aurait à mentir celui qui a reçu une « éducation naturelle et libre » (335) ? L'apprentissage de l'humain exclut le faux-semblant.

Mais l'exemplaire adolescent ne court-il jamais le risque de se méprendre sur ses intérêts véritables ? Et l'utilité, objet d'un libre choix, n'est-elle jamais conflictuelle ? Cette liberté qui ne peut voir le jour que dans l'imbrisable cercle de l'« amour de soi », ne s'exerce-t-elle pas pourtant dans l'opposition de moi-même à moi-même ?

Liberté dans l'amour de soi ? Oui, puisque l'amour de moi est à mon être ce que le principe de conservation est à toute « nature ». Ma liberté est d'un être qui ne peut pas ne pas se vouloir heureux. Le choix de l'utile est, indivisément, expression de l'amour que je me porte, par nécessité d'essence, et actualisation de mon essentielle liberté. Le droit usage de mon libre vouloir n'est pas de me soustraire à moi-même, de m'anéantir dans l'impersonnalité d'un *logos,* de m'oublier dans quelque sur-moi de raison pure. Le Vicaire savoyard insiste avec dilection : c'est moi que je veux, moi heureux parce qu'accordé à moi-même, et me suffisant d'être heureux ; « ...ma liberté consiste en cela même, que je ne puis vouloir que ce qui n'est convenable ou que j'estime tel, sans que rien d'étranger à moi me détermine. » (*E.* 586)

La culture de la liberté est ainsi culture de l'amour de soi. Mais la réciproque est non moins vraie. C'est là que la difficulté nous guette. Je ne puis être libre que pour l'amour de moi. Mais quel « moi » ? Rien n'est plus naturel que de s'aimer ; rien de moins facile puisque mon être n'est pas un. L'amour premier qu'un homme se porte n'est que mouvement d'autoconservation. Mais quand la socialisation arrache l'individu à la simplicité de sa préhistoire, l'amour de soi se complique, se divise. La dualité esprit-corps, l'opposition liberté-machine qui a rendu possibles nos progrès, voilà donc la source de nos tourments ! L'amour de soi n'est plus, désormais, « passion » simple. Nous nous aimons corps ; nous nous aimons âme. Disputés entre deux intérêts : celui de notre être physique, celui de notre vie spirituelle. Si, comme le professe Helvétius, le second répétait le premier en termes différents, si notre moi s'édifiait tout sur notre sensibilité physique (plaisir-douleur), si nous n'étions pas les enfants de deux mondes, celui d'Épicure, celui de Platon, il serait facile à l'amour de soi d'être un amour heureux. Mais le bonheur d'Émile devra se chercher dans le choix entre un principe de plaisir et un principe d'ordre, entre un bien-être et un autre, entre deux façons de dire « moi ». Ce n'est pas Rousseau qui reprocherait à l'encyclopédiste d'écrire que le difficile n'est pas de se chérir, mais de « s'aimer soi-même comme il faut ». L'abbé Yvon, auteur de cet article « amour », suit à la lettre Jacques Abbadie... Car il vient de loin, cet amour de soi. Bien avant Vauvenargues, qui influence directement Rousseau, avant Locke, Fénelon, Malebranche, Pascal, Nicole, non seulement le stoïcisme lui faisait honneur, mais les mystiques avaient sondé cet amour maudit ou choyé. Et celui qui sera saint Augustin : « Je t'aime, ô mon âme. »

Émile se découvrant agent moral, il doit apprendre à choisir la bonne façon d'adhérer à lui-même. Puisque tout son développement futur, comme jusqu'ici, se fera dans l'amour de soi. Dès le premier moment la discrimination de l'utile était, en vérité, option de moi sur moi. Ce que Hegel dira dans le langage de sa phénoménologie.

Émile éprouvant sa liberté dans le discernement de l'utile est objet-sujet du choix. Que de problèmes vont donc naître de cette quête de l'utile quand l'enfant découvre son humanité ! Est-il tâche plus délicate que de reconnaître l'utilité réelle ? Qui n'hésite jamais sur l'obligation du moment et distingue à coup sûr convenance, disconvenance ? Et si je sais entendre mon intérêt d'homme, suffit-il de le connaître pour le vouloir ?

Mais l'épreuve du juste choix, et le fait que le repérage de l'« utile réel » soit aléatoire, n'est-ce pas le sûr indice que notre liberté d'homme s'apprend dans cet apprentissage de l'utile, aux confins de l'ordre physique et de l'ordre moral ? L'enfant soumis à la nécessité n'avait pas le choix. Mais dans cette soumission à la loi mûrissait la conscience d'une liberté qui est celle de l'être raisonnable, capable d'agir à la lumière d'un principe. S'initiant à la force des choses, il s'entraînait à connaître et exercer ses pouvoirs sur elles, et sur lui-même.

Cette adhésion éclairée de l'adolescent à lui-même, Rousseau veut néanmoins qu'elle soit vécue dans le rapport de l'élève au précepteur. S'unissant à soi dans le parti pris de ce qui convient à sa nature raisonnable et libre, Émile ne desserre pas la « prise » que le gouverneur a sur lui. Car l'utile, qui engendre l'espace où l'adolescent prend conscience de son libre arbitre, offre au gouverneur un nouveau pouvoir sur l'adolescent, une autorité de second degré, une ascendance reconnue et souhaitée. Il en usera sagement pour l'acheminer au plein et pertinent usage de son autonomie.

Notre objet n'est pas d'accompagner Émile jusqu'aux dernières lignes. Jusqu'aux noces. Bien que sa mère l'ait préservée du couvent comme Émile le fut des collèges, Sophie n'a pas bénéficié de l'« éducation négative ». Mais elle en recevra secondement les effets par un tel mariage. Puisqu'elle ne quitte la maison du père que pour celle de l'époux.

Travail ouvrier

La liberté accédant à la conscience de soi dans l'utile, comment n'être pas attentif aux pages que Rousseau consacre au travail outillé, au métier ?

Production de la valeur d'usage, le travail, conquête et domestication de la nature, est conquête par l'homme de sa propre « nature ». Dans le travail outillé, l'important n'est pas l'objet produit, c'est l'homme objectivant sa libre humanité.[11]

On reviendra sur le rôle de la division du travail dans l'histoire du « genre humain ». Indispensable aux progrès de la production, elle préludait à l'établissement de la propriété, à l'assujettissement de l'homme à l'homme.

L'auteur d'*Émile* conçoit l'apprentissage de la liberté comme apprentissage d'un travail « indépendant », celui qu'accomplira un individu apte à fabriquer, à manier « les outils de tous les métiers » (*E.* 475) (Polytechnicité d'atelier).[12] Celui-là sera en toute occasion son propre maître. Propédeutique à la « sagesse », l'« éducation négative » inclut ainsi logiquement l'initiation au métier.

« Jeune homme, imprime à tes travaux la main de l'homme. Apprends à manier d'un bras vigoureux la hache et la scie, à équarrir une poutre, à monter sur un comble, à poser le faîte, à l'affermir de jambes-de-force et d'entraits. » (*E.* 477.)

Candide a son jardin, mais c'est dans l'atelier, à l'établi qu'Émile prend conscience qu'il est homme avant tout. Et, dans *les Solitaires,* Émile ouvrier apprendra qu'il est homme malgré tout.

Pour Diderot (*Encyclopédie,* art. « Métier ») le métier est à penser dans la division du travail, comme ensemble différencié d'« opérations mécaniques » qui, requérant « l'emploi des bras », ont « pour but un même ouvrage que l'ouvrier répète sans cesse ». Et c'est à ce niveau qu'il faut savoir enfin reconnaître « l'utilité », — « utilité jointe aux plus grandes preuves de sagacité ». Dédaigner les hommes de métier, ces « hommes si essentiels », c'est offenser l'humanité. Ce motif — l'utilité dans la division du travail, l'éminente dignité du producteur — se retrouve en Rousseau. Sous un autre éclairage. Sans doute l'Émile du livre V, qui a voyagé loin, est-il, quoique Rousseau n'en dise rien, bon lecteur du *Dictionnaire raisonné des sciences, des arts et des métiers.* Novateur, agronome, il importe des méthodes d'exploitation, dessine une « meilleure forme de charrue », initie les cultivateurs au marnage, améliore labours et semis... (*E.* 804-5) Mais la perspective de Rousseau est inchangée. S'il n'hésite pas devant le vocabulaire technique quand il décrit Émile menuisant, charpentant, son problème n'est pas, comme pour l'encyclopédiste, d'inscrire le métier dans l'espace où les forces productives vont prendre leur essor, pour le « bonheur » d'une humanité raisonnable, laborieuse et prospère. Son problème à lui, c'est celui de *l'homme,* qui trouve son régime et sa liberté dans les devoirs et les contraintes du métier.

Le gentilhomme déroge, qui travaille de ses mains. Éloigné de sa noble et riche famille par l'éducation négative, Émile serait indélébilement, radicalement hors humanité s'il ne se formait pas au travail ouvrier. Le pauvre peut devenir homme « de lui-même » (*E.* 267). Pas le gentilhomme. Qui peut, d'ailleurs, se fier à « l'ordre actuel des sociétés [...] sujet et à des révolutions inévitables » (*E.* 468) ? « Nous approchons de l'état de crise et du siècle des révolutions. Qui peut vous répondre de ce que vous deviendrez alors ? Tout ce qu'ont fait les hommes, les hommes peuvent le détruire : il n'y a de caractère ineffaçable que ceux qu'imprime la Nature, et la Nature ne fait ni princes ni riches ni grands Seigneurs. » (*E.* 468-9.) Rousseau professe que les plus brillantes monarchies sont à la veille du déclin. Mais son critère demeure l'homme de la nature, égal à lui-même quels que soient les tournants et tourments de l'histoire. Il faut donc qu'Émile devienne et demeure « homme en dépit du sort » (*E.* 469). Ainsi pourra-t-il, l'heure venue, gagner son pain en travaillant.

L'utile s'évalue donc ici au regard de l'homme essentiel. Maître ou compagnon, l'ouvrier que décrit l'*Encyclopédie* fera peut-être l'apprentissage d'une sagesse ; mais ce n'est pas son propos. C'est celui du gouverneur d'Émile. Le métier défait la passion, il règle l'intellect, il pacifie. Dans la juste union du geste humain à la loi des choses Émile-menuisier proportionne son effort à la résistance du matériau. Discipline de l'acte et de la représentation, pédagogie du corps et de l'entendement, le métier nous interdit de vouloir ce que la physique interdit. Le menuisier assemble les parties et les compose en un système qui ne peut, comme le raisonneur, se jouer du système de la nature. Nulle transgression, nul arbitraire, nulle « folie » ; le travail du menuisier est ajustement, comme la sagesse. Et ce qu'il produit n'est pas, comme la besogne de l'ouvrier de fabrique, aveugle fraction d'un ensemble à construire ; c'est une œuvre où il se reconnaît.

La liberté du sage étant souveraineté du jugement, on observera les correspondances entre « jugement » et « métier ». Les procédures de la connaissance sont décrites avec le vocabulaire du travail. Quand je compare « les objets qui [dans la « sensation »] s'offrent à moi ''séparés, isolés'', je les ''remue'' (deuxième brouillon : « Je les ébranle, je les remue »), je les ''transporte'', je les ''pose l'un sur l'autre'' pour prononcer sur leur différence ou sur leur similitude, et généralement sur tous leurs rapports ».

Cette « force intelligente qui superpose et puis prononce » (*E.* 571), c'est la force d'une pensée ouvrière.

Lorsque Émile apprend, sur un bâton partiellement plongé dans l'eau, ce qu'est méthode, il ne s'exerce pas seulement à se garder du faux-semblant parmi les choses ; il apprend à se garder du faux-semblant parmi les hommes.[13]

Méthode, métier... Ici et là la conquête d'un « instrument universel » qui assurera l'indépendance de l'homme dans l'universelle interdépendance des hommes. Avec le métier, toutefois, nous irons plus loin qu'avec la seule méthode. Car, dans l'apprentissage du travail productif, l'adolescent fait solidairement deux expériences : 1) L'expérience d'une inventive soumission à la matière qui lui résiste et qu'il transforme. L'ouvrier cherche et trouve sa liberté d'homme en acceptant, en utilisant à ses fins la loi des choses. Le métier est synthèse pratique et raisonnée du nécessaire et de l'utile. 2) L'expérience de la « mutuelle dépendance des hommes », c'est-à-dire du rapport social. « Émile ne sera pas longtemps ouvrier sans ressentir par lui-même l'inégalité des conditions, qu'il n'avait d'abord qu'aperçue. » (*E.* 489)

L'acquisition d'une méthode prépare l'enfant à ne pas céder aux caprices de « l'opinion ». Mais il doit devenir ouvrier pour savoir faire une critique *pratique* du préjugé. Il apprend alors que le projet de sagesse a le sérieux du travail ; que connaître une bonne fois les « intérêts de l'humanité » et l'*utile réel,* c'est connaître qu'il n'y a, de nature, ni maître ni esclave, ni noble ni valet, que ma liberté d'homme est précisément celle que je conquiers dans l'exercice du travail producteur pourvu que, m'unissant aux autres, il ne m'asservisse à personne. Le métier, tel qu'il est ainsi compris, a donc une double fonction : anthropologique, sociale.[14]

Révolte de l'esclave-ouvrier

La suite que Rousseau avait entrepris de donner à l'*Émile* prend alors sa vraie signification. Presque tous les historiens de la littérature en ont méconnu la portée. De sûrs témoignages ne laissent nul doute cependant sur l'importance qu'attachait Rousseau à cet Émile au-delà d'*Émile.*[15] Histoire inachevée que le héros raconte par lettres à son maître, qui vit peut-être encore.

Émile errant, réduit à lui-même, sans famille, sans patrie, n'a d'autre parti à prendre que d'être homme. Et c'est bien dans son labeur d'« ouvrier » qu'il va s'identifier à la simple humanité, qu'il va savoir à tout moment et n'importe où tenir sa « place » d'homme. Son maître a fait de lui un ouvrier polyvalent, qui a l'intelligence et la pratique des outils de tout métier, et qui sait travailler la terre. Fort de cet « instrument universel » (*ES.* 913) — l'expression cartésienne, qui caractérise la raison, prend ici sens nouveau —, Émile salarié a sa « bourse » et son « passeport » dans ses bras. Mais pour qu'il soit cet homme-témoin, cet homme exemplaire, ne faut-il pas que sa liberté affronte la suprême épreuve ? Le voici donc qui tombe entre les mains du Maure. « Émile esclave ! [...] eh ! dans quel sens ? Qu'ai-je perdu de ma liberté primitive ? ne naquis-je pas esclave de la nécessité ? Quel nouveau joug peuvent m'imposer les hommes ? Le travail ? Ne travaillais-je pas quand j'étais libre ? » (916-7)

Le sage stoïcien, libre quoi qu'il advienne, s'égale à la divinité. Émile ne veut s'égaler qu'à l'homme. Captif, il est libre puisqu'il maintient contre tout et tous l'évidence humaine. A aucun moment, Émile esclave n'a le comportement ou le discours chrétiens. C'est dans le travail qu'il va simultanément disposer de soi et contraindre le « maître » à s'avouer dépendant et faible. Émile et ses compagnons sont traités comme des « machines » (texte préparatoire), comme des « instruments de travail » (manuscrit de Neuchâtel). Chantier moderne, décrit en rédaction préparatoire comme la construction « au rabais » d'un môle, exigeant une « grande multitude de machines » (1726). On est loin des ateliers où l'adolescent fit ses apprentissages. Quand le fardeau devient si lourd que ceux qui le portent vont être écrasés, l'esclave-ouvrier appelle ses « camarades » au « refus de travailler » (ES. 921). Au péril de sa vie. Mais refus calculé : le « véritable intérêt » du Maure n'est-il pas d'alléger la peine de ses esclaves tant qu'il leur reste des forces pour le servir ? Ainsi l'esclave laborieux, s'il ne craint pas la mort, sait imposer au maître le respect de l'humanité.

Pour la première fois dans la littérature de langue française, description d'une grève. Et nouveauté dans la problématique de Rousseau : c'est le travailleur collectif qui engage le combat décisif pour la reconnaissance. L'arrêt du travail est concerté, poursuivi malgré les pires violences, chacun s'engageant, se conduisant en coproducteur de l'équivalent moral d'une loi de cité qui l'oblige comme elle oblige également chacun des autres. La figure du sage et celle du citoyen se rejoignent.

Pourtant, le maître une fois rappelé au devoir d'humanité, point n'est besoin de briser la chaîne. Éclairer le despote... Voilà la solution. L'initiateur, l'organisateur de la révolte et le maître assagi coopèrent. Émile, prenant la place du cruel « piqueur », sera un contremaître bienveillant. Il suffit que tous, de quelque condition soient-ils, se connaissent frères, unis sous le règne égalisant de la nécessité. La magnifique avancée s'enlise dans la stoïque soumission au cours du monde.

Et l'on perçoit ici comme jamais la contradictoire fonction de la « nature » Homme. Idéale légitimation du refus des oppressions sociales. Idéale légitimation du refus (inavoué, formulé ou semi-formulé) d'admettre les antagonismes sociaux.

L'utile et l'utile

Si, pour J.-J. Rousseau, l'apprentissage de la *liberté*, indivisiblement apprentissage de la *nécessité*, s'amorce et se poursuit dans la découverte de l'*utile ;* s'il s'accomplit dans l'adhésion du vouloir à l'*utile réel ;* et si l'homme social — « l'homme de l'homme » — prend conscience de son humanité (l'« homme de la nature ») dans le travail outillé, la position de Rousseau dans les affrontements du siècle se précise et s'éclaire.

Pour circonscrire le champ des comparaisons et des luttes, c'est à Mandeville qu'il faut remonter, à la *Fable des abeilles.* Il y a dans cet ouvrage, et dans les nombreuses remarques dont s'augmente chaque édition, une impitoyable logique sociale. Le moraliste blâme les vices répandus partout... Mais, si les hommes étaient autres que ce qu'ils sont, tout le mouvement du corps social ne serait-il pas bloqué ? Les vices privés font le bonheur public. La société a progressé par la division du travail, qui rend chacun utile aux autres. « Envie », vanité », « amour-propre », passion du « luxe », voilà donc les véritables « ministres de l'Industrie ». Toutes ces passsions que la « morale » condamne sont « le grand soutien d'une société florissante », et même les scélérats peuvent concourir au bien commun. Quant aux plus pauvres, que deviendraient-ils si les oisifs et les riches n'étaient pas là pour consommer le fruit de leurs travaux ?[16]

Sans doute Rousseau sait-il, non moins qu'Helvétius, lecteur de Mandeville, que la pure morale est sans efficace sur les hommes soumis aux contraintes du rapport social. Mais jamais il n'admettra qu'une société n'ait pas de comptes à rendre à la morale. Jamais il n'admettra que le vice des particuliers puisse — par les médiations du commerce et de l'industrie — servir l'*intérêt général.* Aussi bien ne peut-il y avoir de bonnes lois *sans mœurs,* comme on verra. Le plus sûr fondement du corps social n'est pas dans un échange avantageux ; c'est dans le cœur, dans la volonté des citoyens que se forme et se maintient la cité. Si donc l'*utile* est selon Rousseau une catégorie fondamentale, elle ne peut l'être pour lui qu'au croisement de la morale et de l'histoire, de l'anthropologique et du social.

Il doit donc dénoncer le système de la pure ustensilité, où je n'existe qu'instrumentalisé par les autres. Il critique l'optimisme de ceux qui, de diverses façons — mais notre propos n'est pas ici d'étudier les variantes —, professent que l'universel échange des services est ou pourrait être une condition du progrès moral de l'humanité. De l'échange entre des intérêts égoïstes ne naîtra jamais un intérêt commun. Le marché ne sera jamais le lieu où se forme la moralité publique ; c'est le lieu d'un combat.

La comparaison avec Condillac est éclairante.[17] Pour Condillac, le commerce est générateur de paix et d'abondance. Il s'agit d'en perfectionner les règles pour qu'il soit, lui aussi, une langue « bien faite ». D'où le soin avec lequel Condillac étudie la banque. Mais qu'est-ce que la banque, pour Rousseau, qu'est-ce que le crédit, sinon la défiance généralisée parlant le langage de la confiance généralisée ?

L'utile véritable ne peut être que le serviteur de l'humanité. Il est donc mimé, joué, trahi par l'utile que nous vantent les « fausses sagesses », les philosophies du siècle, qui nous initient au calcul le plus avantageux dans une inhumaine société, où « les intérêts se croisent », et où, par conséquent, ce qui m'arrangeait hier me dérange aujourd'hui... Rousseau s'étant donné pour mission de nous rappeler à l'humanité essentielle, c'est à celle-ci que l'utile doit s'ordonner. C'est parce que l'humanité commune porte en elle la marque, obscurcie mais indélébile, de l'essentielle humanité que Rousseau, quand il veut donner un contenu concret au concept d'utilité, tourne ses regards vers le petit peuple laborieux. Pas les « laquais » ! Rousseau est pour eux d'une sévérité constante. Le plus triste spectacle que puissent offrir de pauvres gens corrompus par la condition que leur font les maîtres. Quant aux grands et aux riches, ils s'excluent de l'humanité commune dans le moment où ils excluent tous les autres. La vraie noblesse n'est pas chez le privilégié, mais chez l'homme dont le travail est *le plus utile à tous*. Le labeur du paysan est l'expression la plus simple, la plus universelle de l'homme au travail pour assurer sa subsistance. Les « arts » seront donc classés non selon les critères de l'« opinion », mais suivant leur rapport constant à l'utilité *commune*. La hiérarchie ira du plus indépendant au plus dépendant. On se passe plus aisément de l'orfèvre que du forgeron et du charpentier.

L'utilité commune est un maître mot de Rousseau. Le *commun* n'est pas l'*essentiel,* il en est l'indice : par lui nous est désignée, sous l'espace social, la présence irréductible et silencieuse d'un autre espace, anthropologique.

La position tenue par Rousseau dans le siècle est donc bien différente de celle des encyclopédistes. J. Proust l'a montré : si la bourgeoisie encyclopédiste est socialement très étroite, le rôle qu'elle joue dans les secteurs décisifs de l'économie n'en est pas moins de premier plan. En elle se retrouvent des savants, des techniciens, des gens de métier impatients de nouveauté. A leur manière ils pressent, sans en comprendre les voies et la forme, la « révolution industrielle » qui bouleversera la sphère du travail productif. Et pour eux l'apparition de « besoins » toujours plus différenciés, c'est la perspective heureuse du perfectionnement continu des arts et des métiers, de la multiplication des échanges.

Mais Rousseau ? Multiplier les échanges — donc accroître les pouvoirs de l'argent sur le producteur —, différencier toujours plus le système des forces productives, c'est emporter toujours plus l'humanité hors d'elle-même. C'est la condamner à peiner pour satisfaire des besoins factices. C'est toujours plus cruellement mettre l'homme en contradiction avec sa loi de nature, avec cette vérité à laquelle Rousseau a noué sa vie pour la rappeler à tous à chaque instant.

D'où son opposition au « Luxe ». Pour Diderot le luxe « est un bien » (*Encyclopédie,* art. « luxe »). Pour Jean-Jacques le luxe n'est jamais bon. Il conseille donc aux Corses de « le prévenir par une administration qui le rende impossible ». Un État juste est l'ennemi du luxe. Car toute industrie qui a pour fin d'embellir la vie des riches est source d'impitoyable et corruptrice inégalité. « Il faut que tout le monde vive et que personne ne s'enrichisse. » (*PC.* 924) Le vrai luxe, c'est l'abondance pour tous. Les Corses l'auront s'ils soumettent la fabrique à l'agriculture, s'ils ne plient pas leur économie à la logique du commerce, s'ils ne font pas de l'argent l'objet du travail productif. Les tyranniques Gênois prenaient « toutes les mesures pour épuiser l'île d'argent, pour l'y rendre nécessaire et pour l'empêcher toutefois d'y rentrer » ; sous couleur de favoriser l'agriculture ils voulaient « réduire [la Corse] à un tas de vils paysans vivant dans la plus déplorable misère » (*PC.* 918). Quant aux Polonais, ils seront sages s'ils favorisent exclusivement « l'agriculture et les arts utiles », s'ils n'établissent que des « manufactures de première nécessité », s'ils ont la prudence de ne pas attirer trop d'argent dans leur pays, s'ils savent se contenter d'une économie qui assurera leur subsistance sans aliéner leur indépendance. Ils seront assurés dès lors de n'avoir « ni mendiants ni millionnaires » (*LP.* 1008-9).

Dès lors que l'« homme de l'homme » est jugé sous la norme de l'« homme de la nature », dès lors qu'est irrévocablement écarté tout ce qui, dans le rapport social, conteste la fondamentale unité du « genre humain », dès lors qu'est en principe annulé (pour l'individu ou le groupe) tout consentement au privilège, tout ce qui peut, de fait ou de droit, exclure l'humanité simple, comment le « luxe » serait-il tolérable ? N'est-il pas, par essence, « exclusif » ?[18]

Transcrite dans le langage de l'économie, l'« utilité réelle », la seule que le sage ait à connaître, n'excédera donc pas les limites du besoin commun à tous ; « ... l'abondance du seul nécessaire ne peut dégénérer en abus ; parce que le nécessaire a sa mesure naturelle et que *les vrais oesoins n'ont jamais d'excès* » (nous soulignons) (*NH.* 550).

Ainsi parle le propriétaire de Clarens, M. de Wolmar, qui se flatte d'avoir calculé le meilleur des mondes possibles. Rousseau déteste la langue des calculs, ...mais qu'est-ce qui n'est pas calcul dans l'économie et la politique de Clarens ?

Au-delà du roman, et de l'antiromanesque Wolmar, se retrouve inchangée la thèse de Rousseau : la *réelle* valeur des produits du travail n'a pas à dépendre de l'échange ; comme l'immuable utilité réelle qui donne son principe à la morale, cette valeur est conforme aux lois qu'énonce une immuable « nature », pareille à soi dans tous les hommes. Et si le luxe est hors la loi c'est parce qu'il est hors nature.

Ainsi l'économie, pas plus que la religion, n'échappe à la norme anthropologique. Faut-il en conclure que, si les hommes ont une histoire, nécessaire apprentissage de la liberté, leurs vrais « besoins » n'ont pas plus d'histoire que la « nature » elle-même ?

Libre individualité du travailleur

Que le devenir social du « genre humain » ait enfanté des besoins, Rousseau ne le sait que trop. Mais sa conception du besoin et de l'utile le fixe en une critique de « l'opinion ». Débusquer, démasquer les besoins factices, les utilités qui méconnaissent l'utile réel et le sacrifient aux idoles. Il suffirait de réduire les effets d'une interindividuelle subjectivité, source des valorisations passionnelles, pour retrouver la naturalité du besoin et faire une judicieuse estimation de l'utile. Analogie avec la salvatrice réduction des mille bruits qui recouvrent ou parasitent la voix de la conscience.

L'éducation négative protège Émile de la prolifération des besoins aliénants. Tel Robinson naufragé — qui toutefois porte l'Angleterre avec lui : outils, savoirs, mentalités... —, Émile travaille pour satisfaire les seuls besoins naturels. Le portrait du sage-ouvrier confère dignité et légitimation philosophiques à la représentation que tant d'autres se faisaient alors, comme Rousseau, du travailleur indépendant. Sans rien avoir à connaître des lois et des exigences d'une reproduction élargie. Le producteur artisanal exemplairement idéalisé proteste au nom de l'essentielle humanité contre le spectacle des effets du « luxe » : paupérisation des campagnes dépeuplées, prolétarisation des ruraux urbanisés, enchaînement du consommateur. Ce n'est pourtant pas « l'opinion » qui fabrique une économie où s'invertit le rapport entre travail et besoin. Où la production crée du besoin. Et l'ouvrier salarié ne peut satisfaire ses besoins vitaux qu'il ne soit soumis, par immanente nécessité d'un rapport de classe, au quotidien régime du sur-travail.

On imagine que notre objet n'est pas d'enseigner à l'auteur d'*Émile* une théorie de la valeur et du besoin que la pensée physiocratique elle-même — fondamentale percée — ne pouvait édifier.

On reparlera d'Émile. Mais il faut revenir sur le métier.

Émile enfant ne prend possession d'un carré de jardin que si son travail l'a fertilisé (*E.* 330 *sqq.*). Ouvrier, il se connaît, se reconnaît dans son travail vivant d'homme-individu. Rousseau dénaturalise le lien social, mais il ne forme pas le concept de travail social ; et la distinction entre travail concret et travail abstrait ne dirait rien à Émile-Robinson. Le gouverneur a l'art de ne pas presser son élève. Le temps d'un développement humain n'est pas, pour lui, celui des concours et des cadences. Et celui qu'Émile consacre aux ateliers n'est pas chronométré.

Sensibilité, motricité, action, le corps d'un tel enfant fut exempt des viciantes contraintes de l'enfant-spectacle en frivoles compagnies. Mais la culture équilibrée de ce corps aguerri dont Émile éprouve et valorise les pouvoirs a plusieurs finalités. Dissuader l'enfant de recourir sans attendre aux « instruments » qui dispensent de l'exercice sensori-moteur. Le dissuader d'employer les « machines » pour effectuer ce qu'il peut faire à mains nues (*E.* 442-3). Mais préparer celui qui doit se fabriquer lui-même son outillage à l'acquisition raisonnée des diverses formes individualisées du travail productif ; « toute la mécanique des arts lui est déjà connue » (*E.* 475).

On voit ainsi la fonction humanisante du métier, apprentissage de la liberté, inscrire son exercice en cette dialectique de la raison qu'évoquait le précédent chapitre. Émile « devient philosophe et croit n'être qu'un ouvrier » (443). Affranchie des pesanteurs, des séductions de l'opinion, la raison retrouve, en harmonie avec la « voix » de la conscience, sa faculté de discerner l'ordre des fins. Non seulement l'ouvrage d'atelier est raisonné — probant témoignage que le raisonnement n'est droit que s'il a « prise » dans l'expérience sensible. Mais la genèse d'une individualité apte à s'approprier synthétiquement les savoirs du libre producteur, n'est-ce pas la promotion pratique d'une rationalité ? Cet adolescent qui par son travail vient à soi et fait une découverte critique de la société s'introduit à la réflexion d'un universel qui est sa libre et perfectible humanité.

Dans sa *Lettre à d'Alembert* (133 *sq.*) Rousseau ravivait un heureux souvenir de jeunesse. Spectacle, « peut-être unique sur la terre », de ces paysans des montagnes neuchâtelloises. « Tous à l'aise, francs de tailles, d'impôts, de subdélégués, de corvées. » Économie sans luxe et sans misère où chacun, propriétaire d'une maison placée au « centre » de ses terres, consomme les produits de son travail. Le temps libre est pour l'artisanat rural : « Mille ouvrages » d'un génie inventif que portent de longues traditions ; « ... vous prendriez le poêle d'un paysans pour un atelier de mécanique et pour un cabinet de physique expérimentale ». Paisible famille qui s'assemble pour le chant des psaumes. Communauté hospitalière et loyale sociabilité. Société immédiate à l'homme. (*LA.* 133-4-5)

On comprend que Rousseau redoute pour Émile les métiers périlleux ou malsains. Il s'émeut, dans la *Septième Promenade,* du sort des mineurs de fond. (Diderot aussi, en sa *Réfutation d'Helvétius.*) On comprend plus encore que le gouverneur ne veuille pour son élève de ces « stupides professions dont les ouvriers sans industrie et presque automates n'exercent jamais leur main qu'au même travail ». Tisserands, faiseurs de bas, scieurs de pierre... « C'est une machine qui en mène une autre. » (*E.* 477)

Si Rousseau fait entendre le malheur absolu du travailleur indépendant dépouillé de ses moyens d'être, son *Émile,* confronté à l'histoire d'une société, nous aide à concevoir comment furent vécues plus tard la concentration, l'encadrement rigoureux de l'ouvrier dans les « manufactures réunies ».[19] L'impersonnel despotisme qui s'empare de l'homme-individu disjoint ce qu'Émile harmonisait. Tête et main, son intégral apprentissage s'accomplissait dans l'émancipante rationalité d'une intelligence outillée. Dépossédé des savoirs cultivés par le métier, il est asservi désormais au pouvoir qui se les approprie. Pourtant, au-delà de la manufacture, école du travailleur parcellaire, les problèmes de culture et de société ouverts par la grande industrie sont insolubles sans l'émergence d'un travailleur totalement développé. Maître des conditions objectives de la production, instruit des modes essentiels et des potentialités de l'acte producteur, agent d'une science qui n'est point processus-sans-sujet, il se forme une polytechnie qui ne recompose pas le métier d'Émile. Sa liberté n'est pas affirmation protégée de soi dans la « sphère » où le travail satisfait l'immuable gamme des besoins de l'homme « indépendant ». C'est dans l'illimitable développement des capacités du travail social, dans l'acculturation et l'humanisante satisfaction de besoins nouveaux et novateurs qu'il construit et affirme son irréductible et libre individualité.

L'utile contre l'utilitarisme

Nécessité, utilité, liberté... L'utilité a élevé l'homme au-dessus de la nécessité naturelle. Mais, dans une société où les rapports entre individus assurent à chacun et protègent l'exercice de cette liberé qui le fait homme, l'utile peut-il être autre chose que le reflet du nécessaire ? L'équilibre une fois trouvé dans une république de producteurs qui se suffisent, comme il s'est trouvé dans la vie du « sage », la liberté du citoyen et de la cité ont l'impérieux et permanent devoir de se prémunir contre tout ce qui annonce ou prépare le déclin.

La représentation que Rousseau se donne de l'« homme de la nature » n'assume-t-elle pas une double fonction ? Elle lui permet d'élucider le sens d'une histoire inintelligible à l'« homme de l'homme ». Simultanément, elle l'autorise à revivre le vieux rêve d'une humanité sans histoire, et délivrée du souci d'avoir à changer pour être.

Quand Rousseau écrivait : « ...l'homme s'approprie tout, mais ce qu'il lui importe le plus de s'approprier c'est l'homme même » (*E.* 1re vers. 56), il prenait son temps à contre-pied. Les doctrinaires de l'harmonie préétablie voyaient déjà la planète aussi bien réglée par les lois de l'universel échange que par la mécanique de Newton. Mais l'« utile » ne pouvait triompher que par la soumission de la force de travail à la loi du marché.

Rousseau n'en avait pas moins fait grandir deux idées qui, à travers la philosophie allemande et le mouvement posthégélien, allaient prendre, en un contexte social profondément transformé, une importance majeure dans l'histoire de la culture :

— Le véritable « ouvrage » de l'homme producteur, c'est l'homme ; l'individu dépossédé de ses moyens de travail est dépossédé de son droit humain.

— Seul un homme libre peut être authentiquement « utile » aux autres. Spinoza avait déjà dit cela d'une autre façon ; d'autres prendront le relais. Il n'est communauté vraiment humaine qu'entre ceux qui sont maîtres de leur vie.

Ainsi Rousseau, par un de ces renversements qui font son originalité dans le siècle, utilise l'« utile » contre les philosophes de l'utilité.

NOTES DU CHAPITRE 4

1. Notre propos n'est point d'aborder en cet ouvrage tous les aspects d'*Émile*. La féconde initiative de Rousseau est de faire entendre — avec l'aide de la forme « roman » — ce que peut être une orthogenèse de l'être humain. « Cultiver » la nature au lieu de la « dépraver ». Ses lecteurs le « voient dans le pays des chimères » ; il les voit « dans le pays des préjugés » (*E.* 549). Maine de Biran (*Essai sur les fondements de la psychologie,* Introduction générale, VI) conclut, après avoir détaillé les mérites de la recherche de Rousseau : « Que j'aime à voir la psychologie, ou le vrai système de la génération de nos facultés, mise pour ainsi dire en action, non dans une statue (= Condillac), mais dans l'enfant qui s'élève par des progrès réguliers, des premières idées sensibles aux notions intellectuelles ! » Dans son Introduction (trop souvent ignorée des familiers de Rousseau) aux extraits d'*Émile* (études et notes par J.-L. Lecercle, Éditions sociales, Paris 1958), Henri Wallon constate que les « grandes divisions ou stades de l'enfance sont en gros les mêmes pour Rousseau et la pratique courante de notre époque » (12). Soulignant l'intelligence dialectique de Rousseau, il note sa perspicacité dans la distinction des différenciations des niveaux du langage. Il va de soi que le livre du Genevois, critique de l'éducation destinée aux enfants des milieux privilégiés, confiés aux collèges de jésuites, est obéré par une représentation de l'individu propre à ce siècle ; et qu'il sera toujours facile de railler cet apprentissage préservé qui prépare l'enfant-témoin à la vie sociale. Rousseau a contribué à modeler (heur et malheur) le mythe de l'éducateur-apôtre ; mais c'est à la faveur d'une critique élevée du mercenariat (*E.* 263). Un des plus fertiles apports se reconnaît aujourd'hui comme jamais dans la recherche des voies où cet enfant (qui n'est pas un micro-adulte) s'initie à la construction de ses méthodes de découverte, de ses préceptes de vie, de son autonomie, de son libre rapport à tout autre.
— La confrontation avec la première version, non publiée *(manuscrit Favre)*, met en évidence une inspiration initiale plus matérialiste.

2. a) Énonçant la troisième maxime d'une « morale par provision », Descartes recommandait un sage ajustement du désir au possible (*Discours de la méthode,* troisième partie). Commentant Sénèque (*De vita beata — De la vie heureuse)* à l'intention de la princesse Élisabeth (4.9.1645), Descartes expose que le respect d'une telle maxime, acte de « raison », peut nous procurer une « béatitude naturelle ».
b) Sur la vie d'Émile de l'enfance à l'âge adulte comme suite d'états d'équilibre, voir la précieuse étude d'Alain Grosrichard, *Gravité de Rousseau (l'œuvre en équilibre),* Cahiers pour l'analyse, 1967, n° 8, p. 43-64. L'auteur observe que ce principe d'équilibre, véritable calcul de la liberté et du bonheur, opère dans le *Contrat social.*

3. L'apprentissage de la géographie, de l'astronomie permet à l'enfant, à l'adolescent de se situer. « Tandis que l'enfant étudie la sphère et se transporte ainsi dans les cieux, ramenez-lui à la division de la terre et montrez-lui d'abord son propre séjour. Ses deux premiers points de géographie seront la ville où il demeure et la maison de campagne de son père. » (*E.* 434) De proche en proche, il établit lui-même la carte qui lui permettra de s'orienter, et de se retrouver si loin qu'il aille. — Sur la « place », Pierre Burgelin, *l'Idée de place dans l'« Émile »,* RLC, octobre-décembre 1961, p. 529-537.

4. a) *Traité des sensations,* II 1, paragraphe 1. — Les deux premiers livres d'*Émile* comportent nombre d'observations sur les apprentissages sensori-moteurs. C'est la limite même des « jugements du tact » qui les rend aptes à nous donner la plus immédiate « connaissance nécessaire à notre conservation » (389). L'étendue dont la vue dispose est cause occasionnelle d'erreur. Il faut au besoin « assujettir » l'organe visuel à l'organe tactile (392). L'« inquiétude » du bébé qui « veut tout toucher, tout manier » lui suggère un « apprentissage très nécessaire », surtout quand il compare la vue au toucher (284). Transportez-le pour qu'il apprenne à « juger des distances » (285). Par le mouvement nous découvrons l'existence de « choses qui ne sont pas nous », et c'est « par notre propre mouvement que nous acquérons l'idée de l'étendue » (284). — De très importantes notations sur les types d'exercice et d'activité qui « favorisent les évolutions du corps », son intime appropriation, et l'apprentissage des « lois de la pondération » bien avant que l'étude de la statique les lui explique.

5. Dans la *Lettre à Ch. de Beaumont,* l'opposition est clairement résumé entre l'« éducation positive », qui « tend à former l'esprit avant l'âge et à donner à l'enfant la connaissance des devoirs de l'homme », et l'« éducation négative », qui « tend à perfectionner les organes, instruments de nos connaissances, avant de nous donner ces connaissances et qui prépare à la raison par l'exercice des sens [...]. L'éducation négative [...] ne donne pas les vertus, mais elle prévient les vices ; elle n'apprend pas la vérité, mais elle préserve de l'erreur » (*LB.* 945).

6. *De l'interprétation de la nature (VI),* éd. J. Varloot, p. 43. — Remarque : les interprétations du cartésianisme accréditées par spiritualisme et néo-kantisme n'ont pas seulement mésestimé l'apport de Bacon à Descartes ; elles ont occulté sa réflexion sur l'utile. Quant à Spinoza, la pensée des Lumières ne prendra pas le risque de dire à haute voix ce qu'elle doit à son utilitarisme rationnel ; « ...il n'est rien de plus utile à l'homme, pour conserver son être et jouir d'une vie raisonnable, que l'homme qui est conduit par la Raison » (*Éthique IV,* chapitre 9).

7. Voir Georges Pire, *J.-J. Rousseau et Robinson Crusoe, RLC* XXX, octobre-décembre 1956, n° 4, p. 479-496.

8. Le χαθῆχον (kathêkon), selon le stoïcien, c'est l'action convenable. Les *kathêkonta* sont ainsi, dans toutes les sphères de l'existence, les devoirs assumés par un être raisonnable pour la conservation de sa vie et celle de ses semblables. Morale que le « sage » pratique en accord conscient avec la nature (c'est « l'action droite »). Dans son *De Officiis (Des devoirs)* Cicéron expose cette morale, une des sources de la pensée moderne : ne pas disjoindre utilité et moralité. *Cf.* Montaigne, *Essais* III 1, « De l'utile et de l'honnête ». Et Rousseau, *Émile* 473.

9. Dans *De l'homme,* section V, Helvétius s'étend sur les contradictions qu'il voit en *Émile.* Il ne manque pas d'observer que M. Rousseau fait bon usage de cet « intérêt » qu'il récuse d'autre part.

10. *Critique de la Raison pratique.* trad. Picavet, éd. 1965, p. 165-166.

11. « Si quelque homme que ce soit a honte de travailler en public armé d'une doloire et ceint d'un tablier de peau, je ne vois plus en lui qu'un esclave de l'opinion, prêt à rougir de bien faire sitôt qu'on se rira des honnêtes gens. » (*E.* 477)

12. On rapprochera de Proudhon (notamment la *Cinquième Étude* de son *Idée générale de la Révolution au 19e siècle*). Dans les conditions nées de la division technique du travail l'ouvrier-cogestionnaire doit pouvoir remplir les diverses fonctions du travail productif, acquérir par son expérience propre l'intelligence synthétique de l'entreprise. Mais, dépassant les limites de l'exploitation qui convient à Rousseau, la polytechnicité proudhonienne est celle de l'ouvrier de manufacture ou d'une fabrique de faible dimension. — En dépit des jugements qu'il porte sur le Genevois, Proudhon le retrouve plus d'une fois. Ne brisant pas plus que Rousseau le cercle de la production marchande, il n'a d'autre horizon que l'échange égal, conforme à la « justice », entre producteurs indépendants et solitaires. Raisonnant lui

aussi sur la valeur d'utilité prise à part, et s'interrogeant sur le passage de cette valeur à la valeur d'échange, il circonscrit la demande dans l'opinion, chacun étant juge de ses besoins. Il ne conçoit pas mieux que Rousseau que les besoins ont leur source dans la sphère de la production. — Sur le travail artisanal, plusieurs réflexions d'Alain reconduiraient à l'auteur d'*Émile*.

13. Les « disputes » des idéalistes et des matérialistes ne signifient rien pour moi. J'appelle « matière » « tout ce que je sens hors de moi et qui agit sur mes sens », et « corps » « toutes les portions de matière que je conçois réunis en êtres individuels ». Or si je puis « comparer » mes sensations, c'est par le pouvoir d'une « force active » qui est faculté de « juger », irréductible à la faculté de sentir (*E.* 571). Condillac (*Traité des sensations,* I, 2, paragraphe 11 note et paragraphe 18) constatait l'activité d'une « force », mais il ne différenciait pas radicalement le « passif » de l'« actif », comme le demande Rousseau, qui suit l'enseignement cartésien. Nos erreurs ont leur source non dans nos sensations, mais dans cette force active du « juger ». Émile apprendra donc par l'« expérience » à former de justes « rapports ». Tout jugement est raisonnement (486) : ainsi le travail mental d'Émile pour comprendre l'effet des lois de l'optique sur sa perception d'un bâton à moitié immergé (485). — Helvétius *(De l'esprit)* réduisant le juger au sentir, Rousseau ébauche une réfutation qu'il jette au feu quand il apprend que cet auteur est « poursuivi ». Comment se joindrait-il à « la foule pour accabler un homme d'honneur opprimé » ? (*LM.* 693). — On se contentera de rappeler ici que la conception passiviste de la sensation est invalidée par les acquis de la psychologie. — Consulter Yvon Belaval, « La théorie du jugement dans l'"Émile" », dans *J.-J. Rousseau et son œuvre,* colloque de Paris, octobre 1962, Paris 1964.

14. a) Cette philosophie du travail et du métier (qui doit quelque chose à l'abbé de Saint-Pierre) marginalise sans l'ignorer le travail des femmes. « Si j'étais souverain je ne permettrais la couture et les métiers à l'aiguille qu'aux femmes. » (*E.* 476) On reviendra sur la représentation que Rousseau se fait de femme et femmes.

b) Nos premières recherches sur les fonctions du travail chez Rousseau remontent à une quinzaine d'années. Nous en avons donné une première expression écrite dans un rapport au CNRS, *Nécessité. Utilité. Liberté* (1975), repris et augmenté, sous même titre, dans *Literaturgeschichte als geschichtlicher Auftrag,* In memoriam Werner Kraus, Sitzungsberichte der Akademie der Wissenschaften der DDR, 5G 1978, p. 95-110. — Ces problèmes sont évoqués aussi dans notre contribution aux *Essays on Diderot and the Enlightenment in honor of Otis Fellows,* Genève 1974, « Aspects du travail ouvrier en France au 19ᵉ siècle », p. 71-88, où sont étudiés notamment quelques volumes de ces *Descriptions des arts et métiers* que l'Académie des sciences avait encouragées. — Sur Rousseau et d'autres auteurs, Jacques Moutaux, *la Définition du matérialisme et la question du travail,* R.Ph., janvier-mars 1981, p. 87-113, d'après communication au Groupe de recherches sur l'histoire du matérialisme (dir. Olivier Bloch).

c) Rapportant devant la Convention nationale pour le transfert des cendres de Jean-Jacques au Panthéon, Lakanal constate que, si la Révolution nous a « en quelque sorte » [...] expliqué le *Contrat social* », c'est l'*Émile,* « le seul code d'éducation sanctionné par la nature », qui nous éleva, nous instruisit, nous façonna pour la Révolution. Rappelant que Rousseau démontra la « nécessité » pour « tout citoyen » d'apprendre un « art mécanique », il cite le fameux passage : « Nous approchons de l'état de crise et du siècle des révolutions. » Un « trophée composé des instruments des arts mécaniques et des beaux arts » figurera dans le cortège, porté par des « artistes de tous genres ». (Une délégation de « Genève régénérée » vengera la mémoire de celui que « Genève aristocrate » avait « proscrit ».)

15. Sur l'importance accordée par Rousseau à cette œuvre inachevée, témoignages irrécusables de Pierre Prévost, de Bernardin de Saint-Pierre, amis et confidents des dernières années. — Nous avons consacré à ce texte, si peu étudié et considéré, une part de notre communication à la rencontre sur *Hegel et le siècle des Lumières* (Centre de recherche et de documentation sur Hegel et Marx, Poitiers) : « J.-J. Rousseau : maître, laquais, esclave », Paris 1974, p. 71-99.
16. Première édition de la *Fable des abeille,* 1714. Traduction de l'anglais, avec introduction, index, notes par L. et P. Carrive, Paris 1974.
17. *Le Commerce et le gouvernement considérés relativement l'un à l'autre,* 1776.
18. Sur le « luxe » dans la société et la pensée du siècle, importante étude d'Yves Benot, « Diderot et le luxe : jouissances ou égalité ? » dans *Europe,* n° 661, mai 1984. Critique du « luxe », Rousseau n'oublie pas que, dans le *Télémaque* de Fénelon, les heureux habitants de la Bétique n'exercent que des métiers pourvoyant au nécessaire.
19. L'*Encyclopédie* préconise la « manufacture dispersée », qui place l'industrie rurale, très importante encore, dans le circuit d'un capitalisme commercial : le « négociant » fournit au paysan la matière première pour son métier à tisser ou sa forge ; il reçoit et vend le produit fabriqué. Marx, dans *le Capital,* (ouvrage cité, 839) reproduit un texte très significatif de Mirabeau fils : « ...La fabrique réunie enrichira prodigieusement un ou deux entrepreneurs, mais les ouvriers ne seront que des journaliers plus ou moins payés, et ne participeront en rien au bien de l'entreprise. »

CHAPITRE 5

Domination.
Servitude. Humanité

I

Le « rétablissement des sciences et des arts » a-t-il « contribué à épurer ou à corrompre les mœurs » ? L'argumentation du *Discours* qui remporte le prix de Dijon (1750) n'a pas la cohérence du *Discours sur l'inégalité*. « Art » est polysémique : techniques qui ont amolli le genre humain ; beaux-arts qui l'ont poli en l'efféminant ; artifices d'un monde frivole et dissolu qui sacrifie l'utile à l'agrément. Surtout, le lecteur hésite... La perte de la prime innocence est-elle imputable aux arts et sciences (8 ; 15) ? Ou à « l'oisiveté » (18), mère de ces sciences qui à leur tour la nourrissent ? Mère aussi du « luxe », compagnon des arts, des sciences ; de lui procède nécessairement la dissolution des mœurs. Que devient en effet la « vertu » quand il faut à tout prix « s'enrichir » ? Mais voici peut-être, avec la « fureur de se distinguer » (19), la source de nos maux : on récompense les beaux discours, pas les belles actions. Patiemment initiés aux roueries du faux-semblant, nos enfants n'entendront point « ces mots de magnanimité, d'équité, de tempérance, d'humanité, de courage ». Le langage inculqué n'en connaîtra rien ; « ...ce doux nom de Patrie ne frappera jamais leur oreille ; et s'ils entendent parler de Dieu, ce sera moins pour le craindre que pour en avoir peur. » (24) Tant d'abus dérivent « de l'inégalité funeste introduite entre les hommes par la distinction des talents et par l'avilissement des vertus » (25).

Le lecteur de cette page de la deuxième partie n'oublie pas l'avant-dernier alinéa de la première. La nature a voulu « préserver [les peuples]

147

de la science, comme une mère arrache une arme dangereuse des mains de son enfant » (15). Mais voici la dernière phrase : « Les hommes sont pervers ; ils seraient pires encore s'ils avaient eu le malheur de naître savants. » (15) Faut-il penser qu'une volonté mauvaise est au principe de leurs maux ? Ni le *Discours sur l'inégalité* ni les autres écrits ne reprendront une thèse contraire à la philosophie de la « bonté naturelle ». Mais sans doute la cohérence du *Discours sur les sciences* est-elle moins dans l'articulation des raisons que dans la logique d'une rupture qui s'approfondira en 1751-1752. Quand Rousseau devra se défendre contre ceux qui ne veulent voir en lui qu'un sophiste ou un déclamateur, ou le champion d'un retour à la nature. Un ennemi des Lumières.

Rousseau n'en est plus aux considérations quasi voltairiennes de son *Épître à Bordes* (1741 ?). Le tableau des souffrances populaires dans la France de ces années ne l'incline pas à l'optimisme. L'exorde du *Discours* célèbre la montée de notre espèce, « par ses propres efforts », aux « lumières de sa raison ». Mais les hommes ont usé de leurs savoirs à contre-humanité. Rompant leur attache avec la nature et les dieux, ils ont perdu même le « sentiment » de leur « liberté originelle » (7). Ils sont aveugles à la lumière intérieure. La civilisation qui les a rapprochés les divise, chacun se désunissant de soi. Ici s'annonce l'induction de l'anthropologie au social : en s'entraînant à dédoubler leur être les hommes ont perdu la pureté native. Pour que surgisse le conflit, pour que s'amorce le lent processus aliénant qui enfermera le genre humain dans les cycles Domination/Servitude, il fallait découvrir l'art de paraître ce qu'on n'est pas.

Jean-Jacques avait dix ans quand, à Bossey, ceux qu'il aimait comme père et mère lui firent souffrir la première injustice. Châtié pour une faute qu'il n'a pas commise, déchiré jusqu'à la racine d'un cri d'enfant, il découvre cette atroce loi du monde adulte : sa parole n'est pas crue parce que les mots ont pouvoir de mentir. C'est sous le fouet que Jean-Jacques et son cousin font leur entrée dans l'univers social du mensonge. Rapprochez du *Discours* cette bouleversante page des *Confessions*. Même inspiration, même langue. Défloraison de l'âme ; initiation à la duplicité — « nous commencions à nous cacher, à nous mutiner, à mentir ». Ici et là meurt la filiale confiance et prend fin la vie de l'homme parmi les dieux — « nous ne regardions plus [le pasteur et Mlle Lambercier] comme des Dieux qui lisaient dans nos cœurs » (*C.* 21). Ainsi dans le *Discours* : « Quand les hommes innocents et vertueux aimaient à avoir les Dieux pour témoins de leurs actions ; ils habitaient ensemble sous les mêmes toits. » Ici et là s'éloigne le vert Paradis et se perd la « simplicité des premiers temps » ; mais ce ne sont pas des enfants, ce sont les dieux que les hommes ont relégués dans des « temples magnifiques » (22).

L'archétype humain se dessine assez fortement déjà pour épargner méprise sur la critique de la culture. Une science n'est point mauvaise qui sert le projet de sagesse (qu'on relise les dernières pages...). La juste « politique », méconnue jusqu'ici des princes, veut faire le bonheur des peuples en leur enseignant la sagesse. On rejoint *Télémaque*. Rousseau ennemi des « Lumières » ? La polémique née du *Discours* fera voir que, le genre humain ne rétrogradant pas, c'est le bon usage des savoirs qui est sagesse. Ainsi l'homme à l'état de nature usant au mieux de ses pouvoirs. La raison du sage aménage un ordre humain qui est simultanément nature seconde et recomposition des savoirs. L'apprentissage d'Émile est donc « histoire naturelle ».

Jetée dans la controverse, la pensée de Rousseau se décante. Les *Observations* — réponse à l'anonyme critique du roi Stanislas — pourraient laisser d'abord penser que le lauréat de Dijon n'était qu'un rapporteur d'Évangile après tant d'autres. Énergie, simplicité..., les maîtres-mots du *Discours* sont repris au bénéfice de l'Évangile ; « ... nous sommes tous devenus docteurs, et nous avons cessé d'être chrétiens. » (48) Mais voici tout autre chose : une « généalogie ». « La première source du mal est l'inégalité ; de l'inégalité sont venues les richesses ; car ces mots de pauvre et de riche sont relatifs, et partout où les hommes seront égaux, il n'y aura ni riches ni pauvres. » (49-50) Richesses, d'où luxe, oisiveté ; « du luxe sont venus les beaux-arts, et de l'oisiveté les sciences » (50). Les conclusions seront bientôt tirées : le riche s'est approprié la culture au détriment du grand nombre.

Six mois plus tard (avril 1752), la *Dernière Réponse à Bordes* porte au premier plan l'inégalité économique et sociale que le luxe entretient, encourage. Il nourrit « cent pauvres dans nos villes, et en fait périr cent mille dans nos campagnes » (*DRB*. 79). La poudre de nos perruques les affame. La misère du paysan français, ces années-là, motive la radicalisation d'une pensée.[1] C'est alors que la dialectique Domination/Servitude prend ancrage. Vice et crime sont effets de l'affrontement entre « mien » et « tien » ; la cruauté des « maîtres », la friponnerie des « esclaves » sont inéluctablement jumelles. C'est dans cette *Réponse* qu'on lit une page inspirée de Montaigne.[2] Les conquêtes d'Amérique ? Victoire de ruse et perfidie sur bravoure et bonne foi.

Portée par la langue concise, percutante d'un auteur qui pratique La Bruyère, Vauvenargues, et qui s'achemine vers le *Discours sur l'inégalité*, la critique du dédoublement prend un ton nouveau dans le texte écrit pour préfacer la publication d'une comédie composée à dix-huit ans : *Narcisse ou l'amant de lui-même*. Comment les mœurs littéraires ne seraient-elles pas celles d'une société-marché, qui fait de la division entre être et paraître la condition de sa durée ? « Il faut désormais se garder de nous laisser jamais voir tels que nous sommes. » (968)[3] Le rôle assigné aux sciences, lettres, beaux-arts ne peut donc être de servir l'humanité, mais de donner à la compétition une apparence d'urbanité. Au point où sont les choses, il est vrai, mieux vaut simulacre d'humanité que force ouverte. Le simulacre n'est-il pas rappel de la réalité ? (Kant reprendra ce fil). Chez les « sauvages » l'intérêt de chacun n'est point d'abuser les autres sur ce qu'il est. Mais en Europe il faut tricher pour exister socialement. « Ce mot de *propriété* qui coûte tant de crimes à nos honnêtes gens n'a presque aucun sens » parmi les « sauvages » (970). Mais ici ? « Étrange et funeste constitution où les richesses accumulées facilitent toujours les moyens d'en accumuler de plus grandes, et où il est impossible à celui qui n'a rien d'acquérir quelque chose ; où l'homme de bien n'a nul moyen de sortir de la misère ; où les plus fripons sont les plus honorés, et où il faut nécessairement renoncer à la vertu pour devenir un honnête homme ! Je sais que les déclamateurs ont dit cent fois tout cela ; mais ils le disaient en déclamant, et moi je le dis sur des raisons ; ils ont aperçu le mal, et moi j'en découvre les causes, et je fais voir surtout une chose très consolante et très utile en montrant que tous ces vices n'appartiennent pas tant à l'homme qu'à l'homme mal gouverné. » (*N.* 969)

On comprend pourquoi, en sa *Préface d'une seconde lettre,* Rousseau ne considère plus la question traitée dans le *Discours sur les sciences* que comme un « corollaire » d'un « système vrai, mais affligeant » (Pl. III, 106) qu'il défendra à tous risques parce qu'il est celui de la « vérité » et de la « vertu » ? Et comment y aurait-il vertu où il n'y a pas vérité ?

De la division du travail à l'argent-maître

Le *Discours sur l'origine et les fondements de l'inégalité parmi les hommes* (1755 ; écrit en 54) est exemplaire des textes qu'on croit connaître pour les avoir toujours lus. L'élan de la parole emporte si bien qu'on n'a pas le courage de s'attarder au notionnnel. L'analyse minutieuse de V. Goldschmidt a ravivé les obligations du lecteur (critique interne et sources). Les prédécesseurs du Genevois ont tous marqué le rapport entre inégalité et propriété ; mais Rousseau fait de la propriété la cause essentielle de l'inégalité ; non un facteur entre autres.

L'inégalité entre le roi et ses sujets, entre le comte de Lastic et la veuve Levasseur, entre l'accapareur des « communaux » et le paysan sans terre, entre le financier et le savetier, le négoce et l'artisanat n'a dans la nature ni son « origine » (point de fait) ni ses « fondements » (point de droit). C'est un droit positif, non le « Droit naturel », qui justifie et codifie les inégalités « parmi les hommes » (« parmi » est un condensé du rapport social). Les « inégalités d'institution » ne sont pas « inégalités naturelles ». Après ce qui fut dit au chapitre 3 sur « nature de l'homme », « état de nature », on conçoit que l'argumentation du *Discours* entrelace l'anthropologique et le social ; et qu'elle confronte histoire et droit.

Le genre humain enfante son histoire. Sa « perfectibilité » est celle d'un « agent libre » capable de « vouloir ou plutôt de choisir ». Or l'histoire de l'humanité libre est celle de son enchaînement, et des « enchaînements » d'une nécessité qui prend l'apparence d'un destin. Nécessité qui est contradictoire processus ; notre espèce retourne contre soi les forces, les découvertes, les novations, les œuvres de culture qui actualisent sa perfectibilité et l'élèvent au-dessus des bêtes. Mais le contradictoire n'est pas l'absurde. On sait comment l'entendement du philosophe, attentif aux propriétés de la nature « Homme », reconstitue intelligiblement la formation, la transformation des « rapports » entre hommes, le nécessaire passage de l'un à l'autre.

Notre objet n'est pas de résumer le processus qui, depuis la cueillette, premier moyen de subsister, conduit nos ancêtres à la fabrication de l'arc ou de l'hameçon, à la domestication du feu. Un embryon de vie sociale les introduit au langage le plus primitif, encore inarticulé ; mais l'élargissement de leur univers mental est solidaire d'une conquête du milieu naturel par le travail. La première division du travail n'est que différenciation de tâches entre les sexes : l'homme cherche la « subsistance commune » pendant que la femme garde la « cabane » et les enfants. (Sur cet apprentissage de l'humanité la confrontation entre le *Discours* et l'*Essai sur l'origine des langues,* chapitre 9, est riche d'enseignements.)[4]

Mais, si le *Discours* assigne un rôle décisif à la division du travail dans la genèse de l'inégalité, la transformation majeure qu'induit une telle division va s'accomplir beaucoup plus tard. Tant que les hommes « ne s'appliquèrent qu'à des ouvrages qu'un seul pouvait faire, et qu'à des arts qui n'avaient pas besoin du concours de plusieurs mains », chacun s'appartenait et savourait, dans l'exercice de sa liberté naturelle, les « douceurs d'un commerce indépendant » (171). Cette indépendance et l'égalité n'étaient préservables que dans le cycle incessamment répété d'une économie de producteurs non spécialisés capables, par leurs seules forces et leurs instruments primitifs, de couvrir, à cette étape de l'histoire, le registre de besoins peu différenciés.

Qui dira comment nos aïeux découvrirent l'art d'« employer le fer » ? Une certitude : l'invention de la métallurgie contraignit le travail de la terre à se transformer profondément. Jusqu'alors pierres aiguës, bâtons pointus suffisaient pour cultiver un sol dont l'habitant des cabanes n'attendait que « quelques légumes ou racines ». « Dès qu'il fallut des hommes pour fondre et forger le fer, il fallut d'autres hommes pour nourrir ceux-là. Plus le nombre des ouvriers vint à se multiplier, moins il y eut de mains employées à fournir à la subsistance commune, sans qu'il y eût moins de bouches pour la consommer ; et, comme il fallut aux uns des denrées en échange de leur fer, les autres trouvèrent enfin le secret d'employer le fer à la multiplication des denrées. De là naquirent d'un côté le labourage et l'agriculture, et de l'autre l'art de travailler les métaux, et d'en multiplier les usages » (173).[5] Ainsi

ROUSSEAU

l'accroissement du nombre des ouvriers appelait, sous peine de ne pouvoir assurer la subsistance de la population, une agriculture outillée. La sphère étroite et répétitive de la production individuelle ou familiale était sans retour dépassée. Voilà donc la première grande division sociale du travail ; « ...dès l'instant qu'un homme eut besoin du secours d'un autre ; dès qu'on s'aperçut qu'il était utile à un seul d'avoir des provisions pour deux, l'égalité disparut, la propriété s'introduisit, le travail devint nécessaire, et les vastes forêts se changèrent en des campagnes riantes qu'il fallut arroser de la sueur des hommes, et dans lesquelles on vit bientôt l'esclavage et la misère germer et croître avec les moissons.

« La Métallurgie et l'agriculture furent les deux arts dont l'invention produisit cette grande révolution. Pour le Poète, c'est l'or et l'argent, mais pour le Philosophe, ce sont le fer et le blé qui ont civilisé les hommes et perdu le Genre humain. » (171)

La « grande révolution » a donc eu des effets contradictoires : civilisateurs, aliénants.[6] Les progrès de notre savoir et de notre savoir-faire nous ont donné les moyens de domestiquer la nature et d'asservir l'homme à l'homme. En se diversifiant, en se spécialisant, le travail outillé, assez rudimentaire jadis pour tenir tout entier aux mains de n'importe quel individu (ainsi des « sauvages de l'Amérique » évoqués par l'auteur du *Discours,* qui a lu les récits de voyages), soumettait les producteurs aux permanentes contraintes d'une dépendance réciproque. Le génie des hommes enfantait le malheur d'une humanité divisée par ses conquêtes. De ce partage du corps social provoqué par la répartition des travaux entre ses membres allait inéluctablement sortir, en même temps que l'appropriation individuelle des moyens de production, les antagonismes et les conflits qui ont fait de l'histoire une guerre perpétuelle entre celui qui a et celui qui n'a pas.

Aussi bien, l'apparition d'un pouvoir politique fut une conséquence tragique du processus d'appropriation : sa fonction n'est-elle pas de défendre, sous le déguisement de l'intérêt général, de la sécurité pour tous, celui qui possède contre celui qui n'a rien ? Pouvoir d'État, pouvoir du maître. D'autant plus oppressif que, pour faire accepter l'usurpation, il tient le langage du bien commun. Mais ce que la dialectique Domination/Servitude engendre à terme, c'est l'inexorable toute-puissance de l'argent, universel médiateur entre les besoins que la société civile fait proliférer. Désormais maître des maîtres, il a domestiqué le riche et le misérable. Les « différences » entre membres d'une société se réduisent finalement à la richesse ; « ...étant la plus immédiatement utile au bien-être et la plus facile à communiquer, on s'en sert aisément pour acheter tout le reste » (*DI.* 189). L'homme lui-même est devenu « la plus vile des marchandises » et « c'est toujours dans les capitales que le sang humain se vend à meilleur marché » (*E.* 831).

Puisque tout n'est plus qu'objet de vente et d'achat l'argent, serviteur universel, est universel despote. Sans visage, sans âme, il réduit toute existence aux règles du calcul. Et Rousseau écrira dans son *Discours sur l'économie poltique* « ...qu'un gouvernement est parvenu à son dernier degré de corruption quand il n'a plus d'autre nerf que l'argent » (*DEP*. 266).

Clairvoyance du « riche »

Telle est la densité de ce *Deuxième Discours* qu'on ne s'attardera que sur quelques aspects qui importent prioritairement à notre objet.

En une société de plus en plus soumise à la division du travail, à la multiplication des besoins, des échanges, le droit de propriété favorise nécessairement les progrès de l'inégalité. Ce droit assurant transmission héréditaire, vient un moment où, les domaines couvrant « le sol entier » et se touchant tous, un bien ne peut s'agrandir qu'aux dépens des autres. Les « surnuméraires » ne survivent que sous le joug des possédants ou par le « brigandage ». Champ de bataille pour richesse et pouvoir, « la société naissante fit place au plus horrible état de guerre » (176). Comment sortir d'un état où Hobbes voyait une donnée première, quand il n'est qu'un effet historique de l'appropriation ? Par l'« institution politique », deuxième temps de l'histoire du Droit après l'institution de la propriété.

Comme il est raisonnable de penser qu'une innovation a pour auteurs ceux qu'elle sert, non ses victimes, il est présumable que l'idée du pouvoir assurant sécurité des possédants (au dedans, au dehors) fut promue par ceux qui avaient édifié leurs richesses au détriment des plus faibles. Si la « guerre perpétuelle » faisait planer sur leur vie une menace commune à tous, s'ajoutait pour les plus riches le « risque [...] particulier » qui pesait sur leurs biens. « D'ailleurs, quelque couleur qu'ils pussent donner à leurs usurpations, ils sentaient assez qu'elles n'étaient établies que sur un droit précaire et abusif, et que n'ayant été acquises que par la force, la force pouvait les leur ôter sans qu'ils eussent raison de s'en plaindre. Ceux même que la seule industrie avait enrichis ne pouvaient guère fonder leur propriété sur de meilleurs titres. Ils avaient beau dire : c'est moi qui ai bâti ce mur ; j'ai gagné ce terrain par mon travail. Qui vous a donné les alignements, leur pouvait-on répondre ; et en vertu de quoi prétendez-vous être payé à nos dépens d'un travail que nous ne vous avons point imposé ? Ignorez-vous qu'une multitude de vos frères périt, ou souffre du besoin de ce que vous avez de trop, et qu'il vous fallait un consentement exprès et unanime du Genre humain pour vous approprier sur la subsistance commune tout ce qui allait au-delà de la vôtre ? Destitué de raisons valables pour se justifier et de forces suffisantes pour se défendre ; écrasant facilement un particulier, mais écrasé lui-même par des troupes de bandits ; seul contre tous, et ne pouvant à cause des jalousies mutuelles s'unir avec ses égaux contre des ennemis unis par l'espoir commun du pillage, le riche, pressé par la nécessité, conçut enfin le projet le plus réfléchi qui soit jamais entré dans l'esprit humain ; ce fut d'employer en sa faveur les forces même de ceux qui l'attaquaient, de faire ses défenseurs de ses adversaires, de leur inspirer d'autres maximes, et de leur donner d'autres institutions qui lui fussent aussi favorables que le Droit naturel lui était contraire. » (176-177)

Et voici la solution proposée : « Unissons-nous [...] pour garantir de l'oppression les faibles, contenir les ambitieux, et assurer à chacun la possession de ce qui lui appartient : instituons des règlements de Justice et de paix auxquels tous soient obligés de se conformer, qui ne fassent acception de personne, et qui réparent en quelque sorte les caprices de la fortune en soumettant également le puissant et le faible à des devoirs mutuels. En un mot, au lieu de tourner nos forces contre nous-mêmes, rassemblons-les en un pouvoir suprême qui nous gouverne selon de sages Lois, qui protège et défende tous les membres de l'association, repousse les ennemis communs et nous maintienne dans une concorde éternelle. » (177)

Une rude expérience allait enseigner aux petits possédants que cette « association », ces « lois » spécieusement fondées sur l'intérêt général donnent « de nouvelles entraves au faible et de nouvelles forces au riche » (178).[7]

C'est ainsi l'inégalitaire configuration des rapports sociaux qui, sous la pression de l'« état de guerre », suscite la genèse et la mystifiante égalisation des « sociétés politiques » (179). La solution du problème ouvert par l'impérieux besoin de sécurité conforte et légitime la suprématie du riche. « Tous coururent au devant de leurs fers en croyant assurer leur liberté ; car avec assez de raison pour sentir les avantages d'un établissement politique, ils n'avaient pas assez d'expérience pour en prévoir les dangers ; les plus capables de pressentir les abus étaient précisément ceux qui comptaient d'en profiter » (177-178). Quant aux plus avisés, ils se résolvent à « sacrifier une partie de leur liberté à la conservation de l'autre » (178). Nul texte ne signifie plus brillamment comment une philosophie de la « liberté » trouve appui dans un « matérialisme du sage ». Ceux que la proposition du riche abuse sont, pour employer un vocable cher à Rousseau, « nécessités » deux fois par leur « état » : matériellement, psychologiquement ; ils ne peuvent, ils ne savent assurer leur sécurité qu'en raisonnant à courte vue. Comment auraient-ils la clairvoyance du riche calculateur ?

Rousseau n'est pas Hegel

L'histoire advient à l'homme du dehors. Quand l'équilibre est rompu entre le milieu physique et les besoins, la perfectibilité fait ses preuves. Cette histoire est inséparablement celle du travail productif, du lien social, des modes de vie, de l'individu, de son acculturation intellectuelle et morale, — et celle de cet être substantiellement duel dont la liberté d'essence est un invariant. Liberté constituante qui garde son droit de nature sur le devenir humain. On s'interrogera sur ce que peut être la « liberté » d'une créature (« pesanteur » et « stupidité », 145) dont la vie mentale est encore à naître. N'a-t-elle pas l'indétermination du non-être ? Mais, l'être de l'homme étant nul si cette anhistorique liberté d'essence est imaginairement annulée, on comprendra qu'une société assurant l'équivalent « civil » de la liberté « naturelle » ne subsistera (s'il se peut) que si les rapports qui la forment accomplissent et respectent un équilibre institué qui rappelle l'innocent équilibre du pur état de nature.

Sans doute est-ce ici qu'il faut souligner quelques traits d'une dialectique inconfondable avec la dialectique hegelienne. D'autant plus que les surfaces de contact, les stimulantes analogies ne manquent pas. Si l'histoire du genre humain n'est point engendrable par l'état de la créature sortant des mains de Dieu, si le fait « société » est radicalement contingent à cet état, les enchaînements reconstitués par l'auteur du *Discours* non seulement n'annulent pas le « fortuit », mais s'approprient ses effets. Mais il ne traite pas l'histoire comme actualisation de l'Esprit, ou comme odyssée de la conscience. Moins élaborée, de loin, que celle de Hegel, la dialectique du Genevois est, sur ce point majeur, plus « matérialiste ».

Pour Rousseau, plus proche en cela des cartésiens que de Platon, la « dialectique » est spéculation. Il n'en a pas moins une place originale dans une histoire de la dialectique. Oppositions, renversements, mutations soudaines ou lentes graduellement préparées, apparition-développement du nouveau par division d'une unité première..., les processus et les initiatives d'une dialectique sont partout présents. Mais, quitte à négliger divers espaces de comparaison, le plus important nous est de marquer l'écart sur le terrain où la proximité est, à première vue, la plus étroite : la négation de la négation.

Défendant Hegel contre Dühring (dont la doctrine de l'inégalité n'est qu'une pâle contrefaçon de Rousseau), Engels observe que, plus de vingt ans avant la naissance de Hegel, la « négation de la négation » manifestait chez Rousseau sa vitalité dialectique : « ...même dans le détail toute une série de tournures dialectiques dont Marx se sert : processus qui, par nature, sont antagoniques et contiennent une contradiction ; transformation d'un extrême en son contraire ; enfin, comme noyau de l'ensemble, la négation de la négation. »[8]

Engels vient de rappeler le mouvement égalité naturelle — inégalité sociale — « égalité supérieure du contrat social » ; après avoir insisté sur le caractère antagonique du « progrès » selon Rousseau. Sans doute le lien entre *Discours* et *Contrat* est-il plus complexe qu'il paraît ici ; mais Rousseau a toujours dit que ces deux écrits, et l'*Émile,* sont en cohérence.

Mais c'est sur le mouvement propre au *Discours* qu'une comparaison est la plus instructive. Le retour de l'Esprit à soi est, dans la dialectique hegelienne, montée vers l'universel concret ; chaque solution d'une contradiction est progrès de l'universel sur le particulier. Tout autre est la dialectique du *Discours sur l'inégalité.* Le processus contradictoire et conflictuel engendré par division du travail et propriété suit une pente inexorable ; et la dégradation du pouvoir politique, retourné par l'usurpateur contre la fin que lui avait assignée ceux qui s'était donné des chefs pour se mieux défendre, aggrave les maux qu'il avait reçu mission de corriger. Les tentatives des opprimés pour limiter l'inégalité croissante aggravent leur condition, majorent leur impuissance. De degré en degré, la contradiction reprend élan, se renouvelle en s'avivant, se réactive en se transformant, l'aliénation s'approfondit ; et s'appesantit la chaîne qui rive l'un à l'autre l'oppresseur et l'opprimé. Le despotisme est le « ... dernier terme de l'inégalité [...], point extrême qui ferme le cercle [l'image du cercle est en Machiavel] et touche au point d'où nous sommes partis : c'est ici que tous les particuliers redeviennent égaux parce qu'ils ne sont rien... » ; « ... nouvel état de nature différent de celui par lequel nous avons commencé, en ce que l'un était l'état de nature dans sa pureté, et que ce dernier est le fruit d'un excès de corruption » (191).

Le deuxième moment (inégalité) a donc un caractère involutif. Et comment s'étonner que la recherche d'un bien soit aux sources d'un mal quand on constate que « les vices qui rendent nécessaires les institutions sociales sont les mêmes qui en rendent l'abus inévitable ? » (187) C'est ainsi qu'un peuple peut souffrir une servitude alourdie pour affirmer sa tranquillité ; ou que l'oppression d'une « multitude » est « une suite des précautions mêmes qu'elle avait prises contre ce qui la menaçait au dehors » (190).

Les mutations du rapport inégalitaire sont inexorablement dégénératives. Jusqu'au « dernier degré de l'inégalité », où « tous les particuliers redeviennent égaux parce qu'ils ne sont rien » (191). Point ultime de la descente, où l'unique alternative est un renversement brusque et total. Libérer la liberté.

Le despote n'étant le maître qu'aussi longtemps qu'il est le plus fort, « l'émeute qui finit par étrangler ou détrôner un sultan est un acte aussi juridique que ceux par lesquels il disposait la veille des vies et des biens de ses sujets » (191). Tout se passe ainsi « selon l'ordre naturel » auquel le despotisme a reconduit la société puisqu'il est absolue destruction de toute légitimité. On verra comment le *Contrat* ouvre droit à l'insurrection.

Nul texte de Rousseau n'a eu plus d'écho, dans la sensibilité politique du siècle et au-delà, que cette célèbre page de l'*Inégalité*. Elle affermissait la tenace aspiration au renversement total de l'ordre existant, à la salvatrice subversion par quelque « révolution » soudaine préparée par une longue histoire de violence et d'abus, par l'inexorable décomposition d'une société inhumaine. Ce paradigme de la table rase s'accordait avec la croyance des paysans insurgés des vieux temps en une régénération totale du lien social. On sait par l'histoire des mouvements révolutionnaires aux 19e et 20e siècles le durable attrait de cet espoir. Il y a bien des façons de mettre en équivalence utopique l'instant qui libère l'avenir et le retour au degré zéro, point-origine d'une refonte de la société. Engels ne partageait pas ces illusions. Mais il recourt dans l'*Anti-Dühring* à la métaphore du « bond » pour évoquer le « moment » où la « vie en société » devient « l'acte propre et libre » des hommes lorsqu'ils s'assurent le contrôle des « puissances étrangères » qui jusqu'alors « dominaient l'histoire ». « Bond du règne de la nécessité dans le règne de la liberté » (322), — « acte libérateur » (323).

Les révolutionnaires français de la fin du 18e siècle eurent à découvrir les diverses durées qu'exigeaient des mutations décisives. Et le tableau des transformations du monde encourage une réflexion critique à reconnaître les multiples chemins de la novation historique. La conviction s'est affermie qu'un avantage pris sur le passé n'ôte pas toute chance aux régressions, que toute avancée ne s'effectue pas sur toute voie au même pas, et que, s'il est des conjonctures d'ample et prompt bouleversement, nulle révolution ne peut s'abstraire de sa préhistoire et de son histoire.[9]

Moi et l'autre

Une anthropologie est intime à la dialectique division du travail/ appropriation individuelle/asservissante inégalité. Plus la perfectibilité s'actualise par développement multifonctionnel des facultés, plus la nature Homme offre à la dialectique sociale les prises qu'il faut pour s'emparer des hommes. Et la conscience de l'individu s'éveille, se différencie, s'affirme en ce devenir des rapports où mûrit l'humanité.

Aiguillon de toutes les facultés, la perfectibilité socialisée-socialisante fait de l'homme « à la longue le tyran de lui-même et de la nature » (*DI*. 142).[10]

Même cet intérêt brut que l'homme non-socialisé se porte et qui n'a pour fin que son « bien être et la conservation de nous-mêmes » (126), cette originelle vection d'une sensibilité qui n'est encore que nature, l'existence sociale la plus labile, la moins concertée se l'approprie pour lier notre être à tous les autres, nos semblables. L'élémentaire mouvement d'autoconservation, dès lors qu'il faut lutter pour survivre, contraint « l'homme sauvage », dispersé parmi les animaux, à « se mesurer avec eux ». Il acquiert et se découvre une supériorité. Voilà comment l'homme apprit à se comparer. « C'est ainsi que le premier regard qu'il porta sur lui-même y produisit le premier mouvement d'orgueil ; c'est ainsi que sachant encore à peine distinguer les rangs, et se contemplant au premier par son espèce, il se préparait de loin à y prétendre par son individu » (166). Dans la relation concurrentielle avec son dissemblable (l'animal sauvage) l'homme-espèce avait fait un premier exercice de la « comparaison ». Pour que fût possible la comparaison d'homme à homme il fallait certes que les membres de l'espèce se fussent reconnus « semblables » (166) ; il fallait surtout que le regard de chacun affrontât le regard de l'autre. En cette lumière croisée a, dès longtemps, doucement germé la guerre entre les semblables.

Le rapport d'inégalité, d'où dérive assujettissement, suppose réciproque dépendance par diversification des besoins et division du travail ; « ...les liens de la servitude n'étant formés que de la dépendance mutuelle des hommes et des besoins réciproques qui les unissent, il est impossible d'asservir un homme sans l'avoir mis auparavant dans le cas de ne pouvoir se passer d'un autre » (162). De tout cela l'auteur de la *Phénoménologie de l'Esprit* se souviendra. Mais ce célèbre moment du *Discours sur l'inégalité* est de ceux où le rapport Domination/Servitude se donne le plus ostensiblement comme rapport entre individus. (Né en 1833, Ernst Dühring fera-t-il mieux ? Mais l'historien observera qu'un trait de la pensée judéo-chrétienne fut toujours de penser le lien social comme lien personnel ; ce qui ne facilite pas la conception du rapport anonyme entre classes.)

Mais l'état d'interdépendance était apparu en une ère plus reculée qui, n'étant plus celle de la solitude première sans être encore celle de la « société civile », des antagonismes, des conflits, était le temps de la « société commencée », des « relations déjà établies entre les hommes » (170). Âge heureux — celui de la plupart des peuples sauvages décrits par les voyageurs — où un rapprochement durable, une coopération stabilisée assemblent plusieurs familles en un même lieu, en attendant que des « troupes » nomades s'agglomèrent en « nations particulières. » Les semblables s'habituaient à vivre ensemble. Lente éclosion de la sociabilité, qui est, — avec la montée des lumières et le perfectionnement du langage — acculturation du sentiment, balbutiant éveil à la tendresse, hésitant mot-à-mot de la reconnaissance, apprentissage du serment. Qui a su, mieux que Jean-Jacques, évoquer comment « les liens se resserrent » en même temps que « les liaisons s'étendent » ? (169). N'est-ce pas alors que chacun se sent naître à l'individualité ? Et l'écolage du groupe n'est-il pas celui du moi ? Voilà qui passait l'entendement de l'homme brut, objet de la première partie du *Discours :* il n'a « aucune espèce de commerce avec ses pareils », et pas la moindre notion du mien et du tien.

Avant toute socialisation, une brève rencontre des sexes, simple fait de nature, pourvoit à la reproduction de l'espèce sans que des individus aient à se reconnaître, à se distinguer. Mais l'agrégation des familles et la fixation de l'habitat sont propices aux découvertes de l'amour, irrésistible pouvoir d'individuation, initiation à soi dans l'élection d'un autre. « Un voisinage permanent ne peut manquer d'engendrer enfin quelque liaison entre diverses familles. De jeunes gens de différents sexes habitent des cabanes voisines, le commerce passager que demande la nature en amène bientôt un autre, non moins doux et plus permanent par la fréquentation mutuelle. On s'accoutume à considérer différents objets, et à faire des comparaisons ; on acquiert insensiblement des idées de mérite et de beauté qui produisent des sentiments de préférence. A force de se voir, on ne peut plus se passer de se voir encore. Un sentiment tendre et doux s'insinue dans l'âme, et par la moindre opposition devient une fureur impétueuse ; la jalousie s'éveille avec l'amour ; la discorde triomphe, et la plus douce des passions reçoit des sacrifices de sang humain.

A mesure que les idées et les sentiments se succèdent, que l'esprit et le cœur s'exercent, le genre humain continue à s'apprivoiser, les liaisons s'étendent et les liens se resserrent. On s'accoutuma à s'assembler devant les cabanes ou autour d'un grand arbre : le chant et la danse, vrais enfants de l'amour et du loisir, devinrent l'amusement et plutôt l'occupation des hommes et des femmes oisifs et attroupés. Chacun commença à regarder les autres et à vouloir être regardé soi-même, et l'estime publique eut un prix. Celui qui chantait ou dansait le mieux, le plus beau, le plus fort, le plus adroit ou le plus éloquent, devint le plus considéré ; et ce fut là le premier pas vers l'inégalité, et vers le vice en même temps : de ces premières préférences naquirent d'un côté la vanité et le mépris, de l'autre la honte et l'envie ; et la fermentation causée par ces nouveaux levains produisit enfin des composés funestes au bonheur et à l'innocence (169-70).[11]

La voilà bien, la dialectique de la communauté et de la compétition, de la civilisation et de l'assujettissement. La révélation comparative de ce qu'un individu peut valoir émeut en chacun le désir de voir sa « personne » considérée. L'initiation aux « premiers devoirs de la civilité » (170) l'incline à conclure que celui qui a droit au respect a donc aussi droit à la vengeance... L'homme en son « état primitif », — l'« homme naissant » écrit admirablement Rousseau —, n'a nulle idée d'injure et offense ; et sa « pitié naturelle » le retient d'en faire à quiconque si quelque mal lui est causé. Mais, proportionnant le châtiment à l'estime qu'il se porte et qu'on lui doit, « l'homme civil » apprend la cruauté. Née d'un rappport entre individus, la violence est donc antérieure à la propriété. (Ici encore Dühring...) Mais le partage du sol lui imprime un élan nouveau.[12]

C'est alors que se mesure le mieux comment un rapport social d'inégalité prend appui sur les « inégalités naturelles » pour accentuer et pour étendre son emprise.

Rousseau niveleur ?

L'espèce Homme ne privilégie aucun des siens ; elle n'instaure et ne justifie aucun apartheid. Tout membre de l'espèce est l'égal de tout autre. Sa liberté radicale est d'un être qui, soumis aux lois de la nature, ne dépend d'aucun de ses semblables. Tant s'en faut que Rousseau réduise la semblance à l'identité ! Tout enfant est un enfant. Pareil aux autres, et différent. L'éducateur échoue, qui méconnaît cette unité différenciée.

« Je conçois dans l'espèce humaine, écrit Rousseau en première page du *Discours,* deux sortes d'inégalité ; l'une, que j'appelle naturelle ou physique, parce qu'elle est établie par la nature, et qui consiste dans la différence des âges, de la santé, des forces du corps et des qualités de l'esprit ou de l'âme ; l'autre, qu'on peut appeler inégalité morale, ou politique, parce qu'elle dépend d'une sorte de convention, et qu'elle est établie, ou du moins autorisée par le consentement des hommes. Celle-ci consiste dans les différents privilèges dont quelques-uns jouissent au préjudice des autres, comme d'être plus riches, plus honorés, plus puissants qu'eux, ou même de s'en faire obéir. » (131)

Après avoir, peu avant la fin de la première partie, récapitulé l'« homme » présocial, Rousseau écrit : « Si je me suis étendu si longtemps sur la supposition de cette condition primitive, c'est qu'ayant d'anciennes erreurs et des préjugés invétérés à détruire, j'ai cru devoir creuser jusqu'à la racine, et montrer dans le tableau du véritable état de nature combien l'inégalité, même naturelle, est loin d'avoir dans cet état autant de réalité et d'influence que le prétendent nos écrivains. » (160) N'est-il pas vrai que bien des « différences qui distinguent les hommes » passent pour naturelles, qui sont « uniquement l'ouvrage de l'habitude », des genres de vie ? Que ne doivent pas la force ou la faiblesse du corps à la « manière dure ou efféminée dont on a été élevé » ! Quant à l'éducation de l'esprit, elle creuse un écart entre ceux qui l'ont reçue et les autres. Et la « différence » entre esprits cultivés s'augmente « à proportion » de leur culture ; « ...si l'on compare la diversité prodigieuse d'éducations et de genres de vie qui règne dans les différents ordres de l'état civil avec la simplicité et l'uniformité de la vie animale et sauvage, où tous se nourrissent des mêmes aliments, vivent de même manière et font exactement les mêmes choses, on comprendra combien la différence d'homme à homme doit être moindre dans l'état de nature que dans celui de société, et combien l'inégalité naturelle doit augmenter dans l'espèce humaine par l'inégalité d'institution » (160-1).

Qu'on se reporte maintenant au terme des développements sur le devenir du genre humain : « Il suit de cet exposé que l'inégalité étant presque nulle dans l'état de nature tire sa force et son accroissement du développement de nos facultés et des progrès de l'esprit humain, et devient enfin stable et légitime par l'établissement de la propriété et des lois » (193). (Dans « légitime » il y a « loi ».)

L'histoire des rapports sociaux, surtout depuis le partage du sol et l'instauration du droit d'appropriation, cultive et valorise — au bénéfice de l'inégalité instituée — des inégalités qui, à l'état primitif, n'avantageaient durablement nul individu et ne pouvaient aider ou inciter quiconque à dominer son semblable. Seuls des « esclaves entendus de leurs maîtres » (132) chercheront s'il y a « quelque liaison essentielle » (131) entre l'inégalité « naturelle ou physique » et cette « inégalité morale ou politique » née du rapport social. Poser le problème ainsi serait « demander [...] si ceux qui commandent valent nécessairement mieux que ceux qui obéissent, et si la force du corps ou de l'esprit, la sagesse ou la vertu se trouvent toujours dans les mêmes individus, en proportion de la puissance ou de la richesse » (131-2). « Proportion... », concept raisonné éclairant le sens d'un combat pour l'égalité.

Dans le *Discours sur les sciences,* l'éloquente interpellation du moraliste autorisait ou provoquait les mésinterprétations : bravoure et paradoxe ; prouesse d'orateur. Une question pourtant pointait, que la bonne conscience des Lumières à la mi-temps du siècle pouvait malaisément éluder. S'il est exaltant de voir la raison agrandir son empire, repousser ses horizons, civiliser notre nature, que font les princes pour que les travaux d'un Bacon, d'un Descartes, d'un Newton, pour que les acquis de la « science » et les leçons de la « sagesse » servent au « bonheur des peuples », à la « félicité du genre humain » (*DS.* 29-30) ? Mais *l'Inégalité* s'engage sur un chemin où le grand aîné Voltaire, défenseur des droits de l'homme, ne s'est pas risqué. Jean-Jacques fait émerger un problème majeur de notre époque. Si l'histoire d'une société toujours plus inégale est celle d'une humanité toujours plus divisée, n'est-elle pas inséparablement celle d'un inégal développement des individus ? Ce qui va de soi pour tant de penseurs des Lumières — comme pour un Renan plus tard — fait question pour lui. Faut-il que l'histoire de l'espèce Homme soit si chèrement payée par le grand nombre ? Faut-il accepter que « l'inégalité d'institution » conteste à tant d'individus l'élémentaire humanité ? Ici prend ancrage une philosophie de l'égalité qui infirme l'imagerie d'un Rousseau niveleur.

« Il suit encore, écrit-il au terme du *Discours,* que l'inégalité morale [ou « politique »], autorisée par le seul droit positif, est contraire au Droit naturel toutes les fois qu'elle ne concourt pas en même proportion avec l'inégalité physique ; distinction qui détermine suffisamment ce qu'on doit penser à cet égard de la sorte d'inégalité qui règne parmi tous les peuples policés ; puisqu'il est manifestement contre la loi de nature, de quelque manière qu'on la définisse, qu'un enfant commande à un vieillard, qu'un imbécile conduise un homme sage, et qu'une poignée de gens regorge de superfluités, tandis que la multitude affamée manque du nécessaire (193-4). (Cet enfant vient tout droit de Montaigne, *Essais*, I, 31.)

Mais c'est la note XIX qui explicite le mieux la pensée. Les différences acquises sont de plusieurs sortes. Richesse, rang, puissance, mérite personnel, voilà, selon le *Discours*, les « distinctions principales par lesquelles on se mesure dans la société ». Un état est bien ou mal « constitué » selon le type de relation entre ces « forces » (189) : comme tous ses membres « lui doivent des services proportionnés à leurs talents et à leurs forces, les citoyens à leur tour doivent être distingués et favorisés à proportion de leurs services » (222). Il revient au « peuple », incorruptible quoiqu'abusé parfois, d'apprécier les « mœurs », donc le « mérite personnel » de chacun. Mais les « rangs » ne doivent être « réglés » (par les Magistrats) que sur les « actions », les « services réels » (223) rendus à l'État, donc sur la contribution de chacun au bien commun. Cette proportionnalité est condition d'une pertinente égalité qui ne nie point, mais suppose l'inégalité de fait entre les apports d'individu différents.

Galvano della Volpe voyait dans cette conception de l'égalité, synthèse proportionnelle d'inégalités, une ébauche *(mutatis mutandis)* de la problématique exposée par Marx en sa *Critique du programme de Gotha :* tout Droit étant application d'une même unité de mesure à des individus différents qui ne sont, en fait, ni identiques ni égaux, seule une société ayant dépassé « l'étroit horizon du droit bourgeois » pourra, recevant de chacun selon ses capacités, donner à chacun selon ses besoins ; dans la première phase d'une telle société le « droit » n'est, en effet, que partiellement aboli, les produits du travail social étant répartis sous une même règle pour tous : la mesure du travail fourni par chacun.[13] La pensée de Rousseau est bien éloignée de celle de Marx, pour qui le médiateur historique d'une libérante transformation du rapport social, c'est le prolétariat enfanté par la grande industrie moderne. Mais il est vrai que Rousseau cherche les voies d'une égalité qui soit à la fois universelle et personnalisante. S'accorderait-il à son projet de réforme s'il ne se demandait pas comment est possible une réciproque reconnaissance des individus ?

Quand, après avoir énoncé les quatre sortes d'inégalité rappelées plus haut, il observe que « la richesse est la dernière à laquelle elles se réduisent à la fin » (189), Rousseau résume l'histoire de l'inégalité. Puisque cette histoire a si bien exploité les « inégalités naturelles » entre individus, et puisque l'argent-despote est, au terme du processus d'asservissement, l'universel égalisateur des hommes. Car c'est lui le total niveleur, et non l'égalité des citoyens libres.

La logique du *Contrat social* sera de chercher comment les « inégalités naturelles », après avoir été si longtemps l'instrument d'un pouvoir sur l'homme, peuvent concourir à la liberté de tous.

Absolu. Relatif. Absolu

Le besoin de l'autre est source de dépendance et force d'humanisation. Sans doute Rousseau, entre tous ses contemporains, est-il celui qui a le plus sensiblement exprimé cette acculturation des besoins de l'espèce « Homme » sur le fondamental besoin du rapport humain comme tel. Aucun des besoins qui nous arrachent à l'animalité n'échappe à l'universelle loi du vivre ensemble ; et ceux qui nous attachent encore à elle sont policés, pour le meilleur et le pire. « L'essence de l'homme, écrira Feuerbach *(Principes de la philosophie de l'avenir),* n'est contenue que dans la communauté, dans l'unité de l'homme avec l'homme. » On voit ce qui oppose Rousseau au penseur allemand : il n'identifie l'être de l'homme, sa « nature », que par imaginaire annulation de tout rapport permanent au semblable. Mais cette nature n'actualise ses puissances et n'atteint ses fins que par la « communication », par l'universel procès de socialisation. Le désir d'être reconnu, l'affective intimité d'autrui à toute conscience individuée donnent au *Discours* un attrait de modernité. Ici se décèle une féconde approche du mode humain d'exister, se régénère une intelligence du vivre humain.

Le « réformé » nous accompagne sur le trajet suivi par une critique philosophique qui va de Bayle à Kant, de Kant à Feuerbach : l'homme pour Dieu devenant l'homme pour l'homme.

On a rappelé le rôle de la « comparaison » dans la dialectique du moi et de l'autre. C'est par elle que l'intérêt spontané que l'individu se porte perd sa limpide simplicité. Son humanité se déclare dans le mouvement d'intériorisation qui la dédouble. La comparaison ? Opération de reconnaissance d'homme à homme, elle est confrontation de soi-même à soi-même, mise en question de l'immédiate identité. Comme elle est, dans l'ordre des corps et des rapports, procédé pour connaître, technique pour discerner ; et c'est aussi l'entraînement d'un esprit à l'exercice de soi. Propédeutique d'Émile enfant aux travaux d'une pensée conceptuelle qui chemine en comparant : « ... sitôt que l'on compare une sensation à une autre on raisonne » (*E.* 486). Former une pensée, former une conscience, c'est aider un être humain à découvrir le monde, à découvrir les autres pour venir à soi-même.

L'éducation négative préserve l'enfant d'une société qui est concurrence, défi, combat pour le pouvoir sur l'autre. Émile n'en est pas moins convié à se comparer à soi pour évaluer ses progrès ; « émule de lui-même » (454). Mais qu'il apprenne le métier du menuisier, et ce jeune « ouvrier », « se voyant si près de l'état des pauvres », pose à son gouverneur, qu'il sait riche, une inquiétante question : que fit celui-ci pour la société à laquelle il doit lui aussi « son travail », « puisqu'il est homme » (480) ? On est loin de « Robinson dans son île ».

Émile n'a pas fini de comparer ! Voyez-le s'initier à l'économie politique. Encore enfant, n'a-t-il pas appris que son travail lui ouvre possession d'un carré de jardin ? Fort de cette leçon première d'enfant-producteur-propriétaire, il s'informera bientôt des règles de l'universel échange. « La société des arts consiste en échanges d'industrie, celle du commerce en échanges de choses, celle des banques en échanges de signes et d'argent ; toutes ces idées se tiennent, et les notions élémentaires sont déjà prises ». Voilà comment une « éducation négative » bien conduite introduit Émile aux principes d'une économie de marché ; « ...la monnaie est le vrai lien de la société » (461). Si le gouverneur n'avait pas enseigné à son élève comment vivre de son travail, qui nous assure qu'Émile, plutôt qu'esclave en Algérie, ne se retrouverait pas quelque jour à Londres, à Paris, négociant, banquier, financier ? Pour « échapper aux fripons » en de tels métiers, on devient fripon soi-même (833). Quoi qu'il arrive l'adolescent vit, de comparaison en comparaison, son « histoire naturelle », en s'initiant à une histoire qui ne l'est pas, puisque c'est la naissance de l'argent.

Toute cette page du 1.III sur la monnaie, équivalent universel, serait à rapporter. Rousseau fait du « comparer » un inépuisable opérateur de transformation, changement, novation. Apprenant à différencier « l'égalité naturelle » de « l'égalité conventionnelle entre les hommes », Émile constate que celle-ci n'a sens qu'en une société soumise à la loi d'échange. Échange égal entre les produits du travail. Comparer, mesurer, échanger... Mais à quelle autre société le gouverneur préparerait-il son élève ?

Comparer. Se comparer... De l'« amour de soi » à l'« amour-propre » il y a filiation et métamorphose ; non plus « se satisfaire » par notre bien, mais « seulement par le mal d'autrui » (D. 669). Du *Discours* à l'*Émile*, aux *Dialogues* surtout, s'approfondit une dialectique du désir de dominer qui se noue (*deuxième Dial.*) à une dialectique de la « sensibilité », « principe de toute action » (D. 805). Sensibilité duelle. Physique et organique, « purement passive », elle semble n'avoir pour fin, par plaisir-douleur, que de conserver notre corps et notre espèce. (Leçon cartésienne). Active et morale, elle attache nos affections à « des êtres qui nous sont étrangers ». Comparable à l'attraction-répulsion du physicien, cette sensibilité de l'âme est dédoublée. « Positive », immédiate dérivation de l'amour de soi, elle est tendance naturelle d'un être à l'expansion du sentiment de soi, à l'appropriation de « ce qu'il sent devoir être un bien pour lui » (806). « Négative », quand cet « amour absolu dégénère en amour-propre et comparatif ». Voilà comment la relativisante mue d'un absolu pacifique et premier entraîne un moi concurrentiel au combat sans terme pour absolutiser son être par négation de « tout ce qui étant quelque chose » l'empêche « d'être tout » (806). Cette dialectique ira loin.

On imagine les déconvenues d'une anthropologie qui s'essaierait à penser les problèmes de notre temps par transformations d'un binôme affectif « amour de soi/amour-propre ». Mais qu'on lise Marivaux journaliste. Quel moderne parti sa critique des mœurs ne sait-elle pas tirer d'un héritage notionnel ! Encore une génération : l'auteur du *Discours sur l'inégalité* investit une critique de l'« amour-propre » en sa critique de la propriété. Exposant le « nouvel ordre des choses » né de l'agriculture et du partage des terres, il évoque — dans l'anthropologique et le social indivis —, tous les maux qui sont « le premier effet de la propriété et le cortège inséparable de l'inégalité naissante » (*DI*. 175).

Elle est révolue, l'ère des comparaisons, des confrontations entre ceux qui faisaient la prime expérience de la « civilité ». L'enjeu était alors cette « estime publique » dont s'honoraient le meilleur chanteur, le meilleur danseur, le concurrent le plus beau, le plus fort, le plus adroit ou le plus éloquent. En ces temps lointains où une technique peu évoluée n'altérait encore que faiblement le rapport immédiat de l'homme à la nature, le rapport d'homme à homme était direct. Dans la compétition comme dans la coopération. Le besoin que chacun avait des autres ne pouvait, à ce degré du devenir social, éveiller en lui l'idée ou le projet d'asservir son semblable. Contestations, rivalités ne surgissaient qu'entre des individus qui avaient appris à se reconnaître.

Mais dans une société profondément transformée par les progrès de la division du travail et de l'inégalité, le rapport entre individus ne se transforme pas moins, et l'image que chacun a de soi. Cet homme qui produisait de quoi satisfaire ses besoins est pris dans un réseau d'échanges qui le condamne à n'exister que par les autres. Il est irréversiblement soumis à un rapport social de réciproque utilisation. Comment dès lors traiterait-il les autres sinon comme moyens de ses fins ? Et comment son « amour-propre », mutation civilisée du primitif et bon amour de soi, ne l'intéresserait-il pas à tout ce qui peut l'aider à s'approprier leurs services, leur travail et, s'il en a pouvoir, leur personne ?

Être/Paraître

Ici s'opère, dans le mouvement du *Discours sur l'inégalité*, cette disjonction entre « être » et « paraître » dont les textes antérieurs ont montré les effets. Qui se laisserait voir tel qu'il est en une société où tant d'intérêts sont conflictuels qu'il faut, pour réussir, persuader vos concurrents que leurs intérêts s'accordent aux vôtres ?

Mais le *Discours* situe dans une histoire du rapport social les causes et les mobiles d'une telle séparation entre être et paraître. Si l'homme des premières communautés, quand il se mesure à d'autres, veut paraître ce qu'il est pour que nul n'ignore ce qu'il vaut, l'homme de la « société civile » doit apprendre à paraître ce qu'il n'est pas... Au premier âge de la socialisation, la « considération » ne s'obtient que si preuve est faite de quelque supériorité individuelle (qualité naturelle, mérite, talent). Ce besoin de « considération », la « société civile » ne le tarit point puisqu'il dérive, comme l'amour-propre, de la formation du lien social. Mais, pour l'homme « nécessité » à subordonner ses semblables aux fins qu'il poursuit, tout est bon qui lui attire la considération, tout est bon pour se faire apprécier ou respecter des autres, pour les « intéresser à son sort », pour qu'ils trouvent « en effet ou en apparence leur profit à travailler pour le sien : ce qui le rend fourbe et artificieux avec les uns, impérieux et dur avec les autres, et le met dans la nécessité d'abuser tous ceux dont il a besoin, quand il ne peut s'en faire craindre, et qu'il ne trouve pas son intérêt à les servir utilement » (175).

Le régime de l'utilisation réciproque est donc aussi, dérision, celui où un semblant d'utilité peut tenir lieu d'utilité réelle ! Et le type de rapport social qui stimule, plus que toute forme antérieure d'existence en commun, le développement des facultés de l'homme est une incitation permanente à donner le change sur ce que peut un homme ! Ne faut-il pas, pour s'assurer l'avantage, affecter d'avoir ce qu'on n'a pas ?

Une conséquence de cette disjonction entre « être » et « paraître », provoquée par les antagonismes de la société civile, c'est l'inversion de la hiérarchie des besoins. Les plus factices, derniers venus, priment tous les autres. L'accès aux « biens réels », indispensables à la reproduction de notre espèce, est désormais médié par l'appropriation de biens symboliques qui n'ont « d'existence que dans l'estime des hommes » : honneurs, réputation, rang, noblesse... (*FP*. 530). Les créateurs des valeurs d'utilité réelle voient ainsi leur travail, sans lequel nulle société ne subsisterait, assujetti aux contraintes d'une économie qui subvertit la logique des besoins à laquelle Émile est initié sous le signe de l'authentique humanité. Et puisque le rapport actif de l'homme à la nature, indispensable à la survie de notre espèce, se trouve maintenant régi par un rapport de plus en plus inégalitaire entre les hommes, faut-il s'étonner que « l'ambition dévorante, l'ardeur d'élever sa fortune relative » soient l'expression moins d'un besoin véritable que d'un intérêt passionné à « se mettre au-dessus des autres » ? (*DI*. 175). Pour l'homme de la « société commencée », *a fortiori* pour le primitif en forêt, vivre, c'était conquérir sur la nature ses moyens d'existence. Dans la « société civile » il faut, pour avoir le droit d'être, conquérir d'une façon ou d'une autre un pouvoir sur les autres.

Comment supprimer ce pouvoir, ou l'empêcher de naître, n'est-ce pas la recherche de Rousseau auteur du *Contrat social ?* Puisque la jeunesse du monde ne peut ressusciter, ni l'égalité première, sous quelles clauses des hommes pourraient-ils faire société sans qu'un seul soit soumis au pouvoir d'un autre ?

Masques. Argent. Mots

Comment l'homme des temps immémoriaux eût-il pu prévoir que, se liant à son semblable, il inaugurait une histoire qu'emplirait plus tard le fracas des armes, et que la guerre universellement allumée par l'inégalité serait aussi l'universelle comédie ? Humanité-théâtre. Rousseau cultive La Bruyère, Montaigne, Platon. Et l'on sait que le sage stoïcien voit l'homme fol jouer inconsciemment sa vie comme un acteur le rôle qu'il n'a pas choisi dans une pièce qu'il ne comprend pas. Mais, pour Rousseau, la société-comédie se compose et se joue dans l'histoire. Chaque fois que la chaîne qui unit l'homme à l'homme s'alourdit d'un chaînon la captieuse dialectique de l'être et du paraître fait récurrence. Chaque fois trouvant une figure ajustée au pouvoir qu'elle sert, pour le justifier, ou pour affermir le joug en le masquant. La guerre sociale ne peut faire l'économie des simulacres. Et la volonté de puissance interprète autant de rôles qu'il faut. Le serment lui-même n'est-il pas simulable ?

La bonne société parisienne offre à Saint-Preux, loyal Helvète, le spectacle de sa duplicité : « ... je vous ai parlé de ce qu'on dit à Paris et non pas de ce qu'on y fait. Si j'ai remarqué du contraste entre les discours, les sentiments, et les actions des honnêtes gens, c'est que ce contraste saute aux yeux au premier instant. Quand je vois les mêmes hommes changer de maximes selon les coteries, molinistes dans l'une, jansénistes dans l'autre, vils courtisans chez un ministre, frondeurs mutins chez un mécontent ; quand je vois un homme doré décrier le luxe, un financier les impôts, un prélat le dérèglement[14] ; quand j'entends une femme de la cour parler de modestie, un grand seigneur de vertu, un auteur de simplicité, un abbé de religion, et que ces absurdités ne choquent personne, ne dois-je pas conclure à l'instant qu'on ne se soucie pas plus ici d'entendre la vérité que de la dire, et que loin de vouloir persuader les autres quand on leur parle, on ne cherche pas même à leur faire penser qu'on croit ce qu'on leur dit ? » (*NH*. 241).

Paris, ville des « Lumières » et du bon ton ? Certes, et le « sage même » a toujours quelque chose à glaner dans ses conversations où le sérieux s'entend si bien avec le badin, où l'on est savant sans pédanterie, où, discutant pour s'éclairer, on sait s'arrêter « avant la dispute ». Hélas, c'est aussi là qu'on apprend à « plaider avec art la cause du mensonge, à ébranler à force de philosophie tous les principes de la vertu, à colorer de sophismes subtils ses passions et ses préjugés, et à donner à l'erreur un certain tour à la mode selon les maximes du jour. Il n'est point nécessaire de connaître le caractère des gens, mais seulement leurs intérêts, pour deviner à peu près ce qu'ils diront de chaque chose » (233). Ce n'est pas un homme qui parle, mais son habit. Et le même, en longue perruque, en habit d'ordonnance ou d'Église prêchera successivement les lois, le despotisme, l'inquisition.

Autant d'états, autant de raisons, l'universelle raison perdant ses droits. Et voilà comment nul ne dit jamais sa pensée, mais « ce qu'il lui convient de faire penser à autrui » (233-4). La question n'est pas d'être ce que je suis, mais de régner sur l'autre. L'intérêt de l'individu et celui de la coterie annexent, pour s'assurer une hégémonie, le langage de la vérité.

Société qui n'est que juxtaposition de microsociétés, celles-ci n'étant elles-mêmes qu'assemblage apparemment concertant d'intérêts conflictuels. Sous les commodités de la politesse, le véritable rapport est rapport de forces ; il faut que je domine l'autre, ou qu'il me domine. Ah ! quoi qu'en ait dit Diderot, le méchant n'est pas seul. Son lieu d'élection ? La ville où se concentrent, dans la facile multiplication des échanges et dans la prolifération des besoins factices, les passions et les vices ; la ville où se composent tous les visages, où se jouent tous les rôles, où l'argent, l'intrigue, mais aussi le savoir et les aimables procédés offrent à qui veut nuire sous les dehors du service rendu tous les moyens de circonvenir son prochain, de le piéger, de le détruire.

Masques partout, sur le visage du fripon, sur le visage de celui qui fait comme les autres. « J'ai vu beaucoup de masques, s'écrie Saint-Preux ; quand verrai-je des visages d'homme ? » (236)[15] Et masque de ces « honnêtes gens du grand monde » « dont les maximes ressemblent beaucoup à celles des fripons ». Parce que, trouvant que tout va bien, n'ayant aucun intérêt au changement, ils s'accommodent benoîtement d'une société où le peuple a faim...

La critique de l'apparaître étant omniprésente chez Rousseau, on se borne ici à trois objets : argent, langage, imposture.

L'or, l'argent n'étant que « signes représentatifs », « toutes les opérations qui se font sur les monnaies pour en fixer la valeur ne sont donc qu'imaginaires » (*FP*. 520). Notre chapitre 4 soulignait les défiances et les raisons de Rousseau. « Jamais l'argent ne me parut une chose aussi précieuse qu'on la trouve », écrit-il en ses *Confessions*. « Commode », l'argent ? « Il faut le transformer pour en jouir. » Acheter, marchander, « souvent être dupe ». « Il ne me faut que des plaisirs purs, et l'argent les empoisonne tous. » (*C*. 36) Sans doute l'argent qu'il gagne est-il, en cette société, sauvegarde de sa liberté. Mais, liberté étant appropriation de soi, l'argent pourchassé dépossède, asservit. Ce fantomatique Protée, qui partout représente, n'est jamais si redoutable que lorsqu'il se dissimule. Son « possesseur particulier » le « cache aisément à l'inspection publique » (*PC*. 931). « L'emploi de l'argent se dévoye et se cache ; il est destiné à une chose et employé à une autre. » « Circulation secrète. » Négoce « des services, du courage, de la fidélité, des vertus ». Bien public et liberté mis « à l'enchère ». Nulle force ne peut aussi sûrement que l'universel détournable « détourner » la « machine politique » de son « but » (*CP*. 1005). Que ce réquisitoire ne donne pas le change... Une dialectique de l'argent ne construira son fondement que bien plus tard. Et peut-être Moses Hess lui-même est-il à Jean-Jacques ce que celui-ci est à Fénelon[16]. Musique d'une langue, *Télémaque,* c'est aussi la Bétique, où nul métal monnayé n'altère la félicité des bergers.[17] On verra cependant que le Genevois, écrivant sur finance et fiscalité, ne manque pas d'avenir.

Oubliant que Socrate s'inquiétait de ce que parler veut dire, V. Cousin et d'autres ont exclu de la philosophie le siècle qui, relayant Bacon, sut faire du langage une grande question d'humanité. Condillac déplore que Descartes (innéisme), Malebranche (vision en Dieu) aient ignoré l'analyse des « signes d'institution » dont Locke lui-même n'a pas évalué la portée. Un être hominisé ne pense, ne se pense que par les mots. L'enfant élevé parmi les ours ne se forme nulle idée de ce qu'il éprouve. Penser est acte sociétal. L'implicite rapport aux autres habite toute connaissance d'objet. Et la « logique » de Condillac est celle du libre échange.

Bien qu'il ait parfois contact avec les enfants du cru, Émile enfant n'a pas de condisciples. La nature « Homme » n'est-elle pas individu ? Mais il apprend et s'apprend en quotidien dialogue avec un homme qui porte en lui une société et sait que « toutes nos langues sont des ouvrages de l'art » (*E.* 285). Aussi faudra-t-il que son élève et compagnon ne se laisse pas enlever à soi-même par un langage qui s'est perfectionné dans l'équivoque. Pris dans la dialectique de la comparaison interindividuelle, du rapport Domination/Servitude, le langage qui rapproche et polit les hommes s'est initié à l'art du faux-semblant. La conscience elle-même n'est plus « dans la bouche des hommes qu'un mot fait pour se tromper mutuellement » (*LB.* 937). L'écriture ? Inventée pour figurer et multiplier la pensée des hommes, elle les a domestiqués. Désormais, il faut lire pour entendre.

Dans le *Premier Discours* Rousseau déplorait le « désordres affreux » causés par l'imprimerie en Europe. Au risque de passer pour un de ces bateleurs prêts à tout faire imprimer pour qu'on les regarde... L'auteur d'*Émile* n'a plus le ton de la provocation. Mais il professe noir sur blanc que les livres n'apprennent qu'à parler de ce qu'on ne sait pas. L'éducation négative ne fera la part du livre qu'après avoir fait la part des « choses ». Pour que l'enfant — n'est-ce pas l'ordre naturel ? — aille des choses aux mots avant d'aller des mots aux choses. Ce qui s'entend d'un auteur qui reproche aux collèges et couvents de prodiguer une « éducation babillarde » qui ne fait que des « babillards » (*E.* 447). Épaulez l'apprentissage du parler — sans doute aussi de l'écrire —, par l'observation, l'expérimentation, l'atelier. Pour qu'Émile soit propriétaire de soi, pour qu'il ne soit pas jouet du langage des marchands, des innombrables monnayeurs et changeurs, des idolâtres de toute église, faites que sa sémantique soit soutenue par un « art d'agir » en première personne. C'est ainsi que son savoir sera langue bien faite.

Ici encore le « temps » ! Expulsé de son âge par des adultes pressés de le faire parler, l'enfant est pris dans le tourbillon du faux-sens, du contre-sens, du non-sens. L'apparence impose alors sa loi par le malentendu, réciproque assujettissement. Vous vous condamnez à payer de mots celui qui va vous plier au régime du mot. Exerçant un contrôle continu, le babillard vous épie, vous traque, vous piège. Il vous prend aux mots. Esclave d'un parler mal reçu, mal appris, mal traité, il vous enchaîne à son tour.

Comment un enfant si mal élevé à l'humanité saura-t-il plus tard reconnaître les intérêts qui s'embusquent derrière la phrase ? Le magistrat qui met son peuple aux fers lui parle liberté. Cet adolescent qui piétine dans l'équivoque, vous l'avez amputé de son libre arbitre pour la vie. Asservi au mésusage de la parole, il sera cet adulte impotent qui ne s'appartient pas. Pour Jean-Jacques la servitude, quelle qu'en soit la forme, n'est jamais régénérante.

L'imposture absolue

Si le déguisement est un des grands opérateurs de la pensée du siècle, une catégorie de son imaginaire, le philosophe repère l'imposture aux sources de l'illusoire et de la mystification.[18] Toute tromperie n'est point parti pris de subjuguer l'âme crédule. Or l'imposture couvre les vastes projets dominateurs. Le prêtre imposteur est une de ces silhouettes à contre-Lumières qui se profilent aussi chez Rousseau, après comme avant sa « réforme ». Un brouillon de *l'Inégalité* met en action cette « espèce d'hommes singuliers » qui, s'instituant dépositaires de la parole de Dieu, dévouent le sacerdoce aux entreprises d'usurpation. Ainsi se prémédite le triomphe, à terme, du despotisme clérical.

On doit à l'abbé Prévost une description inaugurale de l'atroce malédiction individuée : une société qui fait corps contre l'homme de bien. Rousseau entame en 1772 la rédaction des trois *Dialogues — Rousseau juge de Jean-Jacques —* parce que toute prise lui est refusée sur ses implacables ennemis, experts de la dissimulation méthodique et concertée. Inlassables, systématiques, minutieux, ils ont fabriqué, ils fabriquent et Rousseau et l'opinion. Rousseau tel qu'il est doit à jamais faire place au monstre que signale son nom. « Ils me croient un monstre sur la foi de vos clameurs », écrivait déjà Jean-Jacques à l'archevêque de Paris (*LB.* 983). S'ils l'ont enterré « tout vivant » (*D.* 743), s'ils ont bâti autour de lui un infranchissable « mur de ténèbres », la multitude qui juge et dit comme on décide qu'elle juge et dise est, elle aussi, murée dans l'évidence universellement indiscutable puisqu'on a machiné, on machine ce qu'il faut pour qu'elle ne soit jamais discutée. Le succès de l'entreprise n'exige-t-il pas que la victime soit privée de tout moyen de manifester son innocence ? (765). Coupable intégral, notre homme est condamné à l'intégrale ignorance du dossier qui l'accable. Toute charge contre lui est validée par l'accusation : « Pour s'en défendre il n'a ni secours, ni ami, ni appui, ni conseil, ni lumières ; tout n'est autour de lui que pièges, mensonges, trahisons, ténèbres. Il est absolument seul et n'a que lui seul pour ressource, il ne doit attendre ni aide ni assistance de qui que ce soit sur la terre. Une position si singulière est unique depuis l'existence du genre humain. » (765)

Pour donner l'être à cette chimère d'épouvante que le sens commun tiendra pour le seul Rousseau possible, ils ont dissous l'authentique Rousseau dans l'inexistence. Exonérée de toute confrontation avec l'être, l'apparence a toute qualité, toute sécurité pour valoir preuve et se pérenniser. La division être/paraître était condition anthropologique d'une généalogie de l'assujettissement. Mais la destinée sans exemple du seul témoin de l'Homme, c'est une absolue réduction de son être par secrète production infernalement planifiée (709) d'une apparence absolument irréductible. Terme ultime de l'assujettissement au paraître, la substitutive et despotique apparence est assurée de régner sans partage puisqu'elle est à l'image de l'imposteur collectif tout-puissant qui l'a programmée, manufacturée : Jean-Jacques Rousseau n'est qu'un imposteur. Lui qui a noué sa vie à la vérité !

Mais puisque, au-delà des desseins et des crimes qu'on lui prête, des circonstances et des enchaînements d'une vie, d'une œuvre, d'un combat, c'est son être qui est frappé de mort sociale, l'auteur des *Dialogues* recompose à son avantage, — pour invalider sans appel les attendus, le verdict — la fiction heuristique du *Discours sur l'inégalité*. Nous avons suggéré le rapprochement au chapitre 3. Écarter « un moment tous les faits » (*D.* 820) pour se demander idéellement si un individu doté par la nature d'une « constitution » identique à celle de Rousseau aurait compatibilité d'essence avec les desseins, sentiments, conduites imputés au Jean-Jacques historique. A celui qu'imaginent les imposteurs Rousseau oppose le seul Jean-Jacques imaginable par quiconque aurait le courage et le bon sens de penser la logique singulière de ce que sa nature lui permet et lui interdit d'être.

Le lecteur de ces pages (qui parfois s'apparentent à Kafka) conçoit malaisément que Rousseau soit devenu l'obsessionnel souci, l'intérêt absolu des « messieurs » qui s'associent dans l'ombre pour le perdre. Même si l'on n'oublie pas la peur de certains quand on sut qu'il rédigeait ses mémoires. Mais l'hallucinante construction des *Dialogues,* qui nous instruit si profondément du Rousseau des années soixante-dix, n'est-elle qu'un génial moment dans les annales de l'aberration ? Concertée ou non, l'exclusion vigilante et silencieuse d'une pensée, d'une hypothèse, d'une perspective ou d'une œuvre, est-ce une pratique introuvable ?

Clercs ou laïques, les ennemis de Rousseau conviennent que, pour l'honneur de l'humanité, il « n'aurait jamais dû naître » (700) ; « unique depuis que le monde existe », son « cas » enfante une « loi toute nouvelle dans le code du genre humain » (707). Mais, si l'incommensurable scélérat est justiciable d'un tribunal d'exception, Jean-Jacques ne manque pas d'observer qu'en France (à la différence de l'Angleterre où les procédures criminelles sont publiques) « tout se passe dans le plus effrayant mystère, les faibles sont livrés sans scandale aux vengeances des puissants, et les procédures, toujours ignorées du public ou falsifiées pour le tromper, restent, ainsi que l'erreur ou l'iniquité des juges, dans un secret éternel, à moins que quelque événement extraordinaire ne les en tire » (736-7). Loin de protéger l'innocent, les tribunaux le tourmentent pour lui arracher l'aveu des crimes qu'il n'a pas commis. Combien de malheureux condamnés d'avance, qui n'ont pas le renom d'un Calas ! Ou d'un Grandier, auquel Jean-Jacques compare sa « destinée » (lettre du 26.2.70 ; LPh. 211). « Jouet du public », « risée de la canaille », « horreur de l'univers » (D. 743), l'unique Rousseau a donc des compagnons d'infortune en un pays, un temps où les « lois » arment le fort contre le faible, où un entrepreneur des vivres, menacé de la potence pour avoir, par ses « excessives friponneries », « fait souffrir et murmurer l'armée », peut « hardiment » répondre au maréchal de Villars qu'« on ne pend point un homme qui dispose de cent mille écus » (DI. XVIII 222).

Que l'apparence soit un possible moyen de pouvoir sur les consciences ne signifie certes pas que, pour Rousseau, la scission entre être et paraître procède d'un désir de puissance. Elle dérive nécessairement de la dialectique de socialisation. Étudiant le changement décisif qui s'opère dans l'individu quand, subissant un « tort volontaire » — autre chose que violence primaire, réflexe brut —, il se découvre « personne » dans sa rébellion morale contre le « mépris » dont il est l'objet (DI. 170), Paul Tolila a remarquablement montré que cette conscience de soi novice est (par logique interne de la subjectivité) captive de l'illusion d'une « fausse autonomie ». Elle croit « évoluer désormais dans un univers psychologique pur » entièrement soumis à des « lois d'action et de réaction idéologico-morales », « causes dernières » des « affections » de l'individu personnalisé.[19] Cette illusion, qui incline la pensée à se situer aux origines du réel, n'a pas son lieu et son moment hors toute réalité. Elle dit à sa manière ce que l'homme de l'homme fait et s'imagine de lui-même, dans la méconnaissance d'un rapport social immanent à ses conduites et à la représentation qu'il s'en donne. Or ces causalités non-subjectives assurent à l'illusion une prise sur le réel. Née d'un réel en mouvement, l'illusion est un vecteur de sa transformation.

Bien des pages seraient à recenser où l'on voit l'illusion émerger ou participer (ou l'un et l'autre) d'un processus qui n'est point effet d'opinion. On sait que la genèse du rapport social induit une inégalité de fait contraire au droit naturel. Historiquement advenu, l'assujettissement ne fut pas plus le fruit d'un vouloir que ne le fut la dépossession des moyens individuels de production. Les effets d'illusion propres à l'« ordre civil » ont leur source lointaine dans une situation qui oppose l'homme à lui-même. « Il y a dans l'état de nature une égalité de fait réelle et indestructible, parce qu'il est impossible dans cet état que la seule différence d'homme à homme soit assez grande pour rendre l'un dépendant de l'autre. Il y a dans l'état civil une égalité de droit chimérique et vaine, parce que les moyens destinés à la maintenir servent eux-mêmes à la détruire ; et que la force publique ajoutée au plus fort pour opprimer le faible rompt l'espèce d'équilibre que la nature avait mis entre eux. De cette première contradiction découlent toutes celles qu'on remarque dans l'ordre civil entre l'apparence et la réalité. Toujours la multitude sera sacrifiée au petit nombre, et l'intérêt public à l'intérêt particulier. Toujours ces noms spécieux de justice et de subordination serviront d'instruments à la violence et d'armes à l'iniquité : d'où il suit que les ordres distingués qui se présentent utiles aux autres ne sont, en effet, utiles qu'à eux-mêmes aux dépens des autres ; par où l'on doit juger de la considération qui leur est due selon la justice et selon la raison. » (*E.* 524-5) On n'est donc pas surpris que Rousseau ajoute en note : « L'esprit universel des lois de tous les pays est de favoriser toujours le fort contre le faible, et celui qui a contre celui qui n'a rien ; cet inconvénient est inévitable, et il est sans exception. » (524)

Rappelant que, pour Bastiat (l'auteur des *Harmonies économiques*), Saint-Simon, Fourier, leurs disciples, leurs émules sont tous « fils de Rousseau », Bouglé estime que c'est par sa « théorie des lois » surtout que Rousseau « ouvre directement la voie au socialisme »[20]. On traitera plus loin de l'essence de la loi selon l'auteur du *Contrat ;* et d'une philosophie politique qui fait plus d'une fois la critique de l'apparence. Les écrits postérieurs au *Contrat* conduisent même au seuil d'une dialectique novatrice de la forme et du contenu. Ainsi lorsqu'il analyse les pratiques du Petit Conseil de Genève. Ou quand il observe, au terme du *Projet de constitution pour la Corse,* comment, dans une société où « les richesses dominent », une séparation s'opère entre la « puissance réelle » (les riches) et l'autorité « légitime » (les magistrats) qui n'a plus qu'une « puissance apparente » (939). Une forme qui perd contenu a-t-elle encore consistance ? L'apparence d'un pouvoir qui se déréalise peut-elle longtemps donner le change ? On sait que ce mouvement de pensée porte loin. La mise en question radicale de ce qu'on appellera plus tard en France l'Ancien Régime s'approprie pratiquement la critique de toutes les formes de domination civile et de pouvoir politique que le fondamental mouvement d'une société condamne à disparaître.

De moi-même à tous

Ce « tableau de tout l'ordre social », Émile adolescent doit comprendre qu'il nie et dénie l'ordre humain. S'il ne s'instruisait pas du jeu et du pouvoir de l'apparence, comment saurait-il défendre partout les droits de l'homme, quand l'universalisante « compassion » l'initie à la république humaine ?

Mais il faut, pour comprendre la marche de Rousseau, revenir à la première partie de l'*Inégalité*. C'est dans l'affectivité spontanée du compatir que l'auteur du *Discours* discerne l'origine, bien avant toute évaluation d'intérêts, tout escompte d'une réciprocité, de la « bienveillance » pour le semblable. Si la « conservation » du genre humain « n'eût dépendu que des raisonnements de ceux qui le composent » (*DI.* 157), il y a longtemps que notre espèce ne serait plus. A rapprocher de la préface, où Rousseau voit dans « l'âme humaine » « deux principes antérieurs à la raison, dont l'un nous intéresse ardemment à notre bien-être et à la conservation de nous-mêmes, et l'autre nous inspire une répugnance naturelle à voir périr ou souffrir tout être sensible et principalement nos semblables » (125-6). Les « tardives leçons de la sagesse » peuvent nous apprendre à bien traiter nos semblables. Mais tant qu'un membre de notre espèce « ne résistera point à l'impulsion intérieure de la commisération, il ne fera jamais de mal à un autre homme ni même à aucun être sensible, excepté dans le cas légitime où, sa conservation se trouvant intéressée, il est obligé de se donner la préférence à lui-même » (126). Mandeville lui-même, le « détracteur le plus outré des vertus humaines », doit convenir que l'homme est un « être compatissant et sensible » (154). Et voici la phrase clé : « ... la pitié est un sentiment naturel qui, modérant dans chaque individu l'activité de l'amour de soi-même, concourt à la conservation mutuelle de toute l'espèce. » (156)

L'erreur de Hobbes est de méconnaître qu'à l'état de nature la sauvegarde de l'espèce est assurée par un principe tout aussi naturel que le principe d'autoconservation individuelle. « Il n'y a [...] point de guerre générale d'homme à homme ; et l'espèce humaine n'a pas été formée uniquement pour s'entre-détruire. » (*ESP.* 602) Ne lit-on pas en *Émile* que, si l'homme était « méchant naturellement » (595), la bonté serait un « vice contre nature » ? « Fait pour nuire à ses semblables comme le loup pour égorger sa proie, un homme humain serait un animal aussi dépravé qu'un loup pitoyable, et la vertu seule nous laisserait des remords. » (596) Qu'à l'état de nature deux individus s'affrontent, le temps d'une rencontre, voilà qui ne nous livre pas l'essence de la guerre, qui suppose socialisation de l'existence humaine. Il y a une « bonté naturelle » ; mais nul n'est soldat de nature et la méchanceté s'acquiert.

Accédant à la vie morale, l'Émile de la « seconde naissance » découvrira que rien d'humain ne lui est « étranger ». Les premières pages du livre IV sont donc pour une pédagogie socialisante de la pitié, « premier sentiment relatif qui touche le cœur humain selon l'ordre de la nature » (*E*. 505). Nature qu'une raison droite cultive dans l'intelligence de l'universellement humain. On n'oublie pas que l'anthropologie de Rousseau ne met la société entre parenthèses (« l'homme de l'homme ») que pour la reprendre et la repenser au bénéfice de la moralité, qui requiert sociabilité. D'où l'affirmation du Vicaire savoyard : « ...si, comme on n'en peut douter, l'homme est sociable par sa nature, ou du moins fait pour le devenir, il ne peut l'être que par d'autres sentiments innés, relatifs à son espèce ; car à ne considérer que le besoin physique il doit certainement disperser les hommes, au lieu de les rapprocher. » Ces « autres sentiments innés » sont prémices et supports d'une culture morale. Et c'est en cette page, précisément, que Rousseau fait naître d'un « double rapport à soi-même et à ses semblables » [...] « l'impulsion de la conscience » (*E*. 600).

Pitié n'est pas sociabilité. Mais, en première partie du *Discours*, Rousseau voit dans « générosité », « clémence », « humanité » des différenciations de cette naturelle compassion à laquelle l'animal même est disposé. (N'est-il pas un « être sensible » ?) La bienveillance, et aussi l'amitié procèdent de cette impulsion première (*DI*. 155). Mais, dès lors qu'elle devient (ainsi dans *l'Essai sur l'origine des langues*) « affection sociale », la pitié, « bien que naturelle au cœur de l'homme », ne peut s'activer « sans l'imagination qui la met en jeu » (*EOL*. 93). Quelle que soit la position chronologique de cet *Essai sur l'origine des langues,* non publié, une telle rédaction s'apparente à celle du livre IV d'*Émile*. Ici et là l'émotion de pitié implique transport hors de soi, identification avec l'être qui souffre, mouvement impossible si je n'avais pas acquis quelque conscience de moi, et si je n'avais pas l'idée de ceux qui me sont assez semblables pour sentir et souffrir ce que j'ai moi-même éprouvé.

On observerait aujourd'hui qu'au pur « état de nature » l'individu ne peut avoir ni cette conscience de soi, ni cette représentation d'un autre « soi ». Mais, la nature étant « dispositions » (*E*. 248), tout ce qui est « naturel » s'actualise-t-il d'emblée ? Au livre IV d'*Émile,* l'enfant est décrit comme « naturellement enclin à la bienveillance », parce que ceux qui l'entourent assistent cet être si faible. « Aimer ceux qui l'approchent » est le « second » sentiment naturel de l'enfant, dérivé du premier (qui est évidemment, selon Rousseau, l'amour de soi...). Encore faut-il « beaucoup de temps » pour que naisse cet amour naturel-second ; le temps que l'enfant apprenne que ceux qui lui sont « utiles » « veulent » l'être en effet. Si la compassion est, en son principe, pulsion naturelle qui sauvegarde l'espèce en protégeant la faiblesse, son acculturation en fait un sentiment social-moral.

On sait comment Rousseau différencie « sensibilité physique », « sensibilité morale ». C'est celle-ci qu'Émile cultive quand la pitié pour son semblable le transporte de proche en proche jusqu'à l'anonyme et lointaine humanité.

Le spectacle de nos « misères communes » porte nos cœurs à l'humanité. La vue du malheur des autres ne m'expose pas au péril d'envier un bonheur qui m'est refusé. Le bonheur du paysan m'émeut parce qu'il n'est pas un bonheur d'exclusion. « ... Les grands craignent plus que la mort une sorte de Gouvernement qui les force à respecter les hommes » (*DI.* n. I p. 195). Si tout privilège est contraire au pur principe d'humanité, sourd à la bienveillance qui nous porte en autrui, c'est parce que celui qui le détient se croit protégé des maux communs. Comment un roi serait-il pitoyable à ses « sujets », lui qui ne peut se mettre à leur place et sait qu'il n'y sera jamais ? La noblesse n'a un tel mépris du peuple que parce qu'un noble ne sera jamais roturier. Le riche n'est si dur aux pauvres que parce qu'il ne craint pas de souffrir misère un jour ou l'autre. Comment ne ferait-on pas « bon marché du bonheur des gens qu'on méprise » ? La souffrance ne dit rien à qui est en position de ne pas l'entendre. Mais cette surdité d'état efface de l'humanité celui qui s'imagine au-dessus du commun. L'humanité est peuple ou n'est pas. « Ce qui n'est pas peuple est si peu de chose que ce n'est pas la peine de le compter. » (*E.* 509)[21]

L'amour de soi étant indéracinable, compassion et bienveillance n'enlèvent pas Émile à lui-même. Imaginer autrui souffrant lui serait impossible s'il n'avait quelque expérience de la souffrance. S'étendre en autrui, c'est mieux éprouver soi-même. La reconnaissance de mon semblable affligé m'authentifie et m'élève. « Étendre, pour ainsi dire, le moi humain sur toute l'humanité » (883), tel sera donc le cheminement d'Émile. Et quand il aime Sophie, il se découvre « de nouvelles raisons d'être lui-même ». Mais il ne pourra s'identifier avec « son espèce » que s'il sait, après « bien des réflexions sur ses propres sentiments », penser adéquatement l'universalité humaine. Sinon, la pitié dégénère en faiblesse ; et « c'est une très grande cruauté envers les hommes que la pitié pour les méchants » (548).

Si tel est le parcours d'Émile, sa morale ne lui sera pas révélée. Elle se forme du « progrès ordonné de ses affections primitives » : amour de soi dont (selon l'auteur d'*Émile,* sinon du *Discours*) la compassion dérive. « L'amour des hommes dérivé de l'amour de soi est le principe de la justice humaine. » (523) Une justice humaine n'a sens pour moi que si son principe m'est aussi proche et cher que moi-même. Seule une aimante et souffrante identification au semblable — conscience de moi en cet autre —, peut fonder une « justice » qui ne soit pas à la merci de muables intérêts, évalués par ceux qui pratiquent le calcul présomptif des réciprocités. C'est dans le singulier que l'universel trouve garantie. Pourvu que ce singulier sache découvrir, par l'expérience élargie qu'il fait de soi dans la singularité de l'autre, qu'il est moi-je en participation à la commune humanité. Cette humanité en laquelle Jean-Jacques dira toujours « moi ». En moi-Rousseau se pose et se joint l'humanité qui demande justice.

L'accent

Malheureux qui ne sait pas discerner en lui la voix de la simple humanité ! Ou ne sait plus. Aux Pays-Bas le peuple se fait payer pour vous dire l'heure ou vous montrer votre chemin. La terre entière n'est-elle point patrie du cœur ? « ... Il n'y a que l'Europe seule où l'on vende l'hospitalité. Dans toute l'Asie on vous loge gratuitement ; je comprends qu'on n'y trouve pas si bien toutes ses aises. Mais n'est-ce rien que de se dire je suis homme et reçu chez des humains, c'est l'humanité pure qui me donne le couvert ? Les petites privations s'endurent sans peine *quand le cœur est mieux traité que le corps* » (nous soulignons) (*R.* 1097).

Le « cœur » ? Il n'est pas, comme les facultés de l'âme, force d'individuation conflictuelle, mais principe unifiant d'humanité. C'est lui qui nous fait semblables, gardien de notre vérité. Vérité où le promeneur solitaire cherche recours contre indifférence, haine, sottise. L'Évangile même serait-il lisible si la clarté du cœur n'emplissait pas le livre ouvert ?

Chaleur, lumière de l'indivise humanité, la parole venue du cœur est celle où germe et se déclare le sens premier et fondateur. Qu'elle se taise, tout est nuit.

Tel n'est point le discours de ceux qui miment d'autant mieux le sentiment que leur tête est plus froide. Personnages opportunément préparés que le *Deuxième Dialogue* met en scène. « Pantomimes et comédiens plutôt qu'animés et passionnés », ils « ont la parole à commandement ». Présence d'esprit, absence de cœur. « Dans les choses mêmes de sentiment ils ont un petit babil si bien agencé, qu'on les croirait émus jusqu'au fond du cœur, si cette justesse même d'expression n'attestait que c'est leur esprit seul qui travaille. » (*D.* 862) Ils utilisent trop habilement les mots pour que leur spectacle nous enseigne ce qu'est en vérité parler. On imaginerait, les écoutant, que l'humanité naquit d'un jeu de mots.

On sait la sévérité de Hegel pour le « sentiment » *(Gefühl)* quand il croit se suffire à lui-même. Le sentiment rapproche aujourd'hui ce qu'il séparera demain. L'unique lieu d'une communauté humaine, comme de la vérité, c'est la raison. Rousseau tomberait entièrement sous la critique s'il ne la prévenait à certains égards : les amants de l'*Héloïse,* qui ne sont pas ceux des romans de Jacobi, découvrent qu'ils ne peuvent accéder à l'universel tant qu'ils sont prisonniers d'eux-mêmes. Il n'en demeure pas moins que, si la conscience-sentiment ne vient à soi que par progrès d'une raison qui s'apprend dans l'histoire du lien social, c'est que l'Ordre universel rationnellement dicible, pensable et désirable s'assure la garantie d'une évidence du cœur. Non le cœur « penchant » à contre-Ordre ; le cœur de l'humanité générique appelable en tout individu. Le cœur tréfonds du mot.

Entre le Genevois et l'auteur de la *Phénoménologie de l'Esprit* l'écart est irréductible et fécond. Mais il y a dans le langage, pour l'un et l'autre, mieux et plus qu'un système propositionnel autorégulé. Apprendre à parler, ce n'est pas seulement se fabriquer un instrument ; c'est intérioriser le rapport humain. Le « babil » des gens d'esprit, gens de cours, gens du monde, gens d'affaires, gens de lettres... donne le change sur ce qu'est parole. Il joue l'intime présence qu'il n'a pas, qu'il n'est pas.

Deux options s'affirment dans l'*Essai sur l'origine des langues*. 1) Le langage n'est pas une algèbre, une géométrie. La méthode ne lui est venue que fort tard ; il eut à s'exprimer avant de savoir être exact. Dans l'histoire de notre espèce comme en celle de l'enfant la raison est d'abord sensitive. Nous avons si méticuleusement plié nos mots aux rigueurs de la démonstration, aux délicatesses de l'analyse que nous ne concevons plus qu'ils eurent d'origine une autre fin : montrer un état d'âme, figurer (cris, onomatopées, images...) tout ce dont l'homme-enfant ne peut encore se distancer ; « ... le *Cratyle* de Platon n'est pas si ridicule qu'il aparaît l'être » (*EOL.* 53). 2) Condillac voit le langage humain — langage d'action, puis d'idées —, sortir du besoin, se perfectionner par le besoin. Pour Rousseau l'« effet naturel » du besoin fut d'« écarter » les hommes (*EOL.* 43). Ne le fallait-il pas pour que le genre humain occupât tout son espace ? Les seuls « besoins physiques » (35) ne pouvaient, dans un rapport rudimentaire entre semblables, conduire au-delà d'une « langue du geste » (37). Mais nul geste ne produit cet effet d'émotion qui naît de la voix ; « ... la voix annonce un être sensible ». L'invention de la parole a sa source dans l'échange affectif entre semblables, dans cette vie de la « passion » qui me fait sensible à mon semblable, sensible comme moi. « Les fruits ne se dérobent point à nos mains, on peut s'en nourrir sans parler, on poursuit en silence la proie dont on veut se repaître ; mais pour émouvoir un jeune cœur, pour repousser un agresseur injuste la nature dicte des accents, des cris, des plaintes ; voilà les plus anciens mots inventés, et voilà pourquoi les premières langues furent chantantes et passionnées avant d'être simples et méthodiques. » (43) Le langage aurait pu se contenter du geste s'il n'avait eu qu'à signaler les choses. Signifier l'humain est propre à la parole.

Dans une succession sur langage et « prononciation » (Pl. II, 1248), Rousseau fait allusion à Leibniz. Sa « langue universelle » n'aurait pu, comme une algèbre, que s'écrire. Mais « les langues sont faites pour être parlées, l'écriture ne sert que de supplément à la parole ». Le contexte montre assez que la référence leibnizienne vaut repérage d'une situation-limite vers laquelle tend la civilisation de l'écriture. On écrit trop bien pour savoir encore parler. Les grammairiens ont étouffé la vive voix. La formalisation efface l'accent. « L'accent est l'âme du discours ; il lui donne le sentiment et la vérité. L'accent ment moins que la parole ; c'est peut-être pour cela que les gens bien élevés le craignent tant. » (*E.* 296)[22] Quand la bouche d'une femme éprise dit non, le cœur s'avoue par cet accent « qui ne sait point mentir » (734). Les « articulations » de toute langue humaine sont de « convention », mais l'accent est « de la nature » (*EOL*. 51). La diffusion, la perfection de la chose écrite ont resserré le lien social : elles ont appauvri la parole. Ceux qui perdent voix se flattent de communiquer comme jamais. Les peuples domestiqués se gouvernent de loin. Un peuple libre débat ses intérêts sur la place ; qui veut le convaincre doit savoir se faire écouter. Maître de sa parole et de sa langue parce que maître de soi. Présentant à l'Assemblée législative le projet d'instruction publique, Talleyrand congédie ce « langage détourné qui semblait craindre que la vérité ne se montrât tout entière... ». (Comment ne pas évoquer l'analyse hegelienne du *Neveu de Rameau* ? Le langage de la flatterie se masque la vérité d'un monde faux.) Retremper la langue française : « Là où la pensée est libre, la langue doit devenir prompte et franche. » Simplicité, clarté, concision, force, fierté. Traits de cette « langue politique » qui va exister « parmi nous ». Quand il n'y a plus de maîtres à courtiser, de chaînes à fleurir, toute parole est profession de moi.

L'écriture ne sera libérante que si la parole est libérée. La parole étant née pour unir de cœur le semblable à son semblable, l'accent de Jean-Jacques écrivant réveillera dans les âmes l'intarissable soif d'échange humain. Ce qui fait la musique et lui donne sens, c'est le chant, c'est la voix. La mélodie dépréciée par les modernes théoriciens de l'harmonie. Sans « traits savants » ni « morceaux de travail » ni « chants tournés » ni « harmonie pathétique », le *Devin du village* « touche, remue, attendrit jusqu'aux larmes ; on se sent émus sans savoir pourquoi » (deuxième *D*. 867). Plus les musiciens occupent nos oreilles, plus sûrement leur science des accords ôte à la musique cette primitive énergie qui peut seule entraîner le cœur.

Le *Dictionnaire de musique* différencie la mélodie de l'harmonie comme l'émotion de l'agrément, l'« intérêt de l'âme » du plaisir de sensation (art. *Mélodie*). L'anthropologie de Rousseau s'implique en sa théorie de langage et musique. La sensation animale est toute à l'impression reçue. Mais une sensation ne nous affecte humainement que parce que nous sommes capable de sentiment. Nous recevons des impressions ; mais pour que sentir ait sens il ne faut pas moins que cette adhérence de l'humain à l'apparement simple vie de notre corps. Le chapitre 15 de l'*Essai sur l'origine des langues* fait entendre que « nos plus vives sensations agissent le plus souvent par des impressions morales » (163). Rousseau refuse d'admettre, malgré Rameau, que « l'harmonie est une cause purement physique ». Le goût se forme à l'école d'une affinante civilité ; mais c'est une éthique du sentiment qui donne sens humain à l'épreuve esthétique : « ... ce n'est pas tant l'oreille qui porte le plaisir au cœur que le cœur qui le porte à l'oreille » (*EOL*. 167). Ainsi du charme de l'amour...

Non que Jean-Jacques soit hostile à tout travail d'harmonie ! N'écrit-il pas dans sa *Lettre sur la musique française* que l'harmonie peut ajouter de l'énergie à l'expression, de la grâce au chant pourvu que soit préservée « l'unité de mélodie » ? Et ce Rameau, cible du Genevois enflammé de musique italienne, n'a-t-il pas composé des mélodies que le public populaire de l'Opéra chantait dans les rues ? G. Snyders a retenu les difficultés d'une théorie de la musique fondée sur l'indivise et prime unité de parole et chant[23]. Comme tout savoir, la musique pourrait-elle illimiter ses possibles sans construire ses moyens autonomes de développement ? Un Gluck, quoi qu'il en soit, ne cachait pas sa dette à Rousseau. Et Diderot veut que la musique vraie transporte les âmes, ce qui se peut même à Paris quand on joue Gluck à l'Opéra. Ne lit-on pas dans *le Neveu* que « l'accent est la pépinière de la mélodie » ?[24] Ce qu'attend Diderot de la musique, c'est qu'elle nous émeuve du cri des passions, et qu'elle crée cette communauté des cœurs dont le théâtre des Anciens eut le secret.

On peut, de nos jours, s'enchanter de Rameau sans être sourd à son neveu : « La poésie lyrique est encore à naître. »[25] Et s'il se trouve dans le siècle un portrait du musicien à venir, il est de Rousseau, *Dictionnaire de musique,* art. *Génie.* C'est le portrait de Beethoven. Quant à la « romance », P. Fortassier constate que Rousseau fut le premier d'Europe à composer une *Chanson nègre,* le premier qui s'accorde aux « musiques extra-européennes », uniquement monodiques pour la plupart. Les romances de Jean-Jacques, — « *Consolations des misères de ma vie,* — lui ont mieux réussi que sa tentative de littérature paysanne.[26]

S'il est vrai que l'unité de mélodie fait synthèse entre l'harmonie-sensation et la mélodie-sentiment, il ne l'est pas moins que sa théorie, au-delà des critiques dont elle demeure l'objet, contribuait aux mutations de l'intelligence et de l'affectivité musicales. Le cœur unit de source ce qui paraît s'exclure : l'émotion, l'énergie. L'une et l'autre se conjoignent en l'image du « feu ».[27]

Que le paraître soit l'être

Contestataire de la culture dans la culture, Rousseau, comme on sait, utilise à ses fins les pouvoirs qu'offre à l'imaginaire la différenciation trop souvent captieuse entre être et paraître. Et ne forge-t-il pas, dans l'*Héloïse* et l'*Émile,* ces « chimères » qui, comme les plus fertiles utopies, émancipent la raison et le rêve ? Mais c'est aux dernières pages d'*Émile* que s'effectue un mouvement dont on méconnaît la portée.

La fausse apparence peut révéler ce qu'elle occulte, réveiller même l'amour du vrai si le sage, parce qu'il ne se laisse pas prendre aux mots, les contraint à ne plus mentir. Telle est la mission d'Émile quand, instruit de ses devoirs d'homme comme des principes du droit politique, fort des enseignements qu'il doit à son voyage en Europe, il découvre que « l'homme de bien » doit avoir une patrie.

Dans sa première version du *Contrat* Rousseau rappelle aux philosophes du siècle qu'il faut être citoyen avant que d'être homme. Dans l'*Inégalité* il saluait ces « grandes âmes cosmopolites » qui « embrassent tout le genre humain dans leur bienveillance ». Mais il raille, en son *Émile,* comme dans cette page du premier *Contrat,* un cosmopolitisme qui n'allègue idéalement le genre humain que pour éluder le service de la proche humanité. Or l'« histoire naturelle » d'Émile vaut contre-épreuve : parce qu'il fut dès le premier jour élevé à l'humanité il sera, s'il le faut, citoyen exemplaire ; parce qu'il connaît ses devoirs d'homme il assumera son devoir civique dans la société comme elle est. Ainsi se conjuguent sagesse et vie publique. Si défectueuses soient les lois positives, l'illusion de l'ordre vrai n'est-elle pas allusion à l'ordre authentique ? Ce « bien public » qui ne sert aux autres que de « prétexte », il sera pour Émile « motif réel » de son absolu dévouement à « l'intérêt commun ». « Il n'est pas vrai qu'il ne tire aucun profit des lois ; elles lui donnent le courage d'être juste, même parmi les méchants. Il n'est pas vrai qu'elles ne l'ont pas rendu libre, elles lui ont appris à régner sur lui » (*E.* 858). L'égoïsme d'un individu ou d'un groupe ne peut imposer sa particularité qu'en mimant l'universel. C'est en prenant l'universel au sérieux que le loyal citoyen gagnera l'écoute et l'estime. Le sage ne ressemble qu'à lui-même et ne paraît que ce qu'il est. Mais puisque la cité viciée a besoin, pour être, d'apparaître ce qu'elle n'est pas, le lecteur d'une telle page ne s'interdira pas une question : pourquoi l'« exemple » d'Émile agronome et citoyen, « bienfaiteur » et « modèle » de ses compatriotes, n'éveillerait-il pas en eux le désir et la volonté que la cité ressemble enfin à son apparence ?

II

Quelle « société générale » ?

Lire *Émile* comme traité de pédagogie, c'est en méconnaître l'objet. Confronter le *Contrat social* aux manuels de Droit positif ou à quelque étude du devenir humain, c'est mécomprendre sa signification, sa portée, dans le droit et dans l'histoire. Un droit positif peut se constituer sans implication d'une « théorie de l'homme » ; mais le *Contrat* n'est intelligible que si l'anthropologie exposée dans l'*Inégalité,* l'*Émile,* la *Lettre à Beaumont* n'est jamais perdue de vue. Une exploration historique des origines n'a nul besoin de former l'hypothèse d'un « contrat », pas plus que d'un « pur état de nature ». Mais, si l'auteur de l'*Inégalité* examinait les « faits par le droit » (187), Rousseau écrit dans sa première version du *Contrat :* »... je cherche le droit et la raison et ne dispute pas des faits » (297).

Carré de Malberg déboutait Rousseau par le rappel d'un fait autrefois souligné par Harrington et bien d'autres : il ne saurait y avoir « contrat » qu'il n'y ait déjà société. Le contractualisme engendre le fils avant le père ; le Droit, « institution humaine, étant postérieur à l'État [...] ne peut s'appliquer à la formation même de l'État »[28]. Le Droit ? Pour l'auteur de l'*Inégalité,* avant toute formation d'un État, ou même d'un ensemble humain qu'on appellera « nation », la moindre « convention » entre individus porte en elle un pressentiment du Droit et le signe d'une moralité. Ce qui est aux racines du Droit, ce n'est pas l'État, c'est l'ontologique liberté de l'homme-individu. État ou tribunal, le Droit ne vient pas d'en haut. Puisque la libre essence de l'humain est toute en chaque membre de l'espèce, la seule forme de société propre à l'homme est celle qui, n'aliénant pas la liberté constituante, se fonde sur l'égal accord des libres volontés. Le *Contrat social* tel que Rousseau l'expose est donc l'unique réponse possible à l'inéludable question : l'homme étant libre nature, comment un lien interhumain peut-il respecter et manifester son essence ? Le « contrat » n'est pas un expédient, mais l'opérateur universel et nécessaire d'une philosophie politique ordonnée à la libre nature de l'homme-individu, quoi qu'on sache et qu'on ignore des origines du fait « société ». D'où suit que le recours à la catégorie de « contrat » n'est que secondairement justiciable d'une critique juridique *stricto sensu*. Rousseau, philosophe politique, entend élucider l'« essence » du pacte fondamental. Mais comment le faire sans investir cet « individu », universel composant de toute société possible ? Ce n'est pas coïncidence si l'essor du contractualisme en Europe accompagne l'extension de l'échange marchand...

Qu'il s'agisse de l'humanité-devenue ou de la prime humanité, c'est toujours à partir de l'individu (éveillé ou dormant ; inculte ou fertilisé ; innocent ou moralisé ; unité « absolue » ou « relative »...) que Rousseau conduit sa pensée. On a vu comment son anthropologie se construit sur l'individu abstraitement isolé. C'est elle qui donne point d'appui et légitimité à sa critique d'une inhumaine société. L'histoire de notre espèce ayant fait de « l'homme de la nature » « l'homme de l'homme », le *Contrat social* promeut une philosophie politique qui rejoint, préserve et civilise l'être libre de l'homme-individu, sujet de droit et de moralité.

« Théorie de l'homme », métaphysique du Droit naturel ont perdu leur assise intemporelle sous l'effet des progrès de la connaissance, de la critique philosophique, des mutations du corps social depuis deux siècles. Mais il nous paraît que les classiques objections élevées contre le *Contrat* n'emportent pas pleine adhésion. Nos raisons se résument ici. La problématique du *Contrat* (dans le langage, les limites, les illusions d'une époque) est soutenue par une découverte d'universelle et constante portée : « Droit naturel » ou non, « contrat » pertinent ou non, le seul pouvoir humainement avouable a sa source dans le concours égal de volontés libres ; la seule politique qui n'instrumentalise pas la personne est celle qui, de part en part, est transparente aux sociétaires qui lui donnent titre et vie ; la vie sociale, quoi qu'il en soit des « origines » non-contractuelles de la société, n'est support et moteur d'un développement humanisant de tous ses membres que s'ils sont à la fois ses coproducteurs lucides et ses acteurs permanents.

La lecture de la première version (manuscrit de Genève) et du texte publié facilite plus d'une fois l'intelligence du *Contrat*. Ainsi ce remarquable chapitre — *De la société générale du genre humain* — qui ne figure pas dans la version définitive. Intitulé d'abord : *Qu'il n'y a point naturellement de société entre les hommes,* formulation plus claire de la pensée de Rousseau. Élaboré dans le contexte de l'article *Droit naturel* de l'*Encyclopédie* (postérieur à l'*Inégalité*), il dissipe l'illusion dont se flattent les philosophes, comme autrefois les stoïciens. La nature n'a noué aucun lien de société entre les membres de notre espèce. Ces hommes que la loi de nature a fait « indépendants » perdent la paix et la sécurité premières sans trouver un équivalent dans cet état nouveau qui ne les rapproche qu'en les divisant ; « ... plus nous devenons ennemis de nos semblables moins nous pouvons nous passer d'eux ». Kant conduira plus loin la problématique de l'homme sociable-insociable.

« La société générale telle que nos besoins mutuels peuvent l'engendrer n'offre [...] point une assistance efficace à l'homme devenu misérable, ou du moins elle ne donne de nouvelles forces qu'à celui qui en a déjà trop, tandis que le faible, perdu, étouffé, écrasé dans la multitude, ne trouve nul asile où se réfugier, nul support à sa faiblesse, et périt enfin victime de cette union trompeuse dont il attendait son bonheur (282). Si le genre humain avait d'origine la consistance d'une « personne morale », il y aurait une « langue universelle » apprise aux hommes par la nature ; un « sentiment d'existence commune » qui donnerait l'individualité à cette « société générale » et la ferait « une » ; chaque partie agissant pour une fin générale et relative au tout. Un « sensorium commun » maintiendrait « correspondance » entre « toutes les parties ». Autre chose qu'une « agrégation » qui fait du bien ou du mal publics la « somme des biens ou des maux particuliers », ce bien ou ce mal « résiderait dans la liaison qui [...] unit [biens ou maux particuliers], et loin que la félicité publique fût établie sur le bonheur des particuliers, c'est elle qui en serait la source ». On trouverait difficilement, à mi-siècle, une aussi forte argumentation contre les doctrinaires de l'harmonie préétablie, qui donnera bonne conscience aux pionniers du libéralisme.

Ce que l'expérience nous apprend, c'est au contraire que, loin de s'allier spontanément au « bien général », les intérêts particuliers « s'excluent l'un l'autre » ; « les lois sociales sont un joug que chacun veut bien imposer aux autres, mais non pas s'en charger lui-même » (284). Nul n'a intérêt à s'imposer à l'égard des autres une obligation dont la réciprocité ne lui est aucunement garantie dans une situation où « le bonheur de l'un fait le malheur d'un autre » (283). (Inamovible interindividualité.) Mieux vaut, pour assurer ses propres intérêts, s'attirer l'appui des forts en prenant sa part des « dépouilles » du faible. Prudente leçon d'une « raison » trop docile encore aux intérêts singuliers pour enseigner à tout homme l'universel devoir de justice envers ses semblables. Alléguer une intervention divine pour unir de fraternité tous les hommes, c'est passer l'entendement d'une « multitude » qui ne peut accueillir que des dieux « insensés » et « cruels » comme elle.

Mais, si la philosophie et les lois ont seules qualité pour préserver le genre humain d'un « fanatisme » destructeur, comment ne pas observer l'inconséquence de nos philosophes ? Les mêmes qui professent que la voix de la conscience est le produit d'une « habitude de juger et de sentir » socialement formée se forgent chimère d'une « voix » de la « nature » pour se persuader qu'il y a société « naturelle » entre tous les hommes. Comment ceux qui enseignent la graduelle formation des notions les plus abstraites peuvent-ils penser que l'homme s'élève spontanément à la représentation de l'espèce, et au concept pur d'une volonté « générale » obligeant réciproquement tous les hommes ? C'est renverser le parcours inductif des faits, des idées ; « ...ce n'est que de l'ordre social établi parmi nous que nous tirons les idées de celui que nous imaginons. Nous concevons la société générale d'après nos sociétés particulières, l'établissement des petites Républiques nous fait penser à la grande, et nous ne commençons proprement à devenir hommes qu'après avoir été Citoyens » (287). Les idées de Droit naturel, d'universelle fraternité ne se sont répandues qu'« assez tard ». La généralisation qu'elles doivent au christianisme fut limitée. On s'est longtemps tout permis sur les étrangers, surtout les « barbares », jusqu'à les réduire en esclavage. On ne saurait mieux signifier que, s'il y a un Droit naturel, il faut un long apprentissage aux hommes pour reconnaître ce qu'est humanité. La conclusion de ce mouvement nous est connue. L'inexistence de tout « traité social » que la nature aurait dicté à notre espèce, et le tableau d'une socialisation qui fait du semblable un ennemi déterminent une raison lentement instruite à rechercher les conditions artificielles auxquelles est concevable une société qui soit authentique union.

Fait n'est pas droit

« Principes du Droit politique », le sous-titre de la version définitive du *Contrat* précise le cadre et le sens de l'ouvrage. (Le sous-titre du manuscrit était plus modeste : « *Essai sur la forme de la République* ».)

La « plus constante manière de raisonner » est, chez Grotius, « d'établir toujours le droit par le fait. On pourrait employer une méthode plus conséquente, mais non pas plus favorable aux tyrans » (*CS*. 353). L'exigence à porter au grand jour du siècle n'est-elle pas celle d'un Droit qui soit en effet Droit ? Toute situation acquise n'est pas légitime ; tout pouvoir n'est pas de droit. D'où suit que le Droit politique ne saurait soustraire sa sphère et son exercice au regard du Droit naturel, pour qui tout homme est l'égal de tout autre. Fonder une société, puis un pouvoir, c'est autre chose que retracer ou reconstituer des événements ; nul constat de fait ne vaut preuve.[29]

Le livre I expose et réfute les fausses conceptions du pacte social, qui conviennent aux « fauteurs du despotisme » (359). Ainsi se prépare le développement raisonné des principes de l'ouvrage. Le chapitre 5

(Qu'il faut toujours remonter à une première convention) fait charnière entre les deux mouvements : si même on accordait ce qui vient d'être récusé, la question de Droit subsisterait entière. Puisqu'« il y aura toujours une grande différence entre soumettre une multitude et régir une société ». Agréger n'est pas associer. « Avant donc que d'examiner l'acte par lequel un peuple élit un roi, il serait bon d'examiner l'acte par lequel un peuple est un peuple. Car cet acte étant nécessairement antérieur à l'autre est le vrai fondement de la société » (359).[30]

Dès le *Discours sur l'inégalité,* Rousseau invalide la thèse qui place l'autorité paternelle à la source du « gouvernement absolu » et de « toute la société » (182). L'image du roi père et du peuple-enfant que l'Église veut pérenniser est incompatible avec la pratique et les exigences du libre échange marchand. Le sage Locke avait donc recomposé une théorie du pouvoir politique fondée sur la convention qui unit des volontés indépendantes et majeures. (Comment un Ramsay, disciple de Fénelon, ne réprouverait-il pas ces doctrines du « contrat » qui conviennent trop bien aux compagnies de marchands pour nouer humainement le lien social ?)[31]

Si le pouvoir du père ne fonde pas celui du prince, la conquête, la domination du plus fort ne sont pas davantage productrices de légitimité. Bref chapitre du *Contrat social* (I, 3), une des grandes pages du siècle. « Droit du plus fort » ? Mais « qu'est-ce qu'un droit qui périt quand la force cesse » ? (354). Un pouvoir n'est légitimable que par la volontaire adhésion des consciences.

Le rapport Domination/Servitude est noué par nécessité immanente au devenir social. Mais, sur la balance du Droit, le poids des siècles est nul. L'essence du Droit n'est pas moins indifférente à la durée que celle de la nature humaine. S'enquérir des titres que l'histoire aurait un jour délivrés au maître (individu ou peuple conquérant) ? Ces titres n'existent pas, n'existeront jamais. Que, dans le devenir de ce que nous dénommerions forces productives, formation économique et sociale, le travail des esclaves ait eu son temps, son lieu (Montesquieu observe que l'esclavage serait inutile « parmi nous ») ; que l'*Inégalité* ait compris l'apparition de l'esclavage comme effet nécessaire, à terme, de la division du travail ; que dans le manuscrit de Genève allusion soit faite à une étude historique de l'esclavage, — rien de tel ne s'inscrit dans la problématique du *Contrat.* L'esclavage n'étant pas fondé en « nature », admettra-t-on, après Grotius, qu'un individu peut « aliéner sa liberté et se rendre esclave d'un maître » ; qu'un peuple peut aliéner sa liberté pour « se rendre sujet d'un roi » (*CS.* 355) ? Faut-il tenir pour légitime une servitude librement consentie par celui qui vend sa personne pour survivre ? Rousseau, comme Montesquieu, répond non. Mais, si Montesquieu fonde son refus sur sa conception du citoyen « homme libre », membre d'un « État populaire », Rousseau fonde le sien sur l'être libre de l'homme. « Renoncer à sa liberté c'est renoncer à sa qualité d'homme, aux droits de l'humanité, même à ses devoirs. Il n'y a nul dédommagement possible pour quiconque renonce à tout. Une telle renonciation est incompatible avec la nature de l'homme, et c'est ôter toute moralité à ses actions que d'ôter toute liberté à sa volonté. Enfin c'est une convention vaine et contradictoire de stipuler d'une part une autorité absolue et de l'autre une obéissance sans bornes. N'est-il pas clair qu'on n'est engagé à rien envers celui dont on a droit de tout exiger, et cette seule condition, sans équivalent, sans échange, n'entraîne-t-elle pas la nullité de l'acte ? Car quel droit mon esclave aurait-il contre moi, puisque tout ce qu'il a m'appartient et que, son droit étant le mien, ce droit de moi contre moi-même est un mot qui n'a aucun sens ? » (356).

Ce qui vaut pour un individu vaut pour un peuple. Vous dites que, le vainqueur ayant droit de tuer le vaincu, celui-ci peut sauver sa vie en aliénant sa liberté. Mais la guerre est relation entre États. Si même un État est détruit, chacun des individus qui forment un peuple est homme après comme avant, libre de nature et sujet d'imprescriptibles droits. Quand le combat s'achève, vous perdez tout droit sur le soldat que vous n'avez pas tué. Et il ne peut échanger sa vie contre son inéchangeable liberté d'homme. Nulle « convention » ne lie un peuple conquis à celui qui l'asservit. Le seul droit qui soit alors est celui qu'a ce peuple de briser le joug quand il en a la force. L'esclavage est à la fois hors-nature et contre-nature. « Ces mots, *esclavage* et *droit,* sont contradictoires ; ils s'excluent mutuellement. Soit d'un homme à un homme, soit d'un homme à un peuple, ce discours sera toujours également insensé : *Je fais avec toi une convention toute à ta charge et toute à mon profit, que j'observerai tant qu'il me plaira, et que tu observeras tant qu'il me plaira.* (358)

Le Droit naturel n'est pas d'institution humaine. Mais le Droit politique n'a d'autre source qu'un libre accord des volontés. La problématique du *Contrat social* est donc définie par les termes d'une « première convention » (*CS.* 359).

Dans le *Contrat* (I. 6 : Du pacte social) comme en deuxième partie du *Discours,* c'est l'insécurité intolérable désormais qui motive la conclusion du « pacte social ». « Je suppose les hommes parvenus à ce point où les obstacles qui nuisent à leur conservation dans l'état de nature l'emportent par leur résistance sur les forces que chaque individu peut employer pour se maintenir dans cet état. Alors cet état primitif ne peut plus subsister, et le genre humain périrait s'il ne changeait de manière d'être. (360). (Manuscrit de Genève : « se donner un nouvel être » (289).

« État de nature », « état primitif » ne s'entend évidemment pas ici comme état originel. On rappellera la deuxième partie du *Discours.* Au-delà de la « société naissante », s'est créé un état de guerre sans répit, qui a pour lointaine origine l'appropriation privée de la terre. Pour se sauver, les hommes ne peuvent compter que sur eux-mêmes : unir les forces qui jusqu'alors s'affrontaient. « Trouver une forme d'association qui défende et protège de toute la force commune la personne et les biens de chaque associé, et par laquelle chacun s'unissant à tous n'obéisse pourtant qu'à lui-même et reste aussi libre qu'auparavant. » Tel est le problème fondamental dont le contrat social donne la solution (*CS*. 360).

Rapproché de ce chapitre 6, le chapitre 8 *(De l'état civil)* peut déconcerter : « Ce passage de l'état de nature à l'état civil (= « état social ») produit dans l'homme un changement très remarquable, en substituant dans sa conduite la justice à l'instinct, et donnant à ses actions la moralité qui leur manquait auparavant... » (364). La fin du premier alinéa évoque « l'instant heureux » qui fit d'un « animal stupide et borné » un « être intelligent et un homme ». Un dernier alinéa (absent en première version) ajoute à « l'acquis de l'état civil la liberté morale, qui seule rend l'homme vraiment maître de lui » (365) (*cf.* notre chapitre 3). Il est clair que le chapitre 6 fait l'hypothèse d'un développement social antérieur à la conclusion du pacte, — autre chose que cet « animal stupide et borné » du chapitre 8. Il n'empêche... L'expression « contrat social » figure au deuxième alinéa de ce chapitre 8, quand l'auteur fait la « balance » entre ce que l'homme « perd » et ce qu'il « gagne », échangeant « liberté naturelle » contre « liberté civile ».

L'auteur du *Contrat,* à n'en pas douter, se veut cohérent. Reste donc, pour entendre non contradictoirement I,6 et I,8, à ne pas traiter le « pacte » en soi comme un fait. Son élucidation notionnelle est située, puisqu'elle implique maturité d'une raison apte à construire la marche hypothético-déductive de Rousseau. Mais en cet objet de pensée s'énoncent les conditions universelles et nécessaires d'un lien social (quel qu'en soit le moment) qui n'aliène pas l'essence libre de l'homme. Et puisque la définition du pacte fondamental suppose identification de la liberté génériquement présente à tout homme en toute époque et tout lieu, depuis les origines, la philosophie du *Contrat* décèle en toute forme du lien social (même la plus rudimentaire) la présence et l'exercice d'un libre vouloir humain, — reconnu ou non, respecté ou confisqué. Dès lors qu'il n'y a plus pur état de nature, mais formation d'un rapport stable entre individus, les semblables se connaissent hommes, même s'ils s'affrontent.

Le lien entre la « forme d'association » à trouver et les clauses de l'acte associatif est analytique, au sens où l'entend une philosophie de la connaissance. (Ainsi des propriétés du triangle nécessairement déductibles de sa définition). Elles sont « tellement déterminées par la nature de l'acte que la moindre modification les rendrait vaines et de nul effet ; en sorte que, bien qu'elles n'aient peut-être jamais été formellement énoncées, elles sont partout les mêmes, partout tacitement admises et reconnues » (360). « Il y a mille manières de rassembler les hommes, il n'y en a qu'une de les unir » (première version, 297).

ROUSSEAU

Or ces clauses, « bien entendues, se réduisent toutes à une seule, savoir l'aliénation totale de chaque associé avec tous ses droits à toute la communauté » (360). (Dans le *Discours,* le riche initiateur de l'« association » des possédants, petits ou grands, n'en demandait pas tant...). Cette clause *sine qua non* vaut à l'auteur du *Contrat* une critique inlassablement reprise : immolation de l'individu à la communauté. C'est elle pourtant qui garantit chacun contre la conclusion d'un pacte fallacieusement égal. De quelle « liberté » parler pour le grand nombre si le fort règne sur le faible au nom de l'intérêt commun ? « ...chacun se donnant tout entier, la condition est égale pour tous, et la condition étant égale pour tous nul n'a intérêt de la rendre onéreuse aux autres » (360-1).

Au terme de la déduction, il apparaît que, si l'on « écarte du pacte ce qui n'est pas de son essence », « il se réduit aux termes suivants : *chacun de nous met en commun sa personne et toute sa puissance sous la suprême direction de la volonté générale ; et nous recevons en corps chaque membre comme partie indivisible du tout.*

A l'instant, au lieu de la personne particulière de chaque contractant, cet acte d'association produit un corps moral et collectif composé d'autant de membres que l'assemblée a de voix, lequel reçoit de ce même acte son unité, son *moi* commun, sa vie et sa volonté. Cette personne publique qui se forme ainsi par l'union de toutes les autres prenait autrefois le nom de *Cité,* et prend maintenant celui de *République* ou de *corps politique,* lequel est appelé par ses membres *État* quand il est passif, *Souverain* quand il est actif, *Puissance* en le comparant à ses semblables. A l'égard des associés, ils prennent collectivement le nom de *peuple,* et s'appellent en particulier *Citoyens* comme participants à l'autorité souveraine, et *Sujets* comme soumis aux lois de l'État. Mais ces termes se confondent souvent et se prennent l'un pour l'autre ; il suffit de les savoir distinguer quand ils sont employés dans toute leur précision » (361-2). Remarque : Ce que le riche recommandait à ses voisins, c'était le rassemblement en un « pouvoir suprême » des forces jusqu'alors antagoniques. Si l'adjectif « suprême » figure dans la définition du « pacte social », c'est pour qualifier la « direction » qu'exerce la « volonté générale » ; celle-ci se forme par des voies irrepérables dans le *Discours.*

Rousseau ne s'en cache pas. Si la catégorie juridique de contrat lui permet de former le concept d'une association de libres vouloirs pour un bien commun et l'intérêt de chacun, il soumet cette catégorie à un traitement original dans l'histoire du contractualisme. Les contractants ne sont, chez Hobbes, que des particuliers, chacun passant convention avec chacun ; tous s'accordant pour céder tous leurs droits au tiers souverain. De telles conventions interindividuelles sont exclues par la déduction du pacte selon Rousseau : « ... Le pacte social est d'une nature particulière et propre à lui seul, en ce que le peuple ne contracte qu'avec lui-même, c'est-à-dire le peuple en corps comme souverain avec les particuliers comme sujets. Condition qui fait tout l'artifice et le jeu de la machine politique, et qui seule rend légitimes, raisonnables et sans danger des engagements qui sans cela seraient absurdes, tyranniques et sujets aux plus énormes abus » (*E.* 841). Comprenons que, s'il est concevable que les particuliers ne tiennent pas leurs engagements, rien de tel n'est à craindre de l'autre partie.

Le « corps politique » n'existe que par la volonté des contractants. On lit pourtant, au chapitre 7 *(Du souverain)* : « Sitôt que cette multitude est ainsi réunie en un corps, on ne peut offenser un des membres sans attaquer le corps ; encore moins offenser le corps sans que les membres s'en ressentent. Ainsi le devoir et l'intérêt obligent également *les deux parties contractantes* (nous soulignons) à s'entraider mutuellement, et les mêmes hommes doivent chercher à réunir sous ce double rapport tous les avantages qui en dépendent » (363). On rapprochera d'*Émile* (« les deux parties contractantes, savoir chaque particulier et le public ») (840) et de la première version (« ...le devoir et l'intérêt obligent également les deux parties contractantes à s'entraider mutuellement ») (291). Rousseau a-t-il tort de remarquer qu'un tel « contrat » est unique en son genre ? Deux partenaires ; mais l'un d'eux est, simultanément, enfanté par le contrat.

Observant la « différence de statut théorique entre les deux Parties Prenantes au contrat », L. Althusser conclut que la solution est inscrite dans l'une de ses conditions. Conscient de ce « décalage » intérieur au contrat, Rousseau « ne peut faire qu'il ne le masque, par les termes mêmes qu'il emploie lorsqu'il lui advient de le noter : il annule en fait ce décalage en désignant tantôt la Partie Prenante 1 par la Partie Prenante 2 (le peuple), tantôt la Partie prenante 2 par la Partie prenante 1 (l'individu). Rousseau est lucide, mais il n'en peut mais... » C'est ce décalage, intérieur aux éléments du contrat, qui permet à Rousseau de penser ce qui de prime abord paraît nier sa philosophie, cette « aliénation totale de chaque associé avec tous ses droits à toute la communauté » (*CS.* 360), par quoi se définit la clause unique du contrat.

Mais il y a aliénation et aliénation. Telle est la « particularité » du contrat selon Rousseau : l'individu contractant (à la différence de l'esclave infortuné) se situe, comme le peuple, des deux côtés à la fois. Il n'aliène sa liberté sous une forme que pour la retrouver sous une autre. Chez Hobbes, la totale aliénation consentie par chacun fonde un pouvoir extérieur à chacun. Mais qu'est le Souverain déduit par le Genevois, sinon la communauté des individus-citoyens ?

Notre objet n'est pas de reprendre en détail la contribution de L. Althusser ; ni les objections d'H. Cell contre ce qu'il considère (chez le philosophe français et chez A. Levine) comme une mélecture (« misreading ») du *Contrat*. Si l'interprétation cellienne de la volonté générale porte la marque de Hobbes, il se peut que L. Althusser lui-même donne prise à une interprétation libérale du *Contrat*. M. Launay souligne que de l'*Émile* au *Contrat*, « Rousseau a pris conscience que le seul fondement du droit politique est la liberté et le droit de chacun à la vie, et que la propriété n'est sacrée qu'autant qu'elle assure et respecte ces droits les plus sacrés, ceux de la liberté et de la vie » (*o.c.* 424). On verra plus loin que l'égalitarisme de la fin du siècle prolonge ce mouvement ; ce qui n'interdit pas au rapporteur de la Constitution de l'an III d'user autrement du *Contrat social.* Althusser n'en a pas moins raison de donner relief aux problèmes que l'irréductibilité des classes pose à la théorie du pacte. Et tout se passe, nous semble-t-il, dans le *Contrat,* comme si le contractualisme des temps modernes, naguère sûr de lui, évaluait désormais sa faiblesse...[32]

Nous aborderons la question. On ne le soulignera jamais trop : c'est à la conscience de l'homme-citoyen qu'en appelle Rousseau pour limiter l'effet des antagonismes sociaux. Toute évaluation purement juridique ou purement politique du *Contrat* sous-estime une situation fondamentale : si l'homme-individu se constitue citoyen-sujet, — opération qui donne existence au corps politique —, c'est parce qu'il est capable d'obéir aux lois qu'il se donne. Il ne peut s'engager à faire cité avec ses semblables que s'il sait s'obliger. Le rapport du « peuple » à lui-même est rapport de l'homme-individu à lui-même. (Et ce peuple qu'enfante le contrat est ainsi déjà là dans la conscience de chacun des contractants.) Quand les esclaves du Maure, qui n'ont pas lu le *Contrat* (sauf Émile), prennent conscience qu'ils vont périr si leur « manière d'être » ne change pas (pour reprendre l'expression du *Contrat),* ils se constituent communauté, classe en-soi devenant classe pour-soi. Le temps d'une grève, ils enfantent une volonté générale qui fait loi pour chacun. L'initiateur sait qu'il n'y aura victoire que si chacun de ceux qui s'engagent a la force de s'imposer discipline et sacrifice (vertu civique-morale). Que chacun soit aidé par ses compagnons de chaîne devenus « camarades » de combat, c'est l'évidence. Émile, informé du *Contrat,* n'a-t-il pas préalablement expliqué l'intérêt de chacun à coproduire une telle association ? Mais c'est précisément que nul ne décide à la place d'un autre : nul ne lutte et ne pâtit à sa place.

Le *Contrat social* n'a-t-il donc jamais dit son dernier mot ? Serait-il fauteur de grève ?

Corps politique

L'essence du contrat est une. Mais il peut, dans le réel ou le possible, assumer des fonctions différentes.

Si le contrat social selon Kant, « idée de la Raison » qui a une « réalité » (pratique) « indubitable », est « pierre de touche de la légitimité de toute loi publique »[33], l'analogie avec certaines pages de Rousseau est recevable. L'auteur des *Confessions* propose à tout lecteur une « pièce de comparaison... » Mais le *Contrat social* rend pensable enfin le partage entre toute forme de gouvernement légitime et les autres. D'où cette page de la sixième *Lettre de la Montagne*. Ce *Contrat social* « si décrié » a fait entendre pour la première fois comment placer la loi « au-dessus des hommes ». Les « vrais destructeurs des Gouvernements » sont ceux qui la soumettent « aux passions humaines » ; « loin de détruire tous les Gouvernements, je les ai tous établis (*LM*. 811). Rousseau n'a pas besoin d'ajouter que, désormais, tout citoyen genevois, riche ou pauvre, disposera d'un sûr critère pour discuter la légitimité d'une loi. Mais, quand Rousseau propose une « méthode pour la formation des sociétés politiques » (première version *CS*. 297), le « contrat » étant schème non moins qu'essence, s'agit-il d'un usage simplement régulateur ? Au-delà de la critique d'une institution, d'une pratique, et de leur éventuelle légitimation, c'est une vocation constructive qui est affirmée. L'« instant » où l'acte associatif « produit un corps moral et collectif » (*CS*. 361) selon le principe du contrat est inaugural et fondateur. Définissant, quelle que soit la diversité des pouvoirs légitimes, les conditions d'une socialisation conforme à l'essence libre de l'homme, le contrat induit la possibilité d'une mutation de toutes les formes de rapports. Génération ou régénération intégrale. Mais l'instauration ne s'effectue pas une fois pour toutes, s'il est vrai que le schème constituant est en exercice métempirique et productif dans les initiatives et manifestations du corps politique, comme dans la conscience et les conduites du citoyen.

Le corps politique (ou « république ») ayant fait l'objet d'une abondante littérature, on ne portera l'accent que sur quelques aspects :

1 - L'influence de Hobbes est bien connue : le corps politique, « unité réelle de tous en une seule et même personne », qui parle et agit (tel un acteur) par « autorité reçue ». Mais la marque de Spinoza est trop rarement identifiée dans la conception du corps politique selon Rousseau, dont il est plus proche que Hobbes à tant d'égards.[34]

2 - « Corps politique », « personne publique », « personne morale », les concepts n'ont pas la signification différentiellement « politique » ou « juridique » qu'ils auraient de nos jours. Qu'on se reporte à l'*Économie politique,* où corps politique se compare à corps humain. Pouvoir souverain (tête) ; lois et coutumes (cerveau) ; commerce, industrie, agriculture (bouche, estomac) ; finances publiques (sang) ; « sage économie » (cœur) ; citoyens (corps et membres qui font mouvoir, vivre et travailler la machine...) (*EP*. 244).

Le corps politique (« corps social » dit aussi Rousseau) est organisation finalisante de tous les rapports, de toutes les activités d'une société. Création de ceux qui lui donnent « existence idéale et conventionnelle » (*CS*. première version 309), donc « artificielle », il n'est pas dépourvu de toute matérialité, puisqu'il ne se conçoit pas sans « économie », sans « travail ». Mais ce n'est pas une matérialité *partes extra partes*. C'est la matérialité d'un vivant. La fleur, écrit Rousseau botaniste, n'est pas une « substance absolue », c'est un « être collectif et relatif »

(*DB* 1223). Relatif aussi, et collectif (*CS*. première version 295), l'être institué par décision des contractants *est* parce qu'il est *un* être, *un* individu. Comme tel, il vit, organisation des « parties » et des « liaisons » en un tout (*ESP*. 641). Agriculture, industrie ne sont pas, comme l'« association », des êtres nés d'un pacte. Mais c'est l'acte associatif, le concours des volontés et des consciences qui, les ordonnant au tout, les font participer à la « vie » du « corps ». L'abolition de la « convention publique » (*ESP., État de guerre,* 608) brise, non les éléments que le « corps politique » unit, mais la vie du corps lui-même, « moi commun », enfanté par l'acte associatif tel qu'il se définit dans le *Contrat*. Un *moi* qui veut et agit.

La première version refuse aux membres de l'État cette « sensibilité naturelle et commune » (309) qui (semblable à la sensibilité du corps humain) assurerait la protection spontanée du corps politique. Ce corps y supplée par l'exercice d'un entendement éclairé et l'invention de la loi (310). Mais c'est dans la même version qu'on peut lire qu'une « société générale » aurait « des qualités propres et distinctes de celles des particuliers qui la constituent, à peu près comme les composés chimiques ont des propriétés qu'ils ne tiennent d'aucun des mixtes qui les composent » (284). Jean-Jacques avait cultivé la chimie ; et Durkheim pratiquait Rousseau. La société, être « sui generis »...

La création du « corps politique », tel est dont l'acte par lequel un peuple est *un* peuple en personne, qui ne doit pas la moindre parcelle de son être à un monarque déjà là. « Toute cette doctrine, écrit le Père Berthier, combat ouvertement celle des plus habiles politiques » (o.c. 61). Comment admettre qu'un peuple qui promet d'obéir perde sa « qualité de peuple » et se dissolve ?

Mais, pour Rousseau, le corps politique est par essence un « corps de peuple ». A preuve le *Projet de constitution pour la Corse*. Ne lit-on pas dans le *Contrat* que c'est le seul pays encore « capable de législation » dans cette Europe qu'un jour cette « petite île étonnera » ? (391)[35] Les Gênois « ne voulaient qu'avilir la noblesse et vous voulez anoblir la nation » (908). Or « c'est prendre l'ombre pour le corps de mettre la dignité de l'État dans les titres de quelques-uns de ses membres » (908). La conscience d'une identité collective doit s'affirmer simultanément contre l'oppresseur étranger et contre quiconque, au-dedans, prétendrait placer un privilège au-dessus des lois. Mais cette identité ne peut faire valoir son droit victorieusement que si les insulaires sont convaincus que c'est le tyran qui est séditieux, non celui qui s'en délivre (thèse thomiste ; Rousseau n'oublie pas que le principe de la souveraineté du peuple est en saint Thomas, comme l'enseignait Fabri, promoteur de la constitution genevoise). Quand Rousseau recommande aux Corses de bannir du « corps politique » tout ce qui est « étranger à la constitution », œuvre du peuple souverain, il suit l'inspiration du *Contrat*.

L'« acte d'union » est bien naissance d'un corps politique. Son instantanéité sera sensible à tous par le prononcé du serment solennel que tous les Corses majeurs prêteront un même jour à la même heure, la main sur la Bible. Mais nulle Église n'a le monopole du cérémoniel. L'acte fondateur n'a d'autre sujet, d'autre objet que le peuple en personne.

La part de Rousseau à l'élaboration moderne de la catégorie de « nation » est connue. Le *Projet pour la Corse* atteste qu'il n'est de nation que populaire. Émancipante certitude qui devait faire l'objet d'une radicale contestation, tacite ou déclarée. La Révolution française ne met-elle pas en évidence l'affrontement entre le principe d'une communauté populaire et l'appropriation étatique — au sens non-rousseauiste du mot « État » —, de la « nation » ? Notre objet n'est pas d'en traiter. Mais comment ne pas rappeler le jugement de Tocqueville ? La France, ce pays où les « particuliers » avaient presque « perdu [...] la notion du peuple »[36]. On sait comment, en 1789, l'immense majorité des Français se montre peuple et se déclare nation. Patente est la filiation du *Contrat*. Invoquer droit de Dieu, droit du sacre, droit du sang, droit d'une famille venue de loin, c'est méconnaître le principe autoconstituant qui donne vie, conscience, souveraineté au « corps politique », à la « personne morale » autonome qu'enfante une union volontaire. Famille ou tribu, nul n'a choisi ses aïeux. Mais, si dans « nation » il y a naître, le sens du vocable se régénère. Je suis d'une nation que je coproduis par décision volontaire. Qu'est-ce que nation, sinon le peuple-citoyen ? Autoposition, autodisposition, autoappartenance... La philosophie de Fichte n'est pas loin.

Mais n'est-ce pas aussi l'esprit du Droit qui s'émancipe ? Autre chose qu'une légitimation de l'accompli, qu'un consentement aux institutions, à la société de fait, la constitution du peuple majeur en personne morale, indivisiblement une, s'interprète comme dictamen d'une raison qui récuse toute prétention du Droit positif contre l'acte constituant. Et malheur à tout Droit d'Église qui subalterneerait l'être et la légitimité du peuple-nation, « fait »-de-Droit. Et source de Droit.

Fédérer les libertés

Le principe égalitaire fait synthèse entre la liberté-indépendance, naturelle à l'homme, et l'interdépendance propre à l'homme de l'homme. L'égalité fédère les libertés. A l'état de nature, nul membre de l'espèce n'est tenu de vouloir, pour être libre, que ses semblables le soient comme lui. L'homme social ne peut se vouloir libre sans vouloir que les autres le soient. Ce qui suppose que tous les sociétaires vivent sous une loi égale. « Le premier et le plus grand intérêt public est toujours la justice. Tous veulent que les conditions soient égales pour tous, et la justice n'est que cette égalité. Le citoyen ne veut que les lois et que l'observation des lois » (*LM*. 891). Mais cette loi placée au-dessus de l'homme ne couvre-t-elle pas, sous l'abstraite égalité des concitoyens, une inégalité perpétuée parmi les membres de la société civile ? « L'existence idéale et conventionnelle » (première version *CS*. 309) du corps politique n'est-elle pas fallacieuse idéalité, convention mythique, fictif refus du conflit des intérêts qui s'affrontent quotidiennement ? La cohésion du « corps » n'implique entre tous ses membres équivalence et réciprocité qu'au prix d'une séparation entre le ciel pur de l'universelle citoyenneté et la terre où tout se décide sous l'inique loi du plus fort. Plus : c'est cette « loi » qui cherche et trouve son irrévocable garantie dans la solennelle promulgation d'une loi égale pour tous. Pis ! L'égalité politique assurée par la loi suppose l'inégalité sociale... Quand dans un État, écrira Babeuf, la minorité des sociétaires est parvenue à accaparer dans ses mains les richesses foncières et industrielles et qu'avec ce moyen, elle tient sous sa verge et use du pouvoir qu'elle a de faire languir dans le besoin la majorité, on doit reconnaître que cet envahissement n'a pu se faire qu'à l'abri des *mauvaises institutions du gouvernement* » (nous soulignons).[37]

La marche de l'auteur du *Contrat* montre qu'il n'est pas aveugle aux difficultés de son entreprise. Comment préserver, dans une société que nul principe ne soustrait à l'histoire, l'équivalent civil d'une liberté générique aussi intemporelle que cette « nature » Homme dont elle est l'attribut ?

Si l'égalité entre tous les sociétaires est condition *sine qua non* de l'exercice et du respect d'une liberté humaine en société, pourra-t-elle, le corps politique une fois constitué, accomplir la mission qui lui est confiée sans s'opposer à toute mutation de la société, c'est-à-dire à l'histoire ? « C'est précisément parce que la force des choses tend toujours à détruire l'égalité que la force de la législation doit toujours tendre à la maintenir. » (*CS*. 392).

L'égalité ne sera donc médiatrice d'une liberté sociétaire que si elle sait être économique et sociale. Le corps politique prend ainsi chez le Genevois un caractère qu'il n'avait pas pour Hobbes et Locke. Si Rousseau a stimulé plus que tout autre une réflexion sur ce qu'on appellerait de nos jours « démocratie politique », la lecture du *Contrat* n'autorise pas à juger qu'il entend la politique comme forme isolable du contenu, ou symbolique prête à codifier toute configuration des intérêts sociaux. L'institution d'un corps politique sous les principes du *Contrat* perdrait sens si la société civile était soumise à la domination d'une minorité assez riche pour s'octroyer tous les droits en se dispensant de tout devoir. La conclusion du pacte fondateur suppose donc ou requiert que le régime de propriété des moyens de produire ne contredise pas l'égalitaire principe du contrat. Un trait différentiel du pacte défini dans le *Contrat*, c'est la concomitance de deux moments que le *Discours sur l'inégalité* décrit comme fort éloignés l'un de l'autre dans l'histoire du genre humain. En chacun des deux textes (comme en *Émile)* distinction est faite entre possession et propriété ; il n'est propriété que par légitimation sociale d'une possession. Mais si, dans le *Discours,* cette légitimation n'est pas contemporaine de la constitution d'un pouvoir politique, le pacte déduit dans le *Contrat* instaure simultanément souveraineté politique et droit de propriété. Il faut en convenir pourtant, l'exercice de ce droit, qui s'abolit si l'association se dissout, ne fait que confirmer chacun des contractants dans la jouissance des « biens » auxquels il a renoncé pour contracter. Échange avantageux, puisque la « propriété » jouit des garanties civiles qui ne protégeaient pas la simple possession contre convoitise et violence.

Cette légitimation post-contractuelle des acquis ne met-elle pas à l'épreuve la logique de Rousseau ? La lecture de l'*Inégalité* incline à présumer que la constitution du « corps politique » déduit dans le *Contrat* devrait s'accompagner d'une socialisation des « biens » particuliers. Au moins la terre, dont l'accaparement fut aux sources de la guerre sociale. Une telle communauté ne serait-elle pas, simultanée à la formation de la volonté générale, une impérative condition de la liberté de chacun des sociétaires, copropriétaire à titre égal d'un « bien » indivis ?

Le *Contrat* n'exclut pas une éventualité d'appropriation sociale. Le peuple assemblé a faculté d'en décider puisque « l'État à l'égard de ses membres est maître de tous leurs biens par le contrat social, qui dans l'État sert de base à tous les droits » (365). Il peut « arriver aussi que les hommes commencent à s'unir avant que de rien posséder, et que, s'emparant ensuite d'un terrain suffisant pour tous, ils en jouissent en commun, ou qu'ils le partagent entre eux, soit également, soit selon des proportions établies par le souverain. De quelque manière que se fasse cette acquisition, le droit que chaque particulier a sur son propre fonds est toujours subordonné au droit que la communauté a sur tous ; sans quoi il n'y aurait ni solidité dans le lien social, ni force réelle dans l'exercice de la souveraineté (« *Du domaine réel* ») (367)

Pour Benjamin Constant comme pour les rédacteurs de la constitution de l'an III, je ne serai citoyen que si je suis propriétaire.[38] Pour l'auteur du *Contrat,* je ne serai propriétaire que si je suis citoyen. C'est le « corps politique » qui fonde un droit à la propriété individuelle. Droit qui n'a point principe dans le fait de posséder, mais dans le droit matriciel et constituant qu'a le seul souverain de dire la loi, de la modifier, de la révoquer. Le *Contrat* laisse donc ouverte la possibilité d'une légitime et légale appropriation communautaire. Il en est de même au livre V d'*Émile* (841). Précisant les caractères qu'une communauté de citoyens égaux doit se donner et conserver pour que la Corse soit indépendance et prospère, Rousseau écrit : « Loin de vouloir que l'État soit pauvre, je voudrais au contraire qu'il eût tout et que chacun n'eût sa part au bien commun qu'en proportion de ses services » (*PC.* 931).

Et que les friches soient temporairement aliénées à ceux qui les cultiveront !

Si le chapitre *Du domaine réel* ouvre possibilité à la communauté du sol, Rousseau n'en sait pas moins que l'histoire ne rétrograde pas. La formulation du « pacte » appelle transformation des possédants en propriétaires ; et l'on ignore si les non-possédants seront citoyens. Contenue, disciplinée par une sage législation, cette « propriété » qui fit de l'homme un loup pour l'homme sera — inversion du mal en bien — garant social de l'état de paix. Le souverain trouve ainsi dans son intelligence des conditions du pacte égal les critères d'une action régulatrice sur le réel. Voilà pourquoi, après avoir rappelé que « tout le système social » a pour base l'institution de l'« égalité morale et légitime », substituée à l'« égalité naturelle », le premier livre du *Contrat* s'achève sur une mémorable note : « Sous les mauvais gouvernements cette égalité n'est qu'apparente et illusoire ; elle ne sert qu'à maintenir le peuple dans sa misère et le riche dans son usurpation. Dans le fait les lois sont toujours utiles à ceux qui possèdent et nuisibles à ceux qui n'ont rien : d'où il suit que l'état social n'est avantageux aux hommes qu'autant qu'ils ont tous quelque chose et qu'aucun d'eux n'a rien de trop » (367). « Elixir du Contrat social » selon Babeuf, la recommandation figure dans un fragment séparé du *Projet pour la Corse :* « Les lois concernant les successions doivent toutes tendre à ramener les choses à l'égalité, en sorte que chacun ait quelque chose et que personne n'ait rien de trop » (945).[39] « Prévenir l'extrême inégalité des fortunes » était déjà une maxime de l'« *Économie politique* » (258).

On est loin du *Dictionnaire philosophique* de Voltaire : « Le genre humain est tel qu'il ne peut subsister, à moins qu'il n'y ait une infinité d'hommes utiles qui ne possèdent rien du tout » (art. *Égalité*). Necker ne raisonnera pas autrement. Et les physiocrates dissuadent les gouvernements de chercher remède à l'injustice sociale : l'inégalité entre la minorité qui possède et la multitude démunie n'est-elle pas l'expression de la sagesse naturelle ?

Grotius inscrivait aux origines des droits du propriétaire la première occupation de ce qui n'est à personne. Pour Harrington, puis Locke, c'est le travail qui justifie l'appropriation. Rousseau couple les deux thèses, mais c'est pour ordonner l'appropriation à une éthique sociale où Locke ne se reconnaîtrait pas. Le Livre II d'*Émile* fait remonter « l'idée de la propriété [...] au droit de premier occupant par le travail » (333). Travail individuel, Rousseau imaginant toujours, au principe de l'économie, les besoins normatifs de l'homme-individu. C'est le droit de tout homme à la vie qui fonde l'appropriation par le travail. Droit qui doit protéger chacun contre dépossession de ce qui lui est nécessaire pour subsister. Nul ne peut prétendre à s'approprier, au détriment d'autrui, ce qui passe les bornes du « nécessaire ». « Tout homme a naturellement droit à tout ce qui est lui nécessaire ; mais l'acte positif qui le rend propriétaire de quelque bien l'exclut de tout le reste. Sa part étant faite il doit s'y borner, et n'a plus aucun droit à la communauté. Voilà pourquoi le droit de premier occupant, si faible dans l'état de nature, est respectable à tout homme civil. On respecte moins dans ce droit ce qui est à autrui que ce qui n'est pas à soi. » (*C.S.* 365-6) En ce chapitre du *Domaine réel* comme en *Émile* la noble image du travail de la terre pour subsister contraste avec celle d'un Nuñez Balboa qui débarque en Amérique, s'attribue au nom de la couronne de Castille le droit de déposséder tous les habitants de ces contrées. « Suffira-t-il de mettre le pied sur un terrain commun pour s'en prétendre aussitôt le maître ? Suffira-t-il d'avoir la force d'en écarter un moment les autres hommes pour leur ôter le droit d'y jamais revenir ? Comment un homme ou un peuple peut-il s'emparer d'un territoire immense et en priver tout le genre humain autrement que par une usurpation punissable, puisqu'elle ôte au reste des hommes le séjour et les aliments que la nature leur donne en commun ? » (*CS.* 366).

C'est ainsi la problématique du « nécessaire » et de l'« utile réel » qui donne support et finalité aux énoncés de Rousseau sur le droit d'individuelle appropriation et ses limites. L'impératif humain d'un partage égal, indispensable à la survie de chacun, à l'exercice de sa liberté d'homme social place le Genevois aux antipodes des doctrines de l'accumulation et des précurseurs du libéralisme (y compris Locke). Je ne suis point appropriateur par exercice d'une liberté-puissance qui se déploie aussi loin qu'il se peut dans la compétition avec d'autres. Je le suis pour satisfaire mes besoins limités d'homme-individu. Exercice de cette liberté-indépendance qui m'interdit de prendre ce dont mon semblable a besoin pour vivre.

On a marqué l'hostilité de Rousseau au pouvoir de l'argent. Un des « vices des sociétés établies », écrit-il dans le *Fragment sur le luxe, le commerce et les arts,* c'est que « la difficulté d'acquérir croît toujours en raison des besoins et que c'est le superflu même des riches qui les met en état de dépouiller le pauvre de son nécessaire. C'est un axiome dans les affaires ainsi qu'en physique qu'on ne fait rien avec rien. L'argent est la véritable semence de l'argent et le premier écu est infiniment plus difficile à gagner que le second million » (522). [Rousseau use de la même expression dans l'*Économie politique* (272)]. « ...Les friponneries ne sont jamais punies que quand la nécessité les rend pardonnables, elles coûtent l'honneur et la vie à l'indigent et font la gloire et la fortune du riche. Un misérable qui pour avoir du pain prend un écu à un homme dur qui regorge d'or est un coquin qu'on mène au gibet, tandis que des citoyens honorés s'abreuvent paisiblement du sang de l'artisan et du laboureur, tandis que les monopoles du commerçant et les concussions du publicain portent le nom de talents utiles et assurent à ceux qui les exercent la faveur du Prince et la considération du public. C'est ainsi que la richesse de toute une nation fait l'opulence de quelques particuliers au préjudice du public et que les trésors des millionnaires augmentent la misère des citoyens. Car dans cette inégalité monstrueuse et forcée il arrive nécessairement que la sensualité des riches dévore en délices la substance du peuple et ne lui vend qu'à peine un pain sec et noir au poids de la sueur et au prix de la servitude. » (522-3)

Le règne du marchand fait la misère du paysan. Le rapport de « commerce » asservit les hommes et les âmes, enlève à l'État tout ressort, condamne un peuple à la pauvreté généralisée pour garantir l'opulence à quelques-uns. Hospice et mendicité, voilà ce qu'apporte aux simples gens la pratique du « laissez faire, laissez passer ». Si l'État ne discipline pas les échanges il manque au premier devoir d'humanité. Rousseau « étatiste » ? Comme l'étaient ces populations innombrables qui, pour avoir souffert disette, attendaient, exigeaient du pouvoir royal protection contre la libre circulation des grains. Quesnay tient pour chimérique, — en son célèbre article *Grains* de l'*Encyclopédie* —, l'idée de « greniers publics » qui préviendraient les famines. Fort de l'expérience genevoise, Rousseau — dans le *Projet corse* comme en *Économie politique* — préconise au contraire la pratique de l'entrepôt public.

On ne reviendra pas sur la question du « luxe » abordée au chapitre 4. Sauf à préciser que Rousseau ne proscrit pas toute forme de luxe. Un État populaire peut, quand il le juge utile, offrir le spectacle d'un apparat qui n'appauvrit personne et dont tous jouissent. Tout ce qu'écrit Rousseau de l'appauvrissement par l'échange monétaire désigne le paupérisme non comme fait d'individu, mais comme fait de société. Il perçoit, sous l'argent qui circule, un rapport social, mais ne s'élève pas à la conception du capital industriel. Sismondi va plus loin. Sans comprendre comment peuvent se résoudre les antagonismes de la production capitaliste, il note le caractère contradictoire d'une richesse qui, selon l'expression de Marx, « présuppose toujours la pauvreté et ne se développe qu'en la développant »[40].

Rousseau fonde sa critique de la fiscalité sur la distinction entre « nécessaire » et superflu ». Exonérez le nécessaire. Imposez le superflu, intégralement prélevable au besoin. Taxez l'importation qui n'est pas indispensable, l'exportation de produits non-excédentaires. Le principe, c'est l'impôt progressif. Une contribution n'est d'ailleurs légitime que si le peuple ou ses représentants l'autorisent. Le Genevois compare le paysan suisse au paysan français, proie des commis et ras-de-cave. Mais la « taille », dont Vauban avait dénoncé l'arbitraire ? l'expérience atteste que le paysan travaille d'autant mieux qu'il n'est pas chargé « à proportion du produit de son champ » (*EP.* 273). Drainé par industrie et commerce, le produit des tailles ne revient pas à ceux qui nourrissent le pays. Mieux vaut financer les dépenses d'État par l'exploitation d'un fonds public.[41] On peut même s'emparer des dîmes ecclésiastiques pour en faire le « principal revenu de l'État » (*PC.* 932). En Suisse les cantons protestants qui le font rémunèrent « honnêtement » le clergé.

La pire erreur ? Accroître le « trésor pécuniaire » aux dépens du « trésor moral ». La plus sûre source de revenus, ce sont les hommes. Plutôt que leur bourse, mettez leurs cœurs et leurs bras au service de la patrie, aussi bien pour les travaux publics que pour la milice. *Projet pour la Corse* : « Que ce mot de corvée n'effarouche point des Républicains ! Je sais qu'il est en abomination en France, mais l'est-il en Suisse ? » (932). C'est la doctrine du *Contrat* : « Donnez de l'argent, et bientôt vous aurez des fers. Ce mot de *finance* est un mot d'esclave ; il est inconnu dans la Cité. Dans un État vraiment libre les citoyens font tout avec leurs bras et rien avec de l'argent. » (429)

Pas de « financiers » dans la République. Dût-elle rapporter beaucoup moins, la recette restera donc en régie. Ni fermiers généraux ni collecteurs de tailles. Percevoir l'impôt ne sera pas un « métier lucratif », mais le « noviciat des emplois publics et le premier pas pour parvenir aux magistratures » (*PC*. 934). Des « lois somptuaires » inciteront les « premiers de l'État » à se faire une gloire de la simplicité. Confisquer ce qui est acquis au-delà de ce que la loi autorise. (Un fragment préparatoire au *Projet corse* (945) condamne l'emprisonnement pour dette ; toute saisie respectera les vêtements et la charrue du débiteur, ses bœufs, son lit, le meuble indispensable.)[42]

Impossible de sous-estimer ce *Projet pour la Corse* quand on sait combien son auteur, qui avait un moment prévu d'enquêter sur place, fut indigné par l'intervention militaire, prélude au rattachement à la France, décidé sans consulter la population. « Le système rustique tient [...] à l'état démocratique » (907). Mais quand, gagné à la cause des Confédérés, il écrira ses *Considérations sur le gouvernement de Pologne,* il n'appellera point les « courageux Polonais » à proclamer la république des paysans. Attentif aux réalités, il fait entendre comment les Polonais s'assureront la cohérence, l'unité, l'indépendance, le « caractère » d'une nation. Abolir tout servage serait, pour la noblesse, entendre la voix de l'humanité. Dans l'intérêt majeur du peuple entier. Pologne n'est pas Corse ; mais ici et là un « corps politique » est à constituer, un peuple doit apprendre à ne dépendre que de soi, à librement disposer de lui-même, à se donner les moyens d'une inaliénable souveraineté

La réflexion sur la Corse fortifie Rousseau dans la certitude qu'il n'est pas de liberté sans égalité. La nouveauté du *Contrat* était, pour un Turgot, la distinction précise entre souverain et gouvernement. Mais le *Contrat* aurait-il porté si loin s'il n'avait pas organiquement lié le principe égalitaire à la définition, à l'exercice de la liberté civile ? L'état civil ne garantit concrètement la liberté des associés que si leur indépendance de fait est assurée. Le problématique de Rousseau s'accorde aux intérêts d'une « classe moyenne » — agriculteurs, artisans —, qui fait l'équilibre et la vigueur d'une cité.[43]

Heur et malheur de l'égalité

Rousseau écrit en ses *Rêveries* : « Il faudrait que mon être moral fût anéanti pour que la justice me devînt indifférente. Le spectacle de l'injustice et de la méchanceté me fait encore bouillir le sang de colère » (*R.* 1057). La pensée du Genevois, qui inquiétait Voltaire, n'est pas la plus radicale du siècle[44]. Mais elle se liait aux aspirations de cette masse de producteurs qui revendiquaient pour chacun les moyens d'une vie indépendante. Les transformations de la France rurale marquent la sensibilité, la pensée de Rousseau. Le malheur d'une paysannerie victime de l'exploitation et des exactions féodales se double de celui qu'apportent les marchands qui dictent leur loi, les manufacturiers recruteurs. Les roturiers qu'enrichit le négoce s'initient à l'investissement de leurs capitaux dans la terre ; les seigneurs apprennent à cumuler leurs privilèges et la richesse bourgeoise. A la veille de la Révolution, la réaction aristocratique, l'alourdissement des charges féodales et royales aggraveront le sort des ruraux les plus pauvres. L'histoire de la Révolution dans les campagnes françaises ne sera-t-elle pas celle d'un double combat ? Pour l'abolition du féodalisme ; pour la démocratie rurale, pour un partage du sol qui multiplierait la propriété. Cet égalitarisme trouvera sa limite dans la résistance bourgeoise à la « loi agraire ».

Rousseau avait pris conscience de l'emprise croissante de l'« argent » sur une société qui n'était pas encore affranchie du prélèvement féodal. Mais sa critique ne se fonde pas sur une élucidation de la production marchande. Ceux qui, aux années 1790, se veulent les plus fidèles à son inspiration, à son éthique du travail et de la citoyenneté, partagent son incompréhension. « Il s'est fait une révolution dans le gouvernement, constate Saint-Just le 4 ventôse an II, elle n'a point pénétré l'état civil. Le gouvernement repose sur la liberté, l'état civil sur l'aristocratie ». Comprenons qu'une « République » libre, égale et fraternelle n'annule pas les lois de la production marchande ; elle offre un cadre institutionnel propice à ce qu'on appellera plus tard liberté d'entreprise. Le « droit divin » change de lieu.

Robespierre reprochait au projet girondin de constitution de consacrer une république de riches notables. La constitution adoptée en juin quatre-vingt-treize donne forme aux revendications démocratiques des « sans-culottes ». Mais les articles 16 et 18 de la « déclaration des Droit naturels, civiques et politiques de l'homme » proclament équivalence entre la liberté d'un homme qui dispose de ses « revenus » et celle d'un homme qui, « ne pouvant se vendre lui-même », peut « engager ses services, son temps ». Rousseau, après Montesquieu, enseignait qu'un être humain n'est pas une marchandise. Mais c'est précisément le libre achat de ses « services », de son « temps » qui fait fructifier le capital industriel. (L'article 16 garantit la pleine liberté de produire, de commercer. La France de ces années-là n'est pas la Corse que Jean-Jacques souhaitait). Rousseau illégitime l'esclavage contractuel. Mais la conception du contrat entre volontés disposant de soi sert à légitimer en droit positif l'achat de cette marchandise : la force de travail de l'homme. N'est-ce pas sous la loi de l'échange égal si bien étudié par Émile que le capitaliste acquiert et consomme une valeur qui crée plus-value ?

Turgot, Necker en savaient assez pour comprendre que, sur le marché de la main-d'œuvre, l'échange égal est inégal. Or, si les producteurs échangistes authentifiés par Rousseau utilisent le moyen de production qu'ils possèdent, la transformation de l'argent en capital subvertit l'économie d'Émile. Désormais, c'est le moyen de production, propriété du capital, qui utilise le producteur. Rousseau conçoit le rapport d'asservissement ou de liberté comme rapport entre individus. Maître/Esclave ; riche/pauvre ; homme libre/homme libre. Mais le rapport entre l'ouvrier salarié et son employeur capitaliste est rapport entre deux classes anonymes. Le procès de production reproduisant, perpétuant la séparation entre force de travail et conditions de travail, le producteur contraint de vendre cette force pour vivre « appartient au capital avant de se vendre au capitaliste ».[45] Sa liberté de contracter avec tel ou tel membre de l'autre classe, ou de renouveler contrat avec le même, est manifestation de la non-liberté essentielle à tous les membres de sa classe. L'égalité dont il est crédité se fait connaître et se manifeste en son contraire.

Ce que Marx reproche à Proudhon, c'est de méconnaître que la loi de l'échange égal conduit inéluctablement à l'exploitation de l'homme par l'homme. La production marchande est ainsi idéalement soustraite à l'histoire, comme le sont « justice », « égalité ». Sismondi prenait acte de l'expropriation de ce producteur individuel que son compatriote Rousseau plaçait au principe d'une économie qui se conserve en se protégeant. L'archaïsme fait ici d'autant moins question, semble-t-il, que cet insulaire ancrage de la pensée se fortifie d'une idéalisation de temps révolus, bibliques ou non.

Il se pourrait cependant que l'involutif Genevois travaille, — dialectique rusée —, à l'accomplissement des évolutions qu'il redoute. L'historien de la société française constate que, si l'entrepreneur salarie une main-d'œuvre en expansion, le paysan prospère célébré par Jean-Jacques loue les bras de celui qui n'a plus rien ; il souhaite agrandir sa place sur un marché libéré des contraintes féodales. Au sein de la paysannerie « indépendante » un mouvement contradictoire est à l'œuvre, concurrence et monopole frayant une possible voie vers un nouveau mode de production.

Quand Le Chapelier, physiocrate et constituant, déclare qu'il « n'y a plus que l'intérêt particulier de chaque individu et l'intérêt général », et qu'« il faut donc remonter au principe » des « conventions libres, d'individu à individu », fixant « la journée pour chaque ouvrier »[46], il tire conclusion pratique d'un contractualisme qui doit à Rousseau plus qu'à tout autre. Un Joseph De Maistre, un Bonald ne pardonnent pas à 1789 d'avoir détruit les liens et les enracinements corporatifs, les solidarités de travail et de vie qui soutenaient l'individu. Pourquoi ne pas juger que c'est la faute à Rousseau ? Babeuf, lui, n'a pas la nostalgie du ci-devant régime. Mais il constate que la pensée de Rousseau est limitée par sa référence à Genève ; et l'on sait qu'il veut conduire l'acte révolutionnant jusqu'à la fraternité sans mensonge d'une vraie république des égaux. Dresser un état des recherches sur de telles questions nous éloignerait de notre objet. Au siècle suivant la problématique d'Égalité/Inégalité entre en mutation, l'horizon du combat prolétarien pour l'« égalité » étant désormais celui d'une société sans classes. Si l'histoire des idées égalitaires, celle des philosophies du socialisme, du communisme doivent à Rousseau, ce n'est point l'évaluation litigieuse d'un bilan ou le dénombrement hasardeux des anticipations qui en décident.

Une œuvre de culture n'est pas un corps de significations closes. Rousseau n'est prisonnier ni des villageois qu'il aime ni des bourgeois qu'il n'aime pas. Ni des aristocrates qui l'apprécient. Mais si ce siècle fut, selon l'estimation de Kant, « siècle de la critique », — exercice universel d'une libre raison —, disputer à Rousseau ses titres de modernité, contester la pertinence de sa novation nous paraît dérisoire. N'est-ce point par lui que la critique la plus révolutionnaire, la critique en légitimation, atteint son sommet et s'assure l'éclatante, l'entraînante force du verbe ? Quand un être humain, quand un peuple — quelles que soient sa langue, sa couleur — demandent : « De quel droit suis-je opprimé ? », quant l'interpellation se fait combat, quiconque les méprise risque de payer cher.

En pleine Révolution française un Dolivier, un Gosselin alléguaient le Droit naturel pour défendre, face aux possédants, le droit du quatrième état à l'existence. Le droit à la vie n'a-t-il pas humaine priorité sur celui du propriétaire ? Quant à l'ouvrier des temps modernes, il voudra savoir de quel droit une classe s'est réservée la jouissance de droits « universels ». La bourgeoisie qui l'emploie invoquant le Droit pour justifier le fait, il la contraint de fait et l'oblige de droit à respecter la classe des salariés. La prenant au mot, il apprend le langage du Droit, et le Droit apprend son langage. Pourquoi la loi serait-elle inamovible auxiliaire du capital ? Pourquoi ne pas imposer la légalisation des « associations » si longtemps interdites ? L'histoire des luttes populaires enfantera même un droit impensable par Le Chapelier : concept et pratique de « contrats collectifs ».

Une inégalité proclamée par la loi peut être pure fiction. Et l'expérience ne tarda pas à montrer que le contrat déposé sur l'autel de la liberté sanctionnait aussi sûrement la servitude du salarié que l'anneau signalait l'esclave dans la Rome antique. La bourgeoisie révolutionnaire avait éclairé sa cause du signe ascendant de l'universel. L'entreprise de colonisation allait démentir les grands principes. Mais on a vu aussi comment une classe qui prend peur de l'avenir s'effraye de son passé. Face aux mouvements qui la contestent, un héritage de droits et de Droit l'encombre au point qu'adviennent des conditions favorables à ces idéologies qui, dans notre siècle, ont voulu rayer 1789 de la mémoire des peuples. Ceux qui brûlaient alors le *Contrat social* escomptaient que, cette fois, il ne renaîtrait pas de ses cendres.

Faut-il conclure que (Droit naturel ou non) l'universel est mythe ou songe ? Ou que la certitude d'une progressive et concrète universalisation est révoquée par l'évidence de colossales régressions ? Mieux vaut se demander, — Rousseau ayant irrécusablement montré que Force n'est pas Droit —, ce qui fait la force agissante du Droit. Force telle qu'il n'y a pas de loup qui puisse mépriser tout droit sans alléguer quelque droit. Quel Droit aurait prise sur l'expérience si sa normative positivité ne procédait pas d'un travail du négatif qui est inséparablement travail de conscience, travail de société ? C'est pourquoi le Droit n'est pas moins combattant qu'il est arbitre. Si toute figure, toute pensée du Droit n'avaient fonction que d'assumer le moment de la formalité, si le discours juridique n'était que déduction, énoncé ou commentaire d'un code, si la logique de la « loi » n'était que nivellement du problématique, immobilisation des devenirs, occultation ou réduction du contradictoire, une vie du Droit serait scandale de l'esprit. Qui nierait d'ailleurs qu'une forme de Droit n'est pure que par épuration ?

Une histoire du Droit et des droits a toujours quelque chose à dire, à sous-entendre — ou à taire — de l'histoire des rapports économiques-sociaux-politiques, des mœurs et des mentalités comme des institutions ; de l'histoire des individus, de la conscience qu'ils se font d'eux-mêmes, du sentiment qu'ils ont de ce qu'ils peuvent ou ne peuvent pas. C'est dans une telle dialectique qu'un Droit fait ses preuves : consolider un état ; retarder une mutation ; épauler un progrès ; informer un projet civilisateur.

Découvrir qu'il n'est pas de Droit-Providence n'est pas s'autoriser à récuser tout combat pour le Droit... On a pu mesurer sur deux siècles que l'action populaire pour que le Droit s'approprie de nouveaux objets proposait de nouvelles problématiques à son traitement critique, ressourçait l'intelligence commune des principes et des normes de légitimation, appelait à l'existence des sujets de Droit impensables jadis.

Les philosophies politiques du siècle des Lumières ne pouvaient s'abstraire de l'homme abstrait, cet individu qui se pose ou se suppose aux origines et au principe du lien d'humanité. A toute époque les hommes font leur histoire avec leurs seules forces, et l'idéologie fécondante ne décline que lorsqu'elle a fait son œuvre. Héros, hérault du Droit naturel, cet homme-individu ensemençait les âmes. Sujet de droit et de droits, il exerçait un magistère universel, il enseignait qu'il n'y a pas de bonheur humain sans dignité. Ce ne fut pas peine perdue.

Discernant deux révolutions dans la Révolution française, celle de la « liberté » qui profite à l'individualisme, celle qui, échouant en Thermidor, a la « fraternité » pour but, Louis Blanc cherchait en cette dualité la source de l'antagonisme entre droit individuel et droit social. Notre âge historique nous autorise à concevoir que, si la Révolution française n'est pas le bloc défendu par Clemenceau, elle est unité d'un développement conflictuel. Les longues marches pour les droits de l'*individu* ont élevé, multiplié, cultivé comme jamais la conscience *sociale* du Droit. Dans les conditions du développement capitaliste, cette conscience allait franchir un seuil : la multitude, pour parler comme Mignet, livrera dès lors bataille pour imposer à la « classe moyenne » les clauses d'un droit social. Mais un Droit qui offre à des millions d'individus la possibilité reconnue d'exercer des droits niés jusqu'alors, un Droit qui fait de chacun d'eux quelqu'un, ne s'inscrit-il pas à la fois dans l'histoire de l'individu et dans celle des rapports sociaux ?

La jeune revendication qui s'élève aujourd'hui d'une citoyenneté de l'homme au travail est la solidarisante expression d'un besoin de la société, d'une aspiration de l'individu. Elle contribue à donner un contenu au mémorable aphorisme : « Le libre développement de chacun, condition du libre développement de tous. »

Les Jacobins de 1792-1793 éloignaient l'oisif de la confraternité civique ; mais leur philosophie, comme celle des nantis, traçait entre vie publique et travail une ligne infranchissable. On voit de nos jours que les mutations de l'économie, la révolution des technologies, le caractère hautement socialisé de l'acte productif privent d'efficacité et de sens les anciens clivages. Créer les richesses d'un pays, assurer leur gestion et leur circulation rationnelles, leur appropriation civilisante, c'est poser à un peuple, à un État des problèmes insoupçonnés autrefois. Leur solution est impensable, impraticable sans une nouvelle croissance de l'individu majeur, membre responsable et novateur de collectivités qui maîtrisent les conditions du travail social et lui assignent ses fins.

Rousseau faisait du travail ouvrier un révélateur des rapports sociaux, un initiateur d'humanité. Pourtant, sauf dans la deuxième lettre des *Solitaires,* son image du travail émancipateur se fixait sur l'artisan. Elle n'a pas résisté à la machine, au capitalisme généralisé, à la mondialisation du marché. Mais quand il apparaît que le travail social peut s'émanciper, quand le dépassement de la division du travail et du producteur parcellisé devient une exigence du développement social et de l'épanouissement individuel, le champ d'une anthropologie reconstituée sollicite la recherche. Les problèmes qu'elle affronte ne sont plus enchaînés au traditionnel et pressant dilemme : ou l'individuel, ou le social. Il lui revient d'éclairer les multiples accès d'une socialisation personnalisante, d'élucider, de prévoir peut-être les formes prises par une individuante acculturation de tout ce qui civilise et libère. Un Droit sachant réfléchir ses évolutions leur prête appui. « Naturel » ou non, tout Droit est culture. Quand il est intelligence du possible, il invite l'individu, sujet de Droit, à se vouloir agent du Droit. Il l'encourage à ce qu'il peut faire, pour lui-même et pour les autres, en un monde humanisable.[47]

Volonté générale. Volonté populaire

Pas de liberté sans *égalité*. Mais comment maintenir le rapport constituant entre souveraineté et *liberté* ? La théorie de la *Volonté générale* répond. Puisque sans elle il n'est plus ni cité ni citoyen. La catégorie de volonté générale n'est évidemment pensable que sous l'« essence » du pacte qui génère un corps politique. Le pacte contredirait sa raison d'être et nierait son essence si la souveraineté avait un autre titulaire, une autre source que le corps politique lui-même, « personne morale » enfantée par les individus égalitairement et librement associés. C'est par la volonté générale que cette souveraineté s'exerce. Volonté du peuple en « personne ».

L'institution du « corps politique » ayant pour objet d'assurer conservation de tous les membres sans aliéner la liberté d'aucun, ne s'ensuit-il pas, comme l'expose la première version (plus explicite que le texte publié), que la volonté du peuple-« corps » « peut seule diriger les forces de l'État selon la fin de son institution, qui est le bien commun : car si l'opposition des intérêts particuliers a rendu nécessaire l'établissement des sociétés civiles, c'est l'accord de ces mêmes intérêts qui l'a rendu possible ».

Rousseau congédie la doctrine qui ne reconnaît « souverain » que le monarque régnant sur un peuple-sujet ; « ... une volonté particulière substituée à la volonté générale est un instrument superflu quand elles sont d'accord, et nuisible quand elles sont opposées [...] l'intérêt privé tend toujours aux préférences, et l'intérêt public à l'égalité » (*CS.* première version (295). Si l'accord des deux volontés était un moment possible, rien ne garantirait sa pérennité. Or la volonté générale n'est pas celle d'un « temps passé » ; c'est « celle du moment présent, et le vrai caractère de la souveraineté est qu'il y ait toujours accord de temps, de lieu, d'effet, entre la direction de la volonté générale et l'emploi de la force publique, accord sur lequel on ne peut plus compter sitôt qu'une autre volonté, telle qu'elle puisse être, dispose de cette force ». Non que le peuple souverain modifie à tout moment ses décisions antérieures ; « ... mais c'est toujours en vertu d'un consentement présent et tacite que l'acte antérieur peut continuer d'avoir son effet » (296). Pour Rousseau cartésien, le propre d'un vouloir c'est qu'il n'existe et ne s'appartient qu'en cet instant d'autodisposition. Nulle histoire remémorée, nul héritage, nulle habitude ne lui épargnent la peine d'avoir à se donner l'être au présent. « Chaque acte de souveraineté, lit-on dans un *Fragment,* ainsi que chaque instant de sa durée est absolu, indépendant de celui qui précède et jamais le souverain n'agit parce qu'il a voulu, mais parce qu'il veut. » (*FP*. 485) La volonté générale n'ayant pour fin que le bien commun, il lui incombe de prononcer, aussi souvent que l'exige la vie de la cité, ce qu'est *hic et nunc* ce bien commun.

Autre chose est la fidèle exécution de ce qu'elle décide. C'est ici le schème cartésien âme-corps qui soutient l'argumentation. L'action de l'âme sur le corps est « l'abîme de la philosophie ». L'action souveraine de cette « personne morale » sur la « force publique » est « l'abîme de la politique dans la constitution de l'État » (*CS*. première version 296). Annuler l'écart entre décider et faire : problème d'autant plus difficile que la volonté générale est « rarement celle de tous » et que la force publique est « toujours moindre que la somme des forces particulières ». Comparable aux études pour réduire les « frottements des machines », la science des « ressorts de l'État » doit « proportionner exactement » les moyens employés à l'effet recherché.

Dans la version publiée le concept de souveraineté (rapport âme-corps, volonté générale-force publique) s'expose plus brièvement. Mais c'est ici que l'inaliénabilité prend son relief. Toute substitution d'une volonté particulière à la volonté générale est récusable. Et le caractère ontologiquement actuel de tout vouloir induit l'absurdité d'un vouloir qui se donnerait « des chaînes pour l'avenir ». « Si donc le peuple promet simplement d'obéir, il se dissout par cet acte, il perd sa qualité de peuple ; à l'instant qu'il y a un maître il n'y a plus de souverain, et dès lors le corps politique est détruit. » (*CS*. 369) Ainsi l'homme qui, aliénant sa liberté, renonce à sa « qualité d'homme ». Pas de philosophie politique sans une anthropologie. Homme, peuple, citoyen : pour Rousseau, comme pour Spinoza, chacun de ces termes n'est soi qu'en sa liberté. Liberté du citoyen, souveraineté du peuple sont l'une à l'autre immédiates. L'inaliénabilité de la souveraineté populaire protège et garantit tout citoyen contre assujettissement à quiconque.

Suit un inventaire analytique et raisonné des propriétés de la volonté générale. On a vu que, son « exercice » ne pouvant jamais « s'aliéner », le souverain n'est représentable que par lui-même. La « même raison » qui fait la souveraineté inaliénable la fait indivisible. Le « corps du peuple » est un Ego, rebelle à la décomposition. Comme cette âme qui, selon Descartes (*Traité des passions* I, 47), « n'a en soi aucune diversité de parties » ; comme l'indivisible principe actif dont le Vicaire savoyard a l'irrécusable expérience intime. La volonté d'un sujet — individuel ou collectif — est une comme lui. « ...La volonté ne consistant qu'en une seule chose, et son sujet étant comme indivisible, écrivait Descartes, il semble que sa nature est telle qu'on ne saurait rien lui ôter sans la détruire. »[48]

Une étant la volonté générale, quiconque fragmente la souveraineté la détruit. Faute de pouvoir la diviser « dans son principe », nos « politiques » la divisent « dans son objet » (*CS*. 369). Hobbes lui-même, qui ne transige pas sur l'unité du Souverain, considère que sa puissance se forme par la réunion de plusieurs pouvoirs ou de différents droits. La puissance souveraine selon Rousseau naît et demeure une, comme elle est une par essence. La prétendre fractionnable, c'est tenir pour « parties » du souverain les pouvoirs et droits qui n'en sont que des « émanations » (370), et restent entièrement et rigoureusement subordonnés à la volonté productrice des lois. Doctrine opposée aux écrivains qui ont préféré courtiser les princes dispensateurs de chaires, de pensions, d'ambassades que dire la vérité et servir l'intérêt populaire.

Hors le Droit naturel, qui a son ordre propre, toute forme du Droit et toute instance de pouvoir et de décision tiennent existence et raison d'être de l'unité communautaire fondatrice : le peuple souverain. La volonté générale, quoi qu'elle lie et délie, est, dans la cité, l'âme du Droit. Théorie grosse de conflits avec les théories libérales, pour qui la meilleure des volontés générales est celle qui sait le mieux préserver, garantir la coexistence des « libertés individuelles », la délimitation, la compétition des intérêts privés. Le droit s'entend plus alors comme régulation formalisée des rapports de forces que pour norme d'une vie sociale accordée aux besoins et finalités d'une communauté de citoyens égaux.

Volonté du corps politique, la volonté générale « tend » par essence « à l'utilité publique ». Elle est donc « toujours droite ». Non que les délibérations aient invariablement la même « certitude ». « Les particuliers voient le bien qu'ils rejettent ; le public veut bien le bien qu'il ne voit pas. » (380) Sans doute le peuple est-il incorruptible ; et comment pourrait-il vouloir son mal ? Mais « souvent on le trompe » (371). « Apprendre » au « public » à « connaître ce qu'il veut », c'est, tâche du législateur, éclairer son jugement. Pédagogie cartésienne : régler le libre vouloir sur les lumières de l'intellect.

Encore faut-il que le lecteur du *Contrat* discerne la différence entre « volonté générale » et « volonté de tous ». « Somme de volontés particulières », la volonté de tous a pour objet « l'intérêt privé ». L'objet de la volonté générale, c'est « l'intérêt commun ». (Aussi Rousseau écrira-t-il que « ce qui généralise la volonté est moins le nombre des voix que l'intérêt commun qui les unit » (374).) Vous la discernerez, cette volonté générale, si vous ôtez des volontés particulières « les plus et les moins qui s'entre-détruisent ». Reste alors pour « somme des différences » la volonté générale. « Si, quand le peuple suffisamment informé délibère, les citoyens n'avaient aucune communication entre eux, du grand nombre de petites différences résulterait toujours la volonté générale, et la délibération serait toujours bonne. » (371)[49]

Mais il n'y a plus autant de votants qu'il y a d'hommes quand les « brigues » et les « associations particulières » décident du sort de la cité. « Les différences deviennent moins nombreuses et donnent un résultat moins général. » Si quelque association grandit au point de l'emporter sur toutes les autres, le résultat est une « différence unique » : « alors il n'y a plus de volonté générale, et l'avis qui l'emporte n'est qu'un avis particulier. » (372) Ainsi la volonté générale ne mérite son nom que lorsque, la conscience de chacun des citoyens s'éclairant au débat public dont il est lui-même un protagoniste, le suffrage qu'il émet est en effet le sien, et ne compte que pour un, égal à tout autre. Comme le sont, en principe, ces travailleurs indépendants que sont les citoyens... Que chacun soit son maître dans le débat comme devant l'urne !

Cette « somme des différences » n'est-elle pas une allusion directe au procédé leibnizien de la « compensation des erreurs » ? Car il y a totalité et totalité. Une chose la simple addition des volontés individuelles, autre chose la constitution de ce tout indivis qu'est la volonté générale. S. Goyard-Fabre, prolongeant une réflexion de P. Burgelin et A. Philonenko, souligne l'écart novateur entre le mécanisme de Hobbes, pour qui le tout n'est qu'un équivalent de la somme des parties, et l'effort de Rousseau pour approprier le principe de continuité à sa conception de la société civile et de la volonté générale.[50]

La souveraineté n'est point ce pouvoir transcendant que les théoriciens du droit divin attribuaient au monarque ; elle ne se conçoit pas davantage comme effet global d'une empirique agrégation des volontés particulières. Unir des hommes, c'est donner vie à cette « personne publique » qui ne naîtra jamais d'une coalition des intérêts privés. Dans la formation d'une volonté générale, la raison est à l'œuvre, pour ordonner à une même fin les forces qui, sans elle, ne sauraient que s'affronter, ou cohabiter. Cette raison dont nous avons marqué la fonction propre : régler les facultés de l'homme sur les fins de l'humanité.

C'est le travail de la Raison que la « raison publique » [expression employée notamment dans le *Manuscrit de Genève* (310) et l'*Économie politique* : « La raison publique qui est la Loi » (243) ; les « préceptes de la raison publique » (248)][51] accomplit à son heure dans la genèse et l'exercice de la volonté générale. Elle fait de chacun des individus qui s'associent le coproducteur et coacteur d'un ordre civil qui n'est pas juxtaposition hasardeuse et précaire d'intérêts particuliers. Rousseau prononce donc incompatibilité entre « l'énoncé de la volonté générale » et l'existence d'une quelconque « société partielle dans l'État ». D'où l'opinion commune qu'il est inconditionnellement hostile à toute « société partielle ». C'est oublier la phrase qui suit. Mieux vaut qu'il n'y ait point de « sociétés partielles ». Mais, s'il y en a, pourquoi n'en pas faire un usage avisé, comme l'enseignait Machiavel, qui ne proscrivait que sectes et factions ? Les petites « sociétés » genevoises qui cultivent le civisme des artisans ne servent-elles pas les fins du corps social ? La volonté du peuple, instruit par les « lumières publiques » (380) qui ont pour objet le bien commun, saura statuer sur les « sociétés partielles » de telle façon que leurs intérêts ne prennent pas avantage sur la cité. Le *Contrat* n'abolit pas le « privé » pour que le « public » soit. La volonté générale perdrait sens et objet si l'une et l'autre sphères n'étaient pas reconnues et séparées.

Mais poursuivons sur souveraineté et *liberté*. Qu'il soit peuple, prince ou Sénat, le souverain s'entend, dans la tradition et la pensée politique, comme titulaire d'un pouvoir absolu ; ce n'est pas qu'il soit arbitraire, ou sans limites. Car il y a pouvoir et pouvoir, comme l'Église le fit entendre aux empires médiévaux.

Les théories modernes de la souveraineté ont un support dans la formation des identités nationales. Dans la France divisée par les guerres de religion Jean Bodin conçoit la « république » (chose publique) unie sous une même et impérative loi, acte propre et inaliénable attribut du monarque. L'aptitude historique de la monarchie à la centralisation, à l'organisation modernes des formes d'intervention politique pouvait créer l'illusion de sa native indépendance à l'égard de la société féodale : un roi par Dieu ; un peuple par le roi... Cette égalisante autorité du souverain se retrouve en Rousseau ; mais pour enlever au monarque et confier au peuple-corps le pouvoir de légiférer. « Comme la nature donne à chaque homme un pouvoir absolu sur tous ses membres, le pacte social donne au corps politique un pouvoir absolu sur tous les siens, et c'est ce même pouvoir qui, dirigé par la volonté générale, porte [...] le nom de souveraineté. » (372)

Rousseau, comme Bodin, invalide toute puissance qui ferait obstacle ou transition entre l'autorité souveraine et l'individu. Le rapport de souveraineté est donc lien direct entre le pouvoir et chacun des individus-citoyens. Mais ce rapport, qui est la *loi,* est aussi rapport de l'individu à lui-même. Puisque le citoyen, sujet de la loi, est membre du souverain qui la dicte ; « ... l'essence du corps politique est dans l'accord de l'obéissance et de la liberté, et [...] ces mots de *sujet* et de *souverain* sont des corrélations identiques dont l'idée se réunit sous le seul mot de citoyen. » (427)

Le citoyen selon Bodin consent à la loi reçue du prince. Le citoyen du *Contrat* ne consent qu'à la loi qu'il se donne ; il n'obéit que parce qu'il est autonome.

Loi

L'absolutisme du souverain n'étant que celui de la loi, il faut donc savoir ce qu'est loi (*cf.* notre chapitre 3). « Ce sujet est tout neuf : la définition de la loi est encore à faire » (*E.* 842) ; « ... en examinant bien les choses on trouverait que très peu de nations ont des lois » (*CS.* 430). Allusion critique à Montesquieu : « ... quand on aura dit ce que c'est qu'une loi de la nature, on n'en saura pas mieux ce que c'est qu'une loi de l'État. » (378)[52]

ROUSSEAU

Quelques années plus tôt, Rousseau consacrait une des plus fortes pages de son *Économie politique* à l'exposition du problème résolu par « la plus sublime » de toute les inventions humaines, la loi, « voix céleste qui dicte à chaque citoyen les préceptes de la raison publique, et lui apprend à agir selon les maximes de son propre jugement, et à n'être pas en contradiction avec lui-même » (248). L'opération de la volonté générale se comprendra comme Raison en acte. Dès lors la « nécessité d'un législateur » se trouve deux fois justifiée. Apprendre au « public » ses intérêts véritables ; obliger les « particuliers » à vouloir cet intérêt commun qu'ils connaissent assez pour le sacrifier à leurs fins. Quand la volonté populaire s'ordonne à ce que la raison commande : « Alors des lumières publiques résulte l'union de l'entendement et de la volonté dans le corps social, de là l'exact concours des parties, et enfin la plus grande force du tout. » (*CS*. 380) Le despotisme niveleur décrit dans *l'Inégalité* livre un peuple et chacun de ses membres à l'arbitraire. Tout change quand la volonté générale est souveraine. L'absolutisme de la loi n'est que le pouvoir égalisant et libérant de la raison. Ce parti pris de rationalité se reconnaît dans les caractères de la loi : « ...la volonté générale pour être vraiment telle doit l'être dans son objet ainsi que dans son essence, [...] elle doit partir de tous pour s'appliquer à tous, [...] elle perd sa rectitude naturelle lorsqu'elle tend à quelque objet individuel et déterminé. » (373)

« Réunissant l'universalité de la volonté et celle de l'objet », la loi ne prononce ni sur un homme ni sur un fait. L'objet de la volonté générale est « général ». Et l'on sait que le Dieu de Malebranche n'agit point par volontés particulières. Portée par le peuple souverain, la loi « considère les sujets en corps et les actions comme abstraites, jamais un homme comme individu ni une action particulière » (379). La rédaction primitive était philosophiquement plus explicite : « La matière et la forme des lois sont ce qui constitue leur nature ; la forme est dans l'autorité qui statue ; la matière est dans la chose statuée. Cette partie [...] semble avoir été mal entendue de tous ceux qui ont traité des lois. Comme la chose statuée se rapporte nécessairement au bien commun, il s'ensuit que l'objet de la loi doit être général ainsi que la volonté qui la dicte, et c'est *cette double universalité* (nous soulignons) qui fait le vrai caractère de la loi. [...] quand tout le peuple statue sur tout le peuple, il ne considère que lui-même, et s'il se forme alors un rapport, c'est de l'objet entier sous un point de vue à l'objet entier sous un autre point de vue sans aucune division du tout. Alors l'objet sur lequel on statue est général comme la volonté qui statue. C'est cet acte que j'appelle une Loi. » (327)

Cette généralité (= universalité) de la loi — en son objet comme en son essence — détermine le profil de l'institution politique légitime.

a) Actes de la volonté générale, les lois ne peuvent avoir pour auteur que le souverain ; [*cf*. III-1 : « la puissance législative appartient au peuple, et ne peut appartenir qu'à lui » (*CS*. 395)].

b) Le Prince (= gouvernement) est soumis à la loi.

c) Nul n'étant « injuste » envers soi-même, la loi, acte par quoi « tout le peuple statue sur tout le peuple », ne peut être injuste.

d) Quand le souverain statue sur « un objet particulier », il fait acte de magistrature ; « décret » n'est pas « loi ». Et comment dénommer « loi » ce qu'un homme, « quel qu'il puisse être, ordonne de son chef » ?

« J'appelle donc République tout État régi par des lois, sous quelque forme d'administration que ce puisse être : car alors seulement l'intérêt public gouverne, et la chose publique est quelque chose. Tout Gouvernement légitime est républicain. » (380-1)[53]

On cernera quelques questions pour mieux éclairer la lecture et ses difficultés.

Public n'est pas privé

L'objet de la volonté étant général comme elle-même, la définition de sa compétence suppose un partage entre « public » et « privé ». Une telle volonté n'existe que par l'union des sociétaires sur un « intérêt commun » (371, 374) qui se différencie des intérêts particuliers.

Chacun des contractants cherchant dans le pacte le seul moyen d'assurer sa liberté d'homme social et la conversion de ses avoirs en propriété, la volonté générale s'anéantirait si elle prétendait effacer la particularité de chacun des sociétaires. Mais si la distinction public/privé se lit dans la formule du pacte, son fondement ultime est dans l'indestructibilité du Droit naturel, qui fait de chacun des membres de l'espèce « Homme » l'égal, inaliénablement libre, de tout autre. Il y a plus : l'obligation de respecter les engagements nés du pacte suppose « la loi primitive des conventions, et l'obligation qu'elle impose ». D'où suit que la naissance d'un Droit politique et le règne de la volonté générale supposent l'ontologique irrévocabilité du Droit naturel. Si le souverain légiférait au mépris du Droit naturel, il ne serait plus le souverain, mais un particulier qui viole ce Droit ; comme le vainqueur immolant un soldat désarmé.

« Qu'est-ce donc proprement qu'un acte de souveraineté ? Ce n'est pas une convention du supérieur avec l'inférieur [première version : « ni un commandement du maître à l'esclave » 307-8], mais une convention du corps avec chacun de ses membres ; convention légitime, parce qu'elle a pour base le contrat social, équitable, parce qu'elle est commune à tous, utile, parce qu'elle ne peut avoir d'autre objet que le bien général, et solide, parce qu'elle a pour garant la force publique et le pouvoir suprême. Tant que les sujets ne sont soumis qu'à de telles conventions, ils n'obéissent à personne, mais seulement à leur propre volonté ; et demander jusqu'où s'étendent les droits respectifs du

Souverain et des Citoyens, c'est demander jusqu'à quel point ceux-ci peuvent s'engager avec eux-mêmes, chacun envers tous et tous envers chacun d'eux.

On voit par là que le pouvoir souverain, tout absolu, tout sacré, tout inviolable qu'il est, ne passe ni ne peut passer les bornes des conventions générales, et que tout homme peut disposer pleinement de ce qui lui a été laissé de ses biens et de sa liberté par ces conventions ; de sorte que le Souverain n'est jamais en droit de charger un sujet plus qu'un autre, parce qu'alors, l'affaire devenant particulière, son pouvoir n'est plus compétent. » (374-5)

Législative, la volonté générale est jurislative : « ...dans l'état civil [...] tous les droits sont fixés par la loi. » (378) Les lois n'étant « proprement que les conditions de l'association civile » (380), le peuple légiférant a pouvoir de décider du « juste » et de « l'injuste », du « permis » et de « l'interdit », dès lors qu'il s'agit du seul intérêt public. Le Droit naturel est identique pour tous les hommes ; le contenu du Droit positif est muable comme les législations. Des lois bonnes pour un peuple ne le sont pas pour un autre ; les règles de droit et les normes de la vie commune varient légitimement de l'un à l'autre. Comme varie de cité à cité le profil du bien commun. Formé par libre décision des contractants, le corps politique ne subsiste que par effet de la volonté légiférante (378) ; et les « lois fondamentales » (ou « politiques ») ont pour fonction de régler « l'action du corps entier agissant sur lui-même, c'est-à-dire le rapport du tout au tout, ou du souverain à l'État » (393). Que soit altérée cette information de la république par la loi, et le corps politique se déconstitue. La volonté générale n'étant point liée par la loi d'aujourd'hui peut la modifier demain ; mais permettre qu'un individu ou un groupe attente à la loi serait autoriser la destruction du corps politique, qui protège à titre égal la liberté des sociétaires en assurant leur sécurité (« Nul ne perd de sa liberté que ce qui peut nuire à celle d'un autre » : première version, 310).

Hors la loi civile, il n'y a plus que guerre de tous contre tous ; et, si l'inamovible Droit naturel demeure, la force de la loi civile n'est plus là pour le faire respecter. Qui répondra des droits de l'homme quand il n'est plus satisfait aux obligations du citoyen ? Et le souverain ne détruirait-il pas le pacte qui lui donne être et pouvoir si quelque membre de la cité avait privilège de se décharger impunément sur les autres des obligations que la loi assigne à tous ? Jouir des « droits du citoyen sans vouloir remplir les devoirs du sujet » ? Souffrir pareille « injustice » ruinerait le corps politique (*CS*. 363).

Ainsi Rousseau se trouve-t-il conduit à reconnaître au souverain, comme le fait Hobbes, le droit de disposer de la vie des citoyens. Le traité social ayant pour fin la « conservation » des contractants, les « moyens » accordés à cette « fin » « sont inséparables de quelques risques, même de quelques pertes ». « Qui veut conserver sa vie aux dépens des autres doit la donner aussi pour eux quand il faut.« (376)

Mais le devoir civique d'accepter le sacrifice de sa vie à l'intérêt commun ne révoque pas cette page de l'*Économie politique* : « ... si l'on entend qu'il soit permis au gouvernement de sacrifier un innocent au salut de la multitude, je tiens cette maxime pour une des plus exécrables que jamais la tyrannie ait inventée, la plus fausse qu'on puisse avancer, la plus dangereuse que l'on puisse admettre, et la plus directement opposée aux lois fondamentales de la société. Loin qu'un seul doive périr pour tous, tous ont engagé leurs biens (le brouillon ajoute « leur liberté ») et leurs vies à la défense de chacun d'eux, afin que la faiblesse particulière fût toujours protégée par la force publique, et chaque membre par tout l'État. Après avoir par supposition retranché du peuple un individu après l'autre, pressez les partisans de cette maxime à mieux expliquer ce qu'ils entendent par *le corps de l'État,* et vous verrez qu'ils le réduiront à la fin à un petit nombre d'hommes qui ne sont pas le peuple, mais les officiers du peuple, et qui s'étant obligés par un serment particulier à périr eux-mêmes pour son salut, prétendent prouver par là que c'est à lui de périr pour le leur. » (256-7)

Le droit de vie ou de mort se comprend aussi comme pouvoir souverain d'infliger la peine capitale aux « criminels ». L'adhésion au « traité social » induit protection de chacun des contractants contre le crime et consentement raisonné de chacun au châtiment suprême s'il assassine autrui. (Hegel s'en souviendra...)

Si ce chapitre du *Droit de vie et de mort* a tant desservi Rousseau c'est par le développement qui suit : « D'ailleurs tout malfaiteur attaquant le droit social devient par ses forfaits rebelle et traître à la patrie ; il cesse d'en être membre en violant ses lois, et même il lui fait la guerre. Alors la conservation de l'État est incompatible avec la sienne ; il faut qu'un des deux périsse, et quand on fait mourir le coupable, c'est moins comme citoyen que comme ennemi. Les procédures, le jugement sont les preuves et la déclaration qu'il a rompu le traité social, et par conséquent qu'il n'est plus membre de l'État. Or comme il s'est reconnu tel, tout au moins par son séjour, il en doit être retranché par l'exil comme infracteur du pacte, ou par la mort comme ennemi public ; car un tel ennemi n'est pas une personne morale, c'est un homme et c'est alors que le droit de la guerre est de tuer le vaincu » (*CS.* 376-7).

La guerre ayant été qualifiée au livre I comme rapport entre États, Rousseau ne se contredit-il pas quand il la présente ici comme rapport entre l'État et un individu ? Il est manifeste pourtant que l'« ennemi public » n'est point assimilable au soldat d'une armée ennemie. C'est l'État qui est belligérant, non l'individu sous uniforme. Mais celui qui, membre de la cité, attaque le « droit social » lui-même est à considérer en « ennemi » de l'État qui affronte alors une situation comparable à la guerre que lui impose un autre État : ou lui ou moi. Le citoyen condamné par un tribunal est puni sous une loi qui fut et demeure la sienne. Mais c'est ce traité social lui-même qui est rompu par l'« ennemi

215

public ». Il n'est point « personne morale », puisqu'il n'est point corps politique constitué. Il n'est pas non plus, comme le soldat vaincu et désarmé, cette simple et nue « personne physique » réduite à l'état d'homme. La communauté entière est ainsi menacée aux sources de la vie. Qu'il l'emporte, et elle périt. Elle n'a d'autre moyen pour se sauver que de l'exiler ou l'anéantir. Semblable argumentation ne se retrouvera-t-elle pas dans le réquisitoire de plusieurs Conventionnels contre l'ex-roi Louis XVI en janvier 1793 ? Ou la nation ou le ci-devant monarque qui s'est conduit en ennemi total du pacte social qui la fait exister. Antagonisme d'essence : chacun des termes ne peut se poser, se maintenir que par suppression de l'autre. Ni puissance étrangère ni simple particulier, Louis est ennemi public.[54]

Quelque appréciation qu'on porte sur le raisonnement de Rousseau, n'est-ce pas la théorie contractualiste qui le soutient ? Tout fondement surnaturel étant ôté au lien social, et celui-ci n'étant pas effet de nature, puisque le « corps politique » n'existe que par libre vouloir des contractants, la communauté civile n'a réalité, cohérence que par la loi égale que tous se donnent. Comment ne pas élever au-dessus de toutes les valeurs de cité le sacralisant respect du principe constituant ? Attenter au principe, c'est le mal radical. La cité qui le tolère se détruit.

Si le droit de vie et de mort est droit du souverain, Rousseau le dissuade de l'exercer lui-même ; en ce domaine comme ailleurs il doit confier l'exécution des lois à ses mandataires. Rappelant que la fréquence des supplices est « signe de faiblesse ou de paresse dans le Gouvernement », Rousseau observe qu'il n'est point de « méchant » qu'on ne puisse « rendre bon à quelque chose ». Ne détruisez donc que celui que vous ne pouvez « conserver sans danger ». Le souverain a le droit de grâce. Mais « dans un État bien gouverné il y a peu de punitions [...] parce qu'il y a peu de criminels : la multitude des crimes en assure l'impunité lorsque l'État dépérit. » (377)

L'exposé des « bornes du pouvoir souverain » qui précède ce chapitre *Du droit de vie et de mort* valorise les avantages que les « particuliers » reçoivent du contrat social. Comparez cet état à l'« état de nature ». Et ne vaut-il pas mieux devoir parfois risquer sa vie pour sauver cette « union sociale » où « nul n'a jamais à combattre pour soi » ? « Ne gagne-t-on pas encore à courir pour ce qui fait notre sûreté une partie des risques qu'il faudrait courir pour nous-mêmes sitôt qu'elle nous serait ôtée ? » (375)

L'instauration de l'État de droit, ce n'est donc pas la réduction du « privé » au « public » ; c'est la reconnaissance et la garantie du « privé », sous la protection de la loi et de la force commune...

« Tous les services qu'un citoyen peut rendre à l'État, il les lui doit sitôt que le Souverain les demande. » Mais le souverain « ne peut charger les sujets d'aucune chaîne inutile à la communauté ; il ne peut pas même le vouloir : car sous la loi de raison rien ne se fait sans cause, non plus que sous la loi de nature ». Si Rousseau rappelle que l'aliénation consentie par chacun n'affecte que « la partie de tout cela [sa puissance, ses biens, sa liberté] dont l'usage importe à la communauté », c'est pour ajouter : « ...mais il faut convenir aussi que *le Souverain seul est juge de cette importance* » (373). (Nous soulignons.) On sait par exemple que, la « communauté » ayant droit préemptif, elle peut décider que toutes les terres sont domaine public ; *a fortiori* dispose-t-elle du droit de limiter l'étendue des biens particuliers.

Si attentif soit Rousseau à soustraire le Droit naturel aux prises du pouvoir politique, les penseurs du libéralisme lui feront grief d'assurer au « public » une hégémonie contraignante et discrétionnaire sur le « privé ». N'avait-on pas vu comment l'État constitué pour servir les intérêts de la bourgeoisie antiféodale savait, s'il le fallait, l'astreindre à des obligations qu'elle n'avait pas d'abord prévues ? La Terreur jacobine, puis Bonaparte rudoient le « privé » quand le « public » l'exige. Mais la séparation historique et notionnelle entre « public » et « privé » ou, si l'on dépasse l'écriture de Rousseau, entre politique et civil, était indispensable à la domination économique et sociale de la bourgeoisie. La mobilisation du civil sous les drapeaux de la République ou de l'Empire pouvait laisser croire que la politique devenait fin suprême de la société. Mais, au-delà des moments d'exception, l'idéalisme de l'État révélait sa prosaïque « utilité ». Mignet louait la bourgeoisie d'avoir émancipé l'État en abolissant un régime qui faisait du pouvoir souverain la propriété d'une famille. Du coup le « public » se constituait en son impersonnelle identité. L'historien libéral n'aurait-il pas dû remercier l'auteur du *Contrat social,* qui avait brillamment œuvré à cette fertile mutation de l'État ?

Il était dès longtemps avéré que la loi du marché ne connaît ni vassal ni suzerain, ni roturier ni gentilhomme, et que par l'argent s'est universalisée l'anonyme valeur d'échange. Il fallait désormais que l'impersonnel pouvoir de la loi d'État, pour tous égale, s'accordât aux besoins de la compétition capitaliste et de la libre exploitation du salarié. Et si le « public » impose alors quelques charges à la bourgeoisie libérale, c'est Jean Valjean qui fait l'expérience des rigueurs de l'État de droit. Le bagne pour un pain volé.

Rome n'est pas toujours dans Rome

La volonté générale se construit et s'exerce en raison pratique, dont participe chacun des citoyens. C'est dans l'ordre contractuellement édifié que l'homme enfin peut « consulter sa raison avant d'écouter ses penchants » (364)[55]. Si la volonté générale n'était pas trop souvent confondue avec la « volonté de tous » ; si une loyale délibération publique permettait que la volonté générale soit « toujours éclairée »

(372) ; si cette volonté était toujours générale en son objet comme en son essence, alors se manifesterait sa « rectitude naturelle ».

A ces « hommes droits et simples », sages paysans d'Helvétie délibérant sous un chêne, la volonté découvre l'évidence du bien commun. Les difficultés surgissent lorsque le « nœud social » commence à se relâcher, l'État à s'affaiblir, quand les intérêts particuliers et l'action des « petites sociétés » brisent l'unanimité populaire. Jusqu'au moment où, la forme de « l'État près de sa ruine » n'étant plus qu'« illusoire et vaine », et le « lien social [...] rompu dans tous les cœurs », tandis que « le plus vil intérêt se pare effrontément du nom sacré du bien public », « la volonté générale devient muette, tous guidés par des motifs secrets n'opinent pas plus comme citoyens que si l'État n'eût jamais existé, et l'on fait passer faussement sous le nom de Lois des décrets iniques qui n'ont pour but que l'intérêt particulier » (438).

Mais, comme la conscience qui survit, irrévocable et silencieuse dans le secret d'un être d'homme, la volonté générale est « indestructible ». Ni corrompue, ni anéantie, « ... elle est toujours constante, inaltérable et pure ; mais [...] subordonnée à d'autres qui l'emportent sur elle. Chacun, détachant son intérêt de l'intérêt commun, voit bien qu'il ne peut l'en séparer tout à fait, mais sa part du mal public ne lui paraît rien, auprès du bien exclusif qu'il prétend s'approprier. Ce bien particulier excepté, il veut le bien général pour son intérêt particulier tout aussi fortement qu'aucun autre. Même en vendant son suffrage à prix d'argent il n'éteint pas en lui la volonté générale, il l'élude » (438). D'où suit que la « loi de l'ordre public dans les assemblées » est de faire que la volonté générale y soit « toujours interrogée et qu'elle réponde toujours ».

La conscience, voix de la nature, trouve appui dans l'intellect dès lors que la raison, instruite et mûrie, sait écouter cette voix. Ne dirait-on pas aussi que, pour Rousseau penseur de la politique, non seulement l'élaboration du contrat, mais l'exercice optime de la volonté générale éclaire, aux lumières de l'intellect et dans les limites de la cité, le besoin de convivialité qui rapproche des hommes à l'aube de la socialisation ? Exposer les principes du Droit politique, c'est faire entendre une Raison dont l'homme des premières communautés avait obscurément quelque idée. (Et l'on a vu que, si le subterfuge imaginé par le « riche » avisé donne le change, c'est parce que ceux qu'il trompe ont assez de raison désormais pour vouloir une authentique « union sociale », mais trop peu d'expérience pour savoir comment la fonder sans aliéner leur liberté.)

Cette raison immanente à une authentique communauté, c'est par la loi que la volonté souveraine la fait entendre dans la problématique du contrat. Voilà pourquoi Rousseau ne craint pas de proclamer, en sa huitième *Lettre de la Montagne*, que « la pire des lois vaut encore mieux que le meilleur maître ; car tout maître a des préférences, et la loi n'en a jamais » (842-3). N'obéir qu'aux lois, si même elles sont mauvaises, n'est-ce pas de quelque façon reconnaître qu'il n'est pour l'homme social de liberté possible que sous le règne d'une même loi pour tous et par tous voulue ? Ainsi selon Kant le pouvoir de soumettre sa volonté à une règle, fût-elle défectueuse, manifeste que la seule conduite digne de l'homme est d'un être raisonnable.

D'où se conçoit plus strictement le caractère unificateur de la loi. Celle-ci ne saurait apparaître à Rousseau, ce qu'elle sera pour la pensée libérale, comme effet d'un rapport de forces internes à la cité ; comme forme juridique la plus convenable à la compétition des intérêts particuliers. Si la cité du *Contrat* ne peut être qu'une, il faut que la loi déclarée par la volonté générale rappelle, manifeste, organise cette indivise unité.

La constitution d'un être humain en citoyen serait impensable si son vouloir était inapte à rompre le cercle de l'intérêt particulier. C'est parce que l'homme-individu est capable de « volonté générale » qu'il est un possible citoyen. La « vertu » civique ordonne la volonté particulière à la volonté générale. Mais cette différenciation du vouloir selon son objet suppose intime confrontation entre l'impératif d'une « raison » assez instruite pour penser un ordre universel et la force dissuasive des « passions ». Toutefois, comme la raison n'est pas seulement faculté de l'universel, mais pouvoir subjectif d'ordonner toutes les facultés d'un individu sous la représentation d'une finalité universalisante, la volonté raisonnable est d'un homme unifié. Le citoyen, ne faisant qu'un avec la raison publique et ne voulant que ce que veut la volonté générale, est uni à lui-même. Membre du souverain il ne veut que la loi ; c'est en elle qu'il se connaît et se reconnaît.

Il n'en découle pas que l'unanimité indispensable à la libre formation du corps politique soit requise. C'est « une suite du contrat même » (440) que la loi soit loi du plus grand nombre, quand elle ne peut être unanime. Comment n'y pas consentir dès lors que tous les suffrages sont égaux, toutes les voix entendues ?

Mais, plus les délibérations sont « importantes et graves », plus l'avis majoritaire doit approcher de l'unanimité ; dans les « affaires » non législatives, l'urgence justifie qu'un écart d'une voix emporte la décision.

La soumission de la minorité aux lois majoritairement adoptées n'ampute pas la liberté du citoyen. Celui-ci consent à toutes les lois, « même à celles qu'on passe malgré lui, et même à celles qui le punissent quand il ose en violer quelqu'une. La volonté constante de tous les membres de l'État est la volonté générale ; c'est par elle qu'ils sont citoyens et libres » (440). [Ici se lit en filigrane une dialectique qui s'explicitait en première version (310) et dans *Économie politique* (248) : faire valoir le « consentement » principiel à la loi contre un éventuel « refus » de s'y soumettre ; rappeler, raviver l'adhésion à travers la dénégation]. Rousseau fait, en note, l'éloge d'une pratique gênoise : graver le mot *Libertas,* devise de la cité, à l'entrée de la prison et sur les fers du galérien ; « il n'y a que les malfaiteurs de tous états qui

219

empêchent le citoyen d'être libre. Dans un pays où tous ces gens-là seraient aux galères, on jouirait de la plus parfaite liberté » (*CS.* 440) [sauf à s'entendre sur l'extension du mot malfaiteur...].

Mais Rousseau va plus loin. Consulter l'assemblée populaire pour décider d'une loi, c'est demander aux « membres de l'État » non pas « précisément s'ils approuvent la proposition ou s'ils la rejettent, mais si elle est conforme ou non à la volonté générale qui est la leur ; chacun en donnant son suffrage dit son avis là-dessus, et du calcul des voix se tire la déclaration de la volonté générale. Quand donc l'avis contraire au mien l'emporte, cela ne prouve autre chose sinon que je m'étais trompé, et que ce que j'estimais être la volonté générale ne l'était pas ». Si mon avis particulier l'eût emporté, « j'aurais fait autre chose que ce que j'avais voulu, c'est alors que je n'aurais pas été libre » (441).

Texte déroutant si l'on oublie que la raison publique n'est pas plus « naturelle » que le corps politique instauré par le pacte. Tout être humain peut avoir l'expérience intime de son vouloir. Mais rien de tel pour la volonté politique ! Comment se ferait-elle entendre par quelque certitude intuitive ? La volonté générale n'est pas moins « artificielle » que le « moi commun » formé par le pacte. (Ce qui marque la limite d'une analogie entre « conscience » de l'individu et « volonté générale ».) La volonté générale n'est connaissable que par l'acte législatif qui l'objective. La loi est *ratio cognoscendi* d'une volonté qui est sa *ratio essendi*. Celle-ci, immanente à tout acte législatif, est volonté première et continuée d'organiser et conserver le corps politique sous le principe universel de la loi (378). La loi étant l'« organe » de la volonté générale, chacun des individus appelés à voter ne peut être assuré chaque fois de ce qu'elle veut que lorsqu'elle s'est prononcée.

Ce qui fait la liberté du citoyen, ce n'est pas un pouvoir individuel d'opposer sa volonté à toute autre, dans le conflit des intérêts ; c'est une adhésion fondamentale à la volonté qui fait loi. Adhésion d'un être raisonnable capable « d'entendre le langage de cette Raison publique qui ne lui parle que par la loi. [On sera ici tenté de comparer la vertu civique à la « bonne volonté » selon Kant, cette volonté qui veut que la loi morale soit respectée parce qu'elle est la loi.]

Reste qu'un peuple peut se méprendre sur son intérêt. Erreur de tous les membres de la cité, ou d'une majorité ? Et s'il advient qu'un seul discerne l'intérêt commun, l'authentique « volonté générale » n'est-elle pas en lui ? Qu'il se soumette à la majorité ne sauve point celle-ci de l'erreur. Si, renonçant à faire prévaloir son avis, il choisit l'exil, n'emportera-t-il pas avec lui la raison publique elle-même ? Tel Alceste emportant au « désert » la liberté d'être homme d'hónneur. Rome alors n'est plus dans Rome.

Pareille rupture entre la volonté du souverain et l'intérêt de la cité suffirait à manifester qu'il y a loin de l'ordre institué par une humanité raisonnable à l'immuable Ordre optime auquel Dieu soumet la nature. Si l'universalité de la volonté générale peut être occultée par l'erreur du peuple souverain, cet écart entre l'empirique et le rationnel donne à penser que la volonté générale s'apparente à l'idée platonicienne, ou qu'elle a le caractère d'une Idée de la Raison. Heureux le peuple qui la maintient à son horizon pour régler sa marche !

L'homme asservi est au pouvoir d'un autre. Dissolvant le rapport aliénant d'homme à homme, la loi soumet les sociétaires aux mêmes obligations, et garantit à chacun la jouissance des droits reconnus à tout autre. « ...Organe salutaire de la volonté de tous, la loi [...] rétablit dans le droit l'égalité naturelle entre les hommes » (*CS.* première version 310). Mais si la relation du maître à l'esclave, du seigneur au serf apparaît comme relation interindividuelle, son essence n'est-elle pas à chercher dans la configuration des rapports entre classes ? Configuration que la société capitaliste va profondément transformer. Libérer les hommes par la loi ? La formule est pertinente si la loi proclamée offre au grand nombre, dans l'espace du Droit, quelque moyen de réduire ou de contrôler des forces que le corps social opposait jusqu'alors à la conquête ou à l'exercice d'une liberté... Elle est fallacieuse si elle laisse croire que la seule volonté productrice de Droit peut muter un rapport social. Tant que celui-ci n'est pas identifié sous le rapport d'homme à homme, la loi est créditée d'un pouvoir qu'elle n'a pas. L'abstraite universalité qui, selon Rousseau, fait sa force peut être l'auxiliaire d'un régime oppressif, où l'égalité de droit travestit un rapport d'exploitation.[56]

La lecture du *Contrat* fait d'ailleurs apparaître que l'universalité de la loi risque de fort mal protéger une partie des citoyens contre les autres. S'il est dit au livre II chapitre 6 que « l'objet » des lois est toujours « général », la loi considérant « les sujets en corps et les actions comme abstraites, jamais un homme comme individu ni une action particulière » (379), l'auteur précise que la loi peut statuer qu'il y aura des « privilèges », sauf à ne désigner aucun bénéficiaire ; que la loi « peut faire plusieurs classes de citoyens », nul n'étant nominalement désigné ; que la loi peut établir un « gouvernement royal », une succession héréditaire sans désigner ni roi ni famille. La loi ainsi considérée est à coup sûr un acte de la volonté générale. Mais admettra-t-on que l'effective universalité de son objet est indiscutable pourvu qu'aucun nom ne soit cité ?

Dans le *Projet de Constitution pour la Corse*, trois « classes » sont prévues (citoyens ; patriotes ; artisans) qui substituent « heureusement » une « inégalité toujours personnelle » à « l'inégalité de race ou d'habitation qui résulte du système féodal municipal que nous abolissons » (919). Il est vrai, le *Projet* recommande une égale répartition des terres entre les producteurs.

Même si l'auteur du *Contrat* rappelle en divers endroits son souci d'un minimum d'égalité économique entre les sociétaires, le passage du chapitre sur la loi que nous citions éveille une inquiétude. Ne peut-il offrir un cadre à quelque inégalisante mutation du rapport social ? Ou, plus prosaïquement, autoriser la légalisation d'un état de fait ? Le type de loi ici considéré n'est-il pas de ceux qui peuvent abuser une « multitude aveugle » (*CS*. 380) sur ses intérêts au bénéfice de quelques-uns que la loi, scrupuleusement, ne désigne pas ? Sans doute dira-t-on qu'en pareil cas ce n'est pas vraiment la volonté générale qui s'est prononcée. C'est constater encore une fois que ni sa formation, ni son exercice ne s'effectuent dans la transparence des lois physiques qui régissent la vie de l'homme des origines. D'où l'appel au Législateur. Le peuple « ne peut, quand il le voudrait, se dépouiller [du] droit incommunicable » de voter la loi ; c'est en lui seul qu'est la volonté générale. Mais rédiger les lois qui instituent un peuple, voilà « une entreprise au-dessus de la force humaine » (383). C'est l'œuvre du Législateur.

Du Législateur

Doit-on penser que la théorie contractualiste, qui n'a besoin d'aucun Dieu pour nouer le lien social entre les hommes, ne saurait se passer d'un recours transcendant ? « Il faudrait des Dieux pour donner des lois aux hommes. » (381) Dans ce chapitre *du Législateur,* Rousseau met le doigt sur une difficulté cardinale de la théorie contractualiste.

« Pour qu'un peuple naissant pût goûter les saines maximes de la politique et suivre les règles fondamentales de la raison d'État, il faudrait que l'effet pût devenir la cause, que l'esprit social qui doit être l'ouvrage de l'institution présidât à l'institution même, et que les hommes fussent avant les lois ce qu'ils doivent devenir par elles. » (383)

Les logiciens diront que l'auteur du *Contrat* ne peut briser le « cercle ». L'œuvre de législation suppose ce long apprentissage intellectuel, que décrit le *Discours,* du particulier au général. Chaque individu n'entend d'abord, par conséquent, que son « intérêt particulier ». La théorie contractualiste subvertit l'ordre des choses : elle raisonne comme si chacun de ceux qui s'associent était averti déjà de ce que l'expérience de la communauté pourra seule lui enseigner.[57] Nulle page ne signifie mieux comment la philosophie politique de Rousseau engage à la fois une anthropologie métahistorique, intemporelle essence libre de l'homme, actuée dans la conclusion du pacte, et une réflexion sur cette histoire où mûrissent conflictuellement hommes et peuples. Mais, puisque l'intelligence des principes du Droit politique excède les facultés d'un « peuple naissant », le législateur aura la sagesse de ne lui parler qu'un langage à sa portée : celui des Dieux. Et voilà comment la profane « raison publique » a fait sans le savoir son premier apprentissage. « Il ne faut pas de tout ceci conclure avec Warburton que la politique et la religion aient parmi nous un objet commun, mais que dans l'origine des nations l'une sert d'instrument à l'autre. » (384) Ainsi se termine, aux abords de Machiavel, ce mémorable chapitre sur *le Législateur.*

Mais c'est ici que nous voyons comment les principes du Droit politique entrent en législation. Dans l'intelligence pratique des rapports de « convenance » que le législateur doit connaître pour conduire à bien son entreprise. Que celle-ci soit fidèle à l'esprit du *Contrat,* les deux premiers alinéas (II, 11 ; *Des divers systèmes de législation)* l'expriment sans ambiguïté. Succédant aux chapitres qui traitent du Législateur, puis du Peuple, ils rappellent que la « fin de toute législation » étant « précisément le plus grand bien de tous », « on trouvera qu'il se réduit à ces deux objets principaux, la *liberté,* et l'*égalité* », celle-là ne pouvant « subsister » sans celle-ci.

« Quant à la puissance », elle doit se maintenir « au-dessous de toute violence » et ne s'exercer jamais qu'en vertu du rang et des lois et « quant à la richesse, que nul citoyen ne soit assez opulent pour en pouvoir acheter un autre, et nul assez pauvre pour être contraint de se vendre » (391-2).

Cette finalité rappelée, Rousseau montre comment « ces objets généraux de toute bonne institution doivent être modifiés en chaque pays par les rapports qui naissent, tant de la situation locale que du caractère des habitants, et c'est sur ces rapports qu'il faut assigner à chaque peuple un système particulier d'institution, qui soit le meilleur, non peut-être en lui-même, mais pour l'État auquel il est destiné (392).

Celui qui constitue un État ne peut s'en remettre à l'Ordre naturel des physiocrates. Il doit discerner la logique institutionnelle qui, convenant précisément à ce peuple, le garantit contre la ruineuse incompatibilité des principes. Un État n'est-il pas condamné s'il croit pouvoir tolérer une compétition entre des fins qui s'excluent ? Il faut choisir entre servitude et liberté, entre richesses et population, entre paix et conquêtes. Le législateur ne peut non plus se satisfaire de savoir que la loi a pour objet de rétablir dans le Droit l'égalité naturelle ; pas davantage de maîtriser la « théorie de l'homme ». Il ne peut ignorer les « enchaînements » *(DI.).* Il faut qu'il soit l'historien d'un peuple, son ethnologue, son climatologue, son démographe, son économiste... Et qu'il prévoie les incidences d'une législation sur un pays, sur un peuple, sur les individus qui le forment. C'est à la fois élaborer une constitution sous les principes du *Contrat,* agir par elle sur ces « rapports naturels » qui font de ce pays, de ce peuple une réalité originale, et simultanément percevoir comment l'action des lois est elle-même soutenue, ou contrariée, ou déviée par l'effet d'autres lois qui ne sont pas l'ouvrage de la volonté générale. Le législateur ne crée pas une société ; elle existe, avec ses déterminations et causalités propres ; comme l'enfant que le gouverneur prend en charge. Et ce peuple lui-même pourra-t-il ce qu'il veut s'il n'apprend pas à vouloir ce qu'il peut ? Rousseau consacre donc un ample développement à l'analyse différentielle des situations,

des circonstances, des conditions matérielles et morales, des multiples
« rapports » qui font que toute législation ne convient pas à tout
peuple, et que tout peuple n'est pas à tout moment instituable, si
toutefois il l'est.

Cette logique de l'objet différencié défierait quiconque n'aurait pas
une φρόνησις qu'Aristote définit admirablement. *L'Économie politique*
en témoignait déjà. Comme le fera la réflexion sur Corse et Pologne.
Si le législateur n'a pas l'« art » du politique, une science du Droit sera
stérile, comme celle de l'écolier de Platon *(LA. 142)*. La sagesse du
législateur est, à l'exemple d'Aristote, pertinent exercice du jugement
μεσότης. Ainsi quand il faut définir, entre deux excès, l'étendue
convenable à la « meilleure constitution d'un État » *(CS.* 386).[58] Ou
établir entre terre et population la « proportion » qui assure à un
peuple le maximum de force : trop de terre l'expose à l'agression ; trop
peu le dispose à la conquête (389). Et nous verrons que cet art du juste
rapport doit « savoir fixer le point où la force et la volonté du
Gouvernement, toujours en proportion réciproque, se combinent dans
le rapport le plus avantageux à l'État » (402).

Mais l'art du législateur, c'est dans le juste repérage du temps
favorable à son entreprise qu'il se reconnaît d'abord. Un temps qui
n'est pas cette durée plastique et neutre où s'élaborent et s'ordonnent
les notions. Sans doute advient-il parfois « dans la durée des États des
époques violentes où les révolutions font sur les peuples ce que certaines
crises font sur les individus, où l'horreur du passé tient lieu d'oubli, et
où l'État, embrasé par les guerres civiles, renaît pour ainsi dire de sa
cendre et reprend la vigueur de la jeunesse en sortant des bras de la
mort. Telle fut Sparte au temps de Lycurgue, telle fut Rome après les
Tarquins ; et telles ont été parmi nous la Hollande et la Suisse après
l'expulsion des tyrans ». D'aussi rares événements « ne sauraient [...]
avoir lieu deux fois pour le même peuple, car il peut se rendre libre
tant qu'il n'est que barbare, mais il ne le peut plus quand le ressort
civil est usé ». Alors les troubles peuvent le détruire sans que les
révolutions puissent le rétablir... Pareil moment n'est pas celui du
« libérateur », c'est celui du « maître ». Rousseau se souvient de
Machiavel. La liberté peut s'acquérir ; « on ne la recouvre « jamais »
(385).[59]

Le législateur échouera s'il est inhabile à discerner le « moment »
(390) propice à l'institution d'un peuple ; s'il ne sait pas attendre et
déceler quand s'annonce ce « temps de maturité » qui fait un peuple
capable de législation. Qu'il veuille aller trop vite, « l'ouvrage est
manqué » ; ainsi le gouverneur, qui ne doit pas précipiter la marche
ascendante de l'enfant. Mais son intervention est vaine sur un peuple
vieillissant ; homme ou peuple, c'est la jeunesse qui est « docile ».
Bénéficiant d'une remarque formulée par Rousseau sur le texte publié
de son vivant, l'édition de 1782 comporte une addition qui lève une
ambiguïté : jeunesse ? maturité ? « La jeunesse n'est pas l'enfance. Il

est pour les nations comme pour les hommes un temps de jeunesse, ou si l'on veut de maturité qu'il faut attendre. »

Mais qui a éduqué l'éducateur ? Le lecteur du *Contrat* n'en saura rien. « Homme extraordinaire dans l'État », pédagogue d'un peuple dont il n'est pas, il n'a et ne doit avoir aucun des attributs du magistrat, aucun des pouvoirs du souverain ; « ... Fonction particulière et supérieure qui n'a rien de commun avec l'empire humain. » (382) Mais la transcendante mission du législateur ne s'accomplit qu'en une histoire qui lui résiste et l'assiste. Il « institue » un peuple... qui est déjà là.

« Quel peuple est donc propre à la législation ? Celui qui, se trouvant déjà lié par quelque union d'origine, d'intérêt ou de convention, n'a point encore porté le vrai joug des lois ; celui qui n'a ni coutume, ni superstitions bien enracinées ; celui qui ne craint pas d'être accablé par une invasion subite ; qui, sans entrer dans les querelles de ses voisins, peut résister seul à chacun d'eux, ou s'aider de l'un pour repousser l'autre ; celui dont chaque membre peut être connu de tous, et où l'on n'est point forcé de charger un homme d'un plus grand fardeau qu'un homme ne peut porter ; celui qui peut se passer des autres peuples et dont tout autre peuple peut se passer ; celui qui n'est ni riche ni pauvre, et peut se suffire à lui-même ; enfin celui qui réunit la consistance d'un ancien peuple avec la docilité d'un peuple nouveau. Ce qui rend pénible l'ouvrage de la législation est moins ce qu'il faut établir que ce qu'il faut détruire ; et ce qui rend le succès si rare, c'est l'impossibilité de trouver la simplicité de la nature jointe aux besoins de la société. Toutes ces conditions, il est vrai, se trouvent difficilement rassemblées. Aussi voit-on peu d'États bien constitués. » (390-1)

Autant de formulations qui confirment une philosophie politique. Le législateur n'enfante pas l'histoire. Il approprie à une réalité rationnellement transformable des principes, une méthodologie propres à satisfaire aux besoins d'une société concrète dans le respect de la libre nature de l'homme. D'où la conclusion de ces quatre chapitres (II 7, 8, 9, 10). « Il est encore en Europe un pays capable de législation ; c'est l'île de Corse. » (391) C'est pourquoi l'auteur du *Contrat social* se fait obligation d'écrire, en ces années soixante, un *Projet de constitution pour la Corse.*

L'utile et le juste

L'hilotisme était une condition de la puissance lacédémonienne. Mais le « droit du plus fort » n'est pas Droit. L'hilote cède à la force qui ne crée aucun lien de droit entre lui et une cité dont il n'est pas membre. Ni individuellement ni collectivement l'esclave ne fait société avec les citoyens. Quand les Éphores entrent en charge à Sparte ils déclarent solennellement la guerre aux Hilotes. Il n'est communauté d'individus que si l'intérêt général et l'intérêt de chacun des sociétaires sont mutuels. Le souverain n'a jamais le droit de « charger un sujet plus qu'un autre » (375). Chacun est assuré que les obligations qui lui sont fixées par la loi s'imposent indifféremment à tout autre ; « ... le pacte social établit entre les citoyens une telle égalité qu'ils s'engagent tous sous les mêmes conditions, et doivent jouir tous des mêmes droits. Ainsi par la nature du pacte, tout acte de souveraineté, c'est-à-dire tout acte authentique de la volonté générale, oblige ou favorise également tous les citoyens, en sorte que le souverain connaît seulement le corps de la nation et ne distingue aucun de ceux qui la composent » (*CS.* 374).

C'est en ce point précis que la dialectique de la liberté et de la souveraineté se découvre dialectique de l'intérêt bien compris, pour la cité comme pour le citoyen. La théorie du *Contrat* invalide *a priori* tout Bien commun qui n'impliquerait pas le respect de l'égalité, condition, pour tout sociétaire, de sa liberté civile. La volonté générale altérerait le pacte en son principe si elle croyait pouvoir sacrifier la liberté des citoyens à la sécurité du corps politique. Rousseau exclut l'éventualité que le souverain puisse trouver avantage à nuire à tel ou tel des siens. Comment l'égalitaire communauté politique née du libre concours des volontés et par celui-ci maintenue pourrait-elle opprimer un citoyen sans se nier elle-même ? Que serait un bien commun qui lèserait un seul membre de la communauté ? Un peuple, il est vrai, peut s'abuser sur son intérêt : « ... en tout état de cause, un peuple est toujours le maître de changer ses lois, même les meilleures ; car s'il lui plaît de se faire mal à lui-même, qui est-ce qui a droit de l'en empêcher ? » (394) Le tort qu'il se cause lui rappelle qu'il est à tout instant son propre maître et qu'il n'existe que par autocréation continuée. Et mieux vaut, précisera Rousseau dans la *Neuvième Lettre de la Montagne,* qu'un peuple pâtisse par sa faute qu'« opprimé sous la main d'autrui » (891).

Mais semblable erreur n'advient que parce que l'essence de la libre volonté générale est pouvoir d'autodétermination. Voilà pourquoi, ne se liant pas elle-même, elle déclare aujourd'hui d'utilité publique ce que, par choix tout aussi libre, elle ne reconnaissait pas tel en d'autres temps. Pas plus que les vérités intelligibles ne préexistent au Dieu cartésien, ce Bien ne préexiste au souverain. La volonté générale ne peut le définir en négation de sa propre essence et du libre principe associatif. Quelles que soient donc les finalités proposées à la communauté des citoyens, suivant les circonstances, les besoins, les nécessités, elles n'auront valeur de Bien commun que si l'esprit du pacte constituant est respecté. Une législation qui, sous prétexte d'utilité publique, opprimerait des citoyens, ou les dépouillerait de leurs moyens d'existence au profit de quelques-uns, dissoudrait les liens de cité.

Non seulement se maintient dans le *Contrat social* une conception de l'individu dont Rousseau ne s'écarte pas, mais le Droit politique suppose cet intérêt de l'individu pour lui-même qui est au principe de l'éducation d'Émile.

« Les engagements qui nous lient au corps social ne sont obligatoires que parce qu'ils sont mutuels, et leur nature est telle qu'en les remplissant on ne peut travailler pour autrui sans travailler aussi pour soi. Pourquoi la volonté générale est-elle toujours droite, et pourquoi tous veulent-ils constamment le bonheur de chacun d'eux, si ce n'est parce qu'il n'y a personne qui ne s'approprie ce mot *chacun,* et qui ne songe à lui-même en votant pour tous ? »

Preuve, aux yeux de Rousseau, que « l'égalité de droit et la notion de justice qu'elle produit dérive de la préférence que chacun se donne et par conséquent de la nature de l'homme » (*CS.* 373). Cette « préférence » n'est donc point abolie, mais supposée par la conclusion du pacte.

L'impératif théorique que se fixait Rousseau au début du *Contrat* n'était-il pas, « prenant les hommes tels qu'ils sont, et les lois telles qu'elles peuvent être », « d'allier toujours [...] ce que le droit permet avec ce que l'intérêt prescrit, afin que la justice et l'utilité ne se trouvent point divisées » ? (351) Aristote est proche...

Dira-t-on que le langage du Droit, organisateur d'une vie communautaire fidèle aux principes du *Contrat,* est entièrement traduisible dans celui de l'intérêt ? Disons plutôt que Rousseau construit son concept du droit politique au croisement d'une philosophie de l'intérêt et d'une philosophie de la liberté. Le droit né du pacte régule, discipline, accorde sous une loi commune des intérêts qui s'enracinent dans celui que chacun des associés a pour lui-même. Mais est-il intérêt plus essentiel à tout individu que cette liberté radicale qui le fait homme ? Si donc le libre consentement enferre une partie des associés un tel exercice de la liberté est contraire aux intérêts de l'homme-libre. Pour qu'il y ait Droit politique ou civil il faut consentement. Nul consentement contraire au Droit naturel n'est illégitime au regard d'un Droit positif. Mais tout consentement n'est pas légitime selon le Droit naturel, qui exclut que je m'enferre librement. Voilà pourquoi le seul gouvernement humainement légitime est le républicain. Il en est des individus comme des peuples : leur sécurité est un leurre, s'ils ont perdu la liberté.

L'indestructible amour de soi ne s'acculture dans Émile enfant que par l'initiation à la liberté d'un être raisonnable, appelé à l'autonomie d'une existence morale. Et simultanément cette liberté, qui n'est point un pouvoir anthropologiquement neutre, ne s'actualise et ne s'atteste que dans la singularité vécue d'un individu qui s'aime, et qui ne peut faire choix d'un objet ou d'une conduite sans décider de soi.

Émile ne s'éloigne que pour revenir. Tout ce qu'il découvre du monde, d'épreuve en épreuve, le reconduit à lui-même. Tout savoir conquis lui est un chemin vers la conscience de soi. Et tout ce qu'il apprend à vouloir, de degré en degré, œuvre à l'éducation d'une humanité dont il a l'intime révélation. Vouloir, c'est se vouloir. L'objet du vouloir humain n'est autre que l'homme ; et puisque l'essence générique habite l'individu, Émile accomplissant son individualité satisfait au devoir d'humanité. Amour de soi est immédiat à liberté-individu comme à utilité-sécurité. A ces deux titres le gouvernement républicain, où la loi n'est pas pseudo-loi, satisfait l'amour de soi.

Rousseau Hegel Rousseau

On connaît la critique hégélienne du Genevois. Le philosophe allemand fait honneur à Rousseau d'avoir placé au fondement de l'État — mieux qu'une décision divine ou une obscure puissance de sociabilité —, le seul principe qui puisse lui donner raison d'être : la pensée elle-même, en tant que volonté. Mais la volonté, chez Rousseau, ne sait pas surmonter le moment de la particularité. Le concept d'État se trouve donc captif de celui de contrat. Chacun des sujets de droit qui s'unissent par libre arbitre reste extérieur aux autres. L'intérêt commun qui s'exprime dans la volonté générale n'est qu'une conjoncturelle résultante des vouloirs singuliers ; le tout ainsi composé n'est pas moins contingent que chacun des éléments. Si Rousseau a eu le mérite d'inscrire la volonté générale au cœur du politique, celle-ci n'est, dans le *Contrat social,* qu'une volonté commune, tributaire à tout instant des muables configurations de la société civile. Mais cette société, comment la théorie du contrat pourrait-elle maîtriser et lier ses contradictions ? La fonction du contrat n'est-elle pas d'exprimer dans la langue des calculs la conflictuelle essence des rapports interindividuels qui construisent l'univers des besoins, de la production, de l'échange ? L'entreprise de Rousseau reproduit, dans l'immaturité de son concept de volonté générale, l'inachèvement d'une société qui, astreinte encore au régime de l'entendement séparateur, ne dépasse point l'horizon du chacun pour soi.

Ce n'est point par le concours empirique des volontés particulières que naît une authentique volonté générale. Celle-ci n'est pas dérivable. Elle est en soi et par soi, car elle a pour essence la rationalité même qui s'objective État. Chacun des citoyens n'existe que par cette volonté première qui se réfléchit dans sa volonté propre et fonde l'accord des volontés concitoyennes. La dialectique de la volonté, qui a enfanté, par immanente nécessité, les médiations de la société civile (famille, propriété, profession) comme autant de formes de la « moralité objective », actualise, dans l'institution d'un État de raison, la forme la plus haute et la plus concrète de la liberté. C'est donc en lui que se reconnaît et s'effectue la liberté des individus. Et c'est en s'ordonnant à lui que la société civile découvre sa rationalité jusqu'alors ignorée, qu'elle s'élève à la conscience de ses fins. L'État, c'est la substance sociale prenant conscience de soi.

Parce qu'elle ne pense point la volonté générale comme le rationnel en soi et pour soi de la volonté (*Principes de la philosophie du Droit*, parag. 258), mais comme résultat des « volontés individuelles » qui s'accordent par simple convention, la théorie contractualiste de Rousseau échoue à déduire le concept adéquat d'une effective « communauté », sachant unir et harmoniser sous un principe universel les libertés singulières, en même temps qu'elle protège et garantit les intérêts particuliers. Telle est en effet, dans des conditions qui ne sont plus celles de la cité antique, la mission que la raison qui s'objective dans l'histoire assigne à l'État. C'est par la participation à la vie « substantielle » d'un tel État — être universel et nécessaire en soi et pour soi de l'Esprit —, que l'individu existe citoyen. Comprenons que ce n'est pas, comme en Rousseau, le libre choix de chacun des sociétaires qui est au principe de l'État, et de la loi. C'est l'État, « liberté concrète » en acte, raison incarnée, totalité organique irréductible qui — moyennant les institutions par lui créées — insuffle aux individus l'âme communautaire que nul contrat révocable ne saurait jamais leur inspirer. Aussi bien, cet Esprit fait État, c'est l'esprit d'un peuple, c'est en lui que ce peuple prend conscience de son identité. On sait que, pour Rousseau, la liberté essentielle à l'homme-individu, si elle est à l'ouvrage dans la conclusion du pacte, peut tout autant faire valoir son inaliénable droit en se déprenant du lien associatif. Possibilité invalidée par Hegel puisque seul l'État constitué donne objet et forme à la liberté de l'individu — cette liberté retenue jusqu'alors dans les bornes et l'abstraction d'une subjectivité séparée. L'État étant Esprit objectif, « l'individu ne peut avoir lui-même de vérité » ; « l'union en tant que telle est le véritable contenu et le véritable but » (parag. 258).

Ce rappel d'une illustre critique n'a pas vocation doxographique. L'étude du *Contrat* et des *Fragments politiques,* du *Discours sur l'économie politique,* des projets pour *Corse* et *Pologne,* comme celle des deux premiers *Discours,* nous incline à considérer que l'argumentation de Hegel (à qui certains de ces textes étaient inconnus) compte trop peu avec les résistances que la pensée de Rousseau lui oppose. Nous l'avons vu, le recours à la catégorie juridique de contrat médiatise, de discutable façon, une intention fondamentale. Le contrat permet de formaliser et de réfléchir dans la problématique du « Droit » des questions venues de plus loin : qu'est-ce qui fait d'un groupe d'hommes une communauté ? A quelles conditions un peuple est-il peuple, se connaît-il tel, et se reconnaît-il « caractère » de nation ? La recherche de Rousseau invalidant aussi bien nécessité naturelle que violence et contrainte, aussi bien l'intervention divine que le principe patriarcal, et la libre essence humaine excluant *a priori* toute « union » qui ne serait pas œuvre de volonté, c'est le « contrat » qui permet à Rousseau de porter au concept (pour employer une formulation hégélienne) un processus que le contrat réfléchit inadéquatement.

Quand Rousseau décrit comment chaque citoyen n'a existence et force que par tous les autres, il est difficile d'admettre que son contractualisme ne va pas au-delà d'une confrontation entre atomes humains, d'une labile composition juridique assujéttie au libre arbitre subjectif. Transportant l'homme aux antipodes de l'autosuffisante solitude de l'« état de nature », le législateur suscite une forme d'individu qui n'existe en première personne qu'avec les autres et par eux. Inconfondable avec la contingente sommation d'éléments, *partes extra partes,* l'union ainsi constituée, mutation objective des rapports interhumains, suscite — en même temps que la conscience sociale d'un peuple-individu — une intériorisation spirituelle du lien communautaire en chacun des contractants. C'est en cette communauté des citoyens égaux et coopérant sous une même loi — autre chose qu'une simple interdépendance des besoins et des travaux, sous la maxime du chacun pour soi —, que l'individu socialisé vit désormais et réfléchit son individualité. Et c'est la puissance entière de cet être social non-décomposable qui assure à la liberté de chacun sa positivité concrète et son efficace propre. La libre essence de l'homme, propriété générique présente en tout individu, s'actualise en chacun désormais par les actives médiations de l'existence commune.

Une des propositions du *Contrat* qui ont le plus ému la conscience critique (et dont Fichte se souviendra) se lit au dernier paragraphe du chapitre consacré au souverain (I. 7) : « Afin donc que ce pacte social ne soit pas un vain formulaire, il renferme tacitement cet engagement qui seul peut donner de la force aux autres, que quiconque refusera d'obéir à la volonté générale, y sera contraint par tout le corps : ce qui ne signifie autre chose sinon qu'on le forcera à être libre ; car telle est la condition qui, donnant chaque citoyen à la patrie, le garantit de toute dépendance personnelle, condition qui fait l'artifice et le jeu de la machine politique, et qui seule rend légitimes les engagements civils, lesquels sans cela seraient absurdes, tyranniques, et sujets aux plus énormes abus. » (*CS.* 364)

Comment un penseur qui postule la libre nature de l'homme peut-il sans inconséquence vouloir qu'un membre de la cité soit « libre » par force ? Mais s'il est vrai que la loi, œuvre de la volonté générale dont tout citoyen est coproducteur, le garantit contre l'arbitraire, l'abus, l'assujettissement à quelque autre, on se dira que contraindre un sociétaire à « être libre », c'est tout simplement faire en sorte qu'il obéisse à la loi. Nul ne peut se soustraire aux obligations qui s'imposent également à tous les citoyens, qui jouissent à titre égal des avantages de la vie commune. C'est avec des républicains qu'on fait une République. Reste à celui qui récuse un tel principe la faculté de renoncer à la citoyenneté (droits et devoirs ; avantages et charges). Si tout citoyen est « contraint par tout le corps » au respect de la loi, n'est-ce pas fondamentalement parce que la cité ne peut perdurer sans le tacite rappel de l'unanimité première qui est au principe de l'acte constituant, et de toute légitimation ? Là s'enracine, en deçà de la loi elle-même, une conscience sociale indivise, immanente à tout membre de la communauté constituée. Et l'entreprise du législateur serait dès l'origine condamnée si cette unanimité fondatrice n'était pas continûment opérante, attestable à tout moment, dans le devenir de la cité et sous les diverses figures de la vie publique. L'universel ne réduit pas toute particularité. Chez Rousseau, comme plus tard chez Hegel, famille ou travail appartiennent à la sphère, incontestée et légitime, des intérêts privés. Mais le public est le lieu où se reconstitue en permanence et se manifeste à tous comme en tous le vouloir de la communauté, où se reconnaît cet être nouveau de l'homme conçu par le législateur. La problématique d'une communauté-nation ne reconduit pas seulement à l'image admirée de la cité antique ; elle contribue à la genèse d'une conscience moderne, autonome et populaire, de l'identité nationale.

Si grand soit le rôle du Législateur dans le *Contrat,* c'est le peuple qui décide. Il est la source et l'objet de la volonté générale. Il est peuple par soi. On a vu que le peuple « propre à la législation » est « déjà lié par quelque union d'origine, d'intérêt ou de convention » (390). Ne s'effectuant pas encore sous l'explicite et raisonnable règne de la loi, cette « union » remémore la force initiale d'une aspiration que l'*Inégalité* avait évoquée. La conscience d'un « intérêt commun » (cet intérêt qui « généralise la volonté ») n'était-elle pas déjà présente aux protoformes de la vie sociale, comme l'était, confus mais tenace, le sentiment qu'il n'est d'union vraie que dans l'égalité de ceux qui s'assemblent ? Il n'est communauté qu'égalitaire.

Témoin des bouleversements de l'Europe napoléonienne, Hegel axera sa philosophie politique non sur la volonté populaire, mais sur l'État. Si critique soit-il à l'égard du jacobinisme, il n'en est pas moins hostile au principe féodal. L'État rationnel ne peut être qu'un État constitutionnel, — où le pouvoir effectif appartient à cette « classe universelle » (ou « état universel ») de fonctionnaires qui discernent et prononcent le pur intérêt général ; conception qui suggère le moderne technocrate d'État, serviteur-maître. La « constitution politique » ne saurait être l'œuvre d'une souveraineté populaire que Hegel récuse. Chaque peuple ayant mission de « représenter un principe », la constitution politique appropriée à un peuple est une informante expression de l'esprit qui le fait être. La genèse d'une constitution n'est donc pas historiquement situable, bien que l'esprit qu'elle manifeste soit immanent à l'histoire qui l'accomplit. D'où l'antinomie relevée par Marx. Le pouvoir législatif est une partie de la constitution ; celle-ci ne s'étant pas autoproduite, il faut nécessairement qu'un pouvoir législatif existe ou ait existé avant et en dehors d'elle.

Mais l'antinomie n'était-elle pas déjà dans le *Contrat social ?* Le peuple souverain est son propre législateur puisqu'il n'obéit qu'à la loi qu'il se donne. Mais il n'est pas son « Législateur » puisque la constitution qu'il applique est fille d'un savoir dont il n'est ni le lieu ni la source. Ce peuple n'en est pas moins autonome et majeur ; ce qu'il veut, c'est lui qui le veut. L'« esprit d'un peuple » selon Hegel opère incessamment dans l'histoire de ce peuple. Mais le législateur du *Contrat* s'efface et n'est plus rien quand le peuple apparaît.

Voilà qui nous ramène au point le plus sensible de l'opposition entre les deux philosophies politiques. Il n'est d'État, selon Rousseau, que par le peuple, assemblé pour lier et délier. Ce peuple, dont Hegel s'effraie, le Genevois le reconnaît comme unique légitimant. La loi est donc parole du peuple au peuple ; non parole d'un État au peuple. Ce n'est ni prince, ni magistrat, ni fonctionnaire, mais le suffrage universel qui dit la loi, sans laquelle il n'y a plus « république », mais retour à l'affrontement des intérêts individuels. Ou aux solitudes de la liberté sauvage. La pratique du suffrage universel implique elle-même, comme on sait, l'unanime accord initial qui l'institue, — tout gouvernement « légitime » ayant pour principe cette matricielle démocratie, moment fondateur et premier d'une vie publique.

C'est ce mouvement que Marx épouse, sans référence à Rousseau mais sous l'influence attestée de la Révolution française, pour le porter plus loin dans sa *Critique du Droit politique hégélien* tout en gardant une part de l'héritage du maître allemand : ne s'agit-il pas toujours d'unir dialectiquement l'universel et le particulier ?[60]

Pouvoir-exécutant

Usage d'époque, Rousseau prend plus d'une fois « gouvernement » au sens de régime politique et social. Mais c'est du gouvernement, « puissance exécutive » que le livre III fait la théorie. Celle-ci se fonde sur une philosophie de filiation cartésienne et sur les « principes » établis au livre II, consacré à « souveraineté ».

Le rapport entre puissance législative et puissance exécutive a même profil que le rapport entre volonté décidante et corps exécutant, dans le *Traité des Passions de l'Âme* (I, 18 *de la volonté*). Lorsque, après avoir noté que « toute action libre » est produite par le concours d'une cause « morale » et d'une cause « physique », Rousseau compare le « corps politique » à l'homme qui, voulant aller quelque part, ne le peut que si ses pieds le portent, on reconnaît Descartes. Rien ne se fait ou ne doit se faire dans le « corps politique » sans le concours de la « volonté » qui décide et de la « force » qui exécute (*CS.* 395). Les « principes » du livre II, introduisent, inspiration aristotélicienne, la différence de nature entre « acte de souveraineté » et « acte de magistrature ». La puissance exécutive « ne consiste qu'en des actes particuliers qui ne sont point du ressort de la loi, ni par conséquent de celui du souverain, dont tous les actes ne peuvent être que des lois » (395-6).

Subalternée, strictement ministérielle, la « puissance exécutive », — « agent propre » qui réunit et met en œuvre la « force publique » sous les « directions de la volonté générale » — assure « communication » et « mutuelle correspondance » entre le peuple-souverain qui dit la loi et le peuple-État qui lui obéit. Équivalent, dans la « personne publique », de ce que fait dans l'homme l'« union de l'âme et du corps » (396).

En III, 1 et 16 *(Que l'institution du gouvernement n'est point un contrat)* Rousseau récuse l'assimilation de l'acte qui prépose un « exécutif » (= exécutant) à un prétendu contrat « entre le Peuple et les chefs qu'il se donne » (celui-là pour « obéir », ceux-ci pour « commander »). C'est ignorer l'essence du corps politique.

1) « L'autorité suprême » du souverain n'est pas plus modifiable qu'aliénable ; « la limiter c'est la détruire » (432). Rousseau invalide Montesquieu, pour qui séparation des pouvoirs — il n'a pas inventé ce concept — implique limitation mutuelle. Tout « contrat » limitant la souveraineté nierait le contrat qui la constitue. Tout pouvoir est du peuple et lui appartient, même quand il confie charge aux magistrats. Comment des « officiers » à tout instant révocables seraient-ils habilités par l'impératif mandat qu'ils reçoivent à s'attribuer la moindre part du pouvoir souverain ? Et comment celui-ci aurait-il moyen de contrôler à tout instant l'exécution de ses volontés si ses commis avaient faculté de le récuser, en alléguant un quelconque « contrat » ?

2) Tout acte de souveraineté est universel. Un contrat entre le peuple souverain et « telles ou telles personnes » serait « acte particulier », donc « illégitime » (432).

3) Un « contrat de soumission » (du peuple aux chefs) nierait l'essence de l'« état civil » en plaçant chacune des parties « sous la seule loi de nature et sans aucun garant de leurs engagements réciproques » (432-3).

Conclusion : il n'est contrat que « d'association », exclusif de « tout autre » (433). L'acte instituant gouvernement (fût-il héréditaire) n'est qu'une « loi » (III, 17). Ses titulaires ne sont pas des citoyens à part.

Deux remarques :

1 — L'*Inégalité* tenait encore « l'établissement du corps politique » pour un « contrat » entre le peuple et les chefs « qu'il se choisit » (*DI*. 184). Mais ce n'était pas un pacte de sujétion, les deux parties s'obligeant à « l'observation des lois » : lois fondamentales qui sont implicitement l'œuvre du peuple. Bien avant le *Contrat* Rousseau s'oppose donc à Pufendorf et autres « fauteurs du despotisme » qui, assimilant liberté à propriété, prétendent que des hommes peuvent contractuellement se donner (se donner à) un maître. Je puis aliéner ce que j'ai ; mais nulle convention, nul contrat ne peut me dépouiller de ma liberté ou de ma vie sans que mon être d'homme en soit anéanti. R. Derathé, V. Goldschmidt ont différemment détaillé l'étude des positions de Pufendorf et Rousseau.[61] Il nous paraît qu'un aspect du retard allemand aux 18e et 19e siècles s'inscrit dans la théorie de

Pufendorf ; c'est en France que se livrera la bataille pour le droit souverain d'un peuple à se donner une constitution qui invalide toute aliénation de la liberté populaire.

2 — La conception de l'acte instituant l'exécutif conduit à placer la démocratie, *de facto,* à l'origine du gouvernement. Cet acte souverain comprend deux moments : adopter la loi qui crée un « corps de gouvernement » ; désigner les « chefs » du « gouvernement établi ». Comment le souverain peut-il procéder (acte « particulier ») à une nomination sans contredire son essence, qu'exprime le premier moment (législatif = universel) ? « ... Une de ces étonnantes propriétés du corps politique, par lesquelles il concilie des opérations contradictoires en apparence. Car celle-ci se fait par une conversion subite de la Souveraineté en Démocratie ; en sorte que, sans aucun changement sensible, et seulement par une nouvelle relation de tous à tous, les citoyens devenus magistrats passent des actes généraux aux actes particuliers, et de la loi à l'exécution [...] Tel est l'avantage propre au Gouvernement Démocratique de pouvoir être établi dans le fait par un simple acte de la volonté générale. » (*CS.* 433-4) Halbwachs, qui ne décèle aucune contradiction dans l'opération, rappelle que le *De cive* de Hobbes reconnaissait une « démocratie » dans la première assemblée qui décide unanimement que les décisions majoritaires seront appliquées, quel que soit le type de gouvernement ainsi créé. Mais pourquoi ne pas rappeler Spinoza, qui n'effectue pas, comme Rousseau, l'absolue distinction législatif/exécutif ? Pour l'auteur du *Traité théologico-politique* (chapitre 16) la démocratie, première à toute forme de gouvernement, est immédiate au contrat social.

Médiateur entre le peuple et lui-même, l'exécutif n'existe que s'il est organiquement constitué, « corps » subalterne, mais corps. Capable de volonté comme l'est chacun de ses membres (indestructible amour de soi), le « moi »-gouvernement tend, comme tout individu, à se conserver. Il faut donc que sa force propre ne transgresse pas l'objet ministériel qui lui est assigné. Suivre pas à pas le texte du *Contrat* demanderait des pages. L'essentiel est ce principe d'« équilibre » qui ordonne les parties de sorte que l'individu collectif né du pacte persévère en son être. D'où le recours, pour équilibrer les forces, au calcul de la « proportion continue » : le peuple souverain doit être au gouvernement ce que celui-ci est au peuple-sujet (= « État » *stricto sensu*). Cette quantification, dont Rousseau n'exagère pas la portée, facilite une concrète approche dès lors que la recherche de l'équilibre inclut les paramètres de la démographie, de l'économie. C'est J.-Cl. Pariente qui, depuis Halbwachs, a le plus clairement résumé la démarche. Nul chiffre ne marque le passage d'un régime politico-social à un autre. Mais si la population s'accroît (d'où multiplication des rapports sociaux, développement commercial, affaiblissement de l'unité nationale au profit des intérêts dissociatifs), la constitution ne perdure que si le gouvernement se renforce. En se resserrant. La monarchie convient aux

États étendus, l'aristocratie aux États moyens, la démocratie aux petits, où gouverner n'exige pas concentration de l'exécutif. L'économie confirme : les hommes étant la première richesse d'un État (pour les physiocrates, la clé, c'est l'investissement du capital dans l'agriculture), Rousseau juge que le gouvernement le plus onéreux (monarchie) convient aux États peuplés et riches. Le moins coûteux (démocratie) est celui des États exigus et pauvres.[62]

« Formes du gouvernement »

La typologie des « gouvernements » est d'un auteur qui, ayant lu *l'Esprit des lois,* pratique la *Politeia* d'Aristote. Qu'une « forme » ne soit pas isolable d'un contenu, la *Lettre à d'Alembert* le disait déjà : dans une démocratie, « sitôt que le plus petit nombre l'emporte en richesses sur le plus grand, il faut que l'État périsse ou change de forme » (218). Le *Contrat* précise que chacune des formes peut être, suivant les cas, la meilleure ou la pire. Il peut y avoir de multiples formes « mixtes », chacune « multipliable par toutes les formes simples » (403). Le passage d'une forme à l'autre est possible en un point où la première se confond avec celle qui suit. Les trois « dénominations » d'un gouvernement légitime (= soumis à la loi) ne signifient pas qu'une liste de formes s'établisse *a priori.*

Antérieure à la différenciation gouvernants/gouvernés et à l'institution de la loi, la démocratie-mère dont on a parlé n'est pas, comme en ce chapitre (III, 4), une « forme » de gouvernement parmi d'autres. Mais quand on inclut la « démocratie » dans une typologie pour comparer « forme » à « forme », c'est pour conclure qu'elle ne semble pouvoir maintenir qu'idéalement sa cohérence, son identité. La rigoureuse distinction entre exécutif et souverain-législatif qu'appelait la critique de l'arbitraire et de l'oppression conduit Rousseau à limiter l'intervention populaire... Il semble « qu'on ne saurait avoir une meilleure constitution que celle où le pouvoir exécutif est joint au législatif : mais c'est cela même qui rend ce Gouvernement insuffisant à certains égards... » Rousseau rejoint Aristote et Montesquieu : unir exécutif et législatif, c'est favoriser « l'influence des intérêts privés dans les affaires publiques ». Le déclin de toute « forme » étant inéluctable, mieux vaut un exécutif qui abuse des lois que la « corruption du législateur ». L'État étant alors « altéré dans sa substance, toute réforme devient impossible » (404). Le souci cardinal (préserver la souveraineté, donc le pacte fondamental) entraîne une conséquence qui déconcerte le lecteur d'aujourd'hui : ce peuple qui légifère en personne n'a pas, semble-t-il, l'initiative des lois. (Telle était la constitution genevoise.) Il est vrai, le *Contrat* donnant le dernier mot à l'opinion populaire, comment des magistrats révocables, chargés d'élaborer des lois, oseraient-ils l'ignorer ? Rousseau n'ampute pas moins la souveraineté d'un irréductible attribut. Mais il réserve la démocratie au pays où, comme dans la cité antique, la totalité des citoyens (= souverain) est assemblable en un même lieu, où la vie de l'État se satisfait d'un petit nombre de lois, où l'égalité « dans les rangs et dans les fortunes » prévient la réciproque corruption du riche et du pauvre, le réciproque asservissement des sociétaires. Toutes conditions qui ne sauraient « subsister sans la vertu » du citoyen (405).

Intimement travaillé par des forces contraires, qui peuvent entraîner à la guerre civile, le « démocratique ou populaire » tend, avec plus de force et de continuité que tout autre, à « changer de forme ». Il ne se maintient que par la vigilance, le courage du citoyen qui doit avoir la devise du Palatin polonais : *Malo periculosam libertatem quam quietum servitium* (405), « je préfère une périlleuse liberté à une tranquille servitude ».

Rousseau écrit dans la *Huitième Lettre de la Montagne* que « la constitution démocratique est certainement le chef-d'œuvre de l'art politique » (838) ; il croit possible la pleine autodétermination d'un peuple majeur. Il n'en déclare pas moins au terme de ce chapitre *De la démocratie* qu'un « gouvernement si parfait ne convient pas à des hommes ». « S'il y avait un peuple de Dieux, il se gouvernerait Démocratiquement. » (*CS*. 406) Comme l'amour selon la nouvelle Héloïse, « la » démocratie s'accomplit en s'enlevant à l'histoire. Mais quelle « forme » de gouvernement peut exister pure de toute contradiction ? Toute forme conceptualisable est production historique. Rousseau en doute si peu que l'inhumaine perfection de la forme « démocratie » ne le dissuade pas de défendre la démocratie genevoise contre l'aristocratie maîtresse du Petit Conseil.

Il tiendrait le « gouvernement aristocratique » pour le meilleur des gouvernements s'il était, en effet, celui des « meilleurs », reconnus et désignés par le peuple souverain. Les *Considérations sur le Gouvernement de Pologne*, — ce pays victime d'une « barbarie féodale », où les nobles sont « tout », les bourgeois « rien », les paysans « moins que rien » (972) —, souhaitent l'affranchissement des serfs, recommandent la participation de tous les « ordres » à la vie de la nation et de l'État. Le « mérite » doit devenir critère unique de l'accès aux emplois, l'« estime publique » réglant l'accès à la moindre charge. La seule « aristocratie » qui vaille est celle qui a le service public pour unique raison d'être.

Le propre d'une « monarchie » légitime, où le roi gouverne sous une « loi » qui n'est pas son œuvre, c'est l'individuation de l'exécutif. Sa logique entraîne donc à l'absolutisme. Ce qui est « immédiatement utile » au roi — quelque sermon qu'on lui tienne — c'est la faiblesse d'un peuple « misérable » dont il peut disposer. L'âpreté de la critique ferait oublier qu'il s'agit d'une sereine typologie. Ne convenant qu'aux vastes États, la monarchie ne peut se passer de corps intermédiaires. Il faut au roi des « substituts » (*Esprit des lois*, II 4). Une République élève aux premiers postes des hommes honorables, éclairés, compétents. Mais les parvenus d'une monarchie ? Le plus souvent « petits brouillons, petits fripons à qui les petits talents qui font dans les cours parvenir aux grandes places ne servent qu'à montrer au public leur ineptie aussitôt qu'ils y sont parvenus » (410). Nul espace pour la grandeur humaine, chose commune en cité démocratique. Encore plus sévères s'il se peut, les *Écrits sur l'abbé de Saint-Pierre* montrent comment un roi est instrumenté par ses vizirs.

La critique radicale de l'hérédité est un des points forts. Prétendre qu'elle prévient les contestations, c'est oublier qu'elle expose un peuple au malheur d'avoir pour chef un enfant, un monstre, un imbécile. Au demeurant, « tout concourt à priver de justice et de raison un homme élevé pour commander aux autres » (413). Qu'on lui apprenne plutôt l'art d'obéir !

Incertitude, variation d'un gouvernement où « chaque révolution dans le ministère » en produit une dans l'« État ». Ne jugez pas sur les bons princes (rareté), mais sur les pires ; s'ils ne le sont pas au début, le trône les rend tels. Obéir sans murmure au mauvais roi, châtiment du ciel ? C'est (avec Bossuet, non cité) confondre Écriture sainte et politique. « On sait bien qu'il faut souffrir un mauvais Gouvernement quand on l'a ; la question serait d'en trouver un bon. » (413)[63]

Dégénérescence. Pratiques de l'usurpation

Tout État qui brille est sur son déclin. Une « pente naturelle et inévitable » entraîne vers la mort les « Gouvernements les mieux constitués » (424). Voyez Sparte et Rome... Que le corps politique soit un être « artificiel » n'empêche point notre auteur de le traiter comme un être vivant. « Le corps politique, aussi bien que le corps de l'homme, commence à mourir dès sa naissance et porte en lui-même les causes de sa destruction. » (424) C'est du dedans que déclin et mort se comprennent. L'ennemi est intime. Rousseau ne se lasse point d'expliquer que la vitalité d'un peuple, la capacité de résistance dont jouit un État ont leur origine et leur appui dans les « rapports » constitutifs qui donnent à ce peuple, à cet État une indestructible identité, une vigueur propre.

Quant aux peuples conquérants, leur histoire ne manifeste pas moins la puissance et la logique d'une immanente causalité ; « ... on a vu des États tellement constitués que la réussite des conquêtes entrait dans leur constitution même, et que, pour se maintenir, ils étaient forcés de s'agrandir sans cesse. Peut-être se félicitaient-ils beaucoup de cette heureuse nécessité, qui leur montrait pourtant, avec le terme de leur grandeur, l'inévitable moment de leur chute. » (388) On croirait lire Montesquieu ou Machiavel expliquant la décadence romaine.

Tout gouvernement étant « forme », le processus prépare un changement de forme. Ici encore les Anciens ont montré la voie. Aristote, après avoir distingué trois formes de « juste » gouvernement, — puisqu'elles s'ordonnent au bonheur général —, décrit la dégénérescence de chacune d'elles comme perte de la forme légitime et mutation en une autre forme.

Dégénérescence politique et morale qui altère la nature du lien politique entre les hommes et la finalité morale de la cité. Le *Contrat* subordonnant l'existence et la mission du gouvernement *stricto sensu* à la volonté du souverain, les causes de dégénérescence se cherchent en un illégitime comportement de l'exécutif. « Comme la volonté particulière agit sans cesse contre la volonté générale, ainsi le gouvernement fait un effort continuel contre la souveraineté. Plus cet effort augmente, plus la constitution s'altère et comme il n'y a point ici d'autre volonté de corps qui, résistant à celle du Prince, fasse équilibre avec elle, il doit arriver tôt ou tard que le Prince opprime enfin le souverain et rompe le traité social. » (421) Loi d'essence. Ainsi l'« amour de soi » qui anime inlassablement le vouloir d'un individu. Le corps-gouvernement tend sans discontinuer à opposer, imposer sa volonté particulière à la volonté du souverain. Se retrouve l'irréductible nature Homme. L'antropologie politique peut faire un usage raisonné des propriétés de cette perfectible nature ; elle ne peut empêcher une volonté particulière de vouloir sa particularité.

Mais si cet artifice qu'est le corps politique n'échappe pas au sort de tout être « moral », c'est que la structure, le dynamisme de l'homme-individu se reconstituent dans l'artifice. La loi d'essence n'est pas de même espèce qu'une loi biologique, malgré l'analogie avec le vieillissement et la mort d'un corps d'homme ; elle rappelle à toute philosophie politique l'indépassable psychologie de la créature humaine.

La dégénérescence d'un gouvernement peut suivre deux « voies générales », expression qui, par « inclinaison naturelle », réserve la part des variables.

1 - La première, qui ne détruit pas la légitimité, est le « resserrement » qui induit un passage de la démocratie à l'aristocratie, puis à la royauté. Ce changement suppose que le « ressort » du gouvernement soit assez usé pour que la forme, si persévérante soit sa résistance au nouveau, ne puisse se maintenir plus longtemps. La seule solution est donc, pour que l'État ne s'effondre pas, de resserrer le ressort « à mesure qu'il cède ». La diminution du nombre des gouvernants est ainsi l'inéluctable effet de l'affaiblissement d'une forme périmée.

2 - Si le « resserrement » sauve l'État de la ruine, l'autre voie de la dégénérescence conduit à la « dissolution de l'État ». Ce n'est plus changement de forme dans le maintien de la légitimité. La dissolution signifie rupture du « pacte social », retour des sociétaires à leur « liberté naturelle ». Processus dissolutif qui nie le droit politique, puisqu'il a pour cause une subversion du rapport constituant entre pouvoir

souverain et puissance exécutive : le Prince « n'administre plus l'État selon les lois » ; il « usurpe » le pouvoir souverain. D'où formation dans le grand État agonisant d'un corps composé des seuls membres du gouvernement, « maître » et « tyran » du « reste du Peuple ». Variante : les membres du gouvernement, au lieu d'usurper en corps le pouvoir du peuple, l'usurpent séparément. Désordre encore plus grand.

Ici et là, un même mot caractérise la conduite de l'usurpateur, c'est « l'abus ». Entraînant dissolution de l'État, l'abus du gouvernement justifie l'emploi du nom commun d'anarchie pour désigner globalement les trois termes auxquels aboutit la dégénérescence des formes légitimes. La démocratie dégénère en ochlocratie (gouvernement de la populace), l'aristocratie en oligarchie, la royauté en tyrannie. Si le despote est toujours tyran, le tyran peut n'être pas despote. Usurpant l'autorité royale, il « s'ingère contre les lois à gouverner selon les lois ». Se plaçant au-dessus des lois, le despote usurpe le pouvoir souverain.

L'auteur du *Contrat* n'oublie pas l'histoire de Genève. Il n'est donc pas superflu de revenir ici sur la neuvième *Lettre de la Montagne,* qui s'accorde comme les autres avec les sentiments et les critiques des « citoyens » et « bourgeois ». Réfutation serrée de Tronchin, cette lettre décrit avec une précision clinique les cheminements d'une usurpation, les subtils sophismes qui la font accepter par un peuple circonvenu, paralysé par un gouvernement qui se réclame de la loi pour se placer au-dessus d'elle. Tout serait à retenir de ces pages où l'argumentation de Tronchin est mise à rude épreuve. La marche du procureur dans ses *Lettres de la campagne* (écrites contre l'auteur du *Contrat*) reproduit celle des riches praticiens experts de la feinte et de la flatterie.

Éblouir un peuple pour l'aveugler. Le cajoler pour le séduire. Apparemment traiter les Genevois en hommes d'État, dont on retient l'attention respectueuse sur de lointaines et grandes questions qui l'écartent de celles qui les concernent. Art de travestir en « thèses de philosophie » des questions qui n'exigent que du bon sens : qui voudra s'avouer sot, faute d'entendre un langage si élevé ? Athènes, Sparte, Rome, Carthage... Diversion savante pour « consoler doucement » [nos citoyens] « de n'être pas plus libres que les maîtres du monde »... ; « ... on vous jette aux yeux le sable de la Lybie, pour vous empêcher de voir ce qui se passe autour de vous » (*LM.* 871).

La constitution octroie au Petit Conseil le « Droit négatif », qui n'est pas droit d'entraver le pouvoir législatif, mais d'empêcher un membre du souverain de le mettre en mouvement à tout moment. Tronchin, qui a une maîtrise consommée du vague, un sûr discernement de l'approximation tactique, brouille assez la question pour justifier un usage antidémocratique du Droit négatif. Le Petit Conseil s'en prévaut, non pour dicter lui-même des lois, mais pour « faire de chaque acte de sa volonté une loi particulière ». Sans coup d'éclat ni solennité, par l'exercice imperceptible et continu d'une puissance qui plie « peu à peu chaque chose à sa volonté, et cela ne fait jamais une sensation bien forte » (872-3). Le but étant chaque fois soigneusement dissimulé, c'est beaucoup de bruit pour rien quand la moindre protestation s'élève ! S'il apparaît que ce rien est un abus, on déboute le prostestataire au nom du « Droit négatif ». Celui-ci, en réalité, « rend le Petit Conseil seul maître direct et absolu de l'État et de toutes les Lois... » (873)

Tronchin n'hésitant pas à soutenir que le pouvoir exécutif des rois d'Angleterre est plus étendu que celui du Petit Conseil, Rousseau répond que c'est le contraire qui est vrai. Le Petit Conseil jouit, jusque dans le judiciaire, de pouvoirs que n'a pas la Couronne en un pays où le Parlement dispose toujours du dernier mot. Sans doute le roi peut-il acheter des concours, mais le Petit Conseil n'a nul mérite à s'en dispenser. « Quiconque à Genève est aux gages de la République cesse à l'instant même d'être Citoyen ; il n'est plus que l'esclave et le satellite des vingt-cinq, prêt à fouler la Patrie et les Lois sitôt qu'ils l'ordonnent. » (879)

Tout Anglais ayant la loi pour lui peut braver la puissance royale, et celle-ci, sachant qu'elle a peu d'espoir de changer la constitution, préfère jouir des « avantages » qu'elle en reçoit. « Vos magistrats, au contraire, sûrs de se servir des formes [de votre constitution] pour en changer tout à fait le fond, sont intéressés à conserver ces formes comme l'instrument de leurs usurpations. » [Le manuscrit de Neuchâtel ajoute une phrase inachevée : « L'apparence même de la liberté leur est utile pour empêcher le peuple de s'effaroucher, il ne leur faut que de la patience et du temps et sans révolution sensible ils parviennent à leur but (il faudrait bien de la maladresse pour préférer un autre état à celui...) »

Cette réflexion sur la sauvegarde des « formes » au bénéfice d'un changement de fond ne serait pas la moindre contribution à une étude des fonctions assumables par une forme ancienne quand se dessine un nouveau contenu. Ne verra-t-on pas, au tournant du siècle en France, le césarisme puiser sa légitimité dans le suffrage universel, dont la Révolution avait fait l'attribut le plus constant d'un pouvoir démocratique ? Mais n'est-il pas tout aussi vérifiable qu'un contenu libérateur peut se frayer la voie sous une forme ancienne, qui lui offre appui jusqu'au moment où la forme elle-même se rénove ? Institution d'Ancien Régime, les États généraux ont prêté leur cadre (que modifiait le vote par tête) à un mouvement qui tendait à détruire une société vieillie ; jusqu'à l'heure où ce mouvement transforme les États généraux en parlement, comparable à la Chambre des communes.

Les pages suivantes — qui ne font pas l'unanimité des chroniqueurs — relatent quelques moments d'une histoire où le Petit Conseil n'a pas le beau rôle : illégalités, dénis de justice, violences... On souligne les points les plus signifiants.

1 - L'oligarchie répute séditieux quiconque lui porte ombrage. L'histoire montre pourtant que les trameurs de complot ne se recrutent point chez les paisibles bourgeois, tout à leurs affaires, « ordre moyen » entre les

riches et les pauvres, entre les chefs et la populace (859) ! Composé d'hommes « à peu près égaux en fortunes, en état, en lumières », cet ordre moyen n'est « ni assez élevé pour avoir des prétentions, ni assez bas pour n'avoir rien à perdre ». Un commun intérêt : la justice, qui est égalité de tous devant une loi observée par tous, dans le respect de la constitution, des magistrats qu'elle institue, et la tranquillité de l'État. C'est aux « deux extrêmes » qu'il faut chercher ceux par qui l'État toujours « dégénère ». Quand il y eut, quand il y a « complot » contre la démocratie genevoise et les droits du citoyen, cherchez les responsables chez ceux qui sont trop riches pour ne pas souhaiter que Genève tombe au pouvoir de leur argent. Une opulente minorité peut escompter le concours des misérables ; le pauvre aimant mieux du pain que la liberté, le riche « tient la loi dans sa bourse » (890).

2 - Tronchin, beau joueur, n'exonère par le Petit Conseil de toute erreur, de toute injustice. Mais Rousseau refuse de mettre sur un même plan l'abus que les puissants font de leur pouvoir, et celui (s'il se rencontre) qu'un peuple fait de sa liberté. Car c'est le faible qui supporte les effets du premier genre d'abus ; celui-ci « ne tournant point au préjudice du puissant, mais du faible, est par sa nature sans mesure, sans frein, sans limites : il ne finit que par la destruction de celui qui seul en ressent le mal » (891). Mais si un peuple mésuse de sa liberté, il est sa propre victime ; il est donc contraint de corriger lui-même le mal qu'il se fait.

3 - Rousseau, jeune encore, avait découvert qu'il est des situations trop privilégiées pour ne pas « nécessiter » ceux qui les occupent à maltraiter les autres. D'où cette note au bas de la 9ᵉ *Lettre :* « La justice dans le peuple est vertu d'état ; la violence et la tyrannie est de même dans les chefs un vice d'état. Si nous étions à leurs places, nous autres particuliers, nous deviendrions comme eux violents, usurpateurs, iniques » (891). Que des magistrats aient personnellement les hautes vertus (intégrité, modération, justice) dont ils gratifient les gouvernants pour obtenir la « confiance que nous ne leur devons pas », soit ! Cela n'autorise point à postuler ces vertus dans un corps qu'il faut savoir toujours maintenir sous la loi. Car ceux qui jouissent d'un « état de préférence » veulent la préférence partout. Et s'ils veulent des lois c'est pour « se mettre à leur place et pour se faire craindre en leur nom » (892). Dès lors, quiconque prétend les défendre contre ceux qui, si besoin est, les violent, est déclaré rebelle et séditieux. Et vous serez suspect si vous faites observer les différences entre le texte des lois et la version qu'en donne le Petit Conseil... Cette immorale transgression de la loi au nom de la loi est d'autant plus malfaisante que les puissants qui se la permettent trouvent partout des appuis : ligue « naturelle » des forts contre les faibles dispersés.

4 - « C'est autour des individus, écrit admirablement Rousseau dans la septième Lettre, qu'il faut rassembler les droits du Peuple, et quand on peut l'attaquer séparément on le subjugue toujours » (827). Un des

plus redoutables procédés ? Détailler et graduer l'offensive contre les défenseurs de la liberté populaire. Souvent dénoncé par les philosophes du siècle, Helvétius notamment, il a bien des fois servi jusqu'à nos jours, et trop souvent donné le change à trop de gens. Étrange « totalitaire », ce Rousseau genevois... « Le vrai chemin de la Tyrannie n'est point d'attaquer directement le bien public ; ce serait réveiller tout le monde pour le défendre ; mais c'est d'attaquer successivement tous ses défenseurs, et d'effrayer quiconque oserait encore aspirer à l'être. Persuadez à tous que l'intérêt public n'est celui de personne, et par cela seule la servitude est établie ; car quand chacun sera sous le joug, où sera la liberté commune ? » (893).

Comment une immédiate et totale répression contre quiconque ose un cri ne dissuaderait-elle pas tout autre de protester ? (Addition du manuscrit de Neuchâtel : « Et qui voudra payer pour tous, sûr d'en être abandonné » ?) Perfide habileté d'un gouvernement qui sait, pour sévir contre les « zélés », traiter les autres avec justice, « jusqu'à ce qu'il puisse être injuste avec tous impunément » (894). Cohérence d'un « système » encore plus terrifiant dans un petit État, quand nul ne peut, comme dans un grand, se perdre dans la foule obscure où les puissants n'inquiètent point le peuple pourvu qu'il paye. Constamment apeuré, éprouvant à « chaque instant de sa vie le malheur d'avoir ses égaux pour maîtres », quel Genevois pourra faire un pas « sans sentir le poids de [ses] fers » (894) ? Asservi plus encore qu'aux maîtres, à leurs parents, à leurs amis, à leurs protégés, à leurs espions, il n'aura d'autre alternative qu'être satellite ou victime. Esclavage à la fois politique et civil !

Rousseau ne conclut pas sur un constat d'impuissance. Face à des Magistrats qui ne sont plus les ministres des lois, mais leur « arbitre », le « droit de Représentation » n'étant plus qu'illusoire, et la liberté des citoyens un « leurre », ceux-ci peuvent recouvrer ce qu'ils ont perdu s'ils surmontent leurs divisions et se rassemblent tous autour des grands intérêts communs. « La voix de la justice est trop faible en elle-même, mais elle est imposante ; unissez vos voix pour la faire entendre, et par cela seul elle a vaincu » (Manuscrit de Neuchâtel p. 1720). Mais pour que le dernier mot revienne à la communauté populaire, il faut que marchands, artisans, bourgeois apprennent à gérer leurs intérêts privés sans négliger la vie publique. Abandonner les affaires de la cité à un « corps de Magistrats indépendant et perpétuel, presque oisif par état », n'est-ce pas lui consentir le droit « d'accroître incessamment son empire » ? (888-9). C'est donc la collective redécouverte et l'exercice propre du pouvoir souverain, c'est la vivifiante activité d'une volonté générale en alerte qui décourageront les ennemis de la démocratie genevoise.[64]

Cet appel au civisme reçoit dans le *Contrat* sa justification théorique. Retrouvant au chapitre 11 du livre III la métaphore organique, Rousseau écrit : « Le principe de la vie politique est dans l'autorité souveraine.

La puissance législative est le cœur de l'État, la puissance exécutive en est le cerveau, qui donne le mouvement à toutes les parties. Le cerveau peut tomber en paralysie et l'individu vivre encore. Un homme reste imbécile et vit ; mais sitôt que le cœur a cessé ses fonctions, l'animal est mort » (424).

L'État ne vit que par un peuple qui veut, et se veut. Si l'État subsiste non par les lois, mais par le pouvoir de les faire, c'est parce que ce pouvoir, à l'image du Dieu cartésien, lui donne existence par création continuée. D'où suit que, si nulle loi n'est irrévocable, il suffit d'un « consentement tacite » pour que toute loi non abrogée par le souverain exige obéissance et respect. D'où suit encore qu'en État « bien constitué » la durée n'affaiblit point les lois, mais les fortifie. Si elles s'affaiblissent avec le temps, c'est la preuve que, le pouvoir législatif étant caduc, l'État n'est plus.

Dès le séjour à Venise, Rousseau avait entamé le parcours qui, s'éclairant par l'étude historique de la morale, et la découverte que « tout tenait radicalement à la politique » (*C.* 404), allait le conduire à chercher ce que peut être un gouvernement « propre à former un peuple le plus vertueux, le plus sage, le meilleur enfin à prendre ce mot dans son plus grand sens » (404-5). Un tel gouvernement étant « par sa nature » celui qui « se tient toujours le plus près de la loi », discerner l'essence de la loi devenait la question clé. « Je voyais que tout cela me menait à de grandes vérités, utiles au bonheur du genre humain, mais surtout à celui de ma patrie, où je n'avais pas trouvé dans le voyage que je venais d'y faire les notions des lois et de la liberté assez justes ni assez nettes à mon gré » (405). D'où l'intérêt de quelque rapprochements entre les textes cités tout à l'heure et cette *Lettre à d'Alembert sur les spectacles* que Jean-Jacques écrivit pour « sa patrie » en réfutation de l'article « Genève » publié par d'Alembert dans *l'Encyclopédie*.

On a vu que cette *Lettre* reproche au théâtre de contraindre le pauvre à dépenser, ce qui ne peut qu'accroître « l'inégalité des fortunes ». Quand tous doivent peiner, nul n'est « malheureux de travailler sans relâche » ; « mais n'est-il pas cruel à celui qui travaille de se priver des récréations des gens oisifs ? » (*LA.* 217) Voilà qui, sans transition, conduit à une réflexion sur formes et dégénérescence de l'État. Dans une monarchie, l'échelle des ordres assure entre prince et peuple une transition graduée. Si des individus passent d'un ordre à l'autre, d'autres les remplacent ; la configuration hiérarchisée du tout n'est point modifiée par une permutation de termes. Mais dans une démocratie où, comme à Genève, les sujets et le souverain ne sont que « les mêmes hommes considérés sous différents rapports, sitôt que le plus petit nombre l'emporte en richesses sur le plus grand, *il faut que l'État périsse ou change de forme* » (218) (nous soulignons). La démocratie n'est pas égalitarisme absolu, mais relative unité d'une égalité et d'une inégalité liées en elle de telle façon que soit préservée la configuration du tout. Enrichir le riche ou appauvrir le pauvre, si une certaine

« mesure » est dépassée, rompt l'« équilibre » propre au démocratique. C'est donc un déséquilibre interne qui provoque soit la mort, soit le passage d'une forme à l'autre. L'auteur de la *Lettre à d'Alembert* reconnaît au « temps » l'indestructible pouvoir d'entraîner une société démocratique sur la « pente naturelle » d'une croissante inégalité. Causalité inscrite dans « l'ordre des choses » (218) ; mais il appartient à la volonté humaine d'« accélérer » (219) ou non, par libre causalité, cette involution naturelle.

Tout cela se retrouve, amplement développé, dans le *Contrat* et les *Lettres de la Montagne*.

D'autres rapprochements seraient à faire entre la neuvième *Lettre de la Montagne* (et l'ensemble de cet ouvrage) et des textes antérieurs au *Contrat*. En particulier pour l'emploi de la notion d'abus essentielle dans une théorie de l'usurpation. « Abus » est un des maîtres mots de la neuvième *Lettre*.

Abus du « dépôt » confié par le législateur à ceux qui « se font obéir au nom des lois en leur désobéissant eux-mêmes. » C'est « la seule manière » dont s'altère et se détruit l'ouvrage du législateur. « Alors la pire chose naît de la meilleure, et la Loi qui sert de sauvegarde à la tyrannie est plus funeste que la Tyrannie elle-même » (*LM.* 843).

« Abus » du Droit négatif. A-t-on jamais vu comme à Genève un corps exécutif « expliquer, éluder, transgresser à volonté » des Lois préalablement livrées « à sa merci » (871) ? « Abus » dont le grand nombre ne perçoit pas le sourd « progrès » et ne prévoit pas la « conséquence ». Innovation par quoi la puissance exécutive « altère quelque usage » à des fins soigneusement dissimulées. Il s'agit de ces « abus de la puissance » que Rousseau distingue de l'abus qu'un peuple peut faire de sa liberté.

Mais, si Rousseau rappelle ce chapitre du *Contrat* (IV, 5) où il blâme le peuple romain d'avoir usurpé la puissance exécutive qu'il devait seulement contenir, où il expose comment « le pouvoir excessif des Tribuns usurpé par degrés servit enfin, à l'aide des lois faites pour la liberté, de sauvegarde aux Empereurs qui la détruisirent » (454), c'est pour retourner contre Tronchin l'« exemple » que celui-ci prétend opposer à Rousseau et aux démocrates genevois : l'extension illimitée du droit tribunicien d'opposition aux magistrats fit le malheur de la république romaine. Réponse de Rousseau : « ... les fers des Romains ne furent point forgés dans Rome, [que les tribuns avaient interdiction de quitter], mais dans ses armées », même si César se servit des tribuns comme Sylla s'était servi du Sénat. C'est par les « conquêtes » que les Romains perdirent leur « liberté » ; « il fallait des chefs aux armées éloignées, et il était sûr qu'un de ces chefs deviendrait le maître de l'État : le tribunat ne faisait pas à cela la moindre chose » (*LM.* 880 , note de l'auteur) Rousseau n'a-t-il pas montré dans son *Contrat* tout ce qu'une « bonne constitution » pouvait attendre d'un tribunat

« sagement tempéré » (454) ? Voyez, écrit-il dans la *Lettre,* « ce que fit le Tribunat avec ses abus ; que n'eût-il point fait bien dirigé ? » (880).

Dans *l'Inégalité,* Rousseau professe que « les vices qui rendent nécessaires les institutions sociales sont les mêmes qui en rendent l'abus inévitable » (187). Il écrira plus tard, dans l'Avant-Propos de son *Projet pour la Corse :* « Toutes choses ont leurs abus souvent nécessaires et ceux des établissements politiques sont si voisins de leur institution que ce n'est presque pas la peine de la faire pour la voir si vite dégénérer. » (901)

Ici et là, c'est la scission du corps politique initialement indivis, la séparation gouvernants/gouvernés qui est aux origines de l'inévitable. L'anthropologie gardant toujours son droit, ne faut-il pas rappeler que l'homme-individu a perdu sa simplicité native par la différenciation des facultés qui sommeillaient dans l'humanité première ? Et de même que l'abus des facultés qui honorent le genre humain a causé son malheur historique, ainsi la croissance désordonnée de ces facultés altère l'équilibre de l'individu, soumet son libre et raisonnable vouloir aux puissances d'hétéronomie. C'est dans la « disproportion de nos désirs et de nos facultés que consiste notre misère » décrit Rousseau dans *l'Émile.* Un être sensible dont les facultés égaleraient les désirs serait un être absolument heureux. « En quoi donc consiste la sagesse humaine ou la route du vrai bonheur ? Ce n'est pas précisément à diminuer nos désirs ; car, s'ils étaient au-dessous de notre puissance, une partie de nos facultés resterait oisive, et nous ne jouirions pas de tout notre être. Ce n'est pas non plus à étendre nos facultés, car si nos désirs s'étendaient à la fois en plus grand rapport, nous n'en deviendrions que plus misérables : mais c'est à diminuer l'excès des désirs sur les facultés, et à mettre en égalité parfaite la puissance et la volonté. C'est alors seulement que, toutes les forces étant en action, l'âme cependant restera paisible, et que l'homme se trouvera bien ordonné. » (*E.* 304-5.) L'homme sage s'appartient, et se gouverne ; un peuple sage conserve le contrôle de tout pouvoir qu'il institue.

Mais c'est *l'Économie politique* qui, parmi les textes antérieurs à la publication du *Contrat,* donc aux *Lettres de la Montagne,* fait l'emploi le plus raisonné de la notion d'abus. Celle-ci dérive de la radicale différence entre « gouvernement domestique » et « gouvernement civil », entre le « pouvoir paternel » établi par la nature et le caractère conventionnel du pouvoir politique, le magistrat ne pouvant « commander aux autres qu'en vertu des lois ». Et voilà pourquoi, « l'intérêt public et les lois [n'ayant] aucune force naturelle » (par opposition à l'autorité paternelle), les abus sont inévitables et leur suite funeste dans la « société politique ».

« ...Le pire de tous les abus est de n'obéir en apparence aux lois que pour les enfreindre en effet avec sûreté. Bientôt les meilleures lois deviennent les plus funestes : il vaudrait mieux cent fois qu'elles n'existassent pas ; ce serait une ressource qu'on aurait encore quand il n'en reste plus. Dans une pareille situation l'on ajoute vainement édits sur édits, règlements sur règlements. Tout cela ne sert qu'à introduire d'autres abus sans corriger les premiers. » (*EP.* 253) Les abus dont il est ici question ne sont pas imputables aux seuls magistrats. Ils sont l'effet d'une « corruption » qui est celle du peuple et celle des chefs quand l'intérêt général n'est plus celui de personne. La page suivante est de celles qui donnent au tableau de la « confédération sociale » sa rigueur critique. On retiendra l'inévitable mutation de tout remède en son contraire, quelque « sage » puisse être le gouvernement, dans une société où la volonté générale ne s'entend plus. Les meilleures lois deviennent les pires. Les surveillants institués pour débusquer les infracteurs deviennent infracteurs eux-mêmes ; ils s'associent avec les autres, ou font « pillage à part ». « Bientôt le prix de la vertu devient celui du brigandage : les hommes les plus vils sont les plus accrédités ; plus ils sont grands, plus ils sont méprisables ; leur infâmie éclate dans leurs dignités, et ils sont déshonorés par leurs honneurs. S'ils achètent les suffrages des chefs ou la protection des femmes, c'est pour vendre à leur tour la justice, le devoir et l'État ; et le peuple, qui ne voit pas que ces vices sont la première cause de ses malheurs, murmure et s'écrie en gémissant : "Tous mes maux ne viennent que de ceux que je paye pour m'en garantir." » (253)[65]

Par un enchaînement comparable à ceux que décrit *l'Inégalité* les chefs ne savent désormais se faire obéir que par terreur ou tromperie (« le leurre d'un intérêt apparent »). Recours aux « petites et méprisables ruses qu'ils appellent *maximes d'État, et mystères du cabinet* » (253).

La logique de l'abus est à l'œuvre aussi dans l'économie d'une société qui sacrifie les besoins publics aux intérêts d'une minorité maîtresse du pouvoir : « Si le peuple se gouvernait lui-même, et qu'il n'y eût rien d'intermédiaire entre l'administration de l'État et les citoyens, ils n'auraient qu'à se cotiser dans l'occasion, à proportion des besoins publics et des facultés des particuliers ; et comme chacun ne perdrait jamais de vue le recouvrement ni l'emploi des deniers, il ne pourrait se glisser ni fraude ni abus dans leur maniement : l'État ne serait jamais obéré de dettes, ni le peuple accablé d'impôts, ou du moins la sûreté de l'emploi le consolerait de la dureté de la taxe. »

La société civile compte, hélas, trop de membres pour s'autogouverner. Les « chefs » à qui sont confiés les deniers publics donnent à leurs intérêts priorité sur celui de l'État. Victimes des procédés qui le dépouillent du nécessaire « pour fournir au superflu d'autrui », le peuple s'aigrit au point que « la plus intègre administration » échouerait à regagner sa confiance. C'est alors l'impasse et l'enfermement. Sous forme d'un choix contraignant. Ou l'impuissant appel aux contributions volontaires, ou l'illégitime recours aux contributions forcées. Ou « laisser périr l'État », ou s'en prendre au « droit sacré de la propriété, qui en est le soutien » (264). (Le *Contrat,* postérieur à *l'Économie politique,* surbordonnera ce droit de propriété au pacte associatif, seul fondateur de légitimité.)

Pratiquer la démocratie

Ces quelques pages sur la notion d'abus s'inscrivant dans un développement sur « usurpation », rejoignons maintenant le texte du *Contrat*... C'est la théorie de la souveraineté populaire qui peut seule donner à la critique de l'usurpation un irrécusable principe. Et puisque le souverain, c'est le peuple en personne, celui-ci ne saurait agir qu'assemblé. Chimère, le peuple assemblé ? La « nature » des hommes ne se juge pas sur les « faiblesses », les « vices », les « préjugés » qui bornent aujourd'hui l'horizon. « Les âmes basses ne croient point aux grands hommes ; de vils esclaves sourient d'un air moqueur à ce mot de liberté. » (*CS.* 425)

L'histoire des Romains suggère une plus juste idée du possible dans les « choses morales ». Plusieurs fois par semaine, s'il fallait, ce peuple « immense » s'assemblait sur la place publique : souverain toujours ; magistrat au besoin ; juge parfois.

Aux « premiers temps des nations » n'y avait-il pas de « semblables conseils » dans la plupart des « anciens gouvernements », fussent-ils monarchiques ? « De l'existant au possible la conséquence me paraît bonne. » (426)

Objectera-t-on que ce qui se recommande pour une seule ville se déconseille à un État qui en compte plusieurs ? Rousseau rejette à la fois le partage de l'autorité souveraine entre ces villes, et sa concentration dans une capitale. Le premier refus se fonde sur l'essence une et simple de souverain ; le diviser, c'est le détruire. Le second se fonde sur l'essence du corps politique, « accord de l'obéissance et de la liberté ». Chacun de ses membres ne peut être sujet qu'il ne soit citoyen ; il ne peut être citoyen qu'il ne soit sujet. L'assujettissement d'une ville (ou d'une nation) à une autre est donc illégitime.

L'union de plusieurs villes en une cité unique étant source « d'inconvénients naturels », Rousseau propose deux solutions :

a) Si l'État ne peut être réduit à de « justes bornes », point de capitale. Le gouvernement siègera alternativement dans chaque ville, où se rassembleront tour à tour les « États du pays ». Rousseau donnera ce conseil aux Corses. Assurez un peuplement égal du territoire, faites partout régner, égalité, abondance et vie. Vous aurez l'État « tout à la fois le plus fort et le mieux gouverné qu'il soit possible » (*CS.* 427).

b) Deuxième solution (chapitre 15). Si nous voulons que le souverain conserve « l'exercice de ses droits », il convient que la cité soit très petite ; « on peut réunir la puissance extérieure d'un grand Peuple avec la police aisée et le bon ordre d'un petit État » (431). Dans le *Manuscrit de Genève,* Rousseau estime que l'État devrait se borner à une seule ville.

Mais, s'il n'est souveraineté que du peuple assemblé, des règles sont à respecter pour que cette assemblée organise sa souveraineté, l'assure contre le risque d'usurpation.

a) Instituer — outre les assemblées extraordinaires exigées par l'imprévu — des assemblées fixes et périodiques. Ces assemblées du peuple, rien ne doit pouvoir les abolir ni les proroger ; le peuple s'assemble au jour marqué sans « convocation formelle » (426). Thèse contraire à celle de Montesquieu qui refuse au « corps législatif » le droit de « s'assembler lui-même », vu qu'un tel corps n'est censé avoir de volonté que lorsqu'il est assemblé (*Esprit des lois,* XI, 6). La volonté générale étant indestructible, Rousseau rappelle que la souveraineté populaire n'est point anéantie dans l'intervalle qui sépare les assemblées. La constitution genevoise « n'est bonne qu'autant que le Corps législatif agit toujours » (*LMM.* 816). Il est inadmissible que le Conseil Général (= assemblée des citoyens) ne tienne séance que sur décision du Petit Conseil, et que celui-ci s'attribue pouvoir d'écarter du débat les propositions qui ne lui agréent pas.

b) En dehors des réunions à date fixe, l'ordre d'assembler doit, sous peine de nullité, émaner de la loi, appliquée par les magistrats « préposés à cet effet et selon les formes prescrites ». S'il n'y a pas de règles précises à donner sur la fréquence des assemblées légitimes, on peut dire en général que « plus le Gouvernement a de force, plus le Souverain doit se montrer fréquemment » (*CS.* 426).

« A l'instant que le Peuple est légitimement assemblé en corps souverain, toute juridiction du Gouvernement cesse, la puissance exécutive est suspendue, et la personne du dernier Citoyen est aussi sacrée et inviolable que celle du premier Magistrat, parce qu'où se trouve le Représenté, il n'y a plus de Représentant. » (427-8)

Cette suspension de tous pouvoirs par l'assemblée populaire, « égide du politique et « frein du gouvernement », a toujours été redoutée par les chefs (428), qui n'épargnent aucun effort pour dissuader les citoyens d'exercer ainsi leur pleine souveraineté. Que les citoyens préfèrent leur repos à leur liberté, et le gouvernement vient à bout d'un peuple ensommeillé.

Rousseau insistera auprès des Polonais : pour qu'un gouvernement n'usurpe pas l'autorité souveraine, il faut que le législateur l'ait toujours sous les yeux. D'où la méthode à suivre pour que Diètes et Diétines ne sacrifient pas la liberté de leurs membres à des formes qui encourage-raient l'usurpation : que chacun s'y fasse entendre s'il a des choses utiles à dire. « Dès qu'il n'y aura dans les Diètes que certaines bouches qui s'ouvrent, et qu'il leur sera défendu de tout dire, elles ne diront plus que ce qui peut plaire aux puissants » (*CP.* 983).

C'est au terme du livre III que Rousseau tire la plus radicale conclusion du principe selon lequel l'acte instituant gouvernement n'est pas un contrat, mais une loi. Chaque fois que s'ouvre une des assemblées périodiques deux propositions sont à mettre aux voix : 1. « *S'il plaît au Souverain de conserver la présente forme de Gouvernement* ». 2. « *S'il plaît au Peuple d'en laisser l'administration à ceux qui en sont actuellement chargés.* » (*CS*. 436) (Ces quatre lignes ont prioritairement motivé la condamnation du *Contrat social* à Genève.)

L'assemblée du peuple souverain est, chaque fois, un rappel du moment qui a donné vie au corps politique : l'existence du « traité social » ne dépend, aujourd'hui comme hier, que de la volonté de tous les sociétaires. Au premier livre (chapitre 7), Rousseau n'avait-il pas écrit qu'il ne peut y avoir « nulle espèce de loi fondamentale obligatoire pour le corps du peuple, pas même le contrat social » (362) ? Il est donc logiquement et légitimement concevable que tous les citoyens s'assemblent « pour rompre ce pacte d'un commun accord » (436). *A fortiori* l'assemblée du peuple peut-elle non seulement remplacer les titulaires de l'exécutif, mais changer la forme du gouvernement.

Les assemblées populaires périodiques disposant sans appel du pouvoir souverain de faire et défaire, le Prince « ne saurait les empêcher sans se déclarer ouvertement infracteur des lois et ennemi de l'État » (« surtout quand elles n'ont pas besoin de convocation formelle ») (435). Preuves qu'elles sont « propres à prévenir ou différer » l'usurpation...

Si Rousseau met ainsi tout gouvernement à la discrétion du souverain populaire, ce n'est certes point pour inciter aux grands bouleversements. Estimant comme Montaigne et Descartes que ces changements sont toujours dangereux, il écrit « qu'il ne faut jamais toucher au Gouvernement établi que lorsqu'il devient incompatible avec le bien public ». Toutes formalités requises seront respectées pour qu'un « tumulte séditieux » ne soit pas interprété comme « la volonté de tout un peuple ». Mais l'obligation qu'on s'impose de ne pas trop recourir à l'extrême rigueur du droit souverain contre le gouvernement n'est pas sans danger. Un Prince habile en tire avantage « pour conserver sa puissance malgré le peuple, sans qu'on puisse dire qu'il l'ait usurpée ». Une fois de plus la fiction de légalité couvre et dissimule les progrès de l'empiètement. Paraissant n'user que de ces droits, le Prince les étend ; il invoque le « repos public » pour empêcher la réunion des assemblées « destinées à rétablir le bon ordre » ; « de sorte qu'il se prévaut d'un silence qu'il empêche de rompre, ou des irrégularités qu'il fait commettre, pour supposer en sa faveur l'aveu de ceux que la crainte fait taire, et pour punir ceux qui osent parler. »

Interdire aux assemblées législatives de siéger, n'est-ce pas la pratique de « tous les gouvernements du monde » (435) pour usurper tôt ou tard l'autorité souveraine ? Voilà pourquoi les assemblées périodiques institutionnelles sont la meilleure garantie de la souveraineté populaire.

Si la philosophie politique du *Contrat* a pour tâche d'élucider les principes d'un pouvoir légitime, et d'énoncer les conditions propres à prévenir l'usurpation, elle n'exclut point tout régime d'exception. La dictature n'a-t-elle pas, comme l'estimait Machiavel, maintes fois servi la patrie romaine ? Notamment aux débuts d'une république encore faible. « ... C'est une prévoyance très nécessaire de sentir qu'on ne peut tout prévoir. » (455)

Il faut savoir, quand c'est l'unique et l'urgent moyen de sauver la patrie en danger, « suspendre l'effet » des institutions établies par la loi.

Il peut suffire, pour accroître l'activité du gouvernement, de le concentrer entre un ou deux de ses membres, qui administrent les lois sous une « forme » inédite. Mais le péril est tel parfois que « l'appareil des lois » lui-même « soit un obstacle à s'en garantir ». Or « la première intention du peuple » est que l'État ne périsse pas. Le « chef suprême » désigné fait alors « taire toutes les lois » et suspend « un moment l'autorité souveraine ». La mission qui lui est assignée s'accordant sans ambiguïté à la « volonté générale », elle interrompt l'activité législative sans l'abolir. Le magistrat d'exception la fait « taire » et « la domine sans pouvoir la représenter ; il peut tout faire, excepté des lois » (456). On imagine en quelle contradiction se placerait l'auteur du *Contrat* s'il dépouillait le corps politique du pouvoir légiférant !

Quelle que soit la procédure suivie pour conférer la dictature, « il importe d'en fixer la durée à un terme très court qui jamais ne puisse être prolongé ; dans les crises qui la font établir l'État est bientôt détruit ou sauvé, et, passé le besoin pressant, la Dictature devient tyrannique ou vaine » (458). Montesquieu, dans *Grandeur et décadence des Romains,* ne voyait en la dictature qu'une arme du patriciat contre la plèbe. Mais Rousseau ne limite pas sa conception de la dictature au modèle romain. En ses *Considérations sur le Gouvernement de Pologne,* composées bien après le *Contrat,* il écrit sans hésiter : « La Confédération est en Pologne ce qu'était la Dictature chez les Romains : l'une et l'autre font taire les lois dans un péril pressant, mais avec cette grande différence que la Dictature directement contraire à la Législation romaine et à l'esprit du gouvernement a fini par le détruire, et que les Confédérations au contraire n'étant qu'un moyen de raffermir et rétablir la Constitution ébranlée par de grands efforts, peuvent tendre et renforcer le ressort relâché de l'État sans pouvoir jamais le briser. » (*CP.* 998)

Les confédérés de Bar, en février 1768, ont déclenché l'insurrection contre le roi Stanislas-Auguste Poniatowski, protégé de Catherine II. Ils tiennent tête — au moins durant l'hiver 1770-1771 où Rousseau prend la plume pour les soutenir — aux généraux russes. Alors que Mably traite les confédérés de haut, le Genevois considère la « forme fédérative » comme un « chef-d'œuvre de politique ». Comment un État libre survivra-t-il s'il ne sait pas prévoir et affronter les « grandes crises » où son sort se joue ? « Il n'y a que les Polonais qui de ces crises mêmes aient su tirer un nouveau moyen de maintenir la Constitution. »

Sans doute la Confédération est-elle un « état violent dans la République... » (998), mais elle donne à l'exécutif une « vigueur », une « activité », une « célérité » que la Diète ne peut avoir. Loin de détruire la constitution polonaise, les confédérations en sont « le bouclier, l'asile, le sanctuaire ». Le vrai problème, c'est de les « régler » (999). Que les Polonais, réformant leur gouvernement, fixent les cas où le recours aux confédérations sera indispensable et légitime.

« Il y a même de ces cas où par le seul fait toute la Pologne doit être à l'instant confédérée : comme par exemple au moment où sous quelque prétexte que ce soit et hors le cas d'une guerre ouverte, des troupes étrangères mettent le pied dans l'État ; parce qu'enfin, quel que soit le sujet de cette entrée et le gouvernement même y eût-il consenti, confédération chez soi n'est pas hostilité chez les autres. Lorsque, par quelque obstacle que ce puisse être, la Diète est empêchée de s'assembler au temps marqué par la loi, lorsqu'à l'instigation de qui que ce soit on fait trouver des gens de guerre au temps et au lieu de son assemblée, ou que sa forme est altérée, ou que son activité est suspendue, ou que sa liberté est gênée en quelque façon que ce soit ; dans tous ces cas la Confédération générale doit exister par le seul fait ; les assemblées et signatures particulières n'en sont que des branches, et tous les Maréchaux en doivent être subordonnés à celui qui aura été nommé le premier. » (999)

Texte où les historiens de la France de 1792, 1793 et 1794 trouveront matière à comparaison.

Que Rousseau reconnaisse à tout peuple le droit de résistance à l'oppression (venue du dehors ou du dedans), on n'en peut douter. De *l'Inégalité* au *Contrat* ce droit se fonde sur la libre essence de l'humain. C'est l'homme générique qui proteste en tout individu dressé contre l'asservissement. Nous l'avons vu, une même anthropologie donne sens aussi bien à l'entreprise du législateur qu'à l'éducation d'Émile.

Si « les grands craignent plus que la mort une sorte de Gouvernement qui les force à respecter les hommes » (*DI.,* note 1 195), ce respect illégitime inconditionnellement l'esclavage. Il justifie aussi bien la révolte d'un peuple contre le pouvoir despotique (*DI.* 191) que celle d'Émile et ses compagnons de chaîne contre un maître abusif.

La critique du despotisme se fonde, dans le *Contrat,* sur le même principe que dans le *Discours.* Un peuple « peut secouer le joug » (*CS.* 352) pour recouvrer sa liberté. Mais l'objet du *Contrat* n'est pas celui du *Discours.* S'agissant d'élucider « l'essence du pacte social », la problématique de la liberté civile, forme désormais prise par la liberté constitutive d'humanité, s'organise autour de la loi, égale pour tous et pour tous obligatoire. Ce sont dès lors les catégories de volonté générale et de loi qui offrent à la critique de l'usurpation le support d'une philosophie politique, rigoureusement rappelée dans la *Sixième Lettre de la Montagne.* La victime de l'usurpation, c'est donc la souveraineté populaire. D'où suit que le droit de désobéir à l'usurpateur n'est pas

ROUSSEAU

moins légitime que celui de s'insurger contre le despote : « ... à l'instant
que le gouvernement usurpe la souveraineté, le pacte social est rompu,
et tous les simples citoyens, rentrés de droit dans leur liberté naturelle,
sont forcés mais non pas obligés d'obéir. » (*CS.* 422-3)

On a vu au chapitre 18 du livre III la prudence de l'auteur. On ne
saurait dire qu'il incite un peuple à se soulever. Dans la *Huitième Lettre
de la Montagne* il rappellera que les démocrates genevois n'ont jamais
pris les armes « qu'à la dernière extrémité » pour leur seule défense, et
toujours avec « modération » (*LMM.* 851). « Quoi que fassent vos
Magistrats, quoi que dise l'auteur des *Lettres* [*de la Campagne* :
Tronchin], les moyens violents ne conviennent point à la cause juste. »
Y recourir serait tomber dans un piège : « fussiez-vous un instant les
maîtres, en moins de quinze jours vous seriez écrasés pour jamais. »
(852)

Nulle page ne situe mieux la position de Rousseau que l'avant-dernier
alinéa d'un chapitre du *Manuscrit de Genève : Fausses notions du lien
social*. Prétendre que la tyrannie serait légitimable par un « consentement
tacite » est un argument sans poids, si long soit pareil silence. L'usage
arbitraire de la force publique fait assez peur pour qu'on se taise. Et
comment nier qu'un peuple ainsi traité soit impuissant à s'assembler en
« corps » pour manifester sa volonté ? Mais l'argument du muet
consentement se retourne contre qui l'emploie ; car « *le silence des
citoyens suffit pour rejeter un chef non reconnu* (nous soulignons), il
faut qu'ils parlent pour l'autoriser et qu'ils parlent en pleine liberté ».
« Au reste, conclut Rousseau, tout ce que disent là-dessus les jurisconsul-
tes et autres gens payés pour cela *ne prouve point que le peuple n'ait
pas le droit de reprendre sa liberté usurpée, mais qu'il est dangereux de
le tenter* (nous soulignons). C'est aussi ce qu'il ne faut jamais faire
quand on connaît de plus grand maux que celui de l'avoir perdue. »
(*CS.* 1ʳᵉ version, 304)

Une chose, l'inaliénable droit. Autre chose, son usage opportun.
Quant aux formes revêtues par cette reprise sur l'usurpateur, cette
expropriation de l'expropriateur, pourquoi le *Contrat* les définirait-il ?
Le droit de mettre un terme à l'usurpation n'appartenant qu'au peuple
concerné, celui-ci est juge des moyens à choisir.[66]

Critique de la représentation

Fondement d'une critique de l'usurpation, la théorie de la souveraineté
est au principe d'une critique de la représentation. « La Souveraineté
ne peut être représentée, par la même raison qu'elle ne peut être
aliénée ; elle consiste essentiellement dans la volonté générale, et la
volonté ne se représente point : elle est la même ou elle est autre ; il
n'y a point de milieu. Les députés du peuple ne sont donc ni ne peuvent

être ses représentants, ils ne sont que ses commissaires ; ils ne peuvent rien conclure définitivement. Toute loi que le Peuple en personne n'a pas ratifiée est nulle ; ce n'est point une loi. Le peuple anglais pense être libre, il se trompe fort ; il ne l'est que durant l'élection des membres du Parlement : sitôt qu'ils sont élus, il est esclave, il n'est rien. Dans les courts moments de sa liberté, l'usage qu'il en fait mérite bien qu'il la perde. » (*CS.* 429-430) : « ... A l'instant qu'un peuple se donne des Représentants, il n'est plus libre ; il n'est plus. » (431) Un pouvoir est délégable, une volonté ne l'est point. Un peuple peut et doit, pour application des lois qu'il prononce, se faire représenter en une « puissance exécutive » qu'il lie par un mandat impératif. Mais la Souveraineté n'est pas un Pouvoir : elle n'est « que l'exercice de la volonté générale » (368).

A première vue, l'argumentation du chapitre 15 du livre III reprend celle de II, 1. Elles ne se recouvrent pourtant pas exactement. Ici et là l'inaliénabilité de la souveraineté est inaliénabilité d'un vouloir. Mais si, en II, le souverain « ne peut être représenté que par lui-même », c'est parce qu'il n'est « qu'un être collectif » ; « une volonté particulière », on l'a vu, n'a nulle faculté de représenter la volonté de cet « être collectif » qui n'a d'autre existence que celle d'une personne morale et ne pourrait donc avoir qu'une volonté « générale ». Même s'il advient qu'une volonté particulière s'accorde un moment avec la volonté générale, un peuple se dissout et perd sa qualité de peuple s'il se démet de sa souveraineté entre les mains d'un individu. L'objet de ce chapitre est de récuser la thèse classique du monarque souverain.

En II, 1, (368-9) l'inaliénabilité est la nécessaire conséquence de la souveraineté, exercice de la volonté générale. En III, 15 (428-31) l'essence volitive de la souveraineté entraîne simultanément, non pas une, mais deux conséquences couplées en une seule proposition : inaliénabilité, irreprésentabilité.

Rousseau n'utilise pas ici le concept « d'être collectif », l'objet de ce chapitre n'étant point (comme en II, 1) d'invalider la souveraineté d'un homme sur un peuple. Le principe de l'argumentation n'en est pas moins le même ici et là : à la différence du « pouvoir », « la volonté » est intransmissible. (368)

Qui ne reconnaîtrait dans la critique de la représentation le discours de Rousseau contre toute médiation où s'aliène la libre essence de l'humain ? La parole trahie par l'écriture. L'argent monnayé régnant en despote sur l'individu soumis aux rigueurs du marché. Et que dire des clergés qui, s'octroyant le droit de représenter Dieu parmi les hommes, assujettissent les âmes et régentent les peuples ? La *Lettre à d'Alembert* n'est-elle pas, elle aussi, une critique de la représentation ?

Mais l'inaliénabilité du souverain étant celle de sa libre volonté, on voit comment la philosophie cartésienne prête appui à l'auteur du *Contrat*. Chaque volition est toute en l'acte où elle s'effectue ; elle n'est pas plus dédoublable que l'être un qui la produit. Il va de soi qu'en ce chapitre l'être « collectif » de II, 1 se retrouve comme être indivis. La seule façon pour le représentant d'être fidèle au représenté, c'est de n'être qu'un avec lui. L'essence du libre vouloir est donc contradictoire à son éventuelle représentation par une autre volonté. Et quelle légitimité concéder au prétendu représentant d'un vouloir qui, n'existant qu'au présent, peut incessamment modifier ses décisions ? (La dimension temporelle apparaissait déjà en II, 1.) Le dernier mot n'appartient pas moins que le premier à la volonté générale, et nul instant de la durée n'ouvre délégation du vouloir souverain à qui que ce soit. Les « commissaires » qu'il désigne, si besoin est, ne détiennent pas le moindre fragment de souveraineté ; la volonté générale demeure entière dans le peuple entier.

Émile apprend la sagesse que l'homme de la nature pratiquait sans l'avoir apprise : toujours et partout se porter tout entier avec soi. Un peuple qui s'appartient n'a pas de « représentants » (*E.* 843). Peuple représenté, peuple joué... Si la comparaison avec l'enfant-sage se poursuivait, on se souviendrait qu'Émile n'est pas de ces petits messieurs qu'on entraîne à tenir un rôle dans le monde. Il n'a pas de « marchandise » à vendre. Ne paraissant que ce qu'il est et n'ayant à montrer que lui-même, il ne joue personne.

Ce « pouvoir moyen » (*CS.* 428) des députés ou représentants entre peuple souverain et puissance exécutive, Rousseau discerne son origine dans les progrès de l'échange marchand. La genèse du système représentatif avait pour condition la scission historique entre public et privé. Dès lors que, mû par « l'avide intérêt du gain », chacun se consacre à ses « affaires » (429), dans le continuel « tracas du commerce et des arts » (= techniques et métiers), comment le « service public » serait-il « la principale affaire des citoyens » (428) ? Les mêmes raisons qui les déterminent à payer des troupes pour n'avoir pas à se battre leur font nommer des députés chargés de s'occuper à leur place des « choses de l'État ». « A force de paresse et d'argent ils ont enfin des soldats pour asservir la patrie et des représentants pour la vendre. » (428-9) Esprit civique et liberté sont sacrifiés au calcul des profits. Qu'une telle invalidation du système représentatif moderne ait pour contrepartie une valorisation de la cité antique, c'est l'évidence. Même si l'estime de Rousseau pour les anciens ne lui fait pas oublier que leur « liberté » ne pouvait se passer d'esclaves ; le citoyen délibère, l'esclave produit.

« Athènes, lisait-on dans *Économie politique,* n'était point en effet une démocratie, mais une aristocratie très tyrannique, gouvernée par des savants et des orateurs. » (246) Quant aux Égaux, citoyens-soldats de Lacédémone, ils condamnent l'Hilote à l'apartheid.

Mais nul chapitre du *Contrat* ne signale mieux le labeur contradictoire de la plus forte philosophie politique du siècle.

L'admirateur de la démocratie antique apparaît ici tout autant comme un défenseur du Tiers État moderne. Attentif à l'histoire, il considère la députation de « Représentants du Peuple dans les assemblées de la Nation » — « *c'est ce qu'en certains pays on ose appeler le Tiers État* » (*CS.* 429) (nous soulignons) — comme l'aboutissement d'un processus où se composent attiédissement du patriotisme, activité de l'intérêt privée, immensité des États (*cf. Esprit des lois,* XI,8), conquêtes, abus du Gouvernement... L'idée des représentants nous vient du gouvernement féodal, « inique et absurde » gouvernement « dans lequel l'espèce humaine est dégradée, et où le nom d'homme est en déshonneur » (430). Il s'agit des États Généraux tels qu'ils se pratiquaient dans la France d'Ancien Régime. « Ainsi l'intérêt particulier de deux ordres est mis au premier et au second rang, *l'intérêt public n'est qu'au troisième* » (429) (nous soulignons). On notera l'équivalence Peuple-Nation-Tiers État. Par sa critique de la société féodale et sa ferveur plébéienne, sa solidarité de fait avec le Tiers État dépositaire de l'intérêt public, Rousseau s'inscrit en un mouvement qui trouve appui dans son grand ouvrage, avant de le nier.

Rousseau n'authentifie la souveraineté populaire que lorsqu'un peuple n'a d'autre représentant que lui-même. D'où son éloge de la cité grecque. « Chez les Grecs, tout ce que le Peuple avait à faire il le faisait par lui-même ; il était sans cesse assemblé sur la place. » (430) Mais la bourgeoisie révolutionnaire française après avoir, au nom de l'intérêt général, conduit l'assaut du Tiers contre la hiérarchie des « ordres », s'identifie à la nation et s'approprie la souveraineté populaire. Ce n'est pas dans ses rangs que la démocratie directe trouvera des avocats.

Proudhon faisait du *Contrat social* le « code de toutes nos mystifications représentatives et parlementaires » (lettre du 11.4.1851 à Michelet). Thème amplifié, contre le « charlatan genevois », dans son *Idée générale de la Révolution au 19ᵉ siècle* (IV.1). C'est imputer à Rousseau la théorie qu'il combat. La souveraineté étant à la fois populaire et inaliénable, tout système représentatif est destructif de souveraineté. Disciples de Rousseau, les fondateurs du parlementarisme en France ? C'est Destutt de Tracy, et non l'auteur du *Contrat,* qui écrivait : « Le régime représentatif, c'est la démocratie de la raison éclairée. »[67] Rousseau, il est vrai, concluait son chapitre *Des députés ou représentants* par un constat : pour que le peuple souverain conserve « parmi nous l'exercice de ses droits » il faut que la cité soit « très petite » (431).

De ces inaliénables droits populaires, nous avons traité à plusieurs reprises. Le plus important nous semble d'observer d'abord que la condamnation du système représentatif garde mémoire de « l'institution primitive », antérieure, comme il est dit au début du *Projet pour la Corse,* à la séparation de « deux choses inséparables, savoir le corps qui gouverne et le corps qui est gouverné » (901).

La philosophie politique du *Contrat* ne pourrait, sans se déjuger, reconnaître ou concéder que les représentants élus par un peuple ont pouvoir de s'attribuer la gestion des intérêts publics. La politique est aussi commune que la volonté populaire est générale. Elle n'est pas une fonction, moins encore un métier. La république est inconfiscable par un individu ou par un groupe. Mais les Français en sont encore à confondre sujet et citoyen. « Ce nom chez eux exprime une vertu et non pas un droit. » (*CS.* 361) Ils ignorent que le citoyen est, pas essence, membre du souverain.

L'exercice de la souveraineté populaire suppose donc une vie publique, actualisée par les membres du corps politique, qui dit la loi et contrôle son application. « Mieux l'État est constitué, plus les affaires publiques l'emportent sur les privées dans l'esprit des citoyens. Il y a même beaucoup moins d'affaires privées, parce que la somme du bonheur commun fournissant une portion plus considérable à celui de chaque individu, il lui en reste moins à chercher dans les soins particuliers. Dans une cité bien conduite chacun vole aux assemblées. » Quel contraste avec le tableau d'une cité soumise à un mauvais gouvernement ! Pourquoi se rendre à des assemblées où « l'on prévoit que la volonté générale n'y dominera pas » (429) ? Chacun chez soi, chacun ses affaires. Le souriant climat de la Grèce incitait aux rassemblements sur l'agora, pour un débat à ciel ouvert. Le climat des pays nordiques isole les gens, et leurs « langues sourdes ne peuvent se faire entendre en plein air » (431). Comment un peuple sans voix tiendrait-il séance ? Quel rapport politique aurait-il immédiatement de lui-même à lui-même ?

Heureusement et malgré tout Genève est là pour enseigner aux Français les rudiments de la citoyenneté, pour leur apprendre à discerner trois moments distincts : « *Délibérer,* c'est peser le pour et le contre ; *Opiner,* c'est dire son avis et le motiver ; *Voter,* c'est son suffrage, quand il ne reste qu'à recueillir les voix. » (*LM.* 833) Voter n'est pas une fonction, comme s'essaieront à le montrer aux premières années de la Révolution française les adversaires du suffrage universel ; c'est un droit. Contestez ce droit à la moindre fraction du corps politique, et vous substituez une volonté de groupe à la volonté générale.

C'est évidemment le vote par tête qui, chacun des membres de l'assemblée comptant pour un, a les faveurs de Rousseau. Il écrira dans ses *Considérations sur la Pologne :* « Les voix prises par masse et collectivement vont toujours moins directement à l'intérêt commun que prises ségrégativement par individus. » Compter les suffrages des nonces « par Palatinats » favoriserait l'emprise de quelques-uns sur le grand nombre. Il est plus malaisé de corrompre les votants quand chaque voix est indépendante, quand nul ne peut se dérober à sa responsabilité. Les nonces (= députés à la Diète), porteurs d'un mandat précis, voteront « à haute voix, afin que la conduite et l'opinion de chaque nonce à la Diète soient connues, et qu'il en réponde en son propre et privé nom » (988).

Le *Contrat* (IV, 2) condamne le suffrage-acclamation, unanimité radicalement opposée à celle qui enfante le pacte social ; « ... on ne délibère plus, on adore ou l'on maudit » (*CS.* 439). Vote public ? Vote secret ? Tout dépend des ressources morales d'un peuple. Aux premiers temps de Rome, quand « l'honnêteté régnait entre les citoyens », chacun se prononçait à haute voix. Mais quand les suffrages s'achetèrent, le peuple convint qu'ils se donnassent en secret « pour contenir les acheteurs par la défiance, et fournir aux fripons le moyen de n'être pas des traîtres » (452).

Mais que la politique doive être activité publique, œuvre de tous les citoyens, transparente à chacun, c'est une constante maxime de Rousseau. « Quand on voit chez le plus heureux peuple du monde [le peuple helvète] des troupes de paysans régler les affaires de l'État sous un chêne et se conduire toujours sagement, peut-on s'empêcher de mépriser les raffinements des autres nations, qui se rendent illustres et misérables avec tant d'art et de mystères ? » (437) « …Voyez la fréquence des révolutions en Orient où les affaires du Gouvernement sont toujours pour le peuple des mystères impénétrables. » (*FP.* 489)

Le secret des princes a trop souvent causé les souffrances d'un peuple. « La paix, l'union, l'égalité sont ennemies des subtilités politiques. » (*CS.* 437) »… il ne faut pas s'en laisser imposer par ces prétendus secrets de la politique, dont on ne ferait point de mystère s'ils étaient bons à savoir. Ils sont mauvais, ou ils ne sont rien, en tant qu'il n'est question que de rendre heureux les peuples, ce qui est ou doit être l'unique but du gouvernement. L'art (variante : la science) d'y parvenir n'a rien de ténébreux, mais cette obscurité funeste couvre des ressorts (variante : secrets) plus odieux qu'incompréhensibles et qu'on ne nous dit si profonds que de peur que nous ne tentions de les découvrir… » (*ESP.* 656)

Avec ce rejet de la politique-secret fait évidemment connotation une critique de la prolifération des lois et de l'appareil administratif séparé du peuple. Comme l'univers selon Malebranche, la cité perdure par une sage économie des lois. Le plus « vicieux » des peuples, c'est celui qui a « le plus de lois » (*FP.* 493). Peu de lois, aisément mémorisables par tout citoyen…

Préoccupation semblable dans les *Considérations sur le gouvernement de Pologne.* « Peu de lois, mais bien digérées et surtout bien observées. » (1002) C'est la dégénérescence d'un peuple qui fait proliférer une impuissante législation. L'idée s'exprimait déjà dans *l'Économie politique.* Quand la vertu civique n'est plus que souvenir, quand « tous les intérêts particuliers se réunissent contre l'intérêt général qui n'est plus celui de personne » (252), quand « le pire de tous les abus est de n'obéir en apparence aux lois que pour les enfreindre en effet avec sûreté » (253), les meilleures lois deviennent les plus funestes. Accumuler alors édits et règlements pour remédier au mal, c'est provoquer de nouveaux abus sans détruire ceux qu'on a voulu supprimer. « Plus vous multipliez les lois, plus vous les rendez méprisables. » (253)

Rousseau y insiste en un des fragments cités : « ... la multitude des lois annonce deux choses également dangereuses et qui marchent presque toujours ensemble, savoir que les lois sont mauvaises et qu'elles sont sans vigueur. » Tout ce fragment est à connaître pour mesurer l'importance attachée par l'auteur du *Contrat* à la populaire simplicité des lois. Il les veut claires, durablement établies, de tous respectées. Tableau qui contraste avec celui que donnent « journellement » « certaines cours » : multitudes d'Édits et de déclarations, qui font la preuve *a contrario* du mépris porté par un peuple à la volonté du prince et l'incitent à le mépriser « encore davantage en voyant qu'il ne sait lui-même ce qu'il veut » (*FP*. 493).

Revenons donc aux paysans helvètes rassemblés sous leur chêne pour « régler les affaires de l'État ». « Un État ainsi gouverné a besoin de très peu de lois ; et à mesure qu'il devient nécessaire d'en promulguer de nouvelles, cette nécessité se voit universellement. Le premier qui les propose ne fait que dire ce que tous ont déjà senti, et il n'est question ni de brigues ni d'éloquence pour faire passer en loi ce que chacun a déjà résolu de faire, sitôt qu'il sera sûr que les autres le feront comme lui. » (437)

Tout cela s'accorde avec une critique de l'appareil administratif qui transforme le peuple en objet. La politique n'étant point un métier, elle ne peut avoir pour agent que le corps des citoyens. Les magistrats qu'ils élisent ne sont pas propriétaires d'un office ou d'une fonction, mais citoyens temporairement investis par leurs égaux d'une responsabilité publique.

On se souvient de la recommandation aux Corses. « Il ne doit point y avoir d'autre état permanent dans l'île que celui de citoyen, et celui-là seul doit comprendre tous les autres. » (946) La magistrature, ce n'est pas un « état ». Et dans les *Considérations sur la Pologne*, Rousseau écrit : « Tout homme public [...] ne doit avoir d'autre état permanent que celui de citoyen. » (967) Axiome qui généralise le statut conféré à « l'état de pédagogue » dont il ne faut « surtout » pas faire un métier.

Ici encore, l'inspiration du *Discours sur l'Économie politique* garde sa vigueur. L'économie publique d'un État est « populaire » (par opposition à « tyrannique »), quand « règne entre le peuple et les chefs unité d'intérêt et de volonté » (247). Auquel cas les magistrats « appartiennent au peuple » — ce qui est « raison » — et non l'inverse, ce qui s'observe en « pratique », les magistrats préférant leurs intérêts à ceux du peuple quand ils sont ses « maîtres »... On a vu comment dans les *Lettres de la Montagne* Rousseau parcourt les chemins d'une telle usurpation. Aux Polonais il conseille la fréquence des Diètes, le fréquent changement des représentants, le mandat impératif, le « sévère » compte rendu à leurs « constituants » de leur conduite à la Diète.

Il faut donc rappeler l'inaliénabilité de la souveraineté populaire, comme telle irreprésentable. Les « députés du peuple » n'étant point, ne pouvant être ses représentants, ils ne sont « que ses commissaires ». Il n'est donc de loi que « ratifiée » par le peuple en personne. (Il semble bien que la tâche assignée par Rousseau à ces représentants ne soit que de préparer les lois soumises au jugement populaire.) Et l'établissement, le vote de l'impôt ne relèvent que du peuple souverain. N'est-ce pas le moment de rappeler cette note préparatoire au *Projet pour la Corse* : « De tous les gouvernements le démocratique est toujours le moins dispendieux parce que le luxe public n'est que dans l'abondance des hommes, et qu'où le peuple est le maître la puissance n'a nul besoin de signe éclatant. » (*CP*. 947)

Cette confiance dans le jugement populaire se fortifie d'une certitude : si le Législateur est un « homme extraordinaire », c'est la probité de l'homme ordinaire, son dévouement au bien commun, son aptitude à bien juger moyennant loyal débat public qui font la valeur d'une cité. La compétence n'est pas l'exclusivité de quelques-uns ; elle est ou peut être aussi répandue que ce pouvoir de discerner le vrai du faux que l'auteur du *Discours de la méthode* reconnaissant en tout membre de l'espèce Homme. Rousseau observe, dans un des textes préparatoires au *Contrat,* « qu'une des premières lois de l'État » doit être d'interdire le cumul des charges entre les mains d'un seul : « soit pour qu'un *plus grand nombre de citoyens ait part au gouvernement* (nous soulignons), soit pour ne laisser à aucun d'eux plus de pouvoir que n'a voulu le législateur. » (*FP. 488*)

A rapprocher d'un fragment pour la Corse : « *C'est un excellent moyen d'apprendre à tout rapporter à la loi que de voir rentrer dans l'état privé l'homme qu'on a tant respecté tandis qu'il était en place, et c'est pour lui-même une grande leçon pour maintenir les droits des particuliers d'être assuré qu'un jour il se retrouvera dans leur nombre. (PC.* 949)

Ce souci d'associer le plus grand nombre aux responsabilités publiques, de soustraire le gouvernement de la cité au pouvoir des « sociétés partielles » est de pure inspiration démocratique. Il s'exprime aussi dans le *Jugement sur la Polysynodie*. Résumant la pensée de l'abbé de Saint-Pierre, Rousseau expose les raisons qui justifient rotation des attributions au sein de chaque conseil, et même d'un conseil à l'autre. Prévenir la routine (« qui resserre et circonscrit [...] le génie par l'habitude »), et la tentation que tel ou tel se prenne pour « le plus important personnage de l'État » ; élargir le registre des capacités de chacun ; assurer à tout conseiller plus d'indépendance dans le jugement et « plus de liberté dans les suffrages » ; contraindre chacun des gouvernants à répondre de tout ce qu'il fait devant tout autre... Les commis « changeant de bureaux avec leurs maîtres », le temps leur manquera de « s'arranger pour leurs friponneries aussi commodément qu'ils le font aujourd'hui ». (624-6)

Condamnation de toute oligarchie qui accapare l'État et se dérobe au regard du peuple souverain ; transparence des affaires de la cité ; participation de chacun des concitoyens à la vie publique ; possible accès de tous aux gestions d'intérêts commun... la doctrine du *Contrat* est connue. (*cf. Discours sur l'inégalité* : une bonne société se passerait de chefs). On observera néanmoins que, dans la *Septième lettre de la Montagne,* le défenseur de la démocratie genevoise écrit que « l'exercice extérieur de la Puissance ne convient point au Peuple ; les grandes maximes d'État ne sont pas à sa portée ; il doit s'en rapporter là-dessus à ses chefs qui, toujours plus éclairés que lui sur ce point, n'ont guère intérêt à faire au-dehors des traités désavantageux à la patrie ; l'ordre veut qu'il leur laisse tout l'éclat extérieur et qu'il s'attache uniquement au solide ». (826-7) Considération amorcée par une référence aux « principes établis dans le *Contrat social* » : Rousseau distingue entre actes de souveraineté et actes de gouvernement. Or c'est aux gouvernements qu'il appartient de nouer des alliances d'État à État, de déclarer la guerre, de conclure des traités de paix. « Ce sentiment est conforme à l'usage des nations qui ont le mieux connu les vrais principes du Droit politique. » (*LM.* 826)

Les *Lettres de la Montagne* ayant pour objet de défendre la substance et l'esprit du *Contrat,* cette septième Lettre porte à penser que, s'il avait développée dans le grand ouvrage projeté l'étude des « relations externes » renvoyées à plus tard (*CS.* 470), Rousseau n'eût pas confié la diplomatie au peuple souverain. Il est vrai que les magistrats commis à cette fonction par l'assemblée des citoyens sont soumis comme les autres aux lois qu'elle adopte. Ils lui doivent compte et sont révocables. Il est vrai aussi qu'une petite cité n'a que faire d'une diplomatie compliquée dès lors qu'elle jouit de son indépendance économique, et qu'elle confie sa défense au peuple armé...

Peuple armé

Si tous ne peuvent devenir diplomates, tous doivent être soldats.

L'authentique Genevois est citoyen-soldat. « Ceux qui ont vu Genève en armes savent quel ordre y régnait en ce temps-là. J'ose dire que c'était un des spectacles unique sur la terre » (*LM.* 1699 ; non retenu dans le texte définitif ; « unique » est au singulier).

C'est la séparation historique entre gouvernants et gouvernés qui est à l'origine de l'aliénante différenciation entre un peuple et une armée où il se reconnaît plus. Prévu d'abord pour s'inclure dans le *Discours sur l'inégalité,* un passage du manuscrit de la Bibliothèque nationale (qui s'accorde avec le texte définitif) est bien remarquable. « Tant que les Magistrats firent cause commune avec le Peuple, tant que les Chefs et la Nation n'eurent que le même intérêt, l'État n'eut pas besoin d'autres défenseurs que les habitants du Pays ; chacun combattant pour ses foyers, et pour ses autels, il y avait autant de soldats que de Citoyens, la guerre était un devoir pour tous, sans être un métier pour personne » (1357). La seule armée qui vaille pour un peuple libre, c'est précisément le peuple-armée. En ce point comme en d'autres Rousseau restera fidèle à l'impulsion des années cinquante. « La guerre , écrivait-il dans sa *Dernière Réponse à Bordes,* est quelquefois un devoir et n'est point faite pour être un métier. Tout homme doit être soldat pour la défense de sa liberté ; nul ne doit l'être pour envahir celle d'autrui ; et mourir en servant la patrie est un emploi trop beau pour le confier à des mercenaires. » (*DRB.* 82)

La condamnation de l'armée de métier se retrouvera bientôt en troisième partie de *l'Économie politique.* Au fil d'une réflexion sur le rapport entre revenus de l'État et besoins publics. Une des causes d'accroissement de ces besoins, c'est ce « goût des conquêtes » habilement exploité par les chefs sous couvert d'« agrandir la nation ». L'augmentation des troupes, la diversion que font « les objets de la guerre dans l'esprit des citoyens » (268) cumulent leurs effets pour donner aux chefs un plus grand pouvoir au-dedans.

Mais cette politique de conquête induit un autre effet, lui-même cause d'un accroissement des besoins publics : les citoyens se désintéressent de la cause commune. Pourquoi la défendre ? Et pourquoi dès lors les magistrats ne préféreraient-ils pas commander à des mercenaires qu'à des hommes libres ? Pourquoi se priveraient-ils d'utiliser le mercenaire pour assujettir le citoyen ? Ici encore, l'histoire de Rome depuis Marius... .

La dialectique de l'effet-cause n'étant pas annulable, l'appel aux « troupes réglées » pour opprimer l'habitant sous apparence de contenir l'étranger arrache le paysan à la terre. D'où la diminution de la « qualité des denrées » et l'alourdissement des impôts nécessaires à l'entretien de pareille armée. Les peuples murmurent ? Multiplions le soldat, donc leur misère pour le réprimer.

Fiers de l'avilissement propre à l'homme qui se vend bien, comment les mercenaires n'eussent-ils pas méprisé à la fois les lois qui les protégeaient et leurs frères dont ils mangeaient le pain ? C'est donc « par état » qu'ils tiennent « le poignard levé sur leurs concitoyens, prêts à tout égorger au premier signal » (269). Voie libre pour César.

Mais que dire de l'Europe aujourd'hui ?

L'invention de l'artillerie et des fortications ayant contraint les souverains à recruter des troupes réglées pour garder leurs places, la conséquence à court terme est prévisible : paysans racolés, peuples ployant sous l'impôt et ruinés tôt ou tard. « ... les premières troupes réglées sont en quelque sorte les premières rides qui annoncent la prochaine décrépitude du gouvernement ». Un des signes les plus sûrs auxquels se reconnaissent la jeunesse, la vigueur d'une nation, c'est que tous les citoyens sont soldats en temps de guerre et ne le sont plus en temps de paix. Faire de la guerre un « véritable métier à part », ceux qui l'exercent formant une « classe particulière » (variante : « une classe à part des autres citoyens »), pareille pratique n'est imaginable que par un peuple où la conscience de l'intérêt commun a perdu sa vigueur (*ESP*. 614).

On a vu comment Rousseau propose aux Corses, s'ils veulent retrouver leur « état primitif », le « modèle » des Suisses rustiques et laborieux. Mais leur réputation fit leur malheur. Les princes « commencèrent à solder ces troupes qu'ils n'avaient pu vaincre ». Ceux qui avaient si bien défendu leur liberté devinrent ainsi les oppresseurs de la liberté d'autres peuples. Vendant à prix d'argent « les vertus qui se paient le moins » (*PC.*) ils allaient insensiblement s'avilir. Un Français s'achète pour 4 sols par jour, un Suisse pour 5.

Les mercenaires importés de Suisse ternissent l'image de leur peuple. Mais dans ses *Considérations sur le Gouvernement de Pologne,* l'auteur rappelle les mérites du « système militaire » que s'est donné la libre Helvétie. Plutôt que de solder des troupes pour assurer la défense du pays, les citoyens préfèrent payer de leur personne. Pourquoi les Polonais, que la plus coûteuse armée de métier ne protègera jamais contre de si puissants voisins, ne s'inspireraient-ils pas d'un tel exemple ? Consacrant un chapitre des *Considérations* au « système militaire », Rousseau reprend presque littéralement une phrase de l'*Héloïse* (233) : « Tout citoyen doit être soldat par devoir, nul ne doit l'être par métier » (*CP*. 1014).

La nation polonaise étant différente du reste de l'Europe et ne nourrissant aucun désir de conquête, elle se garantira de la « destruction » si elle sait se pourvoir du système militaire le plus convenable à son irréductible caractère.

Haute sagacité de ces pages. Elles concernent aussi bien la tactique d'une armée nationale que son recrutement, son entraînement, le réciproque rapport entre elle et la population. Pour Rousseau, le meilleur d'un peuple est paysan ; mais les vertus paysannes sont celles de l'homme libre, non du serf. En Pologne, les serfs émancipés seraient les meilleurs fantassins.

Rousseau sait bien que l'émancipation des serfs par la noblesse n'est pas à l'ordre du jour. Mais, les villes étant très nombreuses, que les bourgeois constituent leur « milice » ! Cela reviendrait moins cher que l'armée permanente recrutée par la Couronne. En Suisse les milices n'arrachent point les hommes à leurs travaux et ne grèvent pas le budget de l'État, qui ne verse une solde aux miliciens que lorsqu'ils vont en campagne. Dans la vaste Pologne des miliciens seront toujours sur pied si l'on pratique un roulement annuel. Chacun sera périodiquement appelé à l'exercice. Ainsi la nation polonaise disposera sur tout le territoire d'une armée toujours prête et peu coûteuse. Elle s'épargnera les maux que les habitants ont toujours à subir d'une gent militaire partout répandue. Pareille innovation suppose que l'opinion publique ne traite plus le soldat comme un « bandit » qui se vend pour vivre, mais « comme un citoyen qui sert la patrie et qui est à son devoir » (1016). A Genève on est fier de s'exercer aux armes sous les yeux des siens.

Dans l'armée polonaise rénovée, ce n'est pas le « rang », le crédit, la fortune qui décideront du choix des officiers, mais l'expérience et le talent. Dès lors qu'il n'y aurait plus danger à confier l'autorité militaire au roi élu, cette armée retrouverait l'unité de commandement qui lui fait défaut.

Mais l'ordre équestre ? Implantez dans tous les palatinats des corps de cavalerie qui suivront les mêmes principes que les milices des villes. Périodiquement convoqué, tout noble en sera membre. Chacun y apprendra l'art de se battre et la discipline. Corrélativement, Rousseau déconseille l'entretien de places fortes, qui tôt ou tard sont des « nids à tyrans », et qui serviront aux Russes quand elles tomberont entre leurs mains. Un puissant ennemi peut envahir la Pologne ; l'étendue de ce pays offre à une population courageuse assez de refuges et de ressources pour lasser l'occupant, pour le piéger.

Mais la nation ne saura tirer parti de tous les « avantages » propres au pays, et méthodiquement exploités, que si l'amour de la patrie et de la liberté la rend invincible. Nous reviendrons sur ce point.

On n'oublie pas que, si Rousseau puise en l'histoire de son pays de probantes raisons de préconiser armée populaire et milice, il trouve encouragement dans Machiavel, dans Montesquieu. Le dernier chapitre du *Prince* recommande institution d'une milice nationale, défense la plus fidèle et la plus ferme contre l'invasion étrangère. Au livre XI de l'*Esprit des lois* (chapitre 6) Montesquieu écrit : « Pour que celui qui exécute ne puisse pas opprimer, il faut que les armées qu'on lui confie soient peuple, et aient le même esprit que le peuple, comme à Rome jusqu'au temps de Marius. »

Pour cela deux moyens : ou l'enrôlement pour un an de citoyens-propriétaires ; ou, si la troupe est permanente, que la puissance législative puisse à tout moment la licencier ; « et qu'il n'y ait ni camp séparé, ni casernes, ni places de guerre ».

Mais la conception que se fait Rousseau de l'armée s'ordonne à sa philosophie politique. Le peuple n'est représentable que par soi. Le droit au port d'arme ne se délègue pas plus que la souveraineté. La seule armée légitimable est donc populaire et démocratique. Telle est la condition pour que l'homme au fusil, n'acceptant jamais pour mission que la défense du sol national, ne se retourne jamais contre ses frères. Et l'histoire des deux derniers siècles a plus d'une fois montré qu'on ne vient pas à bout d'un peuple qui sait conduire contre un ennemi trop sûr de lui la « petite guerre » (*CP.* 1017) si pertinemment décrite dans les *Considérations sur le Gouvernement de Pologne.*

Quoi de plus novateur que ce tableau du peuple en armes ? Nul texte ne signifie avec plus de relief l'indivise unité du citoyen et de la nation.

Comme l'essence Homme est immédiate à tout membre de l'espèce en « état de nature », la patrie est immédiate à chacun des siens. Là se juge le grand législateur : former si bien les nœuds de la concitoyenneté populaire que chacun n'ait existence et force que par la force et l'existence de tous les autres ; et qu'il ne sache désormais se reconnaître, se connaître et se vouloir lui-même qu'en sa parfaite union avec la patrie.

Rousseau s'exalte au souvenir des Lacédémoniens et de Rome, mais c'est des grands problèmes du temps qu'il s'agit. Le droit à la patrie devient un droit de l'homme, et la conscience populaire s'émeut quand l'honneur national est bafoué. Ceux qui l'ignoraient dans notre pays en font la découverte, aux dépens de la monarchie, après le désastre de Rossbach.

Communauté-Patrie

On a rappelé la part prise par Rousseau à l'élaboration juridico-politique de la catégorie moderne de « nation ». Par lui s'éprouvent et s'affirmissent des vocables et des symboles qui informent une sensibilité collective. La commune intelligence d'une identité nationale défie les sujétions anciennes et conclut à l'absurdité des frontières qui séparent un peuple de lui-même. Et nulle Église ne donne fondement à l'être, aux finalités du peuple-nation. Patrie et patriotisme sont laïcisés désormais. Mais deux observations s'imposent sur le sens donné par Rousseau à patrie et patriotisme.

1 - Les membres du souverain cogénèrent la loi par l'acte d'une volonté raisonnable qui réfléchit les intérêts de la cité. Mais la patrie, « mère commune des citoyens » (*EP*. 258), c'est un acte d'amour qui nous unit à elle. « Jean-Jacques, aime ton pays ! » (*LA*. 248) Les fils de Genève sont « frères », comme ces braves citoyens-soldats du quartier Saint-Gervais. Genève indifférente, n'est-ce pas l'amour malheureux de Jean-Jacques ?

L'adhésion de la volonté du citoyen à la volonté générale, son dévouement à la loi quoiqu'il en coûte, voilà la « vertu ». Mais le patriotisme est « passion ». « ... Les plus grands prodiges de vertu ont été produits par l'amour de la patrie : ce sentiment doux et vif qui joint la force de l'amour-propre à toute la beauté de la vertu, en fait la plus héroïque de toutes les passions. » (*EP*. 255) La plus héroïque, puisqu'elle unifie l'amour-propre (qui socialise la passion-souche) et la vertu qui fait les héros. Suit l'antithèse entre Socrate qui, Athènes étant déjà « perdue », n'a plus pour patrie que le « monde entier » et Caton qui, portant toujours la sienne « au fond de son cœur », ne peut lui « survivre » (255). Non que l'amour de la patrie ne doive rien au « sentiment de l'humanité » (254) ! Mais la patrie concentre l'indécise et flottante « humanité » entre les « concitoyens », qui se voient sans cesse et s'unissent d'intérêt commun. Voilà pourquoi l'éducation donnée aux jeunes Polonais devra leur insuffler l'indestructible amour de leur patrie. Qu'ils en viennent — pour encore citer le *Discours sur l'Économie politique* — à « s'identifier en quelque sorte avec ce plus grand tout, à se sentir membres de la patrie, à l'aimer de ce sentiment exquis que tout homme isolé n'a que pour soi-même, à élever perpétuellement leur âme à ce grand objet, et à transformer ainsi en une vertu sublime cette disposition dangereuse d'où naissent tous nos vices » (259-60). Ce n'est donc pas dans la commisération pour le semblable, mais dans le naturel amour de soi discipliné que le législateur puise l'élan affectif qui, moyennant la formation raisonnée d'une volonté générale, se mue en amour de la patrie.

2 - Mais, dans le mouvement même du *Discours sur l'économie politique* qui définit le patriotisme passion, Rousseau explique, temps fort de cette contribution à *l'Encyclopédie,* que l'amour de la patrie ne peut naître et s'épanouir que si la « mère » des citoyens leur est en effet « commune ». Comment donneraient-ils leur cœur à une « patrie » qui ne les traiterait pas mieux que des étrangers, ou, pis encore, les mettrait à la merci d'individus assez puissants pour qu'ils n'aient pas même faculté d'invoquer la protection des lois ? « Alors soumis aux devoirs de l'état civil, sans jouir même des droits de l'état de nature et sans pouvoir employer leurs forces pour se défendre, ils seraient par conséquent dans la pire condition où se puissent trouver des hommes libres, et le mot de *patrie* ne pourrait avoir pour eux qu'un sens odieux ou ridicule. » (*EP.* 256)

Il n'est patrie que dans la justice. Et celle-ci n'a présence que par l'égalité de tous les citoyens sous un même Droit. Que l'auteur du *Discours* charge cette égalité d'un contenu, la suite du texte en témoigne : si les « utilités » que chacun retire de la confédération sociale fondent l'opulence du riche sur la misère du pauvre, comment celui-ci se reconnaîtrait-il dans la « mère commune » ? Empêcher l'accumulation des richesses par une minorité, c'est « une des plus importantes affaires du gouvernement » (258) ; c'est aussi la première condition à réaliser, à maintenir pour que « l'amour de la patrie » brûle en tous les cœurs. Quand le « rapport » entre citoyens encourage et stimule le développement de l'inégalité, quand il met la « confédération sociale » à la discrétion des puissants et des riches, que peut bien signifier une communauté-patrie ?

Écrite de Môtiers le 1ᵉʳ mars 64, en ces temps où le patriciat genevois fait chèrement payer à l'auteur la publication d'*Émile* et du *Contrat,* une lettre au colonel Pictet donne à la pensée de Rousseau sa plus remarquable expression. « Ce ne sont ni les murs ni les hommes qui font la patrie : ce sont les lois, les mœurs, les coutumes, le Gouvernement, la constitution, la manière d'être qui résulte de tout cela. La patrie est

ROUSSEAU

dans la relation de l'État à ses membres ; quand ces relations changent ou s'anéantissent, la patrie s'évanouit. »

La patrie-relations. La patrie-rapports. Non pas entre des hommes et un fragment du globe, mais entre ces hommes eux-mêmes : « ... l'état moral d'un peuple, lit-on dans un fragment, résulte moins de l'état absolu de ses membres que de leurs rapports entre eux » (*FP*. 511).

Dans *la Lettre à d'Alembert* déjà, c'est cette substance sociale, politique et morale, donc historiquement élaborée, de la patrie genevoise que Rousseau veut sauver de ce qui la menace ? L'*Essai sur l'origine des langues* nie, comme le *Manuscrit de Genève,* que quelque idée de fraternité commune ait uni les hommes épars. Ni la géographie ni la famille n'auraient par leur seul effet donné existence et corps aux « nations ». Que la diversité des langues et l'opposition de leurs caractèrent aient pour causes le climat et la nature du sol, soit. Mais la « langue de convention n'appartient qu'à l'homme » (39). C'est dans un rapport strictement interhumain, la passion, qu'a pu germer le besoin de parler et de communiquer (41-3). Et l'on a vu que, si un peuple libre est un peuple qui s'assemble et parle, un peuple asservi est condamné par le despote à l'éparpillement et au mutisme. Que les langues contribuent à modeler le caractère d'un peuple, tout en en recevant les effets, Rousseau le soulignera au 1.11 d'*Émile.* « Les têtes se forment sur les langages, les pensées prennent la teinte des idiomes, la raison seule est commune, l'esprit en chaque langue a sa forme particulière ; différence qui pourrait bien être en partie la cause ou l'effet des caractères nationaux, et ce qui paraît confirmer cette conjecture est que chez toutes les nations du monde la langue suit les vicissitudes des mœurs ou s'altère comme elles » (*E*. 346).

Ce sont les « relations » entre les hommes, culturellement construites, qui produisent la communauté-patrie. Voilà pourquoi il n'est point de « mère commune » quand, sur un même sol, les rapports entre les hommes privent de sens le mot « patrie » pour ceux qui souffrent offense, oppression, asservissement. Quant aux parasites sociaux — mondains, financiers, grands seigneurs —, « pourvu qu'ils trouvent de l'argent à voler et des femmes à corrompre, ils sont partout dans leur pays ». (*CP*. 960)

Comparez Pologne à Suisse... Chaque habitant de la vieille et rude Helvétie, isolé dans la montagne pendant les longs mois d'hiver, devait par ses propres moyens assurer l'existence des siens. Il était paysan, maçon, charpentier, menuisier, charron ; le progrès technique (scie, forge, moulin) lui apporta plus d'aisance sans altérer sa façon d'être. Nul ne dépendait d'un autre. D'où l'invincible force de ce peuple pauvre. « Quand on considère, écrit Rousseau dans son *Projet de constitution pour la Corse,* l'union constante qui régnait entre des hommes sans maîtres, presque sans lois et que les princes qui les entouraient s'efforçaient de diviser par toutes les manœuvres de la politique ; quand on voit l'inébranlable fermeté, la constance, l'acharnement même que ces hommes terribles portaient dans les combats, résolus de mourir ou de vaincre et n'ayant pas même l'idée de séparer leur vie de leur liberté, l'on n'a plus de peine à concevoir les prodiges qu'ils ont faits pour la défense de leur pays et de leur indépendance, on n'est plus surpris de voir les trois plus grandes puissances et les troupes les plus belliqueuses de l'Europe échouer successivement dans leurs entreprises contre cette héroïque nation que sa simplicité rendait aussi invincible à la ruse que son courage à la valeur. » (915).

Mais la Pologne ? Tant que subsiste cette immense distance des fortunes entre haute et petite noblesses, comment l'amour de la patrie serait-il la « passion dominante » ? Le luxe des grands enchaîne tous les cœurs au démon de la cupidité. Rousseau écrivait déjà dans l'*Économie politique* : « Que la patrie se montre donc la mère commune des citoyens, que les avantages dont ils jouissent dans leur pays le leur rende cher, que le gouvernement leur laisse assez de part à l'administration publique pour sentir qu'ils sont chez eux, et que les lois ne soient à leurs yeux que les garants de la commune liberté (258).

La Bruyère constatait qu'il n'y a point de patrie « dans le despotique ». Et l'auteur du *Neveu de Rameau,* ne voyant partout qu'esclaves et tyrans, conclut amèrement qu'il n'y a plus de patrie. Mais il revient à Rousseau d'exprimer le plus fortement une conviction irréductible : c'est la fraternité des citoyens égaux et libres qui fait vivre une patrie et la fait aimer. La patrie est populaire ou n'est pas.

Cette communauté-patrie, n'est-elle pas un leurre quand des « associations » particulières imposent leur volonté, et quand « les lois et l'exercice de la justice ne sont parmi nous que l'art de mettre le Grand et le riche à l'abri des justes représailles du pauvre » ? (*FP.* 496). On a vu comment des brigues entravent la formation et l'exercice de la volonté générale. Si telle association devient assez puissante pour l'emporter sur les autres, ce qui lui convient est censé représenter la volonté générale et convenir à tous les sociétaires. Les lois ne sont plus alors qu'une mensongère dénomination des « décrets iniques qui n'ont pour but que l'intérêt particulier » (*CS.* 438).

[L'*Économie politique* évoquait déjà cette emprise des sociétés particulières, permanentes ou non —, chacune ayant « ses intérêts et ses maximes » —, sur la « société politique » (245) : elles mettent parfois leur force au service d'une volonté qui, bonne en son ordre, est vicieuse au plan public. Tel, prêtre dévot, ou brave soldat, ou praticien zélé (« praticien » peut s'entendre ici de l'homme de loi, du médecin...) n'est pas forcément bon citoyen.

Un peuple ne sait pas reconnaître son bien quand il délibère sous l'influence d'intérêts qui ne sont pas les siens. Alors se fait à l'avantage des « corps » particuliers une scission secrète, une « confédération tacite » entraînant la ruineuse division du corps social. C'est cette réelle opposition des intérêts qui est la source des « contradictions apparentes » dans la conduite de tant d'hommes doubles : scrupuleux et fidèles jusqu'au bout à des « engagements souvent illégitimes », d'autre part « trompeurs et fripons », insensibles « aux plus sacrés devoirs ». Ainsi les brigands qui, « ennemis de la vertu dans la grande société, en adorent le simulacre dans leurs cavernes » (247).]

Le brigandage se couvrant de la « foi publique », n'est-ce pas l'universelle et vieille imposture que la philosophie du *Contrat* voudrait rendre impossible ? Les paysans suisses qui s'assemblent sous un chêne pour délibérer et décider de la chose publique sont trop liés par la communauté des modes de vie et par la solidarité des intérêts pour que leur volonté générale soit altérée, dévoyée ou confisquée par quiconque. C'est à de tels hommes que pense l'auteur d'*Émile* écrivant : « C'est la campagne qui fait le pays et c'est le peuple de la campagne qui fait la nation. » (852) Rapprocher ce fragment pour le *Projet Corse* : l'amour de la patrie « se cultive avec les champs ». (941)

Mais, s'il justifie la limitation de la propriété privée, le grand ouvrage de Rousseau, — on l'a vu sur Égalité-Liberté —, n'offre nul moyen d'enrayer l'expansion des intérêts « particuliers » que son auteur redoute.

Ramsay, on l'a rappelé, réprouvait la doctrine contractualiste du lien entre les hommes, bonne pour une compagnie de marchands, pour une société qui a perdu son âme. Or c'est dans un contractualisme, qui se refonde en une théorie de la volonté générale et de la loi, que Rousseau cherche protection contre la triomphale expansion des intérêts « particuliers ».

Réprouvant ces sociétés dissociatives qui menacent ou dissolvent le lien direct entre citoyen et patrie, le *Contrat* concourt à l'abolition des « ordres » qui partagent et hiérarchisent une société, — sans parler des corporations et des jurandes. Mais si la loi Le Chapelier s'applique en principe aux entrepreneurs comme aux salariés, n'est-ce pas l'unifiant État de droit qui assurera protection de la loi à ce qu'on appellera société anonyme par actions ? Ce n'est point malgré l'État de la volonté générale, des citoyens égaux et libres que la « confédération sociale » dont Rousseau détaille l'inhumanité fera le malheur des faibles en servant la cause des forts. Les intérêts privés-communs d'une classe parlent, par médiation d'un tel État, la langue de l'universel. On sait comment la Révolution française effectuera la définitive séparation entre vie politique et société civile. D'un côté la sphère des besoins, du travail, de la propriété, de l'échange, du chacun-pour-soi. De l'autre une impersonnelle communauté entre individus épurés des concrètes déterminations du rapport social. C'est précisément le conflit propre à une telle société, champ clos des intérêts privés, qui donne existence à l'État de la volonté générale, — abstraction qui n'abolit pas l'atomisation propre à ce que Marx dénommera, dans sa critique de la philosophie hégélienne du Droit, la société « civile-bourgeoise » ; elle dérive de cette atomisation et la répète. Il est illusoire d'exiger ou d'attendre de l'impersonnel État de droit un dépassement des antagonismes dont il procède. Mais cette illusion est elle-même enfantée par une société qui ne peut se reproduire sans produire, par nécessité d'essence, l'apparence de ce qu'elle n'est pas.

Rousseau, convaincu qu'il a mis au jour pour la première fois l'essence de la « loi », ne l'est pas moins que la loi ne pourra, par la seule efficace du droit, attacher indissolublement le citoyen au service du bien commun. Et sa mécompréhension des rapports effectifs entre individu et société l'encourage à faire de la conscience de l'individu l'ultime ressource contre les forces du mal social. Si la vertu civique n'est que la conformité de la volonté particulière à la « générale » (*EP*. 252) et s'il faut donc, pour que le corps politique soit et que la patrie vive, assurer le règne de la vertu, n'est-ce pas parce que la véritable force de l'État a sa source dans la volonté de chacun de ses membres ? La substance de l'État, et de chacune de ses institutions, c'est la volonté générale ; mais que serait celle-ci sans le libre vouloir des individus associés ? Quand cette volonté singulière se refuse à l'intérêt général, quand elle s'absorbe dans les intérêts et l'objet d'une société particulière, la nation se perd, l'État se meurt.

Voilà comment la courbe d'une réflexion ancrée dans la libre essence de l'homme-individu, dans le maître vouloir d'un être disposant de soi conduit l'auteur d'*Économie politique,* puis du *Contrat,* à chercher dans le « cœur » du citoyen l'unique recours contre la menace que les intérêts dissociatifs font peser sur la cohérence du corps politique et sur l'unité de la nation « La liberté n'est dans aucune forme de gouvernement, elle est dans le cœur de l'homme libre, il la porte partout avec lui. » (*E*. 857) Cet appel au dernier mot de l'individu (que la pensée libérale accordera malaisément avec l'image d'une cité « totalitaire ») est, aux yeux de Rousseau, deux fois légitime.

1 - C'est à la conscience individuelle que la philosophie du dictamen, invincible aux objections et aux systèmes des « philosophes », demande de prononcer, dans l'intimité du sentiment, les choix qui engagent une liberté. Comment un rapport social dispenserait-il l'individu de consulter sa conscience pour discerner son devoir ? Comment une morale viciée ferait-elle une honnête politique ? La philosophie du *Contrat* cohère donc avec l'anthropologie de Rousseau : la conscience et la volonté de l'homme-individu jouissent, dans les conditions dérivées du pacte constituant, de cette liberté d'opter et décider qui appartient à l'être générique. Et de même qu'une conscience droite prémunit la raison de l'individu contre les sophismes, elle lui épargne les tentations de l'intrigue, la mobilise contre les puissances de dissolution sociale qui aliènent la loi aux fins de quelques-uns, qui sacrifient la cité aux marchandages ou la précipitent dans la guerre des factions et les conflits de classes.

2 - Mais la philosophie politique du *Contrat,* comme telle, requiert et justifie elle aussi le recours à la conscience-juge et au vouloir de

chacun des citoyens. N'est-ce pas la codécision des volontés individuelles qui produit le corps politique, cette « personne morale » ? La patrie s'identifiant comme ensemble des liens constitutifs d'une fraternelle communauté, il faut qu'elle soit l'œuvre entière des individus-citoyens, cogénérateurs d'un « Moi » dont chacun participe spirituellement.

La catégorie de corps politique autorise donc et fonde Rousseau à confier à l'individu-citoyen la responsabilité, la sauvegarde et l'âme de la communauté. C'est l'adhésion de chacun des sociétaires au devoir de citoyenneté qui donne existence et durée au pacte fondamental. C'est dans son inamovible existence d'être libre, dans l'autodétermination de sa volonté propre que se décident le sort de l'État et le destin de la nation. Vertu civique, éducation nationale, opinion publique, mœurs, religion civile se trouvent ainsi portées au premier plan.

C'est à cet objet que Rousseau consacre nombre de ses plus célèbres pages, et d'autres, peu connues (par ex. l'esquisse d'une *Histoire des mœurs*). Le risque serait grand de plier sous l'accumulation des paraphrases et des commentaires si deux raisons ne nous faisaient par obligation d'y regarder de plus près.

La première, apparemment la plus pressante, la plus communément discernable en tout cas, c'est que, si Rousseau est encore pour beaucoup de nos contemporains le meilleur propédeute à l'intelligence de la démocratie, il est pour d'autres l'initiateur génial des conditionnements populaires, ou même le précurseur des idéologies et des pratiques totalitaires. Plus profonde, la deuxième raison justifie une réflexion attentive aux limites, ouvertures, anticipations d'une philosophie politique rétive aux simplifications. Les difficultés, les incertitudes d'une entreprise théorique impuissante à tarir dans l'État de droit les sources de conflit et à réduire les forces de dissociation encouragent Rousseau à solliciter la subjectivité instruite de l'individu-sociétaire, garant d'une authentique et durable communauté. Sa philosophie de la cité s'orientant vers une pédagogie de la vertu civique, une autodiscipline des consciences, une réforme morale de l'individu social, on se gardera néanmoins de fixer le plus hardi penseur politique du siècle dans le projet et les catégories normatives d'une recomposition volontariste du lien social. Ce serait méconnaître sa lucide recherche de formes de sociabilité aptes à susciter et soutenir, — dans les conditions convenables au « caractère » d'un peuple —, les cohésions et les solidarités, en même temps que la responsabilité, l'invention, la parole de tout acteur de la vie commune ; « ... l'essence de la société consiste dans l'activité de ses membres » (*ESP*. 605) « La patrie ne peut subsister sans la liberté, ni la liberté sans la vertu, ni la vertu sans les citoyens ; vous aurez tout si vous formez des citoyens ; sans cela vous n'aurez que de méchants esclaves, à commencer par les chefs de l'État. Or former des citoyens n'est pas l'affaire d'un jour ; et pour les avoir hommes, il faut les instruire enfants » (*EP*. 259).

Rousseau ne s'écartera jamais de ce programme lapidaire énoncé dans *l'Économie politique.* Vingt-cinq ans plus tard, ce sera l'un des points forts des *Considérations sur le Gouvernement de Pologne.* Dans le *Discours sur les sciences* il stigmatisait déjà cette « éducation insensée » qui, dès les premières années, orne l'esprit et corrompt le jugement ; elle n'instruit pas la jeunesse des devoirs et vertus d'humanité, mais la dresse aux misérables jeux de la sophistique. Ce n'est pas la langue de leur peuple qu'on enseigne aux enfants, mais des langues que nul ne parle plus. « L'institution publique, écrira Rousseau dans l'*Émile,* n'existe plus, et ne peut plus exister ; parce qu'où il n'y a plus de patrie il ne peut plus y avoir de citoyens. Ces deux mots, patrie et citoyen, doivent être effacés des langues modernes » (*E.* 250).

Dans l'œuvre de maturité comme dans le *Discours sur les sciences et les arts* s'énonce le rapport nécessaire entre éducation et patrie, entre civisme et formation morale de la jeunesse. Ce que « nos politiques » ignorent, lit-on encore dans le *Discours,* c'est qu'avec de l'argent on peut tout avoir, « hormis des mœurs et des citoyens » (20). Ah ! si, calculant moins, ils entendaient la leçon de ces peuples paysans sobres et pauvres, qui ont eu raison de vastes empires et de princes opulents...

« C'est dans le gouvernement républicain, écrivait Montesquieu (*Esprit des lois,* IV,5), que l'on a besoin de toute la puissance de l'éducation. » Un tel besoin n'est ressenti ni par le gouvernement despotique, qui subsiste par la crainte, ni par le gouvernement monarchique, qui a l'honneur pour principe. La république est règne des lois. La vertu politique, « amour des lois et de la patrie », impose donc à tout citoyen une « préférence continuelle de l'intérêt public au sien propre ». Cette vertu, source de « toutes les vertus particulières », exige un « renoncement à soi-même qui est toujours une chose très pénible ». L'unique objet de l'éducation est ainsi d'inspirer à chacun des citoyens l'amour de la patrie (*ibid.*).

De Montesquieu à Rousseau la filiation est directe. Le *Discours sur l'Économie politique* consacre à l'éducation publique quelques pages qui évoquent le bref chapitre de l'*Esprit des lois,* alors qu'il s'oppose au Président sur le chapitre de l'impôt (270). Mais le plus important est ici de comparer Rousseau à lui-même, en rapprochant de *l'Économie politique* ces *Considérations sur le Gouvernement de Pologne,* écrites seize ans plus tard. C'est en ces deux ouvrages que peut se lire l'exposé le plus détaillé, le plus cohérent d'une théorie de l'éducation nationale et publique.

On s'en tiendra au fondamental. Non sans une remarque préalable : Rousseau genevois est encouragé par sa formation calviniste à traiter l'éducation du citoyen comme une obligation de l'État. Mais sa conception du christianisme le dissuade de confier une telle tâche à quelque Église que ce soit. Que les Polonais soient profondément catholiques, il le sait. Mais, l'éducation publique ayant pour but la formation de citoyens qui ne font qu'un avec patrie, c'est à la nation polonaise qu'est confiée la tâche. L'auteur des *Considérations* évoque à peine l'Église polonaise, mais en quels termes ! Préconisant l'institution à la charge des contribuables d'un service public d'assistance, ce serait, précise-t-il, « le seul tribut de charité, attendu qu'on ne doit souffrir dans toute la Pologne ni mendiants ni hôpitaux. Les Prêtres, sans doute, crieront beaucoup pour la conservation des hôpitaux (= hospices) et ces cris ne sont qu'une raison de plus pour les détruire » (1025). L'éducation à la patrie, devoir national, n'est confiable qu'à des magistrats publics. La politique n'étant pas métier, former des citoyens ne l'est pas davantage.[68]

Dans l'*Économie politique* il refusait d'abandonner aux pères, à leurs « préjugés » une éducation qui « importe encore plus à l'État » qu'au chef de famille. Phrase biffée : « Car ils pourraient en faire de très bons fils et de très mauvais citoyens. » Il est vrai qu'ils retrouvent en corps, comme « concitoyens », l'autorité exercé par chacun séparément ; la loi prend le relais de la nature...

C'est donc « sous des règles prescrites par le gouvernement et sous des magistrats établis par le souverain » (260) que seront éduqués les enfants. Le « fonction sublime » de l'éducateur (« la plus importante affaire de l'État ») (261) couronnera la carrière de citoyens qui ont fait leurs preuves dans toutes les autres charges. La jeunesse sera donc à l'école des grandes vies : celle de l'illustre soldat, du magistrat intègre.

Même inspiration dans les *Considérations* sur la Pologne. Des « instituteurs » polonais, mariés s'il est possible. Homme de jugement, de lumières, d'irréprochable probité. Un enseignement défini par la loi. Un collège de magistrats de premier rang nommera les chefs d'établissement.

Rousseau souhaiterait la complète gratuité. Qu'au moins des bourses soient attribuées par l'État aux enfants des « pauvres gentilshommes qui [auront] bien mérité de la patrie » ! Titre de reconnaissance qui fera respecter ces « enfants de l'État ». « Distingués par quelque marque honorable », ils auront préséance même sur les enfants de haute aristocratie.

L'unique objet de l'éducation publique, c'est la patrie. Oubliant que la Pologne, partagée en 1772, le sera de nouveau en 93, en 95, on a reproché à Rousseau d'encourager les nationalismes futurs. Mais n'a-t-on pas souvent confondu le clairon de Déroulède et le canon de Valmy ?

Patrie-mère ; patrie-fraternité. La double identification se retrouve dans le programme éducatif. « Si les enfants sont élevés en commun dans le sein de l'égalité (le brouillon ajoute : « exercés à tous les devoirs de l'homme »), s'ils sont imbus des lois de l'État et des maximes de la volonté générale, s'ils sont instruits à les respecter par-dessus toutes choses, s'ils sont environnés d'exemples et d'objets qui leur parlent sans cesse de la tendre mère qui les nourrit, de l'amour qu'elle a pour eux, des biens inestimables qu'ils reçoivent d'elle, et du retour qu'il lui doivent, ne doutons pas qu'ils n'apprennent ainsi à se chérir mutuellement comme des frères, à ne vouloir jamais que ce que veut la société, à substituer des actions d'hommes et de citoyens au stérile et vain babil des sophistes, et à devenir un jour les défenseurs et les pères de la patrie dont ils auront été si longtemps les enfants » (*EP.* 261).

De ce *Discours* aux *Considérations* la doctrine ne changera pas. Mais, s'adressant aux Polonais, Rousseau porte l'accent sur la patrie républicaine : « C'est l'éducation qui doit donner aux âmes la force nationale, et diriger tellement leurs opinions et leurs goûts qu'elles soient patriotes par inclination, par passion, par nécessité. Un enfant en ouvrant les yeux doit voir la patrie et jusqu'à la mort ne doit plus voir qu'elle. Tout vrai républicain suça avec le lait de sa mère l'amour de sa patrie, c'est-à-dire des lois et de la liberté. Cet amour fait toute son existence ; il ne voit que la patrie, il ne vit que pour elle ; sitôt qu'il est seul, il est nul : sitôt qu'il n'a plus de patrie, il n'est plus et s'il n'est pas mort, il est pis. » (966)

Rien ne traduit mieux cette exclusive passion de la patrie qu'une page du premier livre d'*Émile* inspirée de Plutarque (249). Une femme, à Sparte, n'enfante que pour la patrie. Transfert absolu sur la patrie-mère. Rousseau sait qu'il n'est pas si facile d'en exiger autant des femmes de Genève. Mais dans sa *Dédicace* au *Discours sur l'inégalité* il détaille complaisamment ce que leur doivent l'amour des lois et la concorde civique.

Cette entière dévotion du citoyen à la patrie dicte aux Polonais le devoir de placer la Pologne au cœur de l'enseignement. Si vous voulez que vos enfants ne soient pas ces individus sans caractère que le collège modèle dans les autres pays d'Europe, n'épargnez rien pour qu'à vingt ans ils soient et ne soient que Polonais. Que l'enfant s'instruise entièrement de la Pologne : géographie, communications, productions, population, législation, histoire. Pas un haut fait, pas un compatriote illustre dont il n'ait « la mémoire et le cœur pleins » (966).

Il est significatif qu'en ce chapitre de l'Éducation soient rappelées la définition et la décisive importance de cette « éducation négative » qui oriente en toute occasion le gouverneur d'Émile. Si vous voulez que celui-ci soit homme préservez-le d'une société qui vicie les hommes. « Empêchez les vices de naître, vous aurez assez fait pour la vertu. Le moyen en est de la dernière facilité dans la bonne éducation publique » (968). Par un très remarquable déplacement, — signe que le concept d'éducation négative ne limite pas son usage à l'hypothétique isolat d'un enfant-témoin —, *les Considérations* en recommandent la pratique aux Polonais. Préserver le futur citoyen de toute contamination étrangère qui pourrait altérer son patriotisme.

Ce que les « nations modernes » ont oublié, l'histoire de trois peuples anciens en a perpétué la mémoire. Rousseau évoque donc, sous la rubrique *Esprit des anciennes institutions* (rappel de Montesquieu), le triple exemple juif, spartiate, romain.

Comment Moïse sut-il faire d'une « troupe errante et servile », fugitifs « sans arts, sans armes, sans talents, sans vertus, sans courage » et sans terre, un « corps politique », un « peuple libre » ? Il lui donna des institutions, des mœurs, des usages « inalliables avec ceux des autres nations ». Il leur imposa autant de rites, de cérémonies, de disciplines qu'il fallait pour que les liens de la fraternité juive fussent autant d'obstacles à tout ce qui risquait de compromettre ou menacer l'identité de cette « singulière nation, si souvent subjuguée, si souvent dispersée, et détruite en apparence, mais toujours idolâtre de sa règle ». Indestructible « malgré la haine et la persécution du reste du genre humain » (956-7).

Ce portrait du peuple juif, qui évoque une mémorable analyse de Spinoza[69], amplifie et systématise un fragment, contemporain de la rédaction du *Contrat* : « étonnant spectacle » d'un peuple qui a réussi ce que n'ont pu faire Solon, Numa, Lycurgue : traverser les siècles jusqu'à nous, en bravant les pires épreuves. (*FP*. 498-50). On comprend que cette ébauche trouve confirmation et développement en un texte destiné à ces Polonais qui combattent pour que leur peuple ait une patrie. Et Jean Fabre note qu'il y a quelque analogie, en dépit du catholicisme polonais, entre le messianisme d'un Mickiewicz et celui du peuple juif.[70]

Quant à Sparte et Rome, elles s'assurèrent l'invincible puissance d'un peuple rassemblé par ses institutions et ses coutumes dans l'amour absolu de la patrie. Solennités, jeux, tragédies données en spectacle à tous, lecture publique d'Homère...

Si l'auteur des *Considérations* rappelle aux Polonais le précepte d'éducation négative, c'est dans un contexte sur l'éducation physique, publique elle aussi, et toujours collective. Ainsi les enfants apprennent-ils chaque jour à poursuivre ensemble un but commun dans la « concurrence » et l'« émulation ». (L'*Économie politique* célébrait déjà l'émulation qui entraîne les futurs citoyens au service de la patrie). Que ces exercices habituent les petits Polonais à « la règle », à l'égalité, à la « fraternité », aux compétitions loyales dont quiconque peut juger. Qu'ils s'accoutument à « vivre sous les yeux de leurs concitoyens », qu'ils apprennent ensemble à « désirer l'approbation publique » (968). Émile enfant n'a pas à s'occuper de l'opinion d'autrui pour discipliner son corps et son esprit ; c'est la nécessité des choses qui fait loi pour lui. Mais chacun des membres égaux et libres de la patrie-mère ne sait vivre que sous le regard de tous ses frères. Aux antipodes de la « confédération sociale » décrite dans la préface à *Narcisse* et d'autres textes, la communauté-patrie est réciproque lisibilité des âmes. Chacun ne veut montrer que ce qu'il est, tout ce qu'il est.

Non content d'inviter ses lecteurs polonais à prévoir l'équitable attribution des récompenses par un public toujours juste, — à l'inverse des régents de collège, — Jean-Jacques est bien aise de proposer l'exemple suisse. Les jeunes patriciens bernois, au sortir du collège, se constituent en État-miniature, qui reproduit l'organisation et la vie de la cité. Voilà comment ils font entre eux l'apprentissage des devoirs et des emplois publics.

Rousseau ne conçoit pas l'éducation publique comme simple transmission d'un savoir, initiation à des techniques dont l'usage serait indifférent à ceux qui l'enseignent. Ce qui donne sens à cette éducation, c'est une façon d'exister, un mode d'être, une sensibilité, un registre de motivations, une propédeutique du corps et de l'esprit à des conduites collectives. L'éducation publique ne se présente pas comme activité complémentaire à l'apport d'un milieu familial ou confessionnel ; elle est, dans la République, le tout de l'acte éducatif. Elle immerge l'enfant dans l'âme de son peuple. En même temps qu'elle l'introduit à la vie de la cité, elle engage toute la cité auprès de chacun de ses membres futurs ; la République se doit à lui comme il se doit à la République. Réciprocité non-contractuelle qui fait de la communauté-patrie l'équivalent d'une famille dont tous les membres sont immédiatement unis autour de chacun des nouveaux venus. Mais l'éducation à la cité est d'un autre ordre qu'un écolage familial : elle incorpore des volontés à un Moi qui ne peut exister que par leur incessante et commune action ; elle assemble des esprits autour de représentations, de symboles qui ne doivent rien aux liens du sang.

Cette éducation tient du culte, s'il est vrai que le service de la cité exige et légitime un dévouement sans bornes, et que la fidélité à la patrie absorbe toute l'énergie des âmes. Mais les fidèles doivent ici savoir que la célébration est création continue d'une volonté qui est précisément la leur. Sans doute la République est-elle présente dès le premier jour au berceau de l'enfant ; mais, si elle exige de ses fils qu'ils ne vivent que pour elle, n'est-ce pas parce qu'elle ne peut vivre à tout instant que par eux ? « L'éducation nationale n'appartient qu'aux hommes libres ; il n'y a qu'eux qui aient une existence commune, (manuscrit de Neuchâtel : collective) et qui soient vraiment liés par la Loi. Un Français, un Anglais, un Espagnol, un Italien, un Russe sont tous à peu près le même homme : il sort du collège déjà tout façonné pour la licence, c'est-à-dire pour la servitude. » (966)

De telles pages témoignent que le lien noué par la loi ne suffirait pas si la liberté de la patrie n'avait pas son sanctuaire dans le cœur de tout citoyen. Même « subjugués » par un puissant envahisseur, les Polonais survivront s'ils ont le « cœur » assez aguerri pour que leur « gouvernement », leur « liberté » résistent à l'oppresion.

Faut-il parler encore du Législateur ? On sait qu'il doit connaître et pratiquer la « théorie de l'homme » aussi bien que le gouverneur d'Émile. C'est cette ancrage anthropologique que MM. les Économistes du siècle des Lumières ne semblent pas soupçonner... Le Législateur ne peut constituer un peuple en corps politique, en communauté nationale au « caractère » inconfondable sans mobiliser et cultiver à ces fins la « perfectibilité » de la nature Homme.

Comment concevoir et porter des lois sans un entendement, une volonté venus à maturité ? Et que vaudrait une patrie incapable d'émouvoir un cœur d'homme ? Sans doute la philosophie du *Contrat social* demande-t-elle au Législateur de diviser ce qui est un. Ne faut-il pas disjoindre l'homme de lui-même pour que le citoyen soit ? Comme la vertu morale, la vertu civique implique séparation. Rousseau porte à un haut dégré d'élaboration, par la théorie du pacte et de la volonté générale, la différenciation moderne entre le public et le privé, entre le civique et le civil, entre le politique et le social, entre la sphère abstraite de l'État et celle des besoins, du travail, des échanges. Mais le citoyen du *Contrat* n'a consistance que par les forces de l'homme, qui se dédouble pour lui donner l'être. Que pourrait-il, ce citoyen, et que pourrait le corps politique, si la substance humaine des intérêts quotidiens, des relations interindividuelles, des mentalités, des représentations, des emblèmes, des signes refusait prise à l'action des lois impersonnellement définies ; si le cœur des citoyens ne savait pas nouer ces liens affectifs et conviviaux qui ne se pensent pas plus sous le principe contractuel que dans les formes de l'échange marchand ?

Il faut donc que le Législateur sache conjoindre comme il sait disjoindre ; « ... moins les volontés particulières se rapportent à la volonté générale, *c'est-à-dire les mœurs aux lois* (nous soulignons), plus la force réprimante doit augmenter ». Ce texte capital d'*Émile* (844), nous le reprenons sous un autre éclairage. Il pose avec concision les relations entre quatre termes : volontés particulières/mœurs ; volonté générale/lois. Le Législateur ne peut se contenter d'enseigner à un peuple comment se construit une volonté générale, qui dit la loi. Il faut encore que les « mœurs », qui ne sont pas le produit de cette volonté et ne sont pas des êtres de Droit, conspirent avec elle. Plus elles contrarient la volonté générale, plus la répression s'impose pour que la loi soit obéie. Le Législateur doit donc faire que leur particularité concoure à l'accomplissement et au respect de l'universel, qui est la loi. On constate une fois encore que l'art de celui qui institue un peuple a pour objet de faire vivre l'universel dans le particulier.

III

Rousseau ne pouvait ignorer les chapitres consacrés par Hobbes aux mœurs dans son *Léviathan*. Mais l'influence majeure, c'est le livre XIX de *l'Esprit des lois*. « Il y a cette différence entre les lois et les mœurs que les lois règlent plus les actions du citoyen, et que les mœurs règlent plus les actions de l'homme » (chapitre 16). L'erreur de Pierre le Grand ? Décider par la loi de couper la barbe et l'habit des Moscovites. Au moins comprit-il que, pour civiliser les femmes jusqu'alors « renfermées », il fallait les associer à la vie de cour. Quand se confondent lois, mœurs, manières (« qui regardent plus » [...] la « conduite extérieure »), vous avez Lacédémone ou la Chine. Les mœurs impliquent une représentation que se font d'eux-mêmes individus et groupes. Rousseau s'en souviendra, comme du chapitre 4 qui définit « l'esprit général d'une nation ».

Ainsi se compose l'équilibre qu'un sage gouvernement respecte. Une loi ne se juge qu'en rapport à « l'esprit » de la nation. Si elle le contrarie, elle est force de dissolution. Ici et là s'exprime l'immanente rationalité de tout corps social. La différenciation mœurs/lois s'effectuant au sein d'une unité (« l'esprit général »), Montesquieu étudie leur influence réciproque. Une législation peut changer sous l'effet des mœurs ; ou contribuer à « former les mœurs, les manières et le caractère d'une nation » (chapitre 27). Rousseau suit ce mouvement. Il conclut comme Montesquieu (chapitre 22) que les lois se simplifient quand un peuple a de « bonnes mœurs ».

Si Voltaire a écrit, énorme labeur, un *Essai sur les mœurs et l'esprit des nations,* Rousseau a laissé 23 fragments et la table des matières d'une *Histoire des mœurs* (Pl. III, 554-60).

On ferait avec profit le répertoire des textes qui, de 1752 à 1762, reflètent les avancées d'une réflexion sur les mœurs. *Correspondance.* Préface de *Narcisse. Lettre à d'Alembert.* Divers fragments politiques. Et ce dernier chapitre du livre II du *Contrat :* « A ces trois sortes de lois, il s'en joint une quatrième, la plus importante de toutes ; qui ne se grave ni sur le marbre ni sur l'airain, mais dans les cœurs des citoyens ; qui fait la véritable constitution de l'État ; qui prend tous les jours de nouvelles forces ; qui, lorsque les autres lois vieillissent ou s'éteignent, les ranime ou les supplée, conserve un peuple dans l'esprit de son institution, et substitue insensiblement la force de l'habitude à celle de l'autorité. Je parle des mœurs, des coutumes, et surtout de l'opinion... » Partie « inconnue » de nos politiques ; mais objet « secret » des soins du Législateur ; « ... il paraît se borner à des règlements particuliers qui ne sont que le cintre de la voûte, dont les mœurs, plus lentes à naître, forment enfin l'inébranlable clef » (394).

Ni M. Halbwachs ni R. Derathé ne mentionnent une importante différence entre ce texte et le *Manuscrit de Genève,* où ne figure pas « ...et surtout de l'opinion ». Absence aussi d'un chapitre sur la censure. Mais dans la deuxième version et l'*Émile,* qui sortent presque simultanément des presses, l'opinion prend une place de premier plan.

Mœurs. Coutume. Opinion. Dans le tissu d'une sociabilité irréductible au pur pouvoir politique s'opère la cofécondation du politique et du social et mûrit la consubstantialité de l'homme et du citoyen. Pas de législation qui tienne sans les ressources d'une moralité publique. Dom Deschamps considérait que, si M. Rousseau avait suivi son inspiration, elle l'aurait entraîné jusqu'à « l'état de mœurs » (ou « état social sans loi ») qui est, au-delà de toute législation, celui de l'égalité vraie, de l'heureuse et libre « communauté » des biens[71]. De fait, si les lois ne peuvent prendre effet que par la vitalité des mœurs, l'entreprise du Législateur n'est-elle pas sur un chemin conduisant de l'état de lois à l'état de mœurs ? L'État n'est pas seulement l'organisation de la non-violence ; c'est l'État de la moralité publique. Ce n'est pas seulement l'État des producteurs-possédants, n'ayant d'autre lien qu'un commun consentement à des règles communes ; c'est celui de la mutuelle reconnaissance et de la vive solidarité des sociétaires.

Théâtre/société

Nous rappelions au chapitre 2 la signification de la *Lettre à d'Alembert sur les spectacles.* Rousseau s'oppose à l'installation d'une « Comédie » à Genève où les patriotes n'ont vu des comédiens que pour distraire les officiers de l'occupant français.

Rousseau, qui a écrit pour la scène, ne condamne pas le théâtre en soi. Mais la querelle entre « gens du monde » et « gens d'Église » élude une indispensable critique de « l'esprit général du théâtre » (*LA*. 98).

Cette *Lettre* s'éclaire par l'anthropologie du *Discours sur l'inégalité*. « L'homme est un » ; mais « l'homme modifié par les gouvernements, par les religions, par les lois, par les coutumes, par les préjugés, par les climats devient si différent de lui-même qu'il ne faut plus chercher parmi nous ce qui est bon aux hommes en général, mais ce qui leur est bon dans tel temps ou dans tel pays » (67). Disserter sur l'archétypale « perfection » d'un spectacle, c'est s'abstraire du rapport variable entre « peuple » et « spectacle ». D'où cette socioprospective du théâtre : analyse concrète des multiples et prévisibles relations entre théâtre, économie, politique, mœurs dans une Genève de vingt-quatre mille habitants. La population laborieuse, qui n'a pour trésor que ses « bras », son « emploi du temps », sa « vigilance », une « austère parcimonie », portera la charge de l'établissement souhaité par l'aristocratie. Mais les effets sur les mœurs populaires ne sont pas moins prévisibles.

Si l'influence de Fénelon est aisément discernable, la réflexion de Jean-Jacques est stimulée par une lecture dont porte trace un manuscrit préparatoire : *De l'imitation théâtrale, essai tiré des Dialogues de Platon*.

Si l'apparaître n'était rien, si la conduite et la conscience de l'homme sous le regard de son semblable ne se modifiaient point en ce rapport et par lui, débattrait-on des effets du théâtre et du plaisir qui lui est propre ? Un plaisir si patiemment cultivé suppose, entre le spectateur et le producteur du spectacle, une entente affective, une communication intellectuelle, une coadhésion des vouloirs et des esprits aux règles d'une moralité commune. La conscience ne s'éveille que par une acculturation sociale de la raison ; les mœurs ne naissent que d'un stable rapprochement des semblables, et de la formation de ces ensembles humains évoqués dans l'*Inégalité* et l'*Essai sur l'origine des langues*.

Ce qui plaît à un peuple « féroce et bouillant » plairait-il à un peuple « galant » ou « badin » ? Il faut donc, par nécessité fondatrice, qu'un peuple se reconnaisse en un spectacle qui le reconnaît. L'auteur échoue si ce qu'il prétend faire écouter et voir empêche le public de se constituer spectateur ; celui-ci n'a d'être que par un principe d'anthropologique dédoublement. Le dédoublement étant d'un être individué, qui a sa vie, ses intérêts, ses certitudes, ses inquiétudes, le spectacle ne le retiendra que si, dans cet apparaître pour lui, il retrouve quelque chose de soi.

Il faut néanmoins, pour qu'il consente au spectacle, que l'écart soit suffisant entre ce qu'il est et ce qu'on lui présente. Il n'a plaisir au théâtre que s'il se reconnaît et ne se reconnaît pas. Le public attend de l'auteur qu'il sache lui offrir le tableau de ses misères en lui épargnant la réprobation d'une conscience que ni l'un ni l'autre ne peuvent effacer. Rousseau prend ainsi le relais de Socrate. [Le théâtre], écrit-il dans *l'Imitation,* « nous fait payer aux dépens de nous-mêmes le soin qu'on y prend de nous plaire et de nous flatter »[72]. « Un auteur qui voudrait heurter le goût général composerait bientôt pour lui seul. » Molière « corrigea la scène comique » en attaquant des modes, des ridicules. Mais il ne choqua point le « goût du public », qui « n'était pas mûr encore » pour accueillir son « plus parfait ouvrage » : *le Misanthrope* (69).

Depuis Molière et Corneille, telle est l'évolution du « goût général » que si leurs chefs-d'œuvre étaient encore à paraître, ils tomberaient « infailliblement aujourd'hui ». Le public les admire encore ? « C'est plus par honte de s'en dédire que par un vrai sentiment de leurs beautés » ; « ... sur nos théâtres » le meilleur Sophocle tomberait « tout à plat » (*LA.* 70).

Illusion de l'auteur qui s'imagine indépendant ! Avant que le moindre acteur n'entre en scène, l'auteur interprète le rôle premier et principal, celui que lui assigne une société qui lui demande de la jouer en la confirmant. L'« effet général du spectacle » ? « ... Renforcer le caractère national », « charger et non changer les mœurs établies ». La poétique du théâtre prétend « purger les passions en les excitant » (71). Comme s'il fallait aller au spectacle pour s'informer de son devoir d'homme ! L'amour du beau moral n'est-il pas « aussi naturel au cœur humain que l'amour de soi-même » ? (76) C'est là que l'auteur le prend pour le mettre en scène. On rit des défauts d'Alceste ; « on sent pourtant au fond du cœur un respect pour lui dont on ne peut se défendre » (99). Kant, en sa *Critique de la raison pratique,* prendra le relais. L'intérêt pour la pure moralité ne se négocie pas.

Socrate enseignait que la raison, seule, a qualité pour vaincre les passions. Ni comique ni tragique, elle est, hélas, dépourvue de toute qualité scénique. Le public gémit sur un Titus incapable de se gouverner. Et la comédie ne rend que « ridicules » de haïssables vices. Ce n'est plus le vice qui effraie, c'est le ridicule ; « guérir » celui-ci, c'est « fomenter » celui-là (81). La vertu au théâtre ? Comment convertirait-elle le méchant puisqu'il tire avantage de son injustice et de la probité des autres ? Tel est le « traité » qu'il passe avec la société.

La règle du jeu, c'est précisément que théâtre et réalité ne sont pas à confondre ; « ...la plus avantageuse impression des meilleures tragédies est de réduire à quelques affections passagères, stériles et sans effet tous les devoirs de l'homme ». On s'applaudit de son courage en louant celui des autres, de son humanité en plaignant les maux qu'on aurait pu guérir, de sa charité en disant au pauvre : « Dieu vous assiste » (80). S'applaudir de sa « belle âme » (79) dispense de changer sa vie.

S'il ne peut rien pour « corriger les mœurs », le théâtre peut beaucoup pour les « altérer » (128). Occuper assez le temps et les esprits pour empêcher de « mauvaises mœurs » de dégénérer en « brigandage », soit. Mais quand un peuple est « bon » (artisans genevois, montagnons jurassiens) les spectacles lui sont « mauvais » : économie, travail, civisme, moralité n'y résisteront pas.

Il faudrait longuement rapprocher la *Lettre d'Alembert* de ce qu'écrit Saint-Preux des spectacles parisiens. Tragédie chimérique et périmée : « ...que fait une flamme héroïque et pure dans l'âme des grands ? » Molière osait peindre artisans et bourgeois. Socrate donnait voix aux cochers, menuisiers, cordonniers, maçons. Mais la Comédie parisienne ne nous apprend rien des cinq à six cent mille âmes ignorées par cette « poignée d'impertinents » pour qui sont faits les spectacles. « Personnages sur la scène et comédiens sur les bancs », ils se croient tout l'univers et ne comptent que pour le mal qu'ils font. Mais comment les simples gens qui fréquentent pareil théâtre ne se persuaderaient-ils pas qu'ils ne sont rien ? (*NH*. 251-2).

L'article *Genève* de l'*Encyclopédie* défend les comédiens, que l'Église excommunie. Ne valent-ils pas mieux, demande d'Alembert, que le « traitant » qui insulte à la misère publique ou l'insolvable et servile courtisan ? Puisse une « sage » réglementation légitimer l'état de comédien, et protéger ceux qui l'exercent des désordres qui le dédommagent de l'estime qu'on lui refuse ! Rousseau introduit une problématique nouvelle. S'il est essentiel à la société qu'elle ne s'apparaisse point ce qu'elle est, on comprend que le comédien soit indispensable et marginalisé. Celui qui communique le plaisir du théâtre prend sur lui la misère morale d'une société qui se joue comédie. Le mépris qu'elle mérite, c'est sur lui qu'elle le reporte ; ainsi traité par état, comment aurait-il de bonnes mœurs ?

Rousseau rappelant, dans une de ses *Lettres sur la botanique,* que le latin « persona » signifie « masque » (1167), pourquoi ne pas dire qu'en une société qui est accumulation de « masques », le comédien-*persona* est leur universalisable équivalent ? L'homme est invendable. Mais, dans une société où tout se paie, le métier de comédien est celui d'un homme qui fait « trafic » de lui-même pour représenter sur commande ce qu'il n'est pas, simuler ce qu'il n'éprouve pas, dire ce qu'il ne pense pas. Et pour se soumettre à l'ignominie, aux affronts qu'on « achète le droit de lui faire » (*LA*. 163). Émile est toujours tout entier soi-même ; il ne prend jamais une « place » qui n'est pas la sienne. Le comédien est toujours hors de lui-même. Il n'a d'identité qu'en la non-identité. Son être est de n'être pas soi. Mais comment accepter sans révolte qu'un honnête homme se contre-fasse scélérat et prodigue son talent pour « faire valoir de criminelles maximes, dont lui-même est pénétré d'horreur » (165) ?

Si tel est le sort du comédien, celui de la comédienne n'est-il pas plus triste encore ? Elle n'a corps et voix que pour l'agrément d'une société qui la réprouve. Ce total renoncement à soi pour satisfaire l'attente d'un public qui paie, cette aliénation aux contraintes, aux servitudes de la scène et du rôle induisent des effets d'autant plus démoralisants que l'être féminin — tel que l'entend une psychologie différentielle dont on reparlera — a son lieu naturel, son en-soi dans l'intimité du foyer. Là se préservent les conduites, les valeurs qui fondent son ascendant et l'imposent au respect de l'autre sexe. Un état dont « l'unique objet est de se montrer au public, et qui pis est, de se montrer pour de l'argent » (179) expose celles qui l'exercent à ce « désordre » de sentiment et de vie où les acteurs se trouvent à leur tour entraînés, car c'est le sexe femme qui décide des mœurs.

Rousseau reconnaîtra, dans une édition ultérieure de la *Lettre,* non seulement l'outrance, mais la « très grande injustice » de cette peinture du comédien. Mais si ces pages ont prise encore sur une philosophie du spectacle, c'est par cette volonté socratique de déjouer le jeu, cette décision de demander ses titres à l'exercice théâtral, d'élucider les rapports et les connivences entre une société et l'acte scénique. On sait comment Rousseau écrivain met à l'épreuve la bonne conscience de l'écrivain. Ainsi veut-il éclairer les finalités inavouées, énoncer les conditions informulées du métier d'auteur et du métier d'acteur. Ce qui revient à dissoudre l'apparence que se font d'eux-mêmes, en cette société, ceux qu'elle commet aux sécurisantes fonctions du spectacle.

Le rapprochement avec Brecht fait-il violence au Genevois ? Ce que Brecht met en question, c'est ce théâtre enchantant qui fixe le spectateur dans le plaisir quand il faudrait l'acheminer à la réflexion, l'encourager à l'acte. La jouissance absorbe le sens. Ainsi maintenu dans le minorat, sans communication avec les autres, chacun des spectateurs est sous hypnose, d'autant plus lourde que les acteurs sont meilleurs. Tout devrait tendre sur scène à l'éveiller, pour qu'il sorte de la caverne, et de l'idée reçue, pour qu'il découvre l'abus dans la règle, la tricherie du quotidien, l'inhumanité d'un monde accepté comme est inconsciemment subie la pesanteur.

Voilà pourquoi Brecht porte à la réflexion d'un public éveillé l'essentielle duplicité d'une classe qui, n'ayant d'être que par exploitation et brigandage, se contemple et se représente au miroir de son insoupçonnable humanité. Maître Puntila, le gros possédant finnois, fait sa richesse, son pouvoir social, sa vie de la substance d'un monde que sa parole réprouve, vu qu'il ne « devrait pas exister ».

On sait comment, dans *la Lettre à d'Alembert,* la critique du spectacle s'ordonne à une défense de l'identité genevoise. Pour Socrate, initiateur d'un parcours des âmes, libérées du faux-semblant séducteur, jusqu'à l'incorruptible vérité, l'imitation (la mimèsis) est éloignement et perte, dégradation et chute. Le peuple genevois ne restera maître de soi que s'il sait rester soi dans une Europe où l'uniformisation des individus ampute chacun de sa différence humaine, où le conformisme nivelle les caractères nationaux.

L'édification d'un théâtre national-populaire affranchi des modèles et des interdits qui soustraient la scène à ces problèmes de société qu'une aristocratie oisive préfère ignorer sera, dans la seconde moitié du siècle, l'œuvre d'un Lessing (qui ne cache pas sa dette à Diderot). C'est sur ce chemin que s'engage déjà l'auteur de la *Lettre à d'Alembert*. Nous ne sommes plus « assez grands » pour savoir admirer les héros fondateurs de la liberté genevoise. Mais, s'il faut « absolument » un théâtre en notre ville, qu'il puise impulsion et matière dans leur combat, leurs sacrifices. De telle « tragédies » ne pourront avoir que des Genevois pour auteurs. Ils épargneront à leurs concitoyens le ridicule et le malheur de se travestir en « beaux esprits », patauds émules des Français. Mais, si M. de Voltaire « daigne nous composer des tragédies sur le modèle de *la Mort de César,* du premier acte de *Brutus* » (227), puisse une scène genevoise accueillir pour toujours un génie si heureusement inspiré ![73]

Fête et fête

Rousseau ne s'en tient pas là. « Il ne suffit pas que le peuple ait du pain et vive dans sa condition. Il faut qu'il y vive agréablement : afin qu'il en remplisse mieux les devoirs, qu'il se tourmente moins pour en sortir, et que l'ordre public soit mieux établi. Les bonnes mœurs tiennent plus qu'on ne pense à ce que chacun se plaise dans son état » (*LA*. 234 n. 1). Si l'énergie d'une cité fondée sur l'activité, les mœurs du Genevois est menacée par l'installation d'une « Comédie » que souhaite le haut-Genève, une sage politique est de cultiver, de multiplier les formes éprouvées de plaisir populaire. Ils se trompent ceux qui, souhaitant la stabilité des rapports sociaux, croient que de tels divertissements détourneraient le « peuple » de son « travail ». « ... Voulez-vous rendre un peuple actif et laborieux ? Donnez-lui des fêtes, offrez-lui des amusements qui lui fassent aimer son état et l'empêchent d'en envier un plus doux. Des jours ainsi perdus feront mieux valoir tous les autres. Présidez à ses plaisirs pour les rendre honnêtes ; c'est le vrai moyen d'animer ses travaux » (234-5 n. 1). « La République a-t-elle moins besoin d'ouvriers que de soldats ? » (235)

Jean-Jacques se sent proche du parti des « Représentants ». Mais, témoin du combat du Perron (1737), il a gardé un sombre souvenir de sa ville ensanglantée. L'intérêt de quiconque pâtirait des divisions propices à l'intervention de puissants voisins, c'est qu'un programme de divertissements (joutes sur le lac, gymnastique, exercices qui délassent et fortifient le citoyen producteur et soldat) encourage et honore de prix publics l'attachement à la cité. Dans ces moments d'égalisante festivité « toutes les sociétés n'en font qu'une, tout devient commun à tous. Il est presque indifférent à quelle table on se mette » (236).

Que ce dernier mouvement de la *Lettre à d'Alembert* marque un souci d'assurer et préserver, dans un espace extérieur au temple comme au travail, les supports institutionnels d'un consensus ne nous induirait pas à méconnaître la libérante vigueur des pages sur la fête. Pages que le haut-Genève n'aimait pas... Qu'un pouvoir constitué sache ou prétende utiliser à ses fins une régie du loisir de masse ne fait pas oublier les inspirations et les ressources que peut trouver un peuple en toute manifestation sensible (instituée ou non) d'une vive et limpide présence à soi. Sauf à raisonner comme si un peuple valide était indéfiniment jouable par une « politique » invariablement dépossédante. Rousseau lui-même, dans ses *Lettres de la Montagne,* se chargera plus tard de rappeler aux Genevois ordinaires qu'ils ne sont point livrés sans recours à l'oligarchie qui s'attribue les droits du peuple.

Le rapprochement avec les *Considérations sur la Pologne* n'est pas superflu. Rousseau n'attend pas de la noblesse patriote qu'elle révolutionne une société. Sans doute les « rangs » seront-ils « distingués avec soin » dans ces spectacles de plein air où « tout le peuple » prendra « part également » (*CP.* 963). Mais les audacieuses propositions pour une innovation festivale assemblant tous ceux dont le cœur bat pour la mère-patrie sont-elles archivables par une sourcilleuse typologie des conditionnements idéologico-politiques ? La moindre référence historique suffit à mesurer le caractère émancipateur des recommandations de Rousseau : qu'un peuple paralysé par la tyrannique anarchie féodale prenne conscience, à la faveur de ces jeux *publics,* que la cohésion réglée d'une puissance *publique* servirait ses intérêts de nation ; et que les motivations, les formes, le contenu de ces divertissements émulatifs, de ces ferventes solennités lui donnent à penser que nulle Église n'a privilège de s'approprier l'identité polonaise.

Mais il faut reprendre la *Lettre* pour évaluer l'apport décisif à une intelligence moderne de la festivité. Nous y sommes introduit par une des trois grandes remémorations, — après l'évocation des montagnons et celle d'une représentation de *Bérénice* en compagnie de M. d'Alembert. Souvenir de fête et fête du souvenir, c'est le rappel d'un des plus lointains moments de la vie de Jean-Jacques. Au plus profond de sa retraite en cet hiver 1757, celui qui a résolu de ne pas se fixer au pays natal et qui rompt avec ses amis parisiens, invente, pour faire à la mère-patrie l'irrévocable serment, un langage, un accent que nul n'avait entendus dans notre langue. Note incidente au bas d'une des dernières pages, ce récit d'une fête nocturne à Saint-Gervais se compose tableau. Mais il est d'abord parole, intonation d'amour pour la Genève inoubliée des jours d'enfance. La patrie qui s'éloigne, toujours proche, où qu'il aille, dans l'égalisante clarté du souvenir.

« Je me souviens d'avoir été frappé dans mon enfance d'un spectacle assez simple, et dont pourtant l'impression m'est toujours restée, malgré le temps et la diversité des objets. Le régiment de Saint-Gervais avait fait l'exercice, et, selon la coutume, on avait soupé par compagnies ; la plupart de ceux qui les composaient se rassemblèrent après le souper dans la place de Saint-Gervais, et se mirent à danser tous ensemble, officiers et soldats, autour de la fontaine, sur le bassin de laquelle étaient montés les tambours, les fifres, et ceux qui portaient les flambeaux. Une danse de gens égayés par un long repas semblerait n'offrir rien de fort intéressant à voir ; cependant, l'accord de cinq ou six cents hommes en uniforme se tenant tous par la main, et formant une longue bande qui serpentait en cadence et sans confusion, avec mille tours et retours, mille espèces d'évolutions figurées, le choix des airs qui les animaient, le bruit des tambours, l'éclat des flambeaux, un certain appareil militaire au sein du plaisir, tout cela formait une sensation très vive qu'on ne pouvait supporter de sang-froid. Il était tard, les femmes étaient couchées, toutes se relevèrent. Bientôt les fenêtres furent pleines de spectatrices qui donnaient un nouveau zèle aux acteurs ; elles ne purent tenir longtemps à leurs fenêtres, elles descendirent ; les maîtresses venaient voir leurs maris, les servantes apportaient du vin, les enfants même éveillés par le bruit accoururent demi-vêtus entre les pères et les mères. La danse fut suspendue ; ce ne furent qu'embrassements, ris, santés, caresses. Il résulta de tout cela un attendrissement général que je ne saurais peindre, mais que, dans l'allégresse universelle, on éprouve assez naturellement au milieu de tout ce qui nous est cher. Mon père, en m'embrassant, fut saisi d'un tressaillement que je crois sentir et partager encore. Jean-Jacques, me disait-il, aime ton pays. Vois-tu ces bons Genevois ; ils sont tous amis, ils sont tous frères ; la joie et la concorde règnent au milieu d'eux. Tu es Genevois : tu verras un jour d'autres peuples ; mais, quand tu voyagerais autant que ton père, tu ne trouveras jamais leur pareil.

« On voulut recommencer la danse, il n'y eut plus moyen : on ne savait plus ce qu'on faisait, toutes les têtes étaient tournées d'une ivresse plus douce que celle du vin. Après avoir resté quelque temps encore à rire et à causer sur place, il fallut se séparer, chacun se retira paisiblement avec sa famille ; et voilà comment ces aimables et prudentes femmes ramenèrent leurs maris, non pas en troublant leurs plaisirs, mais en allant les partager. Je sens bien que ce spectacle, dont je fus si touché, serait sans attrait pour mille autres : il faut des yeux faits pour le voir, et un cœur fait pour le sentir. Non, il n'y a de pure joie que la joie publique, et les vrais sentiments de la Nature ne règnent que sur le peuple. Ah ! Dignité, fille de l'orgueil et mère de l'ennui, jamais tes tristes esclaves eurent-ils un pareil moment en leur vie ? » (248-9)

Grisée de danse et de chants, d'allégresse et de vin, cette fête sans préméditation, sans apprêt ne comporte nul élément commémoratif, sacramentel, religieux ou sacrificiel. Nul indice de transgression n'est décelable ; l'être féminin s'y inclut dans le respect de la conjugalité ; l'ivresse collective ne submerge pas l'appel du foyer. Fête improvisée ; autoposition spontanée d'une communauté populaire dans sa joie d'être et de s'assembler, sans autre intention ni finalité que cette heureuse expression de soi pour soi.

Le raccord d'un tel récit avec le contexte de la *Lettre* et d'autres écrits met en évidence une conception de la fête publique qui cohère avec la critique du théâtre. Plein air de la fête où chacun se lie avec tout autre à tout instant. Obscur enfermement de la représentation théâtrale qui ne dispense qu'un plaisir d'exclusion ; isolement de chacun des spectateurs réduits au silence, à l'inaction, tandis que la scène n'offre à sa vue que « pointes de fer », « soldats », « affligeantes images de la servitude et de l'inégalité » (*LA*. 233).

Au peuple acteur-spectateur de la fête un piquet suffit, couronné de fleurs au milieu d'une place, pour que s'inaugure et s'accomplisse la durée d'un peuple en liesse, unie dans cette fraternelle réciprocité où parole, geste, émotion partagés font oublier les médiations impersonnelles et chiffrées d'une société de marché, les protocoles d'une civilité qui codifie langage, rôles, postures, apparences.

« …Faites que chacun se voie et s'aime dans les autres, afin que tous en soient mieux unis. » (234) Dans cette égalisante intimité — être et paraître ne faisant plus qu'un —, le lien de concitoyenneté est lien d'humanité.

Parmi les textes à rapprocher ici de la *Lettre à d'Alembert* on retiendra d'abord l'*Essai sur l'origine des langues*. Le chapitre 9 évoque la formation, auprès des puits, du premier lien entre de jeunes cœurs. « Là se firent les premières fêtes, les pieds bondissaient de joie, le geste empressé ne suffisait plus, la voix l'accompagnait d'accents passionnés, le plaisir et le désir confondus ensemble se faisaient sentir à la fois. » (123)

Danse et chant, « inspiration de la Nature », écrit Rousseau dans la *Lettre à d'Alembert* (236). Inspiration retrouvée par les bons Genevois. Le corps de ceux qui dansent autour de la fontaine n'est pas le corps mis en scène à l'Opéra par le maître de ballet. Tout au mouvement, au rythme qui entraîne et solidarise les acteurs de la fête, il n'a rien à représenter. Il jouit sans contrainte et sans crainte de son épanouissante liberté d'élan.

Le livre IV d'*Émile* suggère le tableau de la « fête champêtre », où l'on apporte « quelques dons simples » comme ces « bonnes gens », sûr d'y trouver en échange la « franchise et le vrai plaisir ». Repas collectif, « vieille chanson rustique » unissant toutes les voix. Danse dans la grange « de meilleur cœur qu'au bal de l'opéra » (*E*. 688). En contraste : les plaisirs du riche, « exclusifs », « destructifs ». Que de maux eût épargnés au genre humain celui qui eût dénoncé l'« imposteur » qui écarte ses semblables de la terre qu'il s'approprie ! Qui ne penserait à la célèbre page de *l'Inégalité* (164) quand l'auteur d'*Émile* porte condamnation contre le riche et malfaisant propriétaire ? Fort de son droit de chasse sur la terre de ses vassaux, il châtie les pauvres gens qui n'ont pour choix que de tuer à tous risques le gibier du seigneur ou de se ruiner en l'épargnant. Les plaisirs exclusifs ne sont-ils pas la « mort du plaisir » ? « Les vrais amusements sont ceux qu'on partage avec le peuple ; ceux qu'on veut avoir à soi seul, on ne les a plus. » « Le démon de la propriété infecte tout ce qu'il touche. Un riche veut être partout le maître, et ne se trouve bien qu'où il ne l'est pas ; il est forcé de se fuir toujours. » (*E.* 690)[74]

La *Neuvième Promenade* fera retour sur l'antinomie entre les « tristes » amusements des privilégiés et la liesse d'un « peuple entier » illuminant tous les visages. Entre l'universel partage des « plaisirs naturels », de la « joie innocente » et les malsains divertissements, « plaisirs de moquerie », « goûts exclusifs engendrés par le mépris ». Jean-Jacques relate comment, à la Chevrette, les hôtes de M. d'Épinay, après la somptueuse fête du maître, lancent des pains d'épice à la foule des « manants » ; « ... quelle sorte de plaisir pouvait-on prendre à voir des troupeaux d'hommes avilis par la misère, s'entasser, s'étouffer, s'estropier brutalement, pour s'arracher avidement quelques morceaux de pain d'épice foulés aux pieds et couverts de boue ? » (*R.* 1093).

Que la fête populaire à Genève, une fois de plus remémorée par le promeneur solitaire, soit moment et lieu d'une « fraternité », d'une « concorde » qui laissent intact (et peut-être conforte), quand les lampions s'éteignent, un ordre social inégal, ce constat n'altère point la vitalité d'une impulsion profondément entendue par Rousseau. Institutionnelle ou non, la fête n'a réalité que par la généreuse communion d'un peuple en acte, qui se donne existence à tout instant. La tendre lumière d'un tel jour est celle de l'humaine et suffisante joie d'être ensemble. Si la fête existe et rayonne c'est parce qu'un peuple, en elle, ne veut que soi-même et ne témoigne que de soi. Pourquoi se défendrait-il de porter cette volonté, ce témoignage en d'autres lieux, d'autres moments de la vie publique ? Lorsque, quelques années après cette *Lettre à d'Alembert,* l'auteur d'*Émile* et du *Contrat social* défendra son œuvre contre le patriciat genevois, il invitera ses compatriotes à se souvenir qu'ils ne sont pas un peuple-enfant.[75]

Cercles et comités

Pas plus dans la *Lettre sur les spectacles* que dans les *Considérations sur la Pologne,* l'espace et le temps du festival ne sont occupés que par la fête populaire. (Nous parlons plus loin de la fête à Clarens.) On rappellera simplement la part réservée au bal public. *Lettre à d'Alembert* ou *Nouvelle Héloïse,* la critique est sévère (en termes identiques ou voisins) d'une « fausse religion » qui combat la « nature » sous prétexte de sauver les mœurs en proscrivant la danse. Comme si l'« innocente joie » de ceux qui dansent « au grand jour » sous les « yeux du public » ne préservait pas des périls du tête-à-tête secret ! Rousseau propose que le bal, désenclavé, ouvert « indistinctement à toute la jeunesse à marier », présidé par un magistrat, soit l'« agréable réunion des deux termes de la vie humaine » (*LA.* 239). Les pères n'en seraient que mieux respectés, et plus libre l'inclination des enfants. L'attendrissante félicité de cette « grande famille » (242) serait source de vigueur, de prospérité pour une République unie...

Autre est le ton de Rousseau quand il fait valoir que l'implantation d'une « Comédie » causera le dépérissement de ces « cercles » qui conservent encore quelque image des antiques mœurs de Genève et sont, par conséquent, un garant de sa liberté. Ces pages, et plus encore une lettre du 16 novembre 1758 au Dr Tronchin, prennent relief quand on sait que, pendant les événements des années 1763-1768, les « cercles », que le docteur déprécie, seront centres d'opposition au Petit-Conseil. Ces sociétés qui assemblent quotidiennement leurs membres pour le délassement, les sorties en campagne (natation, chasse...), la lecture et ce franc débat où bons mots et pirouettes ne valent pas argument, où le jugement se muscle, contribuent à former « dans les mêmes hommes, des amis, des citoyens, des soldats [...], tout ce qui convient le mieux à un peuple libre » (*LA*. 203). Les défauts que certains leur trouvent (vin, tabac) sont ceux des individus, non de l'institution. « Il n'y a que le plus farouche despotisme qui s'alarme à la vue de sept ou huit hommes assemblés, craignant toujours que leurs entretiens ne roulent sur leurs misères » (207).

Tronchin, qui reproche à Rousseau de traiter sa ville en République grecque, allègue que de telles sociétés détruisent cette éducation « particulière » qui, dans l'intimité des familles, convient seule à la Genève laborieuse. Réponse de Rousseau : à Genève, qui n'est point Paris ou quelque autre capitale, l'artisan doit être inséparablement homme de métier et citoyen. Et ce n'est pas en l'éloignant des intérêts de la cité que vous lui donnerez de bonnes mœurs. Jean-Jacques se félicite d'avoir reçu, parmi les artisans, cette « éducation publique » qui éclaire les esprits, élève les sentiments ; « ...c'est une injustice de rejeter sur les artisans la corruption publique, on sait trop que ce n'est pas par eux qu'elle a commencé. Partout le riche est toujours le premier corrompu, le pauvre suit, l'état médiocre est atteint le dernier. Or chez nous l'état médiocre est l'horlogerie. Tant pis si les enfants restent abandonnés à eux-mêmes ; mais pourquoi le sont-ils ? Ce n'est pas la faute des cercles. Au contraire c'est là qu'ils doivent être élevés, les filles par les mères, les garçons par les pères. Voilà précisément l'éducation moyenne qui nous convient, entre l'éducation publique des Républiques grecques et l'éducation domestique des monarchies, où tous les sujets doivent rester isolés, et n'avoir rien de commun que l'obéissance » (26.11.1758 ; CC.V, 241-2).

Ce que doit déplorer plutôt quiconque a la nostalgie de l'« antique rudesse » (*LA*. 214), de l'« ancienne simplicité »... (212) des « mœurs républicaines » (194), c'est l'inconsistance de jeunes gens sans caractère, dressés dès l'enfance à mimer les dames qui les domestiqueront. Conservons les cercles, indispensables à Genève, comme le sont ces « comités féminins », où les Genevoises ne se retrouvent pas que pour le plaisir du « babil » (194). Mieux valent d'ailleurs les inconvénients du caquet que la calomnie dont elles ont « horreur » (braves protestantes !) ou certaine discrétion complice de l'inconduite. Ces estimables femmes « font presque dans notre ville la fonction de censeurs » (204).

Ayez des hommes si vous voulez des citoyens. Ayez des femmes si vous voulez des mœurs. « Tous les peuples qui ont eu des mœurs ont respecté les femmes », écrit Rousseau au cinquième livre d'*Émile*. Exemple : Spartiates, Germains, Romains. « Toutes les grandes révolutions y vinrent des femmes ; par une femme Rome acquit la liberté, par une femme les plébéiens obtinrent le consulat, par une femme finit la tyrannie des Decemvirs, par les femmes Rome assiégée fut sauvée des mains d'un proscrit. » (*E.* 742) A rapprocher d'une lettre du 8 novembre 1758 (CC.V, 211-3) à Lenieps : « Par tout pays les hommes sont ce que les femmes les font être, cela est forcé, cela est inévitable, c'est la loi de la nature. Pour bien philosopher sur les mœurs il ne faut jamais séparer les sexes, car elles dépendent toujours de leur liaison. Nous ne renonçons à notre sexe que parce que les femmes renoncent au leur, rendez-les femmes, et nous serons hommes » (« séparer les sexes » s'entend ici dans l'ordre notionnel).

L'importance reconnue aux « comités » féminins suffirait à montrer qu'à Genève famille et temple ne sont pas, selon Rousseau, l'unique intérêt des femmes.

Rousseau postule qu'homme et femme ne se complètent que si l'éducation ne leur est pas commune. Davantage! Les formes d'activité, de sociabilité doivent séparer ceux que le mariage unit ; (« séparer les sexes » s'entend ici comme pratique sociale). Contre-épreuve : Paris. On y voit les dames du grand monde condamner les messieurs à cette « vie sédentaire et casanière » que la nature « impose aux femmes » — vie « tout opposée à celle qu'elle « prescrit aux hommes » (*LA.* 197). Le lecteur remarque toutefois qu'en cette même *Lettre à d'Alembert* Rousseau déplore que la civilisation du siècle ait trop peu de vertu pour s'inspirer des mœurs lacédémoniennes : ouvrir le stade aux jeunes filles. Le langage de la « nature » serait-il contradictoire ? (Il est vrai qu'à Sparte où, quel que soit son sexe, chacun se dénudait pour pratiquer l'athlétisme, la nature ignorait les prescriptions judéo-chrétiennes.)

Être femme

La fréquence et la pesanteur des mésinterprétations du propos de Rousseau sur femme et femmes sont un des « meilleurs » exemples qu'on trouverait du danger d'ignorer l'histoire, les problèmes que l'écrivain veut éclairer, les liens de son œuvre avec une société, un public. Ruth Graham, Colette Piau-Gillot ont remarquablement montré que, soutenu par ceux qu'on dirait aujourd'hui « féministes », il eut contre lui les misogynes clercs et laïques.[76]

Nietzsche voyait le 18e siècle dominé par les femmes. Rousseau ? Souveraineté des sentiments et des sens, non de la volonté comme au siècle aristocratique de Descartes. Mais le lecteur actuel d'*Émile* constate que l'enfant-témoin promis à l'« éducation négative » est de sexe mâle. « Sophie ou la femme » n'advient qu'au livre V quand l'heure approche pour le jeune homme de se choisir une compagne.

Or la féminité est présente, nourricière, agissante, prévoyante dès les premières lignes de l'ouvrage. Dieu est père, mais la nature est mère. Si l'histoire d'Émile est « naturelle », c'est parce qu'il ne peut devenir humainement sociable que s'il sait toujours entendre la voix de la nature, qui est « bonne ». Récusant le péché originel, Rousseau n'impute pas à la femme le malheur du genre humain.

Toute objection élevée contre Rousseau au nom du 20e siècle ou du 19e manque son objet si elle méconnaît l'ancrage fondamental de sa pensée. Charnel et moral, c'est l'être Femme qui signifie sensiblement l'anthropologie dialectisée du naturel et du social. Saint-Preux, si sévère pour l'artificialité des compagnies parisiennes, reconnaît que les dames du grand monde savent éprouver un élan du cœur ; « ... ce sont elles seules qui conservent dans Paris le peu d'humanité qu'on y voit régner encore, [...] sans elles on verrait les hommes avides et insatiables s'y dévorer comme des loups » (*NH*. 277).

Quand, au terme de la fête improvisée de Saint-Gervais, il faut se séparer, les « aimables et prudentes femmes » ramènent leurs maris au foyer, « non pas en troublant leurs plaisirs, mais en allant les partager » (*LA*. 248), ce moment du paisible retour après la liesse, c'est celui du pouvoir féminin. Pouvoir non écrit, indivisément règle et nature. Mais c'est l'analyse de la pudeur qui situe le plus distinctement le féminin au principe de l'anthropologie de Rousseau.

P. Bayle eut tort de croire que la pudeur n'est qu'« invention des lois sociales » pour protéger les droits du père et de l'époux. Comme la conscience, elle est voix de la nature. Une fois de plus Rousseau rend à la nature ce que les philosophes lui disputent. (A l'inverse de ce qu'il fait quand il rend à la société ce que Hobbes accorde à la nature). Mais tout ce qui est « naturel » n'est pas en acte à l'état de nature. La pudeur, conscience de soi-femme, est inactuable tant que n'importe quel individu femelle convient à n'importe quel individu. Raisonnant sur l'homme, Aristote pensait masculin. Et quand Rousseau, décrivant l'homme en état de nature, fait l'inventaire des pouvoirs de l'animal homme comparé aux autres animaux, c'est le corps mâle qui est son objet. La femme, épisodique, n'est qu'un sexe. (Situation totalement renversée par l'amour ; pour ceux qui s'élisent l'autre sexe n'existe plus qu'en l'être aimé.)

Or c'est précisément le *Discours* qui distingue le « physique » et le « moral » de l'amour. Ce « moral » à qui le rapport social donne être et raison d'être. L'enfant ignore la pudeur. Elle « ne naît qu'avec la connaissance du mal. » (*E. 497*) Si la pudeur est nature, on présumera que naître a ici le sens d'actuer. La femme ne prend conscience de sa féminité que lorsque se stabilise le rapport entre les sexes. C'est alors la pudeur qui lui découvre et lui rappelle sa différence naturelle en même temps qu'elle lui donne prise sur sa vie sexuelle comme sur celle de l'homme. C'est parce que l'être féminin est assujetti à son propre désir comme au désir mâle qu'il trouve dans le sentiment de pudeur conscience de son inviolable identité et sauvegarde de son pouvoir de choix. « ... Si la pudeur du sexe consiste en vains préjugés, que deviendront, demande Rousseau dans la *Cinquième Lettre morale,* tous les charmes de l'amour ? » (*LMo.* 1110)

Condition de son autonomie, la pudeur « naturelle » à la femme enlève l'homme à l'élémentaire impulsion, l'initie au respect du féminin, lui suggère l'humanisante discipline d'un art d'aimer. Les effets civilisants de la pudeur se conçoivent mieux si l'on sait comment, selon l'auteur du *Discours,* l'institution sociale a pris acte de la naturelle différence entre les sexes. La première division des travaux a sédentarisé la femme, écartée des tâches inassumables par le sexe porteur d'enfant. La nécessité propre au rapport social valorise dans les consciences et les pratiques la différenciation des sexes...

La subordination croissante de l'être féminin est donc l'effet de l'inégalisante socialisation de notre espèce. Mais le genre humain est deux fois marqué par le malheur de la condition féminine : « ... privées de leur liberté par la tyrannie des hommes » (Fragments *Sur les femmes,* Pl. II, 1254), les femmes n'ont pu prodiguer, au bénéfice de l'entière humanité, le témoignage de toutes ces vertus civiles et morales dont elles font preuve quand il se peut ; elle aussi prisonnière de la dialectique Domination/Servitude, la femme s'est trouvée intimement divisée. « Sexe toujours esclave ou tyran, que l'homme opprime ou qu'il adore, et qu'il ne peut pourtant rendre heureux ni l'être, qu'en le laissant égal à lui. » (*LE.* 1221) Texte d'autant plus signifiant qu'il figure dans une méditation sur la Bible, ce *Lévite d'Ephraïm* composé sur le chemin de l'exil (d'où quelques négligences d'écriture).

En ce qu'ils ont de commun, écrit l'auteur d'*Émile,* les sexes sont « égaux » ; « en ce qu'ils ont de différent ils ne sont pas comparables » (693). D'où cette psychologie différentielle minutieusement exposée au livre V. Rousseau n'écrit pas ses grands ouvrages sans faire le point des connaissances du temps. C. Piau-Gillot observe que la science est alors mal instruite de l'anatomie féminine : la femme, « homme manqué ». (Il faut enfin Buffon pour établir que la « liqueur séminale » de la femelle prend autant de part à la génération que celle du mâle !) Sans doute Rousseau ne croit-il pas que la femme soit un « homme imparfait » ! Elle a sa perfection propre. Quand elle l'accomplit, c'est pour manifester la complémentarité entre les deux sexes. Ce qui est bon à l'un serait mauvais à l'autre. Mais il est patent que le strict respect de la complémentarité psychologique prépare Sophie à être la « compagne de l'homme ».

La culture des qualités que Rousseau tient pour éminemment féminines est celle d'un être dont la « dépendance » est un état naturel aux femmes, les filles se sentant faites « pour obéir » (*E.* 710). N'est-ce pas la loi de la nature, qui les destine à l'état d'épouse, de mère ? Les exemplaires femmes du Haut-Valais ne doutent pas un instant que, leur statut conjugal étant condition naturelle, c'est à leur époux que revient à la fois le devoir de nourrir la famille et la prérogative du gouvernement. Le modèle patriarcal est d'autant plus cher à Jean-Jacques qu'il y voit l'unique protection contre les périls qui environnent la femme du peuple lorsqu'elle perd ses attaches pour subir la loi de la ville qui corrompt. Toute une littérature en ce siècle est peuplée de pauvres filles promises au mal vénérien, à la prostitution qui prospère, à « l'hospice », aux expérimentations surimaginées par les nobles parasites et moines obsédés que Sade met en scène.

Sophie dépend. Celle qui procrée n'a pas à travailler pour subsister ; son chef naturel y pourvoit. Émile adolescent s'initie à la religion naturelle. N'étant pas en état de « juger », Sophie fut dès l'enfance instruite de la religion de sa mère ; elle aura celle de son mari. Mais ce n'est ni par sa mère ni par son « chef », c'est par l'omnivigilant gouverneur que la jeune épousée est initiée à l'art de s'assurer l'amoureuse fidélité du mari : savoir se refuser assez souvent pour être toujours désirée — « loi de la nature » qui rend à une femme avisée « autant d'autorité » sur le « cœur » d'un homme que le sexe masculin en donne au mari sur la « personne » de son épouse (865).

Sophie n'accomplira sa féminité que si elle apprend à « plaire » — « loi » de la « nature », « antérieure à l'amour même » (693). L'éducation négative préserve Émile des prises de l'opinion. A l'inverse, la femme, que sa nature destine à retenir l'intérêt de l'autre sexe, et que l'institution astreint au devoir de n'être mère que par l'époux, est socialement soumise à l'opinion. On voit que, si les femmes décident des mœurs, c'est à condition de s'y conformer. Une femme ne peut éluder cette loi : paraître ce qu'elle doit être. Il ne suffit pas qu'elle soit estimable ; elle doit être estimée. « L'opinion est le tombeau de la vertu parmi les hommes, et son trône parmi les femmes. » (*E.* 702-3) Mais une femme avisée peut se faire un pouvoir de ce pouvoir de l'opinion. Maîtresse de l'art du paraître, Sophie inclinera son époux à décider ce qu'elle décide, tout en ayant l'air de toujours obéir. Dans *l'Héloïse* (407) Julie apprend de sa cousine ce que peuvent être une conquête patiente, un sûr exercice du pouvoir par le sexe dépendant.

Mais, protégée des couvents qui livrent au « monde » de jeunes personnes piégées — cette critique de l'éducation des filles avait l'adhésion d'un public étendu —, Sophie a su garder la droiture des « sentiments naturels » (741). Ni coquetterie ni caprice. Elle n'est pas de celles qui, imposant obéissance aux hommes comme à des « valets » dans des choses serviles et communes, sont « sans autorité sur eux » dans les choses « importantes et graves ». La femme que respectent les siens, et qui « soutient l'amour par l'estime », un signe lui suffit pour envoyer un homme « au bout du monde, au combat, à la gloire, à la mort, où il lui plaît » (745). L'âme altière et forte des femmes de Sparte ne régnait que sur celle de guerriers sans peur et sans reproche.

Rousseau aime le courage moral des femmes, cette énergie du cœur qui enthousiasmait Diderot. Stendhal s'en souviendra. Le courage physique n'est pas moindre. « Elles préfèrent l'honneur à la vie. » *(LA.* 196) C'est la seule faiblesse de leur complexion qui les écarte du sentier de la guerre. Mais Rousseau, captif du préjugé répandu encore au siècle des Lumières, ne doute pas que la nature ait refusé le génie à la femme — surtout si elle écrit. Sauf quand elle est Sapho, introuvable en la littérature de ce temps... Or les messages que Rousseau reçoit en 1764-65 d'une lectrice fervente, qui trouve autant de « charmes » à ses *Lettres de la Montagne* qu'à « tous » ses autres ouvrages, mettent sa théorie du féminin à l'épreuve. Privée des joies tant espérées de l'amour, du mariage, de la maternité, Henriette a résolu de se faire un « nouvel être » par l'adhésion à ces purs intérêts de l'esprit que Rousseau conteste à la femme. Son cœur n'en est pas moins meurtri. « Moi isolée, je ne suis d'aucun sexe ; je suis seulement un être pensant et souffrant qui reste là aux alentours d'une société où on ne m'a pas donné de place. » Paul Hoffmann repère ici les limites de la « pensée normative » de Rousseau. « Après avoir défini la vocation de la femme, observe-t-il, Rousseau découvrait que celle-ci pouvait être une fatalité. »[77]

Convaincu comme d'Holbach que la nature n'a pu radicalement sexuer le corps (mais l'androgynie ?) sans sexuer rigoureusement l'esprit, Rousseau impute à la mère commune un pertinent partage des « qualités », ignoré d'une éducation qui féminise les hommes et déféminise les femmes. Émile est naturellement initiable à la réflexion des hautes finalités ; Sophie a le sens pratique des moyens concrets et proches. Elle excelle dans l'observation ; comme Émile dans l'abstraite logique des idées.

Julie de Wolmar ne prétend pas plus que Sophie se soustraire aux lois de sa nature. Elle se trouve mieux disposée à la bienfaisance immédiate qu'à l'intelligence des « trop sublimes » lumières de cette « politique » qui, de trop lointaine utilité, n'est « guère du ressort des femmes » *(N.* 305). Mais, si Émile ne prie point Sophie de lui enseigner ce qu'est un homme, c'est Julie qui rappelle à Saint-Preux ce qu'il doit être. Sophie ne se fait pas sa religion ; Julie dispense le pasteur lui-même de l'instruire de ce qu'elle doit croire. Quant aux principes éloignés, nous la verrons exposer à Saint-Preux une philosophie du mariage...

Se fondant sur l'idée que l'union permanente de l'homme et de la femme est avantageuse à notre espèce, Locke conclut à tort qu'une telle situation est un fait de nature. Ni la satisfaction du besoin sexuel ni la conception n'ont pouvoir naturel d'unir durablement. N'est-il pas d'ailleurs vraisemblable que l'homme présocial sur lequel raisonne

Locke n'a pas la moindre idée des suites d'une fortuite rencontre ? Locke, après Hobbes, reporte à l'état de nature des « effets » qui ont pour nécessaire cause l'état de société. C'est entre la mère et l'enfant qu'a pu se nouer de nature un premier attachement. « La mère allaitait d'abord ses enfants pour son propre besoin ; puis l'habitude les lui ayant rendus chers, elle les nourrissait ensuite pour le leur. »

Ces pages de l'*Inégalité* sur les commencements de la famille s'inscrivant dans une réflexion sur les problématiques commencements du langage, Rousseau souligne, après Condillac, que le rapport physique et affectif entre la mère et l'enfant a fait de celui-ci un initiateur de langage ; « ... l'enfant ayant tous ses besoins à expliquer, et par conséquent plus de choses à dire à la mère que la mère à l'enfant, c'est lui qui doit faire les plus grands frais de l'invention, et [...] la langue qu'il emploie doit être en grande partie son propre ouvrage » (*DI.* 147).

Le *Discours* situe l'expression de la commisération naturelle à l'homme bien avant l'apparition du lien conjugal (155). Antérieure de loin à la seconde et « grande révolution » que fut « l'invention de la métallurgie et de l'agriculture », une « première révolution [...] forma l'établissement et la distinction des familles ». Elle « introduisit *une sorte de propriété* (nous soulignons) ; d'où peut-être naquirent déjà bien des querelles et des combats » (167). Révolution rendue possible par une accélération des progrès de l'espèce après l'extrême lenteur des premières étapes. Taille de la pierre, coupe du bois, construction d'un habitat, ces découvertes étaient propices à la naissance d'un « attachement réciproque » entre membres de cette « petite société » qu'est la famille. (La trace de Lucrèce se reconnaît). « Seule » société « naturelle », écrira Rousseau dans le *Contrat* (352), puisqu'elle n'a pas sa source en quelque lien de convention, encore moins dans un pacte. Mais elle est foyer d'humanité, culture de sociabilité. Le plus grand Législateur enfanterait les mœurs par la « loi » ; société d'avant toute société et toute loi, la famille est première éducatrice des mœurs.

Mais ce n'est pas elle qui donne la clé de l'histoire du genre humain. L'universel processus de socialisation induit et se subordonne les transformations de l'identité familiale. Au stade de l'initial isolat la perpétuation de l'espèce ne s'accomplissait que si frère et sœur s'épousaient. Mais nouer un lien entre familles ne devenait possible que par institution d'une « loi » prohibant l'inceste. Transgresser une « si sainte loi » qui parle aux cœurs et discipline les sens, donnerait libre cours aux « plus effroyables mœurs », prélude à la « destruction du genre humain » (*EOL.* 125, n. 1). Les formes historiquement prises par le rapport social (propriété, échanges, institutions, droit, mentalités...) décident du statut civil de la famille. C'est ainsi que stabilité conjugale, fidélité à l'époux, père et propriétaire sont indispensables à la transmission du patrimoine (... et à l'accumulation du capital). Dans une société où l'accord des libertés a fondement contractuel le lien conjugal lui-même est contractualisable. Mais, donnant instruction solennelle aux jeunes époux impatients, le gouverneur précise que si, « dans le mariage les cœurs sont liés » « les corps ne sont point asservis ». « Que chacun des deux toujours maître de sa personne et de ses caresses ait droit de ne les dispenser à l'autre qu'à sa propre volonté. » (*E.* 863)

« Nature » et « rapports ». Le meilleur des droits est celui qui ne méconnaît pas la voix de la nature. C'est précisément parce que la « société civile » s'est emparé de la famille qu'une sage législation doit respecter sa naturalité d'essence. Ne faut-il pas une « prise naturelle pour former des liens de convention » ? N'est-ce point par la « petite patrie » familiale que « le cœur s'attache à la grande » ? Le bon fils, le bon mari, le bon père font le bon citoyen (*E.* 700). Ce discours de Rousseau fait corps avec la critique d'une aristocratie dure et frivole qui méprise droit de l'humanité et devoirs civiques, mésestime la valeur spirituelle du lien conjugal et des attachements familiaux. Ces sentiments gardent force dans les couches de bourgeoisie que Diderot porte à la scène, et parmi ces artisans, ces laboureurs auprès de qui Jean-Jacques de Genève se rédime de la fréquentation des grands. (Non qu'il célèbre les charmes de toute vie rurale ! Il compare le sort de la paysanne française, précocement vieillie, à celui des paysannes du Haut-Valais.)

Dès le début d'*Émile* Rousseau proteste. « Les lois, toujours si occupées des biens et si peu des personnes, parce qu'elles ont pour objet la paix et non la vertu, ne donnent pas assez d'autorité aux mères. » (246) C'est par la mère que la famille est régénérable. Elle ne gâte son enfant que parce qu'elle s'abuse sur la façon de le rendre heureux. Une dépravante société l'enlève à sa vérité constituante. « Point de mère, point d'enfant. » (259) L'irremplaçable éducatrice de la prime enfance, c'est elle. Les célèbres pages d'*Émile* pour l'allaitement maternel ont leur place dans les annales d'une controverse ancienne. La jeune mère qui, avec la complicité du père et du médecin des riches, envoie son nouveau-né au village, est trop absorbée par les « amusements de la ville » (255) pour s'inquiéter du sort de l'exilé. Imaginant « réparer sa négligence par sa cruauté », elle lui apprendra plus tard à traiter en « servante » congédiable celle qui lui donna le sein ; c'est l'encourager à mépriser un jour celle qui lui donna la vie (257). Pour l'heure, la nourrice fait comme elle peut, comme elle sait avec cet enfant qui lui est «'etranger ». L'essentiel étant qu'il ne s'estropie pas, on le ligotte ; le voudrait-on perclus ? Relayé par les Encyclopédistes, par les médecins éclairés (notamment Desessartz), Montaigne, après Plutarque, instruisait déjà le procès du maillot qui entrave la croissance d'un être fait pour se mouvoir. Mais Rousseau garde le cap de sa philosophie. Si le pleur de l'enfant suspendu au clou « comme un paquet de hardes », « crucifié » aussi longtemps que la nourrice « vaque à ses affaires », est pleur du malaise, n'est-ce pas, plus encore, celui de la protestation ? « Toute notre sagesse consiste en préjugés serviles ; tous nos usages ne sont qu'assujettissement, gêne, et contrainte. L'homme civil naît, vit et meurt dans l'esclavage : à sa naissance on le coud dans un maillot ; à sa mort on le cloue dans une bière ; tant qu'il garde la figure humaine il est enchaîné par nos institutions. » (253)

Nature faisant loi, Rousseau ne pactise pas avec la contraception, qui gagne du terrain dans les couches les plus pauvres. Dans une note de l'*Inégalité* il réprouvait déjà ces moyens de « tromper la nature » (204), que Thérèse n'employait pas. Les médecins, qui se savaient démunis face aux périls de l'accouchement, recommandaient l'allaitement maternel prolongé pour écarter les risques de grossesses rapprochées. Mais Rousseau se retrouve ici aux côtés des prédicateurs et, pour une autre raison, d'un Mirabeau physiocrate : un État qui se dépeuple est perdu. L'abbé de Saint-Pierre se faisait sans mystère obligation de procréer, comme le doit tout citoyen. Et Wolmar rappelle à Milord Édouard, pair d'Angleterre, que « quiconque eut un père est obligé de le devenir » (*NH*. 656). Ce « quiconque » syllogistique prêterait à sourire si Wolmar ne parlait pas au nom d'une nature qui ne plaisante point : elle ne se conserve qu'en se reproduisant.

De la nourrice au collège ou au couvent, l'enfant de bonne famille est dépouillé de son droit aux parents. Mais quand le père exerce les siens sans consulter le cœur d'une fille à marier, il administre la preuve que la famille, institution « naturelle », n'a pas échappé aux effets matériels et moraux du rapport Domination/Servitude ; « ... soyons justes envers les femmes, écrit Rousseau dans sa seconde préface à l'*Héloïse,* la cause de leur désordre est moins en elles que dans nos mauvaises institutions.

« Depuis que tous les sentiments de la nature sont étouffés par l'extrême inégalité, c'est de l'inique despotisme des pères que viennent les vices et les malheurs des enfants ; c'est dans les nœuds forcés et mal assortis que, victimes de l'avarice ou de la vanité des parents, de jeunes femmes effacent par un désordre, dont elles font gloire, le scandale de leur première honnêteté. Voulez-vous donc remédier au mal ? Remontez à sa source. S'il y a quelque réforme à tenter dans les mœurs publiques, c'est par les mœurs domestiques qu'elle doit commencer, et cela dépend absolument des pères et mères. Mais ce n'est point ainsi qu'on dirige les instructions ; vos lâches auteurs ne prêchent jamais que ceux qu'on opprime ; et la morale des livres sera toujours vaine, parce qu'elle n'est que l'art de faire sa cour au plus fort. » (*NH*. 24)

L'être féminin ayant vocation de rappeler et restaurer l'ordre naturel dans l'ordre social (négation de la négation ?), c'est autour d'une femme que l'imagination critique du romancier légitime une telle « réforme ». Clarens est au cœur de la culture d'un siècle, et au-delà. Pour que se découvre et s'accomplisse la loi des « affinités électives » il faut à Goethe un domaine rationnellement gouverné, un lac où la mort veille.[78]

Exploiter soi-même

Clarens a fait l'objet d'analyses précieuses — notamment J. Starobinski, R. Mauzi, B. Guyon, J.-L. Lecercle, M. Launay, J.-M. Carzou, N. Wagner, G. Benrekassa... Notre propos ne concerne, en ce chapitre, que le « petit ménage » (371) (comprenons « l'économie domestique » au large sens aristotélicien), tel que Saint-Preux le décrit dans ses lettres à Bomston. Mais le domaine de Clarens est une principauté, possession d'un monarque intelligemment absolu, qui règne sur un peuple diligent, animé des sentiments qu'on doit au bienfaiteur de la contrée. Le tableau de Clarens s'accorde par divers traits aux vues réformatrices du milieu Conti-Luxembourg dont Rousseau s'éloignera dans les conditions qu'on rappelait au chapitre 2. Mais l'économie, la politique, l'éthique de Clarens proposent matière aux pensées d'une gentilhommerie française qui conjoint souci du bien commun et certitude que les hiérarchies sociales et spirituelles sont menacées par les milieux d'affaires et d'argent. M. de Wolmar l'invite à mesurer l'intérêt et à goûter les attraits de l'agriculture, délaissée par une noblesse urbanisée, que la vie de cour anémie et qui dédaigne le parfum du terroir.

Le romancier propose ainsi le réconfortant et touchant spectacle de cette grande famille que peut rassembler autour d'elle une aristocratie de mœurs exemplaires qui, gérant elle-même ses biens, s'attache une population laborieuse et dense. Au florissant pays vaudois — l'était-il autant que Rousseau l'imagine ? —, placé sous le sage gouvernement de Berne, s'oppose le Chablais, « pays non moins favorisé de la nature, et qui n'offre pourtant qu'un spectacle de misère ». Julie apprend ainsi de Saint-Preux à « distinguer les différents effets des deux gouvernements, pour la richesse, le nombre et le bonheur des hommes ». La terre « ouvre son sein fertile et prodigue ses trésors aux heureux peuples qui la cultivent pour eux-mêmes. Elle semble sourire et s'animer au doux spectacle de la liberté ; elle aime à nourrir des hommes. Au contraire les tristes masures, la bruyère et les ronces qui couvrent une terre à demi-déserte annoncent de loin qu'un maître absent y domine, et qu'elle donne à regret à des esclaves quelques maigres productions dont ils ne profitent pas » (515-6). Rousseau évoque plus loin — probable souvenir d'une campagne découverte en ses jeunes années, dans cette France où le paysan est taillable et corvéable à merci — « la misère qui couvre les champs en certains pays où le publicain dévore les fruits de la terre, l'âpre avidité d'un fermier avare, l'inflexible rigueur d'un maître inhumain [...]. Des chevaux étiques prêts d'expirer sous les coups ; de malheureux paysans exténués de jeûnes, excédés de fatigue et couverts de haillons, des hameaux de masures [...] ; on a presque regret d'être homme quand on songe aux malheureux dont il faut manger le sang » (603).

M. de Wolmar n'est pas un grand seigneur français ; il ménage et protège ses villageois. Instruit par une exceptionnelle et longue épreuve du déclassement social, il comprend que le noble dessert sa cause s'il s'aliène le paysan. Rousseau n'aura jamais la science des physiocrates. Mais il a très probablement étudié la *Nouvelle Maison rustique ou économie générale de tous les biens de la campagne,* de Liger. Et, l'année même où débute la rédaction de l'*Héloïse* (1756), l'*Encyclopédie* publie son *Discours sur l'économie politique,* témoignage éclatant de son intérêt pour un objet qui passionne les plus grands esprits du siècle.

Les pouvoirs exercés par M. et Mme de Wolmar, leur ascendant moral sont d'autant mieux assurés que l'assise matérielle de Clarens est plus solide. Domaine autarcique d'un seul tenant — comme la sagesse. Ses proportions n'excèdent pas l'étendue d'un territoire que le maître, qui aimerait « devenir un œil vivant » (491), peut parcourir lui-même. Entre Wolmar (souvent accompagné de son épouse) et les « surveillants » « intéressés au travail des autres par un petit denier qu'on leur accorde outre leurs gages » (443) — ils travaillent eux-mêmes à la « basse-cour »[79] —, le contact est fréquent, régulier. Wolmar préside aux moissons en baronie d'Étange ; mais le logis permanent est à Clarens, où le terrain le meilleur, et de plus haut rapport, est aux vignes, « qui font un objet considérable » (442).

Milord Edouard affirme ses vastes possessions. M. de Wolmar, viticulteur, est sur place. Point de fermier. Malheur au patrimoine du propriétaire oisif qui, pour un peu d'argent comptant, s'expose à la ruine tôt ou tard. Le fermier préfère réduire les frais d'exploitation que consentir des « avances qui lui sont plus pénibles que les profits ne lui sont utiles » (549). Le texte primitif disait mieux l'essentiel que la version publiée : « fermier d'une maison il s'y regarde toujours comme un étranger et se souciant peu de l'état où il la laissera à la fin de son bail il n'est pas possible, quelque précaution qu'on prenne, d'empêcher qu'il ne sacrifie le produit futur au produit présent. » (1663) Voilà comment les terres sont négligées ou s'épuisent. [Il s'agit des baux de courte durée, qui dissuadent le fermier d'investir.]

Wolmar exploite donc lui-même. Il recueille le profit du fermier à « plus grand frais » que lui ; mais pour une culture « beaucoup meilleure », assurant un profit « beaucoup plus grand ». Cet « excès de dépense » est source de « très grande économie ». (549) S'ils affermaient, le train des Wolmar serait bien plus coûteux. Mieux vaut percevoir le loyer des maisons qu'ils ont en ville que d'y résider. On perçoit aussi quelques rentes sur fonds publics. La vente des vins et blés excédentaires alimente un fonds réservé aux « dépenses extraordinaires » (552). « Le salaire des ouvriers et des domestiques se prend sur le produit des terres qu'ils font valoir. » (551) L'emploi des revenus de l'exploitation s'effectue sur place. Consommation « en nature » : « Échanges réels. » « Notre grand secret pour être riches [...] est d'avoir peu d'argent, et d'éviter autant qu'il se peut dans l'usage de nos biens les échanges intermédiaires entre le produit et l'emploi. » (548) Abondance de bois. Vin, huile, pain sont des productions de la maison. Toile filée par « de pauvres femmes que l'on nourrit ». Manufacturée au-dehors, la laine de Clarens s'échange contre le drap qui habille « les gens ».

Saint-Preux s'émerveille : « Comment se lasserait-on d'un état si conforme a la nature ? Comment épuiserait-on son héritage en l'améliorant tous les jours ? Comment ruinerait-on sa fortune en ne consommant que ses revenus ? Quand chaque année on est sûr de la suivante, qui peut troubler la paix de celle qui court ? Ici le fruit du labeur passé soutient l'abondance présente, et le fruit du labeur présent annonce l'abondance à venir ; on jouit à la fois de ce qu'on dépense et de ce qu'on recueille, et les divers temps se rassemblent pour affirmer la sécurité du présent. » (551) Les Wolmar préfèrent « améliorer » le patrimoine que l'étendre. Placement de leur argent moins avantageux, mais plus sûr. Mais si Wolmar professe, comme Rousseau, qu'il ne serait pas sage de se tourmenter pour « prévenir des maux douteux et des dangers inévitables », il a pris toutefois une précaution : « ...vivre un an sur son capital, pour se laisser autant d'avance sur son revenu ; de sorte que le produit anticipe toujours d'une année sur la dépense. Il a mieux aimé diminuer un peu son fonds que d'avoir sans cesse à courir après ses rentes. L'avantage de n'être point réduit à des expédients ruineux au moindre accident imprévu l'a déjà remboursé bien des fois de cette avance. Ainsi l'ordre et la règle lui tiennent lieu d'épargne, et il s'enrichit de ce qu'il a dépensé. » (529)

De fait, si le tableau de Clarens reconduit Saint-Preux aux patriarches, l'aptitude des Wolmar au plus minutieux calcul ne doit rien à l'Ancien Testament. Échelle et montant des gages (« prix courant » et surplus gracieux). Gain rapporté par les avances qui encouragent l'émulation. Réduction de l'effectif domestique au chiffre optime. Aménagement de « l'Élysée » de Julie par elle-même, sans débourser un sou.

L'abondance de Clarens est celle du « seul nécessaire » qui ne peut « dégénérer en abus » (550). L'économie des Wolmar ne consent rien aux illimitables et coûteux caprices de l'« opinion ». C'est prendre le contre-pied des pratiques d'une noblesse paresseuse, imprévoyante et fastueusement prodigue, qui n'a jamais su ni voulu compter. « S'abstenir pour jouir », cet « épicuréisme de la raison » (brouillon et copie personnelle : « de la vertu ») (662), « philosophie » de Julie, peut nouer alliance avec les vertus puritaines qu'une bourgeoisie capitaliste opposera victorieusement à l'incurie, au gaspillage, aux mentalités d'une aristocratie jouisseuse. Wolmar n'est pas d'une école. Promoteur de rationalité agronomique, il ne célèbre ni banque ni libre échange. Il tient que la cause première de l'accroissement des richesses, c'est l'accroissement de la population qui cultive. « C'est le défaut d'habitants [d'un pays] qui l'empêche de nourrir le peu qu'il en a. » (442) Mme de Wolmar accueille donc toujours ceux qui manquent d'ouvrage. Figures quasi-bibliques, les châtelains de Clarens atteignent une perfection toute moderne dans l'art de gouverner et de régir ceux qu'on emploie.

Tout devant concourir à l'accord des classes, à l'harmonie des âmes, Julie de Wolmar ne pourrait assurer la cohésion spirituelle du tout si elle n'avait pas l'intelligence de la matérialité. Son mari recouvre les rentes ; c'est elle qui en règle l'affectation. (530)

Les talents et l'emploi

Prévenir l'exode rural, plaie de ce siècle pour Rousseau et tant d'autres. « La grande maxime de Madame de Wolmar est donc de ne point favoriser les changements de condition, mais de contribuer à rendre heureux chacun dans la sienne, et surtout d'empêcher que la plus heureuse de toutes, qui est celle du villageois dans un État libre, ne se dépeuple en faveur des autres. » (536) A l'opposé du « bel-esprit », le « vrai politique », écrit Saint-Preux à Bomston, n'estime pas la « puissance publique » d'après les palais du prince, ses ports, ses troupes, ses arsenaux, ses villes. Il « parcourt les terres et va dans la chaumière du laboureur » (535). [Premier jet : « On ne peut juger du bonheur public que par celui du cultivateur [...] substance des nations » (en nombre ainsi qu'en « puissance ») (1656).] Dépositaire de l'identité humaine, le laboureur est aussi le plus sûr garant de l'identité et de la vitalité nationales. C'est par lui qu'un peuple prospère ; c'est par lui qu'un peuple ne dépend que de soi. Quel besoin aurait-il d'agresser quelque autre ? Et le paysan fidèle à sa terre n'est-il pas meilleur soldat « pour la gloire de son pays » que celui qui l'abandonne pour un « service étranger » moyennant cinq sols de paye et les « coups de canne » (536) ?

Saint-Preux observant que la diversité (vraisemblablement naturelle) des talents autorise tout homme à postuler l'emploi auquel il est apte « sans égard à la condition » dans laquelle il est né, Mme de Wolmar lui oppose une argumentation qui trouve dans le respect inconditionnel (et prékantien) de l'être humain le principe même du fixisme social invalidé par Saint-Preux au nom de la « nature » ! La « noble » nature de l'homme interdisant qu'il doive « servir simplement d'instrument à d'autres », Julie conclut que les places sont faites pour les hommes et non l'inverse. L'estime qu'on doit au talent est donc subalternée, dans l'ordre de Clarens comme dans l'ordre éthique, au respect des « mœurs » et à l'évaluation de ce qui convient à la « félicité » de l'homme-individu. Un homme à talents n'est-il pas corruptible si l'on utilise son savoir-faire à des fins immorales ? Vouloir que tout homme soit heureux, c'est chercher l'emploi qui lui convient, plutôt que former chacun pour un emploi. Tel est le principe de Rousseau : ordonner l'ordre des sociétés au bonheur et à l'être moral de l'individu. B. Guyon remarque, après P. Burgelin, que cette « transcendance de la personne par rapport à l'État » ne fait point de notre auteur, quoi qu'on en dise « souvent », « l'ancêtre direct des totalitarismes » (1657). [Si nous entendons bien la pensée de Rousseau, le terme d'« État » est ici trop étroit.] Mais le personnalisme de Julie (si l'on s'autorise un vocable anachronique) n'en est pas moins conservateur. Il s'accorde d'autant mieux avec la stabilité des structures et des hiérarchies sociales qu'elle professe, comme Rousseau, que « la condition naturelle à l'homme est de cultiver la terre et de vivre de ses fruits » (534). Adoucir autant qu'il se peut la vie du paysan, tels sont donc le devoir, l'intérêt du propriétaire foncier. L'honorer, c'est lui apprendre à honorer son état, utile entre tous, plutôt que de souhaiter s'y soustraire. Tout le peuple de Clarens sait que les maîtres invitent parfois à leur table un de ces vieux et sages paysans qui les remercie par quelque précepte moral, ou quelque leçon d'agriculture — les talents du laboureur n'étant pas de ceux qui se cultivent à la ville. L'exploitation du domaine Wolmar est exemplairement rationalisée ; mais, si le propriétaire sait tirer parti de l'expérience des villageois, il juge — comme le fera Voltaire (*Dictionnaire philosophique,* article « Fertilisation ») — que les écoles ne sont pas destinées à leurs fils. Et l'on doute que les journaliers de Clarens et d'Étange puissent apprendre tout ce que savent les montagnons, qui n'ont besoin d'un maître ni pour subsister ni pour être heureux.

Julie l'accorde à Saint-Preux : « S'il existait une société où les emplois et les rangs fussent exactement mesurés sur les talents et le mérite personnel, chacun pourrait aspirer à la place qu'il saurait le mieux remplir ; mais il faut se conduire par des règles plus sûres et renoncer au prix des talents, quand le plus vil de tous est celui qui mène à la fortune. » L'inspiration du *Discours sur les sciences et les arts* ne s'étant pas tarie, Julie conclut que « les peuples bons et simples n'ont pas besoin de tant de talents ; ils se soutiennent mieux par leur seule simplicité que les autres par toute leur industrie » (538). La question sera reprise en *Émile* sous un éclairage partiellement nouveau. L'agriculture est certes le « premier métier de l'homme », « le plus honnête », « le plus utile », donc « *le plus noble* » (nous soulignons). Mais l'acquisition d'un « vrai métier, un art purement mécanique », pourra seule garantir le jeune homme contre un double risque : l'aléa du talent..., et la perte de « l'héritage » de ses pères. (470-1)

L'ordre de/à Clarens

Redonner substance et sens à la famille, réformer (à l'école de la vénérable Helvétie) les mœurs d'une aristocratie qui méconnaît ses intérêts comme ses obligations. D'où l'espace occupée dans le roman par un problème que Rousseau n'était pas seul à poser : quels serviteurs pour quels maîtres ? Mais, la pensée du Genevois s'étant construite contre Domination/Servitude, l'interrogation de celui qui garde un souvenir amer du jeune laquais qu'il fut prend un tour nouveau. Dans la demeure d'un Rousseau qui serait « riche » chacun n'aurait pour serviteur que lui-même. « La servitude est si peu naturelle à l'homme qu'elle ne saurait exister sans quelque mécontentement. » (*NH.* 460) Il faut donc par loi d'essence que tout sujet domestiqué obtienne ou se donne quelque chose comme une compensation. Ce qui s'effectue sous le principe du miroir : tel maître, tel valet. Connaissez donc celui-ci pour connaître celui-là.

Dissimulés par le « vernis de l'éducation », les défauts du maître se découvrent « grossièrement » dans la conduite du valet. Et les mœurs des dames de Paris sont infailliblement trahies par « l'air et le ton de leurs femmes de chambre ». « En toute chose l'exemple des maîtres est plus fort que leur autorité. » Sous l'apparence d'un service affairé, les valets d'un maître méprisable et détesté lui causent « mille maux secrets » dont il ne soupçonnera jamais la « source » (459). Domesticité ne fait pas grâce : l'inhumanité d'un maître se paie jusqu'à la moindre monnaie. Vol pour vol. Mensonge pour mensonge. Ruse pour violence. Insolence pour vice... La déshumanisante dialectique de l'inégalité est inexorable. L'homme assujetti assujettit celui qui l'enchaîne. Et celui qui est tout n'est plus rien sans celui qui n'est rien.

Mais la doctrine des châtelains de Clarens pacifie et préserve, dans la lumière des « patriarches », un rapport inégal qu'ils savent antinomique à l'être de l'homme. Tout en leur maison doit ainsi s'accomplir par « attachement », le service n'apparaissant plus aux domestiques comme contre-partie d'une rémunération, mais pour naturelle expression de ce bon-vouloir humain qui donne sans compter, sans escompter ; « ...l'on dirait que ces âmes vénales se purifient en entrant dans ce séjour de sagesse et d'union » (470). La conduite du ménage Wolmar semble tirer leçon de l'Évangile. Malgré l'agnosticisme non déclaré de l'époux. « C'est ici, écrit Saint-Preux à Milord Edouard, qu'on trouve le sensible exemple qu'on ne saurait aimer sincèrement le maître *sans aimer tout ce qui lui appartient ; vérité qui sert de fondement à la charité chrétienne.* (Nous soulignons.) N'est-il pas bien simple que les enfants du même père se traitent en frères entre eux ? C'est ce qu'on nous dit tous les jours au Temple sans nous le faire sentir ; c'est ce que les habitants de cette maison sentent sans qu'on le leur dise. »

On est surpris que B. Guyon, commentant ces lignes, n'observe pas le déplacement qui, entraînant Saint-Preux de l'être à l'avoir, investit l'Évangile et le Temple dans la propriété. Mais ne faut-il pas qu'il en soit ainsi pour qu'en cette « maison paternelle où tout n'est qu'une même famille » (462) son chef en personne soit Dieu ? Subordonné à celui qui les lie tous au père, tel est l'attachement que se porte les enfants unis dans le « dévouement à l'intérêt sacré du maître » (465) qu'il n'y a ni temps ni lieu pour ces intrigues, rivalités, discordes si fréquentes parmi les gens qui servent, et dont un maître tire avantage au point, parfois, de les rendre « espions et surveillants les uns des autres » (461). Ne voyant jamais « rien faire à leur maître qui ne soit droit, juste, équitable », les domestiques « ne regardent point la justice comme le tribut du pauvre, comme le joug du malheureux, comme une des misères de leur état » (468). La loyauté de ceux qui se montrent à eux tels qu'ils sont pour que leurs domestiques fassent de même, les soins pris à ne léser qui que ce soit au bénéfice d'un autre, l'honnêteté de divers procédés et ménagements priveraient de tout crédit la parole de « quelque valet étranger » qui viendrait « dire aux gens de cette maison qu'un maître et ses domestiques sont entre eux dans un véritable état de guerre, que ceux-ci faisant au premier tout du pis qu'ils peuvent usent en cela d'une juste représaille, que les maîtres étant usurpateurs, menteurs et fripons il n'y a pas de mal à les traiter comme ils traitent le Prince ou le Peuple ou les particuliers, et à leur rendre adroitement le mal qu'ils font à force ouverte » (469). Nul état de guerre à Clarens, et nulle nécessité d'un contrat social pour vivre en paix...

Famille n'est pas cité. Mais, si le père de famille selon le premier livre du *Contrat* achemine ses enfants au majorat sans rompre le lien filial (ainsi fera M. de Wolmar pour ses fils), le domestique-enfant est et reste mineur. L'honneur d'un roturier, c'est celui du travailleur indépendant ; et Saint-Preux, précepteur de Mlle d'Étange, ne se voulait pas salarié.

La créature humaine du Dieu de Rousseau fut générée libre, ontologiquement pourvue d'une volonté disposant souverainement de ses choix. Mais si les enfants-serviteurs du Dieu vaudois créé par le romancier sont perfectibles par les soins de leur Père, et surtout par ceux de Mme de Wolmar, leur progrès moral est d'un être substantiellement dépendant. L'archétypal père de famille célébré par Saint-Preux est « maître de sa propre félicité, parce qu'il est heureux comme Dieu même, sans rien désirer de plus que ce dont il jouit ». Pas plus que « l'Être immense », il n'a projet d'étendre son domaine. C'est en « possédant mieux ce qu'il a » (« par les relations les plus parfaites et la direction la mieux entendue ») qu'un tel propriétaire « s'enrichit ». Ce qui vaut du terroir vaut pour ses gens. « Son Domestique lui était étranger ; il en fait son bien, son enfant, il se l'approprie. Il n'avait droit que sur les actions, il s'en donne encore sur les volontés. Il n'était maître qu'à prix d'argent, il le devient par l'empire sacré de l'estime et des bienfaits. Que la fortune le dépouille de ses richesses, elle ne saurait lui ôter les cœurs qu'elle s'est attachés, elle n'ôtera point des enfants à leur père ; toute la différence est qu'il les nourrissait hier, et qu'il sera demain nourri par eux. » (467)

Sublime effet d'une « réforme » morale du rapport entre maître et serviteurs : ceux-ci n'ont d'existence et d'âme que pour celui-là. M. de Wolmar ne pouvant instaurer à Clarens un ordre qui ne refléterait pas l'Ordre de la Raison, on est tenté de comparer avec l'économie

domestique théorisée dans *l'Éthique à Nicomaque* ; ou de rappeler
le « despotisme légal » que la physiocratie oppose au despotisme
« arbitraire ». Mais c'est l'anthropologie du Genevois, non celle d'Aristote, qui inscrit la faculté cartésienne de libre choix dans la définition
de l'humain. C'est parce qu'une telle faculté n'est pas illusoire que
notre espèce en peut user pour son malheur. Et la volonté générale
d'un peuple, quels que soient l'ascendant et l'habileté du législateur qui
l'institue, n'est pas illusoirement *causa sui*. « Dans la République,
observe Saint-Preux, on retient les citoyens par des mœurs, des principes,
de la vertu : mais comment contenir des domestiques, des mercenaires,
autrement que par la contrainte et la gêne ? Tout l'art du maître est de
cacher cette gêne sous le voile du plaisir ou de l'intérêt, en sorte qu'ils
pensent vouloir tout ce qu'on les oblige de faire. » (453) Les ressources
de l'amour évangélique, l'attrait du patriarcat restauré ne suffisent donc
pas. L'Ordre ne s'accomplit à Clarens que si des maîtres qui ne mentent
jamais éveillent et cultivent chez ceux qui les servent l'illusion mystifiante
entre toutes : l'illusion de la liberté, l'illusion de l'essentiel. Julie ne
pouvant oublier qu'elle s'instruisit, aux côtés d'un jeune précepteur
plébéien, de la libre « nature » de l'homme, comment sa bonne
conscience de reine ne serait-elle pas visitée par son contraire ? Elle
confie donc à son ami que la « familiarité modérée » dont elle use avec
ses gens, quand elle danse de bonne grâce avec ceux qui se sentent
« honorés des regards » du « maître » présent, « forme entre nous un
lien de douceur et d'attachement qui ramène un peu l'humanité
naturelle, en tempérant la bassesse de la servitude et la rigueur de
l'autorité » (458). [Il en est ainsi du loisir comme du service sous un
toit où l'« on respecte assez la dignité de l'homme quoique dans la
servitude pour ne l'occuper qu'à des choses qui ne l'avilissent point »
(469).] « ...J'admirai, poursuit Saint-Preux, comment avant tant d'affabilité pouvait régner tant de subordination, et comment elle et son mari
pouvaient descendre et s'égaler si souvent à leurs domestiques, *sans
que ceux-ci fussent tentés de les prendre au mot et de s'égaler à eux à
leur tour* » (nous soulignons) (458). Les serviteurs ne savent donc pas
moins que les maîtres ce que parler veut dire. En chacun se fait ici la
silencieuse synthèse du respect de soi et du respect du rang. Et certaine
familiarité a pouvoir de signifier l'infranchissable.

L'art du non-paraître étant indéliable de l'art du paraître, M. de
Wolmar, que l'on voit au bal, ne prend jamais part à ces collations du
dimanche qui, après le prêche du soir, assemblent le personnel féminin
autour de la maîtresse dans la chambre des enfants. « Imaginez si la
petite vanité » du sexe est « flattée » quand la voix de Madame fait
entendre qu'elle a refusé à M. de Wolmar lui-même la « faveur » d'une
invitation ! (452) Mais les châtelains (avec leurs fils parfois) « honorent »
volontiers de leur présence les jeux dominicaux où les gens de livrée et
ceux de la basse-cour se disputent, « fournie par la libéralité des
maîtres », une mise qui est valeur d'agrément ou d'usage. Point

d'argent. Et le vin qui les désaltère leur est offert. Le bienfait du corps procuré par ces exercices s'augmente d'un acquis moral : les concurrents s'accoutumant à « tirer leur valeur d'eux-mêmes plutôt que de ce qu'ils possèdent, tout valets qu'ils sont, l'honneur leur devient plus cher que l'argent ». Ces divertissements étant aménagés par les maîtres, ceux qui s'y livrent « tiennent tous leurs plaisirs » de ceux qui les font vivre. (454-5)

Un matérialisme du sage contribue aux bonnes mœurs. Fidèle au principe de la séparation des sexes destinés à s'unir (on a lu la *Lettre à d'Alembert*), Julie les protège sans le dire du péril des « liaisons suspectes » par l'incessante occupation des hommes et des femmes à des travaux « si différents qu'il n'y a que l'oisiveté qui les rassemble » (451). Et n'est-ce pas les « secrets monopoles » entre domestiques de l'un et l'autre sexes qui « ruinent à la longue les familles les plus opulentes » ? (449) Mais la « réserve » strictement observée ne peut que favoriser la conclusion d'heureux mariages, « honnête établissement » préparé de loin par les époux Wolmar.

Dans une maison si judicieusement réglée qu'« à la subordination des inférieurs se joint la concorde entre les égaux », les maîtres se louent de si bien évaluer leur intérêt, et les serviteurs « louent Dieu dans leur simplicité d'avoir mis des riches sur la terre pour le bonheur de ceux qui les servent, et pour le soulagement des pauvres » (460).

On se reproche de ne pas traiter tous les aspects d'un texte où l'expérience personnelle de l'auteur soutient le travail d'analyse et le propos moral. Ah ! si Rousseau, jeune laquais, avait eu de tels maîtres à Turin... Il ne souffrirait pas le tourment du crime irréparable : imputer à Marion le vol du ruban qu'il avait dérobé pour le lui offrir. N'est-ce pas dans l'administration de leur droit de justice que la bienfaisance des Wolmar est à la plus sensible écoute de ce que peuvent ensemble sagesse et miséricorde ? Ayant fait comprendre à leurs gens que tolérer l'injustice (au détriment du maître ou de tout autre) est injustice que l'on commet soi-même, ils ont su « transformer le vil métier d'accusateur en une fonction de zèle, d'intégrité, de courage, aussi noble, ou du moins aussi louable qu'elle l'était chez les Romains » (463). Toutes dispositions sont prises pour prévenir ou sanctionner la calomnie. Et pour épargner au coupable « l'invincible honte » (*C.* 86) d'avouer en public ce qu'un maître aussi bienveillant et avisé que Mme de Wolmar eût donné à Rousseau la force de confesser en privé.

Mais l'auteur de l'*Héloïse* se souvient aussi du bonheur des vendanges aux Charmettes. On ne récapitulera pas les belles études consacrées à cette lettre (V, 7) sur les vendanges à Clarens, qui rendait un son si nouveau dans le siècle. Quelle que soit la dette de l'auteur (à Fénelon surtout), ces pages inaugurent et feront souche.

En première version du *Contrat social* (I, 2, *De la société générale du genre humain*), Rousseau constatait que « l'heureuse vie de l'âge d'or fut toujours un état étranger à la race humaine, ou pour l'avoir méconnu quand elle en pouvait jouir, ou pour l'avoir perdu quand elle aurait pu le connaître » (283). Mais, lorsque Saint-Preux évoque pour son ami Bomston, éternel voyageur, la « simplicité de la vie pastorale et champêtre », le chant des faneurs, les troupeaux « épars dans l'éloignement », c'est au rappel de « tous les charmes de l'âge d'or » que le « cœur » s'émeut.

Les « bons et sages régisseurs de Clarens » savent « accumuler l'abondance et la joie autour d'eux, et faire du travail qui les enrichit une fête continuelle ! » (603) « On oublie son siècle et ses contemporains ; on se transporte au temps des patriarches ; on veut mettre soi-même la main à l'ouvrage, partager les travaux rustiques, et le bonheur qu'on y voit attaché. » (603-4) Saint-Preux retrouve ainsi la « première vocation de l'homme » (603). Et son imagination renoue l'humaine attache avec cette nature-mère que méconnaissent et dédaignent les « habitants de Paris » (602). Informée du vocabulaire de la viticulture, des techniques de vinification, la description d'une journée de vendanges s'achève sur le rêve et le vœu de « recommencer le lendemain, le surlendemain, et toute sa vie » (611).

Temps de la fête, temps du travail composent une même durée, autarcique et régénérable. Et les vendangeurs, paysans ou châtelains, se font une seule âme dans le labeur émulatif et l'allégresse. Le soir, après l'« auguste cérémonie » du flambeau attribué par Mme de Wolmar à celui qui fit « le plus d'ouvrage », on saute, on rit autour du feu de joie. « Ensuite on offre à boire à toute l'assemblée. » (610-1) Jusqu'à l'heure du coucher, paisible comme celui des bons Genevois de Saint-Gervais.

Les analogies avec la fête nocturne remémorée dans la *Lettre à d'Alembert* ont été maintes fois retenues : « long repas » (*LA*. 248) ; chants ; vin partagé ; ébriété légère des corps et des âmes. Mais il faut aussi marquer le contraste entre cette liesse à Clarens et les excluantes et dispendieuses festivités de la Chevrette ; l'opposition entre une noblesse terrienne proche du paysan que Wolmar « aide au besoin de sa bourse et de ses conseils » (402) et le fermier général qui ne peut se distinguer qu'en abaissant les pauvres.

Non que, sous « le charme » des veillées qui réunissent les « différents états » (609), où les vendangeuses chantent les vieilles romances, la fête de Clarens se laisse confondre avec l'unanime improvisation dont Jean-Jacques enfant fut témoin… L'apprêt du délassement et du repos n'est pas moins médité par les époux Wolmar que la planification du travail. Dans la « salle à l'antique » où maîtres, journaliers, domestiques font table commune, où « chacun se lève indifféremment pour servir, sans exclusion, sans préférence », on veille à « ne rien étaler aux yeux de ces bonnes gens qu'ils ne puissent retrouver chez eux ». La « douce égalité qui règne » en ces temps de vendanges « rétablit l'ordre de la nature ». L'ordre social n'en est que mieux respecté puisqu'une telle égalité, « lien d'amitié pour tous », est « une instruction pour les uns, une consolation pour les autres » (608) ; « ...tout le monde est égal, et personne ne s'oublie » (607). Quand les paysans voient leurs maîtres travaillant avec eux, partageant leur repas, sortir sans affectation de leur « place », « ils s'en tiennent d'autant plus volontiers dans la leur ». La meilleure preuve... L'accueil attendri que ces rudes hommes, qui ont bravement porté les armes, réservent aux enfants des maîtres : qu'ils ressemblent à leurs parents, et soient « comme eux la bénédiction du pays ! » (607)

Commentant la fervente narration de Saint-Preux, le romancier observe en note que « tous les états sont presque indifférents par eux-mêmes, pourvu qu'on puisse et qu'on veuille en sortir quelquefois ». Le malheur des gueux et des rois, c'est qu'ils ne peuvent s'affranchir de leur condition. Les seuls états moyens entrouvrent la perspective d'une mobilité sociale. Au demeurant, « ceux qui les remplissent » sont les mieux placés pour s'instruire d'une société. Leur position médiane leur donne « plus de préjugés à connaître et plus de degrés à comparer ». Telle est, objectivement repérable, « la principale raison pourquoi c'est généralement dans les conditions médiocres qu'on trouve les hommes les plus heureux et du meilleur sens » (608). A bon entendeur...

Quant à Saint-Preux, roturier sans fortune mais non sans lumières, il semble avoir trouvé à Clarens son juste lieu. Mais pourrait-il perdre mémoire des libres montagnards du Valais ?[80]

Opinion publique

On a plus d'une fois traité de l'opinion dans cet ouvrage. L'auteur du *Discours sur l'inégalité* la voit naître en même temps que cet « amour propre » qui, modification du primitif amour de soi, met l'individu socialisé en compétition avec d'autres. L'opinion est pouvoir d'autrui sur moi, comme elle peut l'être de moi sur lui. Effet de ce dédoublement entre l'être et l'apparaître dialectisé par Socrate, l'opinion conquiert la puissance de maintenir l'individu, fût-il roi, dans la plus dépossessive extériorité. Tout son être s'efface en ce paraître qui l'asservit.

D'opinion à « secret », il y a toujours un lien. La connaissance raisonnée suit un itinéraire qui, par preuves, démonstrations, vérifications, est de droit, sinon toujours de fait, clairement balisable. Mais l'opinion ? Même quand elle n'est pas illusoire, même quand elle est croyance fondée, il y a toujours quelque ombre sur sa marche ou son commencement. Les ennemis de Jean-Jacques protègent leur « secret ». Mais le législateur n'use-t-il pas, lui aussi, du « secret » et du jeu de l'apparence pour atteindre aux fins que, livré à lui-même, le peuple à instituer ne saurait concevoir ? Sa science des lois serait trop courte s'il n'avait pas la science de l'opinion.

L'auteur du *Contrat* ne défriche pas. Hume a plus que tout autre en ce siècle montré que le gouvernement véritable est celui de l'opinion (Auguste Comte, au 19e, suivra ces traces.) Mais, dès avant le *Contrat,* la *Lettre à d'Alembert* exposait une théorie de l'opinion publique. Mise en œuvre d'un art du retournement, qui du mal tire un bien ; qui mute insensiblement les mentalités et les conduites sans qu'il y ait jamais eu, pour produire à terme cet effet, un de ces délibérés publics où se préparent les lois.

Dans une société contraire aux droits et aux intérêts de la libre humanité l'opinion publique fixe l'individu dans les fonctions et les rôles sans lesquels il n'est rien. Et le despotisme le mieux établi est celui qui fait en sorte que l'esclave chérisse sa chaîne. Mais, puisqu'il ne saurait y avoir rassemblement d'individus qu'il n'y ait opinion, un sage gouvernement aura le talent de nouer sa plus sûre alliance avec l'opinion publique.

« Diriger l'opinion publique » ? (*LA*. 144) Pour donner un exemple du possible, la *Lettre à d'Alembert* consacre un ample développement aux bienfaisants effets qu'aurait pu produire en France une institution mieux réfléchie du « tribunal des maréchaux », établis « juges suprêmes du point d'honneur ». Puisqu'il s'agissait de « changer l'opinion publique sur les duels, sur la réparation des offenses, et sur les occasions où un brave homme est obligé, sous peine d'infamie, de tirer raison d'un affront l'épée à la main » (144-5), pourquoi dire « tribunal » quand il fallait dire « cour d'honneur » ? Ni récompenses ni répression. Pas de prisons, d'arrêts, de gardes... Une telle cour ne devait avoir pour armes que l'honneur et l'infâmie. Qui ne se présentait pas devant elle au jour fixé se fût lui-même exclu de la noblesse et du service du roi. Mais, loin de placer ostensiblement le tribunal au-dessus de son propre pouvoir, le monarque a cru devoir interdire les duels. Comme si quelque loi avait pouvoir de « réprimer de mauvaises mœurs, en laissant subsister leur cause » (156) ! Pour que reculent pareilles mœurs, c'est l'opinion même qu'il faut savoir éduquer. Autrement comprises, l'institution et la pratique d'une cour d'honneur unanimement révérée pouvait dissuader du recours spontané au duel, non par systématique interdiction, mais en limitant avec sagacité le faible nombre des cas où il semblait inévitable. Mais surtout, mais fondamentalement il fallait graduellement désenclaver le vieux « point d'honneur » : noble ou non, militaire ou non, qu'on fût ou non d'un état où se porte l'épée, chacun (et le roi lui-même) devait être appelable devant la cour, ou pouvoir en appeler à son jugement. Afin que ses actes, ses paroles, ses maximes, sa vie fussent publiquement confrontés « aux principes de l'honneur établis dans la nation et réformés insensiblement par le tribunal sur ceux de la justice et de la raison » (151). Explicite condamnation d'un esprit et d'un comportement de caste. Et recherche de formes appropriées à la raisonnable évolution d'une « nation » vers des mœurs à la fois plus exigeantes et plus douces. L'estime ainsi retirée au duel se trouverait désormais réservée, dans tous les rangs de la société, à quiconque mérite gratitude civique et donne universellement à connaître ce que vaut un honneur d'homme.

Gérard Namer observe à bon droit que l'adaptation d'une leçon de Machiavel se fait ici — à la différence des encyclopédistes partisans d'un despotisme éclairé — au bénéfice des « classes moyennes » (telles que Rousseau les souhaite). Mais ce n'est pas, nous semble-t-il, d'un « despotisme » qu'il s'agit ; c'est d'une hégémonie. Surtout, nous avons peine à suivre G. Namer quand il tient pour « manipulation » le patient travail qu'une « cour d'honneur » éclairée effectue sur l'opinion publique. Groupe ou individu, le manipulateur ne peut atteindre ses fins qu'en condamnant un peuple-objet au cycle de l'assujettissement et de l'illusion perpétués. Il se condamne donc lui-même, pour prévenir la prise de conscience qui lui serait fatale, à fomenter indéfiniment. Il faut toujours qu'une manipulation soit relayable par une autre.

Différente est la marche que doit suivre, selon la *Lettre à d'Alembert,* un gouvernement qui entreprend d'humaniser les mœurs d'un peuple. Elle s'apparente à celle de l'éducateur d'Émile. Il use, quand il le juge opportun, de procédés dont il est seul à comprendre le sens. Comment l'enfant aurait-il une connaissance immédiate des voies à suivre pour apprendre à ne dépendre que de lui-même et s'élever à la maîtrise de soi ? On peut récuser la légitimité d'une tutelle ou d'une propédeutique ; peut-on la confondre avec manipulation ? Quand Rousseau écrit dans son *Projet pour la Corse :* « Faites que le travail offre aux citoyens de grands avantages, non seulement selon votre estimation mais selon la leur, infailliblement vous les rendrez laborieux » (938), doit-on penser qu'un tel conseil s'inscrit au programme d'un vaste et silencieux conditionnement ?

Ce que Rousseau demande à un gouvernement éclairé, qui mesure l'irréductible puissance de l'opinion, c'est d'apprendre à corriger l'opinion par l'opinion. Cet art de régler le jugement populaire n'appartient qu'aux initiés, mais ceux qui l'emploient comme le souhaite l'auteur du *Contrat* n'en font pas un Qmoyen d'asservir invisiblement un peuple à d'inavouables fins. Leur méthode postule la possible moralisation des hommes. Elle échouerait si ce peuple était incapable d'entendre raison.

Reste que le recours à la dissimulation pour entraîner l'adhésion du grand nombre et moraliser le corps social semble incompatible *a priori* avec la transparence d'une politique délibérée, décidée, contrôlée par le peuple majeur et souverain. Rousseau prendrait-il le relais de Machiavel ? On sait qu'en son chapitre *De la monarchie,* il tient *le Prince* pour le « livre des républicains » qui, sous couleur d'instruire les rois, donne de « grandes » leçons aux peuples. (*CS.* 409)

La pédagogie que mettrait en œuvre une « cour d'honneur » conforme au vœu de Rousseau tire parti — pour détacher l'opinion publique d'un objet qui l'abuse, et l'attacher à un intérêt civilisateur — d'une ambivalence qui tient à l'essence contradictoire de l'opinion. Le désir d'exister aux yeux d'autrui peut soumettre un individu, une classe, un peuple aux normes d'une société où tu dois diminuer les autres pour t'augmenter toi-même. Mais il peut enflammer aussi l'aspiration de tout être humain à se voir comme tel reconnu, respecté par n'importe lequel de ses semblables ; une « opinion publique » peut ainsi prendre sa part du juste combat pour l'égalité.

Il est vrai, Rousseau, dans cette *Lettre à d'Alembert,* évoque avec émotion un souvenir de jeunesse, cette population montagnarde qui n'a nul besoin d'un gouvernement expert en science de l'opinion pour trouver en toute occasion la conduite optime, et pour offrir sans y penser l'exemplaire tableau d'une communauté préservée des méfaits du luxe et des tentations de la comédie. Se suffisant de ce qu'elle est, elle n'a d'autre spectacle à se donner que sa vie quotidienne, travail, loisir, chants à l'unisson. Ainsi ces bons Genevois de Saint-Gervais qui présentent à l'enfant Jean-Jacques l'ineffaçable image de la joie publique, quand toutes les âmes font une âme. Cette pure présence à soi-même sera toujours refusée aux peuples domestiques.

On l'a vu, les maîtres de Clarens confèrent à la fête un autre sens et une autre fonction. La mission que M. de Wolmar s'assigne n'est pas, comme le gouverneur d'*Émile,* d'élever un enfant à l'autonomie ; encore moins d'instituer un peuple sachant disposer de soi. Les simples gens assemblés sur le domaine de Clarens pour travailler la terre ou pour le service du château n'ont d'autre tâche, valorisante aux yeux de chacun, que d'assurer les conditions matérielles et l'environnement propices à l'existence d'une petite société d'élite. Wolmar n'a pas pour but d'acheminer à l'indépendance chacun de ceux qu'il emploie, mais de provoquer et d'entretenir — utilisant à ses fins l'effet d'opinion — une émulation de travail et de mœurs avantageuse aux maîtres. Doctrine qui n'aura pas sa place dans l'égalitaire cité fondée sur les principes du *Contrat.* Pas plus qu'en une république des paysans corses. On lit dans un des fragments politiques laissés par Rouseau :

« Ce grand ressort de l'opinion publique si habilement mis en œuvre par les anciens législateurs est absolument ignoré des gouvernements modernes, car comme ils la bravent eux-mêmes, comment apprendraient-ils aux citoyens à la respecter ? » (*FP.* 557-8) Quand un peuple dégénère, incapable de se former une volonté générale, il est impuissant à se donner une conscience collective de son identité. Situation propice à l'arbitraire d'un gouvernement sans contrôle.

Ce « ressort de l'opinion publique » — l'image du « ressort » est inépuisablement dévouée à la pensée du siècle —, on le retrouve dans la rédaction du *Contrat social,* quand Rousseau évoque l'histoire de Rome et de Lacédémone.

En cet ouvrage, comme dans la *Lettre à d'Alembert,* l'opinion publique se voit reconnaître une dynamique propre. Le Législateur le sait, qui ne peut assurer l'avenir de son institution s'il ne crée pas les conditions favorables à la formation d'un esprit public. Celui-ci a la consistance d'une force psychologique, l'opinion ayant son ancrage anthropologique dans l'amour-propre. La pédagogie civique est donc une culture de cet amour-propre, mouvement comparatif qui, orienté aux fins de la cité, peut enfanter les héros. « Quel était le mobile de la vertu des Lacédémoniens si ce n'était d'être estimé[s] vertueux ? » (*FP*. 501). A rapprocher d'un autre fragment : « C'est une chose qu'on ne peut assez admirer que chez les premiers Romains l'unique punition portée par les Lois des 12 Tables contre les plus grands criminels était d'être en horreur à tous, *sacer estod*. On ne peut mieux concevoir combien ce peuple était vertueux qu'en songeant que la haine ou l'estime publique y était une peine ou une récompense dispensée par la loi » (*FP*. 495).

L'idée se retrouve en premier version du *Contrat*. Et l'on comprend que l'antépénultième chapitre du texte définitif — (IV,7 *De la censure*) — prenne argument de l'exemple romain (et lacédémonien) pour faire concrètement mesurer l'emprise de l'opinion sur les moeurs d'un peuple.

Or le Censeur romain n'était que le « Ministre » de cette « espèce de loi » qu'est l'opinion publique. Si « la déclaration de la volonté générale se fait par la loi, la déclaration du jugement public se fait par la censure ». Il n'est donc pas de magistrature qui convienne mieux à la philosophie politique de Rousseau que ce « tribunal censorial » qui, loin d'arbitrer l'opinion publique, n'est que sa voix fidèle. S'il croit pouvoir s'en écarter, ses décisions sont « vaines et sans effet ».

Dans ce chapitre *De la Censure* se discernent aisément la philosophie du jugement et la philosophie de l'amour familières au lecteur d'*Émile* et d'*Héloïse*. Cultiver le jugement pour libérer l'opinion de l'illusoire, du préjugé, et l'attacher à ce qui mérite amour. « Redressez les opinions des hommes et leurs moeurs s'épureront d'elles-mêmes. On aime toujours ce qui est beau ou ce qu'on trouve tel, mais c'est sur ce jugement qu'on se trompe ; c'est donc ce jugement qu'il s'agit de régler. Qui juge des moeurs juge de l'honneur, et qui juge de l'honneur prend sa loi de l'opinion » (*CS*. 458).

Rousseau ayant maintes fois marqué que les moeurs sont d'autre essence que la loi formée par la volonté générale, on s'étonnerait de lire que c'est la « législation » qui les « fait naître » s'il ne pensait pas ici à l'oeuvre même du fondateur de cité. « Les opinions d'un peuple naissent de sa constitution » (459). D'où suit que l'acte censorial a simple vocation conservatoire. Il ne peut « rétablir » des moeurs qui dégénèrent parce que dépérit la constitution qui donne au peuple âme et corps.

La pédagogie du censeur est donc le plus souvent négative ; prévenir la corruption des moeurs. Il arrive néanmoins qu'elle ait à fixer des moeurs qui sont « encore incertaines ». Ainsi cet efficace arrêt du roi de France pour abolir les « seconds » dans les duels. Les mêmes édits

échouèrent à persuader l'opinion commune que se battre en duel était
« lâcheté ». (459)

Renvoyant le lecteur à sa *Lettre à d'Alembert*, Rousseau met en
garde contre la tentation d'attribuer au censeur un pouvoir coercitif.
Méconnaissance absolue de sa puissance effective. Il n'est que le
représentant de l'opinion. On peut, dans certaines conditions, l'infléchir ; on ne la contraint pas. (C'est précisément ce qu'on dirait du
jugement, et de l'amour). Il suffisait à Sparte de l'« avis » d'un citoyen
vertueux pour décider en matière d'honneur et d'infamie. « Quand
Sparte a prononcé sur ce qui est ou n'est pas honnête, la Grèce n'appelle
pas de ses jugements » (459).

Cette force irréductible et propre de l'opinion publique ne signifie
point, pour Rousseau, qu'elle ne s'enracine pas dans des intérêts sociaux
et politiques analytiquement repérables. Si les petits possédants apeurés
par le brigandage acceptent l'union suggérée par le riche astucieux
(*Discours sur l'inégalité*) c'est parce qu'ils suivent la pente d'un intérêt
pressant. Sans comprendre encore qu'ils servent *ipso facto* l'intérêt de
celui qui fera de cette association consentie un instrument d'oppression.
La politique du riche s'apparente à celle du *Prince* de Machiavel :
trouver dans le sentiment populaire, cultivé avec une ostensible assiduité,
et dans la force d'une multitude ralliée, le support d'un impartageable
pouvoir sur le peuple.

La critique acerbe du préjugé nobiliaire, qui valut à Rousseau tant
d'amis et bien des ennemis, est critique d'une mentalité d'état. Quoi
qu'il en croie, chacun juge selon ce qu'il est et ce qu'une société a fait
de lui. Une caste parasitaire accoutume les siens, dès l'enfance, à se
faire une fallacieuse représentation de leurs rapports réels à la commune
humanité. D'où l'impératif d'éducation négative qui enlève Émile à la
condition nobiliaire. On a vu comment l'auteur du *Contrat,* après
l'abbé de Saint-Pierre, dénie à la monarchie la faculté de juger
impartialement du mérite d'un homme libre ; cependant que la vie de
cour insuffle aux nobles une âme de valet.

Contre-épreuve individuelle : l'expérience hors-classes acquise par
Jean-Jacques migrant qui, ayant traversé ou côtoyé tous les « états »
sans qu'aucun ne le retienne, se flatte de ne point partager leurs
préjugés. Ce n'est pas comme ces « philosophes modernes » qui, tenant
leur partie dans cette société, se donnent le change sur leur vraie
fonction... Philodoxes sous l'apparence du philosophe.

Contre-épreuve collective : ces cercles d'artisans genevois, que Rousseau défend contre le Dr Tronchin. Convivialité sans masques, libre
concertation sur la chose publique. Source de légitimation civique et
morale, foyer de jugement et de sociabilité populaires. Est simultanément
tracée la ligne qui sépare la plèbe laborieuse et patriote des miséreux
qui survivent par faveur intéressée d'un pouvoir patricien.

On sait ce que l'inspiration philosophique et politique de Rousseau
doit aux simples gens du Bas-Genève. Ne sont-ils pas les mieux placés

dans cette ville, par leur condition et leur pratique, pour juger pertinemment du bien commun, et pour ordonner leur conduite aux intérêts de l'humanité ? Mais, pour mesurer la portée de son concept de l'opinion publique, on se rappellera l'axiome sans lequel sa théorie de la volonté générale serait inintelligible : un peuple peut être abusé ou s'abuser sur ses intérêts ; il ne peut vouloir son mal et son malheur... C'est parce que cet axiome lui est connu qu'un pouvoir dont les intérêts contrarient ceux du peuple ne peut s'en remettre à la seule force coactive (notion venue de Pufendorf). La volonté d'Émile enfant ne prévaut point contre la nécessité des choses. La volonté du Prince ne saurait annuler la nécessité de ce consentement populaire sans lequel nulle autorité d'État n'est viable. Il lui faut donc assez d'habileté pour donner à croire que le bien commun, spontanément voulu par le peuple, est le souci constant d'un pouvoir qui a d'autres vues. Ainsi se comprend que l'opinion publique génère des effets qui s'excluent apparemment : un pouvoir abusif l'utilisant à ses fins ; un peuple alerté se faisant d'elle un rempart contre l'arbitraire et l'excès. On admettra donc que, dans la logique de la philosophie du *Contrat,* l'opinion dominante puisse être celle d'un peuple assujetti. Quiconque aspire au despotisme n'aboutira que si, l'être du peuple se désassemblant, l'opinion publique n'est plus.

Aux dernières pages de son étude, G. Namer relève qu'en dépit de ce qui apparente Marx à Rousseau, ils s'opposent ici. Pour Rousseau, c'est « l'idéologie des classe dominées » qui domine ; pour Marx c'est l'inverse.

Sans doute noterait-on que l'opinion publique selon Rousseau n'est pas intégralement transposable dans le langage et les connotations actuels de l'« idéologie ». On ajouterait que si, dans l'*Idéologie allemande* (Première partie), la philosophie posthegelienne est traitée comme spécification de l'« idéologie allemande », un lexique moins conceptualisé apparaît plus loin. « Les *pensées (Gedanken)* de la classe dominante sont aussi, à toutes les époques, les pensées dominantes ; autrement dit la classe qui est la puissance *matérielle* dominante de la société est aussi la puissance dominante *spirituelle* ». (Nous soulignons le mot « *pensees* » qui revient à plusieurs reprises et que, parfois, notre langue exprime mieux par « idées »).[81]

Mais le plus important est d'un autre ordre.

Si le bourgeois capitaliste et le prolétaire qu'il salarie furent enfantés par la production marchande, c'est d'elle aussi que procède l'opinion (« naturelle ») qu'entre l'un et l'autre l'échange est « égal ». L'ascendant d'une représentation conforme aux intérêts de la classe dominante est d'autant plus fort que le mode de production et d'échange entretient l'illusion de l'ouvrier sur son être authentique et son effective situation. Pourtant, le rapport entre les deux classes n'étant pas statique, la domination de toute idée favorable au pouvoir du capital n'est pas assurée une fois pour toutes. Les luttes ouvrières et la découverte du

fondement de la domination de classe n'ont pas pour seul effet
d'ébranler les croyances communes. Au fil d'une histoire conflictuelle,
les idées nées du combat pour l'émancipation de classe peuvent
l'emporter, dans tel ou tel domaine, sur les représentations favorables
à la classe encore dominante. Voilà comment celle-ci doit, pour
conserver le bénéfice du consensus, transformer les thèmes et le caractère
de son combat d'idées. Il faut bien qu'elle apprenne à parler le langage
qui convient au grand nombre. Expérience qui nous incline à conclure
que, sur ce vaste terrain, l'opposition entre Marx et Rousseau n'est pas
aussi radicale qu'il semblait de prime abord.

Toute l'œuvre de Rousseau étant réflexion critique sur l'opinion, sa
problématique est abordable par de multiples accès. Indénombrables
sont les figures et les voix de l'opinion. C'est pourquoi tout ce que
nous avons pu dire ou suggérer des fonctions du langage selon Rousseau,
dans ce chapitre et d'autres, fait cohérence avec sa théorie de l'opinion.
L'univers des mots, né du lien passionnel entre individus, livre un
espace illimité aux pouvoirs de l'imaginaire, qui dédouble notre être et
notre vie, et ne peut nous procurer les chances de l'invention sans nous
exposer aux périls du piège. Mais n'y a-t-il que les mots ? La langue
des signes se taillait un empire quand la raison humaine balbutiait
encore. Cette langue a gardé son efficace parce qu'elle détient un
pouvoir d'évoquer et d'émouvoir dont le raisonnement est dépourvu.
Langue sans parole, alphabet indéfini que les gouvernements manient
pour le bonheur ou le malheur des peuples. Rousseau anthropologue
parcourt ici une terre d'élection où s'enracine l'humain. L'affectivité
n'est pas un élément passif et neutre, mais la source d'une reconnaissance
originaire des semblables.

Sachant que les signes, qui « parlent à l'imagination », sont « le plus
énergique des langages » (*E.* 645), les Anciens s'en servaient. « Que
d'attentions chez les Romains à la langue des signes [...] ; tout chez
eux était appareil, représentation, cérémonie, et tout faisait impression
sur les cœurs des citoyens » (*E.* 647). Le lévite d'Ephraïm, lui aussi,
usait de ce pouvoir.

Frapper les cœurs, toucher les esprits. Quelle démonstration vaudra
jamais un signe qui émeut la conscience populaire, qui rallie les âmes,
qui les appelle à l'action ? L'erreur de l'abbé de Saint-Pierre n'était-
elle pas de sous-estimer tout ce qui, en tout individu, transgresse une
raison impersonnelle et sereine ? On sait comment Émile doit gravir
pas à pas le chemin qui le conduit de la raison sensitive à la raison
intellectuelle. « Une des erreurs de notre âge est d'employer la raison
trop nue, comme si les hommes n'étaient qu'esprit » (*E.* 645). Un
pouvoir sagace emploie, comme le bon éducateur, cette langue des
signes qui parlent à l'imagination.

L'enthousiasme et l'héroïsme ne sont pas raisonneurs. Ils se prodiguent
sans calcul. Un peuple ne s'élève au-dessus de lui-même aux jours

décisifs que si sa sensibilité est assez vive et fervente pour le porter aux grandes actions. Le *Projet pour la Corse* et les fragments séparés forment l'un des textes où se perçoit le mieux l'attachement de Rousseau aux types de solennité qui, abolissant distance et barrière entre acteurs et participants, assemblent égalitairement tous les membres de la cité. Le même jour, dans toute l'île, « toute la nation corse se réunira par un serment solennel en un seul corps politique ». Moment sublime ineffaçablement inscrit dans la mémoire collective. Moment fondateur de citoyenneté au cœur de chacun des participants : dans chaque paroisse sera tenu un « registre exact » de tous ceux qui auront prêté serment. Serment constitutif d'une indivisible communauté. Mais le signe éclatant que ce nœud est sacré, c'est que l'engagement se prononce « sous le ciel et la main sur la Bible » (943). L'auteur du *Projet* pourrait-il oublier que le dernier chapitre de son *Contrat social* a pour objet la « religion civile » ?

Nous marquions, au début de notre propos sur mœurs, sociabilité, opinion, l'impuissance d'une législation que les citoyens ne respectent pas. Un peuple ne devient « corps politique » que par l'accord unanime et concerté de tous ces individus qui se veulent concitoyens ; et l'« opinion publique » décide en définitive du sort des lois.

Imaginant dans sa *Méditation seconde* « ... un je ne sais quel trompeur très puissant et très rusé, qui emploie toute son industrie à me tromper toujours », Descartes conclut d'emblée : « Il n'y a donc point de doute que je suis, s'il me trompe ». On ne mystifie pas le néant. C'est parce qu'un peuple n'est pas rien que ceux qui font projet de l'asservir doivent l'abuser sur son intérêt vrai. Dieu confia le genre humain à lui-même après l'avoir créé libre et perfectible. Et le législateur n'institue point un peuple pour se substituer à sa volonté. Loin de signifier qu'un peuple est substantiellement malléable, et que toute intériorité lui est à jamais refusée, l'effort du Prince (individuel ou collégial) pour influencer l'opinion prouve *a contrario* qu'un peuple, présumé chose par plus d'un, est irréductiblement quelqu'un. La théorie du pacte fondamental lui donne le premier mot. Mais il ne nous semble pas que la réflexion de Rousseau sur l'opinion publique lui retire le dernier. Qu'on se rappelle cette dix-neuvième note du *Discours sur l'inégalité :* « ... le peuple est le véritable juge des mœurs ; juge intègre et même éclairé sur ce point, qu'on abuse quelquefois, mais qu'on ne corrompt jamais » (223).

A rapprocher du chapitre du *Contrat* sur la censure, qui n'atteint son objet que si ses avis ne contreviennent pas aux mœurs communes. Souverain par le pouvoir de légiférer, le peuple ne l'est-il pas aussi par celui de juger ? Et puisque, même assujetti, il détient, quoi qu'il en croie, la souveraineté de l'opinion, pourquoi n'en userait-il pas pour conquérir sa liberté ?

Bien des lecteurs trouvaient dans le *Contrat* un encouragement à poser ainsi la question. Ils ne soupçonnaient point que ce *Contrat social,* qui maintient et perpétue le Droit naturel dans la cité, qui assure à tous les mêmes droits sans imposer à nul citoyen une obligation dont les autres seraient dispensés, qui fonde et légitime le partage entre public et privé, apparaîtrait plus tard aux défenseurs libéraux de l'individu comme l'Évangile d'un nouveau despotisme, dépersonnalisant et niveleur...

La philosophie politique de Rousseau, comme son anthropologie, confère le pouvoir ultime et premier à chacun de ceux qui, dans le secret de leur conscience, décident ou refusent que la cité soit. Le « pacte fondatemental » n'a-t-il pas pour finalité constituante de préserver dans les conditions de la société civile l'exercice de la liberté essentielle à l'homme-individu ?

Ce n'est point, quoi qu'on en dise souvent, une méconnaissance principielle de l'individu, de son être et de ses droits qui obère la philosophie politique de Rousseau. En un siècle où l'« expérience » et la tenace recherche de l'élément dont tout se compose et dérive sont innombrablement alléguées contre la vide « abstraction » des métaphysiques révolues, nul n'explore mieux que Rousseau la certitude intellectuelle que l'être essentiel est toujours, d'une manière ou d'un autre, individu. Un être n'a d'existence attestable que s'il est *un* être, distinct de tout autre. Même l'homme en état de nature a l'amour de soi. Et l'on a vu comment l'irremplaçable singularité de l'individu socialisé est source de compétition et de conflit. Le « corps politique », moi « collectif » né de l'union raisonnée des volontés individuelles, n'existe que s'il est un. Unité d'une « personne morale ». Et si elle est celle d'un tout vivant c'est parce qu'elle s'organise intérieurement par la loi. (On sera tenté par l'analogie avec ce tout nécessairement organisé qu'est, pour Jean-Jacques botaniste, la moindre plante. Comme la bête ou l'homme). Que cette unité organique se décompose, le corps politique meurt. Ainsi quand des intérêts privés sont assez puissants pour faire échec à la loi. Ou pour la domestiquer, — ce qui est l'anéantir puisqu'elle ne peut avoir d'autre objet que l'intérêt commun. Il en va différemment, on s'en souvient, si des volontés particulières s'associent sans compromettre l'unité du corps politique. *A fortiori* si leur concours est motivé par un souci de bien public.

Mais comment ce corps politique, siège et sujet d'un vouloir générateur de « lois », annulerait-il ces lois non voulues qui, imprimant à la « société civile » le mouvement des profondeurs, induisent des antagonismes que nulle philosophie du contrat ne résorbera jamais ? Rousseau en sait bien quelque chose puisqu'il réprouve l'expropriation du producteur individuel et préconise une limitation de la propriété et des richesses. Il constate amèrement que l'action propre et continue des intérêts hostiles à la communauté civique et laborieuse tend à la destruction du « corps politique ». Tout au plus celui-ci peut-il retarder l'inexorable involution.

C'est ici qu'une critique de sa philosophie politique est aujourd'hui recevable — à contre-pied de l'imputation traditionnelle. L'auteur du *Contrat* ne réduit pas l'individu. Bien plutôt, de cet individu-premier sur lequel est entièrement construit le « corps politique » il attend, il exige plus qu'il ne peut. Puisque le « corps politique » n'eût pas vu le jour sans l'acte cofondateur des volontés qui s'associent, l'ultime recours à la volonté du citoyen n'est-elle pas conforme à l'essence même du pacte fondamental ? N'est-ce pas dans la conscience de chacun des sociétaires que va se jouer le destin de ce moi commun qui leur doit la vie ? Et comme cette volonté de l'homme-citoyen est d'un être moral, capable de se fixer une règle, de se tracer un devoir, ne doit-elle pas bander tous ses ressorts pour dissuader, décourager, anéantir s'il le faut toute puissance qui, ébranlant l'unité du corps politique, met son existence en péril ?

On l'a souligné au chapitre II, Rousseau réformé démystifie l'exhortation morale sans prise sur la vie parce qu'elle s'accorde la facilité d'ignorer comment les hommes sont « nécessités » à mal agir dans la société comme elle est. Mais le volontarisme inhérent à la théorie du pacte impose sa logique à ce lucide adversaire du moralisme : appel est fait à une morale civique pour enrayer, par force de vertu, la logique du réel.

Les disciplines commandées par la sauvegarde d'une cité incessamment menacée sont donc — en principe et de fait — celles que chacun des sociétaires, sujet de moralité, est apte à se donner. Comment dès lors ne comprendrait-il pas, avec J.-J. Rousseau, que, si l'élaboration de la loi suppose débat à ciel ouvert, dont nul n'est exclu, l'opinion publique ne saurait se distribuer contradictoirement entre des partis au sein d'une cité qui ne vit que si elle est une ? Et puisque cette vie, c'est la loi qui lui donne forme, comment tout citoyen ne concluerait-il pas, avec J.-J. Rousseau, qu'une agissante opposition à la loi votée met en cause la cité même ?

On sait que le salut d'un citoyen n'est pas moins « la cause commune que celui de tout l'État » ; et que « sacrifier un innocent au salut de la multitude » est une maxime de tyrannie, « la plus directement opposée aux lois fondamentales de la société » (*EP*. 256).[82] Mais quiconque se dresse contre la loi s'exclut de la cité. (Il s'agit évidemment non de cette pseudo-loi qui arme le fort contre le faible, mais de la loi telle qu'elle se construit dans le *Contrat.)* Peut-il en être autrement quand le « corps politique », qui n'est certes pas un monolithe excluant la diversité des individus et des groupes, est idéal dépassement des contradictions dont la société prosaïque est faite ? Si l'essence du corps politique ne peut se poser qu'en préservant sa vitale unité des effets dégénératifs du travail des contraires, où trouver dans la cité le lieu d'une opposition protégée par la loi ? Le devoir civique ne saurait être alors — comme il l'est pour une philosophie du démocratique à notre époque — de comprendre et d'assumer l'essence contradictoire d'une société telle qu'elle est et qu'elle peut être ; de créer les formes d'organisation (par exemple les partis politiques) qui proposent des moyens d'agir par et sur une réalité transformable.

La problématique du *Contrat* fonde la politique dans la volonté raisonnable de l'homme-citoyen. Le « pacte » est vicié si le peuple est agi au lieu d'agir. Et la fertilité d'une philosophie qui fait de tout membre de la cité un acteur de la vie publique est inépuisable. Mais la dialectique des rapports sociaux est sourde à la voix du Juste. La « vertu » n'a pas prise sur la rebelle matérialité des conflits de classes. Les lois de la production et de l'échange n'émanent pas d'une volonté délibérante. Et le marché vient à bout du héros.

Non que le combat de Rousseau et de ses disciples les plus fervents pour moraliser la politique soit sans espoir. C'est parce que la conscience populaire adhère à l'image du citoyen entièrement dévoué au bien public que le politicien mime Caton. Mais pour que le citoyen s'épargne l'illusion qu'une éthique républicaine déciderait seule du cours des choses, ne faut-il pas que sa conscience du devoir s'éclaire de l'intelligence du possible ? Quand une volonté politique sous-évalue la consistance des pratiques, la pesanteur des héritages, la permanence des mentalités, des représentations collectives, pressante est la tentation de décréter, au nom du bon principe, une marche forcée des événements et des esprits. A l'inverse, quand une volonté politique méconnaît l'élan des forces qui enfantent un avenir imprévu, elle court le risque de se consumer dans l'artificielle maintenance des forces qui perdent contenu, ou de s'abîmer dans l'archaïsme. Il advient que — dans l'un ou l'autre cas — l'achoppement sur la résistance d'une réalité incomprise encourage l'illusoire sentiment qu'une juste violence aura raison du mal.

Le Législateur dont Rousseau fait l'éloge approprie son projet et sa décision aux possibilités d'un peuple. Ainsi Rousseau écrivant pour les Corses. Descartes enseignait qu'une volonté sage sait entreprendre le possible dans les conditions du moment. C'est une telle volonté qui, si elle tient ferme, conquiert chemin faisant les moyens de s'ouvrir de nouveaux horizons. L'action dans le possible rend possible ce qui d'abord ne l'était pas.

Ce n'est point en sermonnant le réel, qui ne se règle pas déductivement sur un concept magistral, que la parole du citoyen a prise sur une société. Sinon, la plus pure morale républicaine serait incantation, peine perdue. Ou leurre.[83]

Religion civile : raison ; dogmes ; problèmes

Il apparaît pourtant que, si l'inconfiscable for intérieur du citoyen est l'ultime ressource de la patrie, l'auteur du *Contrat* suspecte la vigueur et la constance d'un patriotisme qui refuserait adhésion du cœur et de l'esprit au contenu d'une « profession de foi purement civile » plaçant la « sociabilité » sous garantie transcendante. D'où les débats passionnés suscités par l'avant-dernier chapitre du livre, du vivant de Jean-Jacques et parfois même aujourd'hui.

Discours sur l'inégalité. Origine des langues... Nul geste divin ne préside à la formation des premiers groupes humains. Notre histoire n'est point effet d'une surnaturelle causalité ; elle n'a point origine dans une faute adamique. Ouvrage des hommes, elle est aussi celle de leurs croyances et de leurs cultes. Le religieux n'échappe pas plus que toute culture à l'unité contradictoire du bon usage et de l'abus. C'est un constat du *Discours sur l'inégalié,* qui néanmoins sait gré à la religion d'avoir protégé les premiers « Gouvernements humains » des risques de dissolution. En imprimant à « l'autorité souveraine » un « caractère sacré et inviolable qui ôtât aux sujets le funeste Droit d'en disposer » (186).

Mais, si le pouvoir souverain dévolu à la libre volonté contractante invalide les interprétations de la genèse du lien social et du corps politique par décision divine, le sacré ne s'en trouve point révoqué. Rousseau écrit au début de la première version du chapitre « De la religion civile » : « Sitôt que les h[ommes] vivent en société il leur faut une Religion qui les y maintienne. Jamais peuple n'a subsisté ni ne subsistera sans Religion et si on ne lui en donnait point, de lui-même il s'en ferait une ou serait bientôt détruit. » (*CS.* 1re version, 336) Un État pourrait-il exiger de ses membres qu'ils sacrifient leur vie s'ils n'avaient pas l'espérance d'une vie future ? Pour que le lien du citoyen à la patrie soit imbrisable il faut qu'il croie son âme immortelle.

Mais — reprenant une idée de sa *Lettre à Voltaire* — Rousseau estime que l'indispensable « profession de foi purement civile » ne peut être ni quelque « religion nationale » analogue à celles qui convenaient aux antiques cités ni la « pure et simple Religion de l'Évangile ». Ni la « religion du Prêtre » (« Telle est la Religion des Lamas, telle est celle des Japonais, tel est le christianisme romain »). « Politiquement » considérées par le théoricien du *Contrat,* ces trois sortes de religion ont toutes leurs « défauts ».

Si la « religion du Prêtre » ne convient pas de toute évidence au projet de Rousseau, c'est parce qu'elle est de ces institutions qui, mettant l'homme « en contradiction avec lui-même », ne peuvent que rompre « l'unité sociale ». Les devoirs qu'elle dicte sont conflictuels puisqu'elle donne aux hommes deux chefs, deux législations, deux patries. Comment seraient-ils donc « à la fois » dévots et citoyens ? (*CS.* 464). La « religion nationale » a certes l'avantage d'unir insépara-blement amour des lois et service divin. Pas d'autres dieux que ceux de la patrie ; pas d'autre clergé que les chefs temporels. Conscience civique, conscience religieuse s'identifient. Héros de la cité et martyr de la foi ne font qu'un. Mais une telle religion, primitive méconnaissance du « vrai culte divin », devient « exclusive et tyrannique » quand elle persuade un peuple que le meurtre de quiconque ne révère pas ses dieux est « action sainte ». Or un peuple en « état naturel de guerre » contre tous les autres compromet sa propre sécurité. Formuler un credo du citoyen, oui. Mais ce problème n'est soluble que si le rapport entre la cité et l'humanité est justement pensé. La « religion nationale » nous l'interdit. Mais la « pure et simple religion de l'Évangile » ne nous l'interdit pas moins, pour une raison inverse.

La patrie du chrétien n'étant pas de ce monde, le salut de la cité comptera toujours moins pour lui que celui des âmes. Quel que soit son dévouement à l'État terrestre, et si même il meurt pour lui, le sort heureux ou malheureux de cet État est fixé par Dieu, quoi que puissent faire les citoyens. Conséquence déjà marquée par Machiavel *(Discorsi)* : un ambitieux rusé « aura bon marché de ses pieux compatriotes » ; une fois son pouvoir établi, ils se résignent à ce mal, punition divine comme tout ce qui fait de notre terre une « vallée de larmes ». En temps de guerre, les chrétiens soldats « savent plutôt mourir que vaincre ». L'armée de ceux qui, si braves soient-ils, se confient à la Providence, quoi qu'elle décide, est écrasée par une armée qui, à l'exemple de Sparte ou Rome, ne sait que vaincre ou périr.

Une « République chrétienne » est contradiction dans les termes. « Le Christianisme ne prêche que servitude et dépendance. Son esprit est trop favorable à la tyrannie pour qu'elle n'en profite pas toujours. Les vrais Chrétiens sont faits pour être esclaves ; ils le savent et ne s'en émeuvent guère : cette courte vie a trop peu de prix à leurs yeux. » (467) Alléguer la valeur militaire des Croisés, c'est oublier qu'ils étaient des « soldats du prêtre », citoyens d'une Église en lutte pour la possession d'un royaume terrestre.

On imagine les réactions, en longue durée, de plus d'un lecteur du *Contrat*. Rousseau ne va-t-il pas jusqu'à écrire qu'il ne connaît « rien de plus contraire à l'esprit social » qu'une religion qui, « loin d'attacher les cœurs des Citoyens à l'État, [...] les en détache comme de toutes les choses de la terre » (465) ?

Dans ses *Observations sur le Contrat social* (270 *sq.*) le P. Berthier fera valoir que, si le christianisme est bien, comme l'écrit M. Rousseau, « religion purement spirituelle », il est faux qu'il soit occupé « uniquement du ciel ». Saint Chrysostome n'enseignait-il pas que la plus haute ambition d'un parfait chrétien, c'est « la recherche de tout ce qui tient à l'utilité publique » ? Nous avons, en des publications antérieures, montré comment, dans la seconde moitié du siècle, l'apologétique exalte l'éminente contribution du catholicisme à la sauvegarde du lien social et à l'éducation des citoyens.

Le rapprochement de trois textes (première et deuxième versions du *Contrat, Première Lettre de la Montagne*) aide à cerner le problème posé à la philosophie politique de Rousseau.

Le chapitre *De la religion civile* n'a pas pour objet de juger les religions en elles-mêmes ; mais de les « considérer uniquement par leurs

rapports aux corps politiques, et comme parties de la Législation »
(*LM.* 703). « La science du salut et celle du gouvernement sont très
différentes. » (*LM.* 706) C'est parce que le christianisme de l'Évangile
unit tous les hommes hors-patries, amis ou ennemis, par un lien fraternel
que la mort ne dissout pas, c'est parce qu'il assemble universellement
les âmes dans une société morale subsistant quoi qu'il advienne ici-bas
qu'il ne peut, sans s'altérer, faire office de credo civil dans les limites
et sous les finalités d'un État. Une telle religion ne saurait cimenter
spirituellement cette communauté politique qu'est une cité. A Tronchin
qui lui reproche de présenter le pur Évangile comme « pernicieux à la
société », Rousseau répond qu'il le trouve « en quelque sorte trop
sociable, embrassant trop tout le genre humain pour une législation qui
doit être exclusive ; inspirant l'humanité plutôt que le patriotisme, et
tendant à former des hommes plutôt que des citoyens ». Ici, note de
l'auteur où « patriotisme » et « humanité » sont déclarés « vertus
incompatibles dans leur énergie, et surtout chez un peuple entier. Le
Législateur qui les voudra toutes deux n'obtiendra ni l'une ni l'autre :
cet accord ne s'est jamais vu ; il ne se verra jamais, parce qu'il est
contraire à la nature, et qu'on ne peut donner deux objets à la même
passion » (*LM.* 706).

Mais le propre du credo civil recommandé par Rousseau, c'est qu'il
refuse de sacrifier les droits universels aux droits particuliers du citoyen,
dans un monde où les cités sont multiples bien que le genre humain
soit un. « Il n'est pas permis de serrer le nœud d'une société particulière
aux dépens du reste du genre humain. » (*CS.* première version, 337) La
passion patriote et la passion d'humanité tendent l'une et l'autre,
comme toute passion, à s'approprier tout l'individu. Mais une fraternité
citoyenne peut se composer, en raison, avec une fraternité des hommes
ici-bas, que les rapports entre États soient ou non conflictuels.

L'analogie avec l'*Héloïse* n'est pas déplacée. L'insularité de l'amour
isole les amants. Mais, si l'amour de soi est passion primitive, la passion
amoureuse n'est possible qu'à la faveur d'une socialisation irréversible.
Or la raison, elle aussi, trouve dans la socialisation les conditions
qu'exigent son exercice et son progrès. La communauté de Clarens doit
permettre aux amants de situer et réfléchir leur amour dans un ordre
qui unît les cœurs au-delà de l'élan passionnel. *Mutatis mutandis,* une
sage philosophie politique doit pouvoir inscrire l'amour patriote dans
un ordre humain.

Que Rousseau écrive *la Profession de foi du Vicaire savoyard* ou le
dernier chapitre du *Contrat,* l'Être suprême ne se divise pas : il n'y a
pas un Dieu pour l'homme, un Dieu pour le citoyen. Dès 1756, la
Lettre à M. de Voltaire invitait le maître à produire, après ce *Poème
sur la religion naturelle* où Rousseau reconnaît le « catéchisme de
l'homme », le « catéchisme du citoyen », « ... sorte de profession de
foi que les lois peuvent imposer ; mais hors les principes de la morale
et du droit naturel, elle doit être purement négative, parce qu'il peut

ROUSSEAU

exister des religions qui attaquent les fondements de la société, et qu'il faut commencer par exterminer ces religions pour assurer la paix de l'État » (Pl.IV, 1073).

Le langage du *Contrat* et de la *Première Lettre de la Montagne* sera moins brutal, mais dans l'un et l'autre textes « l'intolérance » sera désignée comme le plus odieux des « dogmes à proscrire ».

La lecture de cette page montre ainsi que les deux catéchismes ne sont point les termes d'une alternative. Et ce qu'il écrit ici de l'intolérance dans la cité pourra bientôt s'entendre dans la parole du Vicaire, exposant la religion de l'homme. C'est parce qu'il y a résonance entre le credo civil du *Contrat* et la religion naturelle, qui est ou devrait être celle de l'entière humanité, que Rousseau reproche aux « religions nationales » leur inhumanité. « Il faut opter, lisons-nous dans *Émile,* entre faire un homme ou un citoyen ; car on ne peut faire à la fois l'un et l'autre. » (248) Mais on sait comment Émile, qui fit son apprentissage d'homme (selon la conscience, la raison... et la religion naturelle) doit apprendre et remplir, quand il le faut, ses obligations de citoyen parmi ses compatriotes.

Le problème que la profession de foi civile veut résoudre est central à une philosophie politique qui, refusant de confondre homme et citoyen, doit être celle de l'un et l'autre.

Le fait ne fait pas droit. Le genre humain s'est historiquement engagé au-delà des premières étapes, dans la formation et l'affrontement de sociétés particulières, de communautés nationales. Mais si la disjonction perpétuée entre le civique et l'humain excluait principiellement une impensable humanisation du civisme et condamnait au silence la voix de l'être générique dans la conscience du patriote, Rousseau devrait conclure que la constitution du corps politique sous la norme établie par le *Contrat* ôte la parole au Droit naturel dans la cité. Il n'en est rien. D'où suit que les « dogmes » de la « religion civile » seraient irrecevables s'ils étaient antagoniques à la morale universelle, que Rousseau ne sépare pas de la religion naturelle. Et à ce « droit divin naturel » évoqué dans le chapitre *De la religion civile* comme possible appellation de la « pure et simple religion de l'Évangile », du « vrai Théisme ». (CS. 464)

Cela revient à rappeler, comme en notre chapitre 3, que la « liberté civile » est liberté d'homme. C'est parce que la conscience et la raison sont d'un être moralisable que l'auteur du *Contrat* attend de lui l'engagement de vertu et le respect d'un credo civilement communautaire. Pour le bien et la sauvegarde d'une patrie périssable.

Une philosophie politique qui n'a pas la religion pour objet constate que, pour que vive l'État de droit, il faut que tout citoyen ait « une Religion qui lui fasse aimer ses devoirs ». Ainsi se légitime politiquement une profession de foi « purement civile » (468) qui ajoute au lien noué par la loi un nœud affectif et sacré. Ce que la religion de l'Évangile ne saurait faire ; « n'ayant nulle relation particulière avec le corps politique

[elle] laisse aux lois politiques et civiles *la seule force qu'elles tirent d'elles-mêmes* (nous soulignons) sans leur en ajouter aucune autre, et par là un des grands liens de la société particulière reste sans effet » (465).

On lit en première version : « ...cette même religion n'ayant nulle relation particulière à la constitution de l'État, laisse aux lois politiques et civiles *la seule force que leur donne le droit naturel* (nous soulignons) sans leur en ajouter aucune autre, et par là un des plus grands soutiens de la société reste sans effet dans l'État » (338).

Pour que cette « religion civile » ne trahisse pas son concept il importe que ses « dogmes » soient strictement appropriés aux intérêts moraux d'une communauté-patrie telle que le *Contrat* la définit. Sont donc à proscrire d'une telle religion les dogmes comme le mystère de la Trinité ou le péché originel, qui n'importent en rien à la bonne constitution de l'État et à ce bien terrestre qui est l'unique objet de la législation. Car ce n'est pas comme dogmes religieux, mais comme « sentiments de sociabilité sans lesquels il est impossible d'être bon citoyen ni sujet fidèle » que s'entendent les « articles » d'une profession de foi purement civile. Et puisque le seul maître de cité, c'est le peuple souverain, c'est à celui-ci seul qu'il appartient d'énoncer ce credo, qui n'est point matière théologique ou pastorale. Quant aux ministres de cette religion civile, ce sont les magistrats, ici comme ailleurs subordonnés au souverain.

Les quelques dogmes positifs de la religion civile sont « simples, énoncés avec précision sans explication ni commentaire ». Pas d'État-théologien ; pas de magistrat-glossateur. L'ensemble de ces « dogmes » (puisque Rousseau ne recule pas devant le mot) eût constitué sans doute le cathéchisme qu'il attendait de Voltaire : « l'existence de la Divinité puissante, intelligente, bienfaisante, prévoyante et pourvoyante, la vie à venir, le bonheur des justes, le châtiment des méchants, la sainteté du Contrat social et des Lois. (*CS.* 468)

« Étrange confusion du profane et du sacré », note R. Derathé ; les dogmes retenus par le Vicaire savoyard côtoient les dogmes civils qui nous viennent de la cité antique. Mais la solidarité entre la foi du Vicaire et le credo civil a, pour Rousseau, l'évidence d'un postulat. On le voit bien par l'unique « dogme négatif » de la religion civile ; énoncé par le Vicaire, il se retrouve fidèlement dans la profession de foi civile : ne pas tolérer l'intolérance. Une religion civile exclut toute religion qui exclut les autres ; elle tolère toutes celles qui tolèrent les autres, « autant que leurs dogmes n'ont rien de contraire aux devoirs du citoyen » (469). Le temps des religions nationales « exclusives » ne renaîtra pas ; mais quiconque prétendra que, hors de son Église, il n'est point de salut sera « chassé » de l'État.

Le censeur ayant reproché à l'auteur de l'*Héloïse* de ne pas distinguer entre l'intolérance civile, qui est réprouvable, et l'intolérance religieuse, qui est légitime, Rousseau les déclare « inséparables ». Comment faire société avec des gens qu'on croit damné parce que leur confession, ou leur religion, n'est pas la bonne ? Comment aimer ceux que Dieu hait et punit ? Il faut donc « absolument qu'on les ramène ou qu'on les tourmente ». « Partout où l'intolérance théologique est admise, il est impossible qu'elle n'ait pas quelque effet civil ; et sitôt qu'elle en a, le souverain n'est plus souverain, même au temporel : dès lors les prêtres sont les vrais maîtres ; les rois ne sont que leurs officiers. » (*CS.* 469)

Un exemple de l'« effet civil » de l'intolérance théologique est résumé en marge de cette page du *Contrat :* le mariage des protestants. Dès lors que le clergé romain tient l'état-civil dans tout le royaume de France, l'autorité d'Église annule celle du prince « qui n'aura plus de sujets que ceux que le clergé voudra bien lui donner ». Les protestants étant obligés par l'Édit du 14 mai 1724 de faire bénir leur mariage et baptiser leurs enfants par des prêtres catholiques, l'ensemble de la société civile se trouve soumis à la volonté d'une Église qui s'arroge les pouvoirs de l'État. Rousseau écrit, dans un fragment sur *le Mariage des protestants :* « Les effets du sacrement doivent être purement spirituels. Or point du tout. Ils ont tellement confondu tout cela que l'état des citoyens et la succession des biens dépendent uniquement des prêtres [...] Tant que les fonctions des prêtres auront des effets civils les prêtres seront les vrais magistrats. » (Pl. III 343)

La révocation de l'Édit de Nantes ayant affaibli la monarchie, on a tenté de retenir sur le territoire français les « débris de la secte persécutée ». Mais tant que l'Église catholique usurpe les droits de l'autorité publique, les protestants sont des proscrits de l'intérieur. Telle est la logique des « lois » du royaume : les protestants n'ont droit d'être « ni étrangers ni citoyens, ni hommes ».

S002Si un État laïcisé, au sens actuel du mot, est un État rigoureusement séparé de toute Église, on admettra que, dans les conditions de son époque, l'auteur du *Contrat* est résolument moderne. Sur ce point capital le Genevois est en rupture manifeste avec Calvin ; c'est de Voltaire qu'il est proche, pour qui la tolérance est « l'apanage de l'humanité » (*Dictionnaire philosophique,* article « Tolérance »). Rousseau contestant radicalement le pouvoir civil de l'Église catholique en France, c'est son assise matérielle qui se trouve, à terme, mise en cause ; n'y a-t-il pas un lien historique entre laïcisation de l'État et déféodalisation de l'Église ?

Pourtant, lorsque Rousseau affranchit l'État de toute juridiction d'Église et de théologie, ce n'est point pour accréditer un État irreligieux. Comment l'admettrait-il sans désavouer sa conviction que la morale et la vertu du citoyen ne peuvent se passer de religion ? On reviendra sur le sort qu'un tel État réserve aux incroyants.

Le plus important nous paraît d'abord de souligner que Rousseau cherche à définir, au croisement de son concept de corps politique et de ce chapitre sur la religion civile, les conditions de possibilité et d'exercice d'un patriotisme nouveau, préservé de la régression vers les modèles anciens et garanti contre la prétention cléricale. Hors le credo civil, sur lequel nul clergé n'a inspection, le citoyen a pleins pouvoirs sur sa vie religieuse, comme le corps politique est maître de soi ; « ...chacun peut avoir au surplus [du credo civil] telles opinions qu'il lui plaît, sans qu'il appartienne au souverain d'en connaître » (468).

Dans sa *Lettre sur la tolérance* Locke avait déjà dit cela. Le souverain n'a pas compétence pour décider à la place de Dieu de la destinée des âmes après la mort.

Le pacte fondamental qui crée le lien de cité n'a rien de religieux, mais Rousseau voit dans la religion civile le meilleur ciment spirituel de la communauté constituée. Cet avant-dernier chapitre du *Contrat* s'inscrit dans un mouvement qui, affranchissant la société civile des tutelles d'Église et du discours théologique, facilitera l'expression politique autonome des intérêts, des compétitions, des enjeux. Les antagonismes sociaux en seront plus directement éclairés, tandis que se réduira la portée des clivages confessionnels. Mais Rousseau lui-même, dans le *Discours sur l'inégalité* et tant d'autres écrits, n'a-t-il pas fait de l'opposition historique entre le maître et l'esclave, entre l'expropriateur et l'exproprié, entre le « riche » et le « pauvre » l'incontournable question du siècle ?

On ne traitera pas des multiples problèmes soulevés par la « religion civile ». Une observation, simplement, et deux interrogations lourdes.

L'observation, qui n'est pas communément énoncée, va pourtant de soi... Sophie aura la religion de son époux ; mais, Rousseau n'accordant pas la citoyenneté aux femmes, quel sera leur lien à la religion civile ? On présumera que la mère dispose le cœur de l'adolescent à professer le credo réservé aux hommes.

La *première interrogation* est provoquée par le jugement porté sur le christianisme dans ce chapitre *De la religion civile.* Si « les vrais chrétiens sont faits pour être esclaves », comment comprendre l'attache entre une telle religion et cette « religion naturelle » qui, d'une part, revendique contre la religion du prêtre une radicalité évangélique, mais qui d'autre part professe une foi foncièrement opposée à toute forme du rapport Domination/Servitude ici-bas ?

On marquait au chapitre 3 comment le Droit naturel (qui postule l'égalité de tous ceux qui composent l'humanité générique) est confirmé par la construction contractualiste d'une égalitaire cité. Le devenir conflictuel des sociétés induisant un progrès des lumières, l'élaboration d'une théorie propre à concevoir le dépassement de Domination/Servitude exige que le Droit naturel soit remémoré et réfléchi comme Droit naturel raisonné. Ce rapport entre Droit naturel raisonné et Cité selon le *Contrat* a pour homologue le rapport entre religion naturelle et cité selon le *Contrat. Mutatis mutandis,* puisque (à la différence du Droit naturel qui, par essence, ne doit rien à l'histoire) la religion naturelle ne peut naître que moyennant une maturation de la conscience et de la raison. (C'est pourquoi Émile doit accéder à l'adolescence pour s'initier au credo du Vicaire). Or cette religion naturelle — « religion de l'homme » — est, de fondation, irréductiblement hostile à tout mode d'existence sociale qui nie l'essence libre de l'humain. Qu'il y ait ou non cité(s). On comprend donc que le seul type de cité qui s'accorde à la profession du Vicaire est celui où le lien de concitoyenneté respecte et manifeste l'être libre de l'homme.

Ce n'est point n'importe quel credo civil, mais celui d'une communauté conforme à la philosophie du *Contrat,* qui actualise — dans les limites de la cité — l'immanence anthropologique de la religion naturelle. C'est le moment de rappeler que, si la religion naturelle est universelle, la cité selon le *Contrat* n'est pas une quelconque « société particulière ». Elle est la seule qui ne puisse exister que par l'universalité de la loi qui fait égaux tous les acteurs d'une communauté politique. On n'entend pas la profession du Vicaire si l'on est inapte à penser l'universel ; mais comment la citoyenneté du *Contrat* serait-elle possible si les producteurs de la volonté générale n'avaient aucune notion de l'universel, à l'échelle du corps politique ?

Le Vicaire savoyard, comme tout chrétien, croit au salut des âmes. Mais le chrétien, qui n'a que le Ciel pour patrie, accepte ici-bas ce que la foi du Vicaire fait à tout homme universelle et constante obligation de combattre : l'assujettissement terreste de l'homme à l'homme. C'est rejoindre la dernière page de la *Lettre à Franquières*. Le chrétien dont l'auteur du *Contrat* fait le portrait ne méconnaît-il pas le projet initial de Jésus parmi les hommes ? « Relever son peuple, [...] en faire derechef un peuple libre et digne de l'être » (*LF.* 1146).

En ce monde où l'homme n'est qu'un voyageur, toute injustice, toute souffrance servent le dessein de Dieu. Comment patience et charité chrétiennes n'auraient-elles pas historiquement donné prise aux volontés d'oppression sur les âmes et les corps ? Captive de ces « enchaînements » dont le *Discours sur l'inégalité* montrait la dialectique matérielle et mentale à la fois, une religion absorbée dans les « choses du Ciel » a fait l'objet d'un détournement qui l'aliène et la pervertit deux fois. Les pouvoirs d'un clergé qui s'attribue le monopole de la révélation ont invoqué l'Évangile pour régner ici-bas, soit directement (théocraties), soit en complicité avec les despotes séculiers. Et les sectes théologiques, exploitant les ressources d'une dogmatique où la raison commune perd son droit, se sont octroyé privilège sur les consciences et le savoir. Schismes, anathèmes, excommunications, bûchers..., tout fut fait en levant les yeux au ciel de la paix chrétienne.

On sait que, si la religion du Genevois veut ressourcer un christianisme perverti, c'est au prix d'une recomposition qui relègue au facultatif des dogmes aussi essentiels pour la Réformation que péché originel, rédemption, résurrection ; qui révoque toute autorité d'intercession et d'Église entre Dieu et moi ; et qui s'opère autour d'un Jésus moniteur de l'unique et universelle morale attestée ici-bas par une conscience honnête. Mais le chapitre *De la religion civile* aggrave la dissidence de

Rousseau. En contraste avec la foi mortifiante du pèlerin sans terre, sa religion (qu'elle soit naturelle ou civile) n'a d'autres intérêts que ceux de l'humanité présente. La vertu aujourd'hui tourmentée aura justice dans l'autre monde, comme si pacte avait été conclu entre le genre humain et Dieu. La pratique sociabilisante des devoirs de l'homme et des devoirs du citoyen, comme la défense de leurs droits contre discrimination et asservissement trouvent dans la religion naturelle une légitimation transcendante. Catholiques ou réformés, les adversaires de Jean-Jacques ne s'y trompent pas. M. Rousseau peut bien s'insurger contre les philosophes modernes ; « naturel » ou « civil », son credo est l'enfant du siècle.

Deuxième interrogation : quelle place reconnaître aux incrédules dans ce corps politique indépendant de toute Église, mais uni sur une profession de foi civile ?

Michel Launay marque opportunément qu'en ces années 1760-1762, le problème des athées est mineur, comparé à celui que pose à l'opinion éclairée la séculaire emprise du catholicisme romain sur la société et la monarchie française. 1762, année de l'exécution de Calas ; c'est aussi l'année où les biens des Jésuites sont placés sous séquestre, deux ans avant l'expulsion de la Compagnie. Mais Rousseau, on le sait, n'est pas tendre pour l'athéisme et les athées. Une doctrine qui congédie Dieu et la vie future prive le peuple opprimé de l'espérance d'un au-delà réparateur. Elle ôte aux puissants de ce monde, à ceux qui asservissent les petits à l'impitoyable loi de l'argent la crainte d'un châtiment dans l'au-delà ; elle les autorise à n'opposer aucune règle à leurs appétits de jouissance et de pouvoir. *Lettre à Voltaire :* « Que s'il y avait des incrédules intolérants, qui voulussent forcer le peuple à ne rien croire, je ne les bannirais pas moins sévèrement que ceux qui le veulent forcer à croire tout ce qui leur plaît. » (1073) Il s'agit évidemment du parti « philosophe » que Rousseau ne traite pas mieux que le parti prêtre. Une addition est à citer : « Car on voit au zèle de leurs décisions (premier jet : à l'aigreur de l'athéisme qui les dévore, à l'impérieuse hauteur de leurs décisions), à l'amertume de leurs satires qu'il ne leur manque que d'être les maîtres pour persécuter tout aussi cruellement les croyants qu'ils sont eux-mêmes persécutés par les fanatiques. Où est l'homme paisible et doux qui trouve bon qu'on ne pense pas comme lui ? Cet homme ne se trouvera sûrement jamais parmi les dévots et il est encore à trouver chez les philosophes. » (1783)

Mieux vaudrait néanmoins, pour Rousseau, un État composé d'athées — éventualité qui lui paraît pratiquement irréalisable, quoi qu'en ait dit P. Bayle —, qu'un État livré à la barbarie d'une intolérante religion. Pour notre auteur (et pour Voltaire) l'intolérance n'est pas essentielle à l'athéisme. Comme elle l'est à toutes ces confessions qui désertent l'esprit de l'Évangile ravivé par le Vicaire. Tout lecteur de l'*Héloïse* constate que l'incrédule M. de Wolmar, qui n'a nul besoin d'espérer ou d'escompter le salut pour bien faire, tolère sagement le credo de ceux qui l'entourent ; ce n'est pas lui qui, à Clarens, veut convertir qui que ce soit.

Si, pour Rousseau philosophe de la politique, l'athéisme est un mal, c'est pour une raison fondamentalement morale. Il croit, ou aime croire que, personnelle ou publique, la morale ne peut se passer de toute conviction religieuse. Conséquence : une religion civile étant indispensable au corps politique, comment l'athée pourrait-il satisfaire aux obligations de la morale publique ?

On serait en droit de s'étonner puisque dans chacune des versions du *Contrat,* les dogmes de la profession de foi civile s'entendent non comme « dogmes de religion », mais comme « sentiments de sociabilité, sans lesquels il est impossible d'être bon citoyen ni sujet fidèle » (340, 468). Il est donc logique qu'une telle profession n'exige de chacun rien d'autre que d'accomplir en toute occasion ses devoirs de cité. Au-delà, quelles que soient ses « opinions » (« surplus » dont le souverain n'a pas à connaître), le citoyen ne doit nul compte de ses sentiments à l'autorité publique. Qu'il soit ou non athée. Rousseau en est si convaincu que, défendant son œuvre devant ceux qui l'ont condamné à Genève, il écrit dans la *Seconde Lettre de la Montagne :* « Si les lois n'ont nulle autorité sur les sentiments des hommes en ce qui tient uniquement à la religion, elles n'en ont point non plus en cette partie sur les écrits où l'on manifeste ces sentiments. » (711) Liberté d'opinion entraîne liberté d'expression. De ce principe, les *Lettres* ne s'écartent pas. Tout homme ayant droit au vrai, chacun a droit de publier ce qu'il croit l'être, dès lors qu'il ne prétend forcer la conviction de quiconque et qu'il en appelle à la raison de chacun.

Mais l'athée ? Rousseau admet, en accord avec sa philosophie, que la loi ne peut le forcer à croire ce que sa conviction récuse. L'athée est dans l'erreur ? Mais Rousseau, en ses *Lettres de la Montagne* et ailleurs, admet, avec insistance, qu'il est lui-même faillible autant qu'un autre. Et comme la morale civile n'est pas moins impérativement pratique que la morale du Vicaire, comment contester au citoyen incrédule le droit d'être juge, non sur ce qu'il pense d'un article de foi, mais sur sa conduite ? Rousseau n'a-t-il pas cent fois proclamé qu'une bonne action vaut mieux que le plus pieux discours ? C'est pourquoi sans doute, entre la première et la deuxième versions du *Contrat,* quelque chose s'efface. Selon la première version, « tout citoyen doit être tenu de prononcer cette profession de foi par-devant le magistrat et d'en reconnaître expressément tous les dogmes » (340-1). « Cette profession de foi [...], qu'elle se renouvelle tous les ans avec solennité et que cette solennité soit accompagnée d'un culte auguste et simple dont les magistrats soient seuls les ministres et qui réchauffe dans les cœurs l'amour de la patrie... » (342)

En version définitive ces prescriptions ont disparu. Il semble donc que les athées ne soient pas exclus de la concitoyenneté. Mais on lit dans les deux versions que, sans pouvoir « obliger personne » à « croire », le Souvenir peut « bannir de l'État » quiconque récuse la « profession de foi purement civile ». « Il peut le bannir, non comme impie, mais comme insociable, comme incapable d'aimer sincèrement les lois, la justice et d'immoler au besoin sa vie à son devoir » (468).

La première version précise que l'athée ainsi banni emporte paisiblement ses biens (341). « Que si quelqu'un, après avoir reconnu publiquement ces mêmes dogmes, se conduit comme ne les croyant pas, qu'il soit puni de mort ; il a commis le plus grand des crimes, il a menti devant les lois. » (*CS.* 468)

On observera que, dans la logique de ce chapitre *De la religion civile,* un pareil « crime » peut avoir pour auteur aussi bien l'adepte de telle ou telle confession que l'agnostique ou l'athée. Surtout, on confrontera ces textes du *Contrat* avec quelques autres. Dans l'*Héloïse,* Rousseau s'écrie : « ... nul vrai croyant ne saurait être intolérant ni persécuteur. Si j'étais magistrat, et que la loi portât peine de mort contre les hérétiques, je commencerais par faire brûler comme tel quiconque en viendrait dénoncer un autre. » (589) Julie écrira plus tard : « Voulons-nous donc être humains ? Jugeons les actions et non pas les hommes. N'empiétons point sur l'horrible fonction des démons : n'ouvrons point si légèrement l'enfer à nos frères. Eh, s'il était destiné pour ceux qui se trompent, quel mortel pourrait l'éviter ? » (698)

Parmi ceux qui « se trompent », n'y a-t-il pas son époux, homme de bien quoiqu'incrédule ? On lit dans une lettre de Rousseau au pasteur Vernes : « On aurait beaucoup fait pour la paix civile si l'on pouvait ôter de l'esprit de parti le mépris et la haine qui viennent bien plus de suffisance et d'orgueil que d'amour pour la vérité. Julie dévote est une leçon pour les philosophes et Wolmar athée en est une pour les intolérants » (24.6.1761 ; CC.IX, 27).

Dans la première *Lettre de la Montagne* (696) Rousseau demande qu'on le juge non sur les « intentions » qu'on lui prête (« ... ils se mettent à la place de Dieu pour faire l'œuvre du Diable »), mais sur son ouvrage. On verra bien alors qu'il n'a pas eu l'horrible intention de « détruire la Religion » sous couleur d'attaquer la « superstition » (695).

Wolmar et Rousseau, l'agnostique et le croyant, sont à juger sur ce que tous peuvent vérifier : leurs actes.

On trouve pourtant dans la *Lettre à Ch. de Beaumont* une page qui rend un autre son : « Pourquoi un homme a-t-il inspection sur la croyance d'un autre, et pourquoi l'État a-t-il inspection sur celle des citoyens ? C'est parce qu'on suppose que la croyance des hommes détermine leur morale, et que des idées qu'ils ont de la vie à venir dépend leur conduite en celle-ci [...] Dans la société chacun est en droit de s'informer si un autre se croit être obligé d'être juste, et le souverain est en droit d'examiner les raisons sur lesquelles chacun fonde cette obligation. » (973) Inspection sur la croyance d'un autre ? Examen des raisons qui fondent l'obligation d'être juste ? Voilà qui s'entend mal chez un auteur qui, en toute occasion, invoque avec ferveur le « secret » de la conscience, de toute conscience, et qui écrivait dans sa *Lettre à Voltaire :* « Mais je suis indigné, comme vous, que la foi de chacun ne soit pas dans la plus parfaite liberté, et que l'homme ose contrôler l'intérieur des consciences où il ne saurait pénétrer ; comme s'il dépendait de nous de croire ou de ne pas croire dans des matières où la démonstration n'a point lieu, et qu'on pût jamais asservir la raison à l'autorité. » (1072)

Sans doute, dans la *Lettre à Beaumont,* l'« inspection » ne saurait-elle avoir pour objet les « opinions qui ne tiennent point à la morale, qui n'influent en aucune manière sur les actions, et qui ne tendent point à transgresser les lois ». Chacun n'a là-dessus que son jugement pour « maître ». (Exemple : la question de l'hypostase, absente de la Bible...) Mais est-il toujours facile de discriminer, parmi les opinions, celles qui importent à la pratique et les autres ?

Dans le chapitre du *Contrat,* le souverain s'interdit de sonder les cœurs et les pensées ; ce serait contredire son essence. Il lui suffit que la conduite du citoyen témoigne de son aptitude à la « sociabilité ». Or nous voici renvoyés par la *Lettre à Beaumont* de la pratique à la conscience. Le précepte moral cher à Jean-Jacques (juger chacun sur ses actes) est occulté par une déduction commune, mais hypothétique : les représentations qui peuplent la vie mentale d'un individu (ou d'un groupe) décident de sa conduite. L'athéisme (tel que le conçoit le Genevois comme tant d'autres au 18ᵉ siècle, et depuis) est intrinsèquement immoral puisqu'il récuse les croyances sans lesquelles une morale, donc une société authentique, est impossible. Par conséquent....

Rousseau observateur, autobiographe, romancier, penseur sait pourtant que le rapport de l'idée ou du sentiment à l'action n'est pas si simple. Il sait aussi qu'en dépit de Platon les Épicuriens, qui donnaient vacance aux dieux, formaient une exemplaire communauté d'amis. Mais comme le Genevois (qui, l'âge venu, s'avoue qu'il croit non par raisonnement, mais parce qu'il a « toujours cru ») s'interdit de mettre en question son jugement sur la conscience incrédule, et sur l'athéisme lui-même, il faut bien qu'il s'en prenne aux athées quand ils n'ont pas l'air d'être ce qu'ils devraient être. S'ils font preuve quotidienne de « sociabilité » et de civisme, Rousseau doit choisir entre deux présomptions : incohérence (mais lui-même ne s'est-il jamais reproché de manquer de logique ?) ; ou simulation... Auquel cas le lecteur se ressouvient (tant pis pour Jean-Jacques) du *Dictionnaire philosophique* de Voltaire, qui croyait lui aussi à l'Être suprême et n'aurait pas voulu vivre sous un prince athée. La vertu étant « bienfaisance envers le prochain », quelques théologiens accablent l'empereur Antonin, entêté stoïcien, qui « ne fit que tromper les hommes par ses vertus ; je m'écrie alors : "Mon Dieu, donnez-nous souvent de pareils fripons" » (article « Vertu »).

Rousseau est dans le sillage de Locke, qui n'est pas dénombré d'ordinaire parmi les précurseurs du totalitarisme, mais du libéralisme. Dans sa *Lettre sur la tolérance* il écrit que « ceux qui nient l'existence d'un Dieu ne doivent pas être tolérés, parce que les promesses, les contrats, les serments, et la bonne foi, qui sont les principaux liens de la société civile, n'engagent point les athées à tenir leur parole »...[84]

On peut estimer aujourd'hui que l'indépendance philosophique de la théorie du contrat est compromise par l'exclusion ainsi prononcée contre une option doctrinale. Dieu n'est pour rien dans la genèse du lien social et de l'ordre politique ; mais cette cité des contractants majeurs doit tenir à l'écart ceux qui ne croient pas en Dieu !

Spinoza, qui préconisait un credo civil, n'en avait pas moins expliqué en toute raison qu'agir humainement avec nos semblables sans espérer la récompense d'une autre vie, c'est la morale même. Et P. Bayle, pasteur, avait montré comment une société d'athées saurait s'imposer les règles d'une rigoureuse moralité. En un temps où beaucoup encore se demandaient comment l'on peut être athée, bien des esprits, à l'exemple de Fontenelle, se posaient une question qui fera son chemin : comment peut-on être croyant ? Comment naissent et se transforment les croyances ?

Mais, à travers la question de l'athéisme, éloigné de la cité par un adversaire de l'intolérance, une philosophie politique est mise à l'épreuve. La logique de l'ultime recours à la vertu dont nous marquions la cohérence avec la théorie du corps politique fait ici retour, affermie par le sentiment du sacré.

La religion naturelle ayant décléricalisé le sacré, la religion civile ne requiert nul clergé pour sacraliser le lien social. (Le magistrat n'est qu'un officiant révocable, commis au culte public par le souverain). Qu'il soit de l'homme ou du citoyen, l'acte de foi est prononcé par la seule conscience de l'individu ; nul intermédiaire entre lui et Dieu, entre lui et la cité. De sa volonté bonne dépend l'existence du corps politique. Mais, cette vertu n'étant assurée que si le citoyen fait sien le credo public, c'est pour répondre à un appel religieux intime à la conscience du devoir que chacun, aux heures difficiles, se lève et marche.

A un christianisme apatride ici-bas l'auteur du *Contrat* dénie le pouvoir d'attacher invinciblement l'homme à quelque cité terrestre. Mais la religion civile elle-même n'accomplit-elle pas, intérieur, le dédoublement de l'homme social entre ciel et terre ? Entre la sphère éthico-sacramentelle des idéalités républicaines et la sphère besogneuse de la production des biens, de l'appropriation privée, du profane calcul des utilités. Laïcisée, la sacralisation du lien politique ne semble pas pouvoir mieux qu'une religion d'Église affranchir une société de la pesanteur des intérêts conflictuels. Mais puisque l'acte de foi civile est de pure intériorité, comme l'engagement à la vertu civique, c'est la conscience bénévole de l'individu qui doit incessamment se mesurer à des forces qui ne l'entendent pas.

Rousseau n'est certes pas de ceux pour qui la vie publique doit se mouler sur les pratiques et les mentalités du marché. Il fut et demeure maître d'une citoyenneté qui ne « marchande » pas avec la morale et ne pactise pas avec les « brigands ». Mais la sincérité d'un vouloir ne garantit pas la lucidité de l'intellection. Quand les membres d'une communauté politique méconnaissent les conditions de fait et de nécessité auxquelles leur société se reproduit et se transforme, nul culte public ne sauve la patrie républicaine. C'est alors pourtant que l'inintelligibilité des obstacles et des issues se compense et se dénie par le verbe moralisant ; foi et volonté se reprochent de n'avoir pas su être assez pures. Et il faudra que la vertu ait beaucoup de sagesse pour ne pas risquer, une fois de plus, le trop facile partage entre les « bons » et les « méchants ».[85]

1. « ...Nous n'avons plus de citoyens ; ou s'il nous en reste encore, dispersés dans nos campagnes abandonnées, ils y périssent indigents et méprisés. Tel est l'état où sont réduits, tels sont les sentiments qu'obtiennent de nous ceux qui nous donnent du pain, et qui donnent du lait à nos enfants » (26).

2. *Essais,* III 6, Des coches.

3. Dans le *Discours sur les sciences* déjà : « On n'ose plus paraître ce qu'on est » (8). Conformisme, mimétisme, société-« troupeau ». Un étranger venu de loin « devinerait exactement de nos mœurs [européennes] le contraire de ce qu'elles sont » s'il en jugeait par le progrès de nos sciences, la perfection de nos arts, la bienséance de nos spectacles, nos manières polies, l'affabilité de nos discours, nos « démonstrations perpétuelles de bienveillance », l'apparent empressement à « s'obliger réciproquement » (9).

4. Dans l'*Essai,* Rousseau différencie le « sauvage » chasseur, le « barbare » berger, l'« homme civil » laboureur. Qu'il s'agisse de l'« origine des arts » ou des « premières mœurs », « tout se rapporte dans son principe aux moyens de pourvoir à la subsistance, et quant à ceux de ces moyens qui rassemblent les hommes, ils sont déterminés par le climat et la nature du sol. C'est donc aussi par les mêmes causes qu'il faut expliquer la diversité des langues et l'opposition de leurs caractères » (107). Un printemps perpétuel, une fertilité également répartie sur la terre auraient dissuadé les hommes « sortant des mains de la nature » de renoncer à la dispersion pour faire société (109).

5. En *Émile* (III) important développement sur besoins, division technique du travail, échanges. Au-delà du « besoin physique » de l'individu autosuffisant, l'introduction d'un « superflu » a pour effet nécessaire « partage » et « distribution du travail » ; « ...cent hommes travaillant de concert gagneront de quoi en faire subsister deux cents » (456). L'appropriation individuelle des valeurs d'usage suppose que nous trouvons « notre compte » aux « échanges » propres à satisfaire les « besoins mutuels », dans une société de producteurs spécialisés. Qui prétendrait se suffire à soi-même en de telles conditions ne pourrait pas même « subsister » : « ...trouvant la terre entière couverte du tien et du mien, et n'ayant rien à lui que son corps, d'où tirerait-il son nécessaire ? En sortant de l'état de nature, nous forçons nos semblables d'en sortir aussi ; nul n'y peut demeurer malgré les autres, et ce serait réellement en sortir que d'y vouloir rester dans l'impossibilité d'y vivre » (467). Platon (*République,* 369a, *sqq.*) voyait la cité naître de l'échange entre travaux différents. Mais Émile ouvrier ne poursuivra son « histoire naturelle » d'homme-témoin que si l'interdépendance des travaux ne l'aliène pas. Telle est, en effet, la subdivision imposée par le perfectionnement des « arts » (les « instruments des uns et des autres » se « multipliant à l'infini ») que, « pour exercer un seul art [...] il faut une ville à chaque ouvrier » (460). Pour assurer à la fois sa vie et sa liberté, Émile sera donc ouvrier polytechnicien (*cf.* chapitre 4). D'atelier en atelier il met toujours « la main à l'œuvre » (le gouverneur apprenant à ses côtés) ; il ne quitte aucun atelier « sans savoir parfaitement la raison de tout ce qui s'y fait ou du moins de tout ce qu'il a observé » (456). Il ne s'instruit d'aucune fabrication sans s'instruire des origines et des transformations antérieures de la matière ouvragée ; sans se poser la question : comment fabriquerais-je cet outil ? Comment saurais-je m'en passer, s'il le fallait ? — Il y a donc solidarité entre polytechnicité, intelligence des finalités et procédures de l'acte productif, intelligence du rapport social. Sinon les savoirs investis

dans ce que nous dénommerions travail social sont moyens perfectionnés d'une dépossession de l'individu.

6. Cette « grande révolution » avait été précédée d'une « première révolution » (« établissement » et « distinction des familles ») dont on traitera plus loin.

7. Dans la *Nouvelle Justine* (chapitre 8) Sade écrira que deux sortes d'individus ne devraient pas se soumettre au pacte proposé par le « législateur » : ceux qui, se sentant les plus forts, n'avaient pas besoin de rien céder pour être heureux ; et ceux qui, étant les plus faibles, se trouvaient céder infiniment plus qu'on ne leur assurait.

8. *Anti-Dühring (M.E. Dühring bouleverse la science)* trad. E. Bottigelli, Paris 1963, p. 171.

9. Nous ne proposons pas une exhaustive confrontation Hegel/Marx. Soulignons l'intérêt d'une riche étude de J.-L. Chedin, « La dialectique à l'œuvre chez J.-J. Rousseau », *Les Études philosophiques*, n° 4, 1978. Par différents aspects la « dialectique » de Rousseau annonce et la dialectique idéaliste (Hegel) et le matérialisme dialectique. Mais les éléments antagonistes qu'elle parvient à conjuguer en un rapport original sont appelés, par les nécessités de leur développement respectif, à se scinder ultérieurement.

10. La note IX du *Discours* souligne la solidarité entre les rapports homme-homme et les rapports homme-nature. « La raison de [la] sujétion à la nature se trouve, écrit V. Goldschmidt (*o.c.* 547), dans ce même renversement que celui qui régit les rapports sociaux. » Celui qui s'est fait « tyran de la nature » subit le contre-coup de son agression. Modernité de Rousseau, qui marque « l'étonnante disproportion » (*DI*. 202) entre progrès technique et qualité de vie. Les techniques ont créé un univers artificiel, « imposé de force à l'ordre naturel, mais obéissant, comme celui-ci, à des lois mécaniques et parfaitement autonomes où se fausse et se brise la finalité humaine qui en fut pourtant à l'origine » (o.c. 548). L'assujettissement de l'homme à son semblable n'est donc intelligible que par cet assujettissement de l'homme à toute la nature. Cette sujétion, note Goldschmidt, est « tout autre chose » que le rapport hégélien maître/serviteur (bien qu'elle ait dû l'inspirer). Non relation dialectique entre deux termes, mais « phénomène global » (cosmique, social) « où la finalité humaine est inexorablement convertie en causalité physique, et où se joue, non pas un combat singulier entre deux figures » [que d'autres figures relaieront], mais le « destin même de l'humanité » (549).

11. On rapprochera de l'*Essai sur l'origine des langues,* IX : dans les pays chauds les premières réunions se firent autour des puits. « Là se formèrent les premiers liens des familles [...]. Là fut enfin le vrai berceau des peuples, et du pur cristal des fontaines sortirent les premiers feux de l'amour » (123). Toute la page appellerait confrontation avec la description de la grotte de Calypso, dans *Télémaque :* vocabulaire, rythme, construction... (Là..., Là...).

12. Au terme de ce développement, citation du « sage Locke » : « Il ne saurait y avoir d'injure, où il n'y a point de propriété » (*Essai concernant l'entendement humain*, trad. Coste, IV, par. 18).

13. « Critique marxiste de Rousseau », dans *Études sur le Contrat social de J.-J. Rousseau,* actes des journées d'étude, Dijon mai 1962, Paris 1964, p. 503-14. — Du même auteur : « Du Discours sur l'inégalité » à « l'État et la révolution », *Europe,* n° 391-392, nov.-déc. 1961, p. 181-8.

14. On lit en brouillons et dans la copie destinée par l'auteur à Mme de Luxembourg : « la débauche ». Corrigé en manuscrit Rey. B. Guyon note que cette légère atténuation (pour ne pas trop irriter le lecteur dévot) est la seule que Rousseau ait consentie.

15. a) Émile enfant s'accoutume à ne pas s'effrayer des « masques », à ne pas céder au faux-semblant, à déceler toujours l'homme sous l'habit.
b) « J'entre avec une secrète horreur dans ce vaste désert du monde. Ce

chaos ne m'offre qu'une solitude affreuse où règne un morne silence »
(*NH*. 231). Une « foule » qui est un « désert ». Une « solitude où je ne
trouve qu'une vaine apparence de sentiments et de vérité qui change à
chaque instant et se détruit elle-même, où je n'aperçois que larves et
fantômes qui frappent l'œil un moment et disparaissent aussitôt qu'on les
veut saisir » (236). « Larve », en son premier sens, est fantôme, masque ;
il y a, dans cette lettre, connotation masque-désert-solitude-désert. Souvent
mal reçu des historiens de la littérature, Saint-Preux est ici pourtant, comme
Diderot d'autre part, l'initiateur d'une phénoménologie moderne de la
conscience, et pas seulement...

16. Sur les conceptions de M. Hess, voir S. Mercier-Josa, « "Sur l'essence de
l'argent" de Moses Hess », *la Pensée*, n° 173, 1974, p. 87-93.

17. Extrême rareté de l'argent dans le Haut-Valais. Ainsi s'explique, selon Saint-
Preux, le bien-être des habitants, qui vivent en économie naturelle. C'est
un accroissement d'argent qui les appauvrirait. « Ils ont la sagesse de le
sentir, et il y a dans le pays des mines d'or qu'il n'est pas permis d'exploiter »
(*NH*. 80). « L'argent est tout au plus le supplément des hommes, et le
supplément ne vaudra jamais la chose » (*CP*. 1004-5). « ...De la monnaie
sont nées toutes les chimères de l'opinion » (*E*. 462).

18. Le « vrai fondateur de la société civile » fut un « imposteur » : le « premier
qui, ayant enclos un terrain, s'avisa de dire, *ceci est à moi,* et trouva des
gens assez simples pour le croire » (*DI*. 164).

19. *Rousseau et le problème de la personne, o.c.* p. 241-65.

20. *Rousseau et le socialisme*, dans *J.-J. Rousseau,* leçons faites à l'École des
hautes études sociales, ouvrage colletif, Paris 1912, p. 171-86.

21. « L'homme sauvage n'a pas [l']admirable talent » du « philosophe » qui
— ne s'émouvant plus que pour la « société entière » —, se bouche les
oreilles et se trouve de bonnes raisons « pour empêcher la nature qui se
révolte en lui de l'identifier avec celui qu'on assassine » sous sa fenêtre.
L'homme sauvage et les « femmes des halles » se livrent au « premier
sentiment de l'humanité » : porter secours à son semblable secourir son
semblable » (*DI*. 156)

22. « A l'accent proscrit succèdent des manières de prononcer ridicules, affectées,
et sujettes à la mode, telles qu'on les remarque surtout dans les jeunes gens
de la cour. » Affectation de parole et maintien que les « autres nations »
ne pardonnent pas aux « Français ». « Au lieu de mettre de l'accent dans
son parler, il y met de l'air (*E*. 296). — Entre autres textes deux rappels :
« ...comment l'auteur du *Devin* a-t-il pris dans cette pièce un accent
alors si neuf... ? » (*D*. 685) — Précipitamment revenu à Clarens après le
cauchemar de Villeneuve (Julie morte, voilée), Saint-Preux est rassuré quand
il entend les deux cousines, qu'il ne voit pas. Sans « distinguer un seul
mot » il s'émeut du « son » de la voix de Claire ; et l'« accent » de Julie
« fut le vrai réveil de mon rêve » (*NH*. 618).

23. a) *G. Snyders, le goût musical en France au 18e siècle.* L'assimilation directe
de musique à langage, la fondamentale non-différence entre discours musical
et discours parlé induisent une méconnaissance de cette totalité à la fois
musicale et signifiante que permettent l'harmonie, ou simplement le contre-
point.

    b) Lamartine estimait que son *Lac* pouvait se passer des compositeurs. Il n'en
faisait pas moins poétique usage des terminologies musicales : « Hommes
prédestinés, mystérieuses vies,/ Dont tous les sentiments coulent en mélodies. » (Lamartine, *Jocelyn,* quatrième époque, vers 373-4.)

24. Éd. citée, 151. R. Desné rappelle que l'adage (l'accent « principe de la
musique ») est tiré d'un auteur du 5e siècle, Martianus Capella ; on le
retrouve dans le *Salon de 1767*. Le neveu interroge : « ...n'est-ce pas une
bizarrerie bien étrange qu'un étranger, un Italien, un Duni vienne nous
apprendre à donner de l'accent à notre musique ? Comme le remarque

R. Desné, le neveu exprime des idées que Diderot avaient exposées dans sa *Lettre sur les sourds et muets,* et qu'on retrouvera, « nuancées », dans le *Dictionnaire de musique* de Rousseau. On sait que l'auteur du Dictionnaire avait écrit sur la musique pour l'*Encyclopédie.*

25. P. 159.

26. *Musique et peuple au 18ᵉ siècle,* dans *Images au peuple du 18ᵉ siècle,* Centre aixois d'études et de recherches sur le 18ᵉ siècle, Paris 1973, p. 330-7. P. Fortassier souligne l'intérêt que le *Dictionnaire de musique* de Rousseau porte aux airs persans, chinois, hurons. Rousseau n'oublie pas le *Ranz des vaches* de sa patrie. Tout ce qui suit est à lire pour comprendre l'influence des conceptions de Rousseau, particulièrement dans la romance. Voir aussi l'importante étude de M.-E. Duchez, « Modernité du discours de J.-J. Rousseau sur la musique », dans *Rousseau after two hundred years,* Cambridge 1982, p. 263-279 (abondante bibliographie).
Les ariettes du *Devin,* « premier véritable opéra-comique français, sont, par leur caractère sentimental, touchant et simple, de véritables romances ». Rousseau musicien a pris une « part décisive » à « l'essor de la romance ».
— Montaigne (*Essais,* II, 31) reproduit une chanson de d'un de ces peuples « cannibales » que nous réputons « barbares » nous qui les surpassons en toute sorte de barbarie. Rousseau évoque ce chapitre dans le *Discours sur les sciences* (11, note).

27. Tout ce que Rousseau écrit d'écriture, langue, parole est devenu matériau de prédilection pour les grands travaux de la critique. Rappelons notamment J. Derrida, *De la grammatologie,* Paris 1967 ; J. Starobinski, *Rousseau et l'origine des langues,* essai joint à la deuxième édition de *la Transparence et l'obstacle,* Paris 1971. Rousseau a consulté de nombreux auteurs : Platon, Condillac, Dumarsais, Lamy, Duclos, Fénelon... Peut-être Vico (repéré par Cassirer). Certainement Lucrèce. — On s'en tient à quelques remarques accordées à notre objet.
a) Préfaçant les *Écrits sur la musique,* 1979, éd. Stock, Catherine Kintzler rappelle que Rousseau fait de l'« accent » — « façon dont la voix module ses réflexions, sa hauteur, son intensité et son rythme en fonction de l'expression voulue » —, le principe sur quoi s'établit l'origine de la musique et de la langue.
b) Sur les premiers rapports entre nourrices et nourrissons : « ...ce n'est point le sens du mot qu'ils entendent, mais l'accent dont il est accompagné » (*E.* 285). Sur l'apprentissage initial du langage, *E.* 293 *sqq.* Les « trois sortes de voix », 404. — Sur l'apprentissage de la lecture, 357 *sqq.* (*cf. NH.* 582).
c) La réflexion de R. sur le langage engage une critique du rapport social. Dans l'*Émile,* cette critique bénéficie d'une double expérience : l'observation comparée des enfants du village et des enfants de milieux privilégiés ; le travail d'un grand écrivain sur la langue (un écrivain qui ne sait comment il apprit à lire, *C.* 8).
d) Mieux que plus d'un expert il sait que l'enfermement dans le « discours » peut n'être que dénégation d'une réalité tacitement interdite de séjour dans le « texte ». Comme si le contradictoire était étranger aux rapports de parole, aux constructions et compositions d'écriture ! Alors qu'il leur est cosubstantiel (si ce mot ne doit choquer personne...).
e) Bakhtine, qui était plus savant que Rousseau en linguistique, a clairement montré comment l'accentuation, la vivante intonation sont intérieures au sens même du discours (sur ce point et d'autres, J. Peytard, dans *la Pensée,* n° 215, octobre 1980).
f) Rousseau a une conscience aiguë de l'imbrisable rapport parole-sociabilité. Mais sa conception de l'homme-individu premier à toute socialisation obère son interrogation, en première partie de l'*Inégalité,* sur l'origine du langage. D'où sa conclusion : « L'impossibilité presque démontrée que les langues

aient pu naître et s'établir par des moyens purement humains » (*DI.* 151). Mais comment concilier cette suggestion (?) d'une intervention divine avec la certitude principielle que le lien social est œuvre intégralement humaine ? Et quand on vient d'écrire une des fortes pages du siècle sur les créations langagières — en très longues durées —, de l'homme social. — Dans l'*Essai sur l'origine des langues* nulle allusion à l'éventualité d'une surnaturelle assistance. A. Philonenko consacre un important chapitre à l'*Essai... (o.c.* III, 131 *sqq.*).

28. *Contribution à la théorie générale de l'État, spécialement d'après les données fournies par le droit constitutionnel français,* Paris 1920-1921, ouvrage rappelé par R. de la Charrière, *Études sur la théorie démocratique,* Paris 1963. — James Harrington est l'auteur de la *République Oceana* (1656).

29. Voltaire, qui sait fort bien ce que sont ou devraient être les droits d'un être humain, est rebelle à la problématique de l'auteur du *Contrat.* Quand il s'agit de société son approche est d'un historien. Il considère *(Idées républicaines par un citoyen de Genève)* que le « système » de Rousseau se fonde sur une « chimère qui n'a jamais existé.

30. On ne manquera pas d'observer que « peuple » et « société » ne sont pas synonymes. Mais ce passage a pour contexte fondamental une critique de Pufendorf, qui, dans son *Droit de la nature et des gens* (VII, 2), distingue entre pacte d'association et pacte de soumission. Dans l'acte autoconstituant qui fait être un peuple pour lui-même, c'est le principe même d'un lien authentiquement sociétaire qui se manifeste. On verra toutefois, en II, 8, que l'intervention du « Législateur » — quand il « institue » un peuple en lui donnant des lois —, suppose que ce peuple soit déjà là. Et ce que Rousseau recommande aux patriotes polonais, ce sont les moyens propres à donner à leur peuple une « forme » nationale.

31. Instruit par les révolutions d'Angleterre, le chevalier de Ramsay *(Essai philosophique sur le gouvernement civil, 1721)* est un théoricien de la monarchie limitée. (Bossuet, lui aussi, n'oublie pas la tragique fin d'un roi d'Angleterre ; mais il en tire d'autres conséquences.)

32. a) L'étude de L. Althusser, « Sur le Contrat social », figure dans *Cahiers pour l'analyse,* (« L'impensé de J.-J. Rousseau ») n° 8, 1967, p. 4-42.
b) La notion de « décalage » est employée par Tran Duc Thao, *Phénoménologie et matérialisme dialectique,* éd. Minh-Tan, 1951.
c) La controverse H. Cell-A. Levine figure dans *Trent Rousseau Papers/Études Rousseau-Trent,* université d'Ottawa, 1980. — Sur le « contrat » de Rousseau en tant qu'il n'est pas un contrat John Spink rappelle la critique de Hume, reprise avec plus de rigueur par Althusser : voir *Rousseau after two hundred,* colloque de Cambridge, Cambridge University Press, 1982, p. 52. — G. Davy se demande si la « clause unique et impérative » énoncée par Rousseau n'est pas incompatible avec le concept même de contrat, un libre débat face à une variété de clauses paraissant bien être essentiel à « l'acte » contractant *(le Corps politique selon le « Contrat social » de J.-J. Rousseau et ses antécédents chez Hobbes, o.c.,* journées d'études de Dijon). — Observer pourtant que, selon J. Carbonnier, *Droit civil,* II, 347, le débat n'est pas nécessaire à la définition du contrat.

33. *Du rapport de la théorie et de la pratique dans le droit politique (Contre Hobbes),* trad. Guillermit, Paris 1967. *Théorie et pratique. Droit de mentir,* p. 39. Le contrat (appelé *contractus originarius* ou *pactum sociale*) est une « ...*simple idée de la raison* » ; mais elle a, écrit Kant, « une réalité (pratique) indubitable, en ce sens qu'elle oblige tout législateur à édicter ses lois comme *pouvant* avoir émané de la volonté collective de tout un peuple, et à considérer tout sujet, en tant qu'il veut être citoyen, comme s'il avait concouru à former par son suffrage une liberté de ce genre. Car telle est la pierre de touche de la légitimité de toute loi publique ».

34. Sur « persona », *Léviathan,* I, 16. — Une précieuse introduction à ce difficile penseur : Michel Malherbe, *Thomas Hobbes ou l'œuvre de la raison,* Paris 1984. Sur Spinoza le travail fondamental d'Alexandre Matheron, *Individu et communauté chez Spinoza,* Paris 1971. — Une étude de L. Jaume sur *la théorie de la personne fictive dans le Léviathan, Revue française de science politique,* décembre 1983.

35. Paoli, cela va de soi...

36. *L'Ancien Régime et la Révolution,* III, 8.

37. Cité par J. Bruhat, *Histoire du mouvement ouvrier français,* Paris, t. I, p. 142-3. — Benassis, le médecin de campagne imaginé par Balzac, définit le « contrat social » comme un « pacte perpétuel entre ceux qui possèdent contre ceux qui ne possèdent pas ». La « masse » est donc exclue de l'exercice des pouvoirs politiques, qui circulent et se redistribuent au sein d'une petite minorité.

38. Fichte est, sur ce point majeur, en accord avec Rousseau. Kant reconduit Locke.

39. La formule de Babeuf est dans *le Tribun du peuple,* n° 35. — Retenons l'importance de l'article « Égalité naturelle » dans l'*Encyclopédie* (Jaucourt) : c'est l'inspiration de Montesquieu. « Dans l'état de nature, les hommes naissent bien dans l'égalité, mais ils n'y sauraient rester, et ils ne redeviennent égaux que par les lois. » — Parmi les plus signifiantes études, R. Derathé : « La place et l'importance de la notion d'égalité dans la doctrine politique de Rousseau », dans *Rousseau after two hundred years,* Colloque de Cambridge, Cambridge 1982, p. 55-66.

40. Sismondi « *juge* pertinemment les contradictions de la production bourgeoise, mais il ne les *comprend* pas et, ainsi, ne comprend pas non plus le procès de leur résolution. Mais ce qui est au fond de sa pensée, c'est en fait le pressentiment que, aux forces productives développées au sein de la société capitaliste, aux conditions matérielles et sociales de la création de la richesse, doivent nécessairement correspondre des formes *nouvelles* d'appropriation de cette richesse ; que les formes bourgeoises ne sont que des formes transitoires, pleines de contradictions, dans lesquelles la richesse n'a jamais qu'une existence contradictoire et apparaît partout simultanément comme son contraire », Marx, *Théories de la plus-value,* livre IV du *Capital,* tome III, Paris 1978, p. 59.

41. On ne s'étendra pas sur tous les aspects de ce qu'on appellerait la politique fiscale de Rousseau, qui doit autant à ses lectures qu'à ses observations. Dans ses *Considérations sur le gouvernement de Pologne* (1011-2) il préconise (contrairement au *Discours sur l'économie politique*) une « taxe proportionnelle sur les terres ». Il se retrouve ici, sans le dire, près des physiocrates...

42. Un des plus beaux mouvements du *Projet pour la Corse* marque la sensibilité de Rousseau aux contradictions d'une société soumise à la loi des minorités privilégiées. Après avoir noté que, si une aspiration est source d'activité, encore faut-il avoir l'espérance d'atteindre l'objet du désir, Rousseau écrit : « ...tant qu'elles ne servent pas de moyens pour parvenir aux [avantages] dont on est tenté » (938), les richesses ne sont pas l'objet que tous recherchent ; c'est plutôt la « puissance ». Le grand art du gouvernement pour se maintenir, et pour stimuler le labeur du peuple, c'est une « économie bien entendue de la puissance civile ». Or celle-ci « s'exerce de deux manières : l'une légitime par l'autorité, l'autre abusive par les richesses. Partout où les richesses dominent, la puissance et l'autorité sont ordinairement séparées, parce que les moyens d'acquérir la richesse et les moyens de parvenir à l'autorité n'étant pas les mêmes sont rarement employés par les mêmes gens » (939). Nous évoquerons plus loin la suite de ce texte.

43. Le jugement de Turgot sur le *Contrat social* se lit en ses *Œuvres,* II, 659-60. La « distinction précise du souverain et du gouvernement » fixe à jamais

les idées « sur l'inégalité de la souveraineté des peuples dans quelque gouvernement que ce soit ». Nous résumons ici quelques remarques sur Rousseau et la société française :

a) Sur la misère de la condition paysanne Rousseau dispose d'une information précise, et ce n'est pas Tocqueville, évoquant les souffrances d'une « classe délaissée », qui lui donnerait tort. Tocqueville constate que, pour échapper à une « taxation violente et arbitraire », le paysan français se montre apparemment misérable « quand par hasard il ne l'est pas en réalité » *o.c.* II, 12, (*cf. Confessions* de Rousseau).

b) En contraste, la faiblesse de la pensée du Genevois sur ce qu'est salariat est bien connue. Turgot est autrement plus lucide, en ses *Réflexions sur la formation et la distribution des richesses.* — Émile apatride, n'ayant pour subsister que sa force de travail universellement ouvrière, est-il salarié ? Est-il rétribué « en nature » ? — Reste que le pire malheur qui puisse frapper l'homme social selon Rousseau, c'est la dépossession de ses moyens de produire.

c) On évoquait Sismondi. La nostalgie des formes de vie communautaire, artisanales et paysannes a, sous divers modes, marqué la culture du 19ᵉ siècle. L'hostilité au capitalisme industriel parle bien des langages, Shelley, Blake, Tolstoï entre autres.

44. Sur des aspects fondamentaux, Hernâni Resende, « Socialisme utopique et question agraire dans la transition du féodalisme au capitalisme, (sur le concept d'égalitarisme agraire dans la Révolution française) », *Cahier du Centre d'études et de recherches marxistes,* Paris, sans date, p. 63.

45. C'est tout le chapitre du *Capital* sur la « reproduction simple » (septième section : « Le procès d'accumulation du capital) qui se rappelle ici. Et les *Manuscrits préparatoires (Grundrisse),* où Marx dissipe l'illusion des « socialistes » (en France surtout) qui démontraient qu'échange et valeur d'échange sont à l'origine ou en principe un système de liberté et d'égalité de tous, malheureusement faussé par l'argent, le capital, etc.

46. Cité par J. Bruhat, *o.c.*, p. 142-143.

47. Deux rappels... 1) Le barricadier de juin 1848 au ministre de l'Intérieur : « Ah, Monsieur Arago, vous n'avez jamais eu faim. » 2) Le discours de V. Hugo à l'Assemblée nationale, sur la misère : « ...cette attitude nouvelle donnée à l'homme par nos révolutions, qui ont constaté si hautement et placé si haut la dignité humaine et la souveraineté populaire, de sorte que l'homme du peuple aujourd'hui souffre avec le sentiment double et contradictoire de sa misère résultant du fait et de sa grandeur résultant du droit » (9.7.1849). Émile force « la porte des grands et des riches » ; il va « jusqu'aux pieds du trône faire entendre la voix des infortunés à qui tous les abords sont fermés par leur misère, et que la crainte d'être punis des maux qu'on leur fait empêche même d'oser s'en plaindre » (*E.* 544). Jusqu'aux jours où les « opprimés » se découvrent ensemble assez forts pour revendiquer eux-mêmes leur droit.

48. Éd. Pléiade, p. 307. C'est le lieu de rappeler la suggestive étude de M.-A. Lesterlin et P.-F. Moreau, « Sur la notion d'espace théorique. Une politique cartésienne », *La Pensée*, n° 179, janv.-févr. 1975, p. 3-20.

49. Consulter Marcel Françon, « Le langage mathématique de J.-J. Rousseau », *Cahiers pour l'analyse,* n° 8, p. 85-8. Françon souligne l'influence des *Éléments de géométrie* de B. Lamy sur la pensée de l'auteur du *Contrat.*

50. Simone Goyard, « J.-J. Rousseau et les prémisses d'une révolution ». (Cette « révolution », opérée par la philosophie politique de Rousseau, préfigure le « retournement copernicien du droit » effectué par Kant), dans *Études Rousseau-Trent (o.c.),* p. 11-22.

51. Voir l'emploi de « raison publique », en *DI.* note IX, 202 ; *NH.* 524.

52. Sans contester la radicale différenciation entre la recherche de Rousseau et celle de Montesquieu, Jean Ehrard (Introduction à *De l'esprit des lois,*

Paris 1969) observe que l'idée même de contrat social n'est point étrangère à la pensée et à l'œuvre de Montesquieu ; on le perçoit au principe fondamental de toutes les sociétés (XV, 2). Chemin faisant, J. Ehrard discute certaines interprétations de Louis Althusser (*Montesquieu, la politique et l'histoire,* Paris 1959). Le réquisitoire de M. contre le despotisme oriental tend, selon J. Ehrard, à sceller l'alliance de l'aristocratie foncière et de la classe marchande, moyennant une monarchie de notables qui trouvera son actualité dans la « France louis-philipparde ». (L. Althusser penche pour un Montesquieu cherchant à rallier la bourgeoisie à l'opposition féodale).
— Observons pour notre part que l'opposition majeure au contrat social, c'est David Hume qui l'argumente. Loin de reconnaître en un tel contrat l'expression principielle d'un lien social authentique, il le tient pour générateur d'anarchie — imputation reprise par les penseurs de la contre-révolution à la fin du siècle. Le « consentement » d'un peuple ? Telle n'est pas la source de légitimité. C'est le pouvoir établi qui se légitime dans l'opinion commune en faisant régner la justice (voir notamment dans *Essays moral, political an literary,* les pages « of the original contract »).

53. Prenant acte que Rousseau ne reconnaît qu'au « peuple » assemblé le droit de dire la loi, le lecteur du *Contrat* pouvait conclure que le gouvernement « légitime », c'est le gouvernement « populaire ». Quand Lakanal *(o.c.)* fait hommage à Rousseau d'avoir, dans son grand ouvrage, enseigné la « science de la liberté », il postule que l'acteur de cette « liberté », c'est le peuple qui s'est libéré. Mais variable est l'extension du mot « peuple » durant la Révolution. La « raison publique » dont parle Rousseau est appropriée par une « république » fondée sur une différenciation entre pays légal et pays réel. « Un pays gouverné par les propriétaires est dans l'ordre social, celui où les non-propriétaires gouvernent est dans l'état de nature » (Boissy d'Anglas, rapporteur de la constitution de l'an III).

54. Robespierre demande comment celui qui força le peuple à user de son droit à l'insurrection pourrait « invoquer le pacte social » qu'il a « anéanti ». (Discours du 3.12.1792.) — Sur peine de mort, ennemi public... consulter J.-M. Beyssade, *Ou contrat social ou esclavage* (objections à J. Lefranc), *Revue de l'enseignement philosophique,* déc.-janv. 1983, p. 41-53.

55. « ...Que la volonté générale soit dans chaque individu un acte pur de l'entendement qui raisonne dans le silence des passions sur ce que l'homme peut exiger de son semblable, et sur ce que son semblable est en droit d'exiger de lui, nul n'en disconviendra » (*CS.* première version, 286). D'accord avec Diderot (art. *Droit naturel*) sur cette définition, et convaincu lui aussi qu'une telle volonté est raison en acte, Rousseau, on s'en souvient, ne la discerne pas à l'échelle de l'entière humanité. Mais, dans la cité, la volonté générale se construit, s'exerce en raison pratique dont participe chacun des citoyens.

56. En sa *Théorie de la propriété* (« ...je prêche le droit, tout le droit, rien que le droit »), Proudhon ne manque pas d'inscrire, au bilan de son œuvre, « une théorie du contrat : fédération, droit public ou constitutionnel ». Ce qu'il reproche à la Révolution française *(Idée de la révolution au 19e siècle)* c'est d'avoir dénaturé par la « loi » la grande et féconde découverte du contrat social. La pratique du mutuellisme pourrait seule, à ses yeux, donner vie — dans le respect effectif de la « justice » —, à la notion d'échange égal entre des individus indépendants-coopérants, dans les multiples sphères de la société. C'est le principe même du contrat qui est nié par la transcendante et dépossessive autorité de la loi.

57. On se souvient qu'en première version du *Contrat* Rousseau se plaît à souligner l'inconséquence des philosophes qui prêtent au genre humain des premiers âges des idées qui ne peuvent émerger qu'au long cours de son histoire. Sa théorie du « Législateur » ne le conduit-elle pas à une difficulté du même genre ?

58. Distincte de la sagesse contemplative, la φϱόνησις (phronêsis), est « prudence » (au sens non banalisé de ce mot) ; vertu de l'homme qui a l'intelligence pratique, le discernement actif qu'exige une conduite raisonnée dans le public et privé. La μεσότης (mésotês), est évaluation, en toutes circonstances, du milieu juste entre l'excès et le défaut. Consulter l'*Éthique à Nicomaque*, II, 6.

59. Une lecture de Machiavel, plusieurs fois cité dans cet ouvrage, peut être facilitée par J.-Y. Goffi, « Machiavel, penseur systématique », *Revue de l'Enseignement philosophique,* août-sept. 1980. Parmi les travaux récents G. Colonna d'Istria et R. Frapet, *l'Art politique chez Machiavel,* Paris 1980. — On rappelle d'autre part l'importance (théorique et pratique) des réflexions d'Antonio Gramsci sur Machiavel.

60. a) Si la revendication du suffrage universel s'inscrit dans l'action du jeune Marx contre l'absolutisme prussien, sa recherche sur droit de vote et représentation l'entraîne déjà plus loin. « C'est seulement dans le droit de vote aussi bien que dans l'éligibilité *sans limitations* que la société civile-bourgeoise s'est *réellement* élevée à l'abstraction d'elle-même, à l'existence *politique* comme à sa vraie existence universelle et essentielle. Mais l'accomplissement de cette abstraction est en même temps l'abrogation de l'abstraction. En posant de manière réelle son existence *politique* comme son existence *vraie,* la société civile-bourgeoise a en même temps posé comme *inessentielle* son existence de société civile-bourgeoise dans sa différence d'avec son existence politique : avec l'un des termes de la séparation tombe aussi son autre, son contraire. La *réforme électorale* est donc à l'intérieur de l'*État politique abstrait* l'exigence de sa *dissolution,* mais en même temps de la *dissolution de la société civile-bourgeoise* » (souligné par Marx) (185). Amorce d'une orientation qui se confirmera : vers une communauté libérante ayant pour vecteur une démocratie en expansion, et pour acteurs tous les membres de la société.

Marx écrivait à Ruge (3 mai 1843) que c'est la Révolution française qui a « rétabli l'homme ». Mais si, dans la *Question juive,* il reconnaît le grand progrès constitué par l'émancipation politique, celle-ci est l'ultime forme atteinte par l'émancipation humaine à *l'intérieur du monde tel qu'il a existé jusqu'ici.* L'essentiel reste à faire... une révolution politique décompose la vie bourgeoise en ses éléments, sans révolutionner ces éléments eux-mêmes et les soumettre à la critique. [...] L'homme tel qu'il est, membre de la société bourgeoise, est considéré comme l'homme proprement dit, l'*homme* par opposition au citoyen, parce que c'est l'homme dans son existence immédiate, sensible et individuelle, tandis que l'homme *politique* n'est que l'homme abstrait, artificiel, l'homme en tant que personne *allégorique, morale.* » C'est cette « abstraction de l'homme politique » que Rousseau effectue dans le *Contrat* (II, 7 Du législateur : « celui qui ose entreprendre d'instituer un peuple... »). D'où la conclusion de cette première partie de la *Question juive :* « L'émancipation humaine n'est réalisée que lorsque l'homme a reconnu et organisé ses *forces propres* comme forces sociales et ne sépare donc plus de lui la force sociale sous la forme de la force politique.«

Dans la *Contribution à la critique de la philosophie du droit de Hegel* (article publié en mars 1844, comme celui sur la question juive) Marx explique que la possibilité positive de l'émancipation allemande ne peut donc résider que dans la formation d'une classe aux chaînes radicales, portée à l'universalité par l'universalité de sa dépossession, et qui ne puisse plus se prévaloir d'un titre historique, mais du seul titre *humain :* le prolétariat enfanté par la jeune industrie. Nous traitons plus longuement ces questions dans *Homme, peuple, démocratie : accomplir et dépasser la Révolution française* (colloque « Marx et la Révolution française », IRM, Paris avril 1985) *la Pensée,* n° 249, janv.-févr. 1986, p. 7-17. (Nous citons

Hegel d'après traduction Derathé, Marx d'après traduction Baraquin, et, pour *Question juive,* traduction Palmier.)

b) Une importante contribution : Pierre Méthais, *Contrat et volonté générale selon Hegel et Rousseau,* dans *Hegel et le siècle des Lumières, o.c.* 101-48.

c) Une critique de J.-L. Talmon (*The origin of totalitarian Democraty,* 1952) par R.-A. Leigh, *Liberté et autorité dans le Contrat social* (dans : *J.-J. Rousseau et son œuvre, o.c.,* 249-64).

61. Robert Derathé, *Jean-Jacques Rousseau et la science politique de son temps,* Paris 1970, chapitre 4 (IV. Le contrat social) ; chapitre 5 (II. La nature de la souveraineté). Victor Goldschmidt, *Anthropologie et politique. Les principes du système de Rousseau,* Paris 1974, chapitre 8. Le pacte de gouvernement, en particulier la section III. V. Goldschmidt observe que Pufendorf récuse la pensée politique des Anciens, notamment Aristote, qui confie le « gouvernement de l'État » non aux hommes, mais aux lois, et distingue entre loi et constitution. (Rappelons que, dans la Dédicace du *Discours sur l'inégalité* à la République de Genève, Rousseau célèbre la « constitution » de son pays.)

62. Consulter Jean-Claude Pariente, « Le rationalisme appliqué de Rousseau » (dans *Hommage à Jean Hyppolite),* Paris 1971, p. 2-46.

63. **a)** La *Politique* d'Aristote étant évoquée dans ce chapitre, on renvoie à l'édition bilingue (livres V et VI), trad. Jean Aubonnet.

b) Sur monarchie, ministres, vizirat... lire, dans les *Écrits de l'abbé de Saint-Pierre,* les pages que Rousseau consacre à la *Polysynodie. ESP.* 617-52.

64. Nous ne pouvons retenir toute l'argumentation des *Lettres de la Montagne,* qui aidaient fortement le parti populaire à Genève, et qui furent brûlées à La Haye, à Paris... Au moins citera-t-on ce passage, en sixième lettre, contre les « injustes magistrats », qui n'ayant « rien à craindre du souverain », se mettent au-dessus des lois. « D'une affirmation sans preuve, ils font une démonstration ; voilà l'innocent puni. Bien plus, de sa défense même ils lui font un nouveau crime » (*LM.* 805).

65. Gérard Namer, dans *Rousseau, sociologue de la connaissance,* Paris 1978, montre en toute clarté comment Rousseau conçoit le mutuel renforcement de la cause et de l'effet.

66. On ne résumera pas les débats provoqués, dans toute l'Europe, par la Révolution française. La position de Kant, celle de Burke sont bien connus. Le combat de Fichte pour le droit d'un peuple à la révolution ne lui fut pas pardonné. C'est en 1793 qu'il publie sa *Rectification des jugements du public sur la Révolution française.*

67. Cité par Jacqueline Chaumié, *Girondins et Montagnards* (Sorbonne, 14.12.75 ; dir. Soboul), Société d'études robespierristes 1980, Bibliothèque d'histoire révolutionnaire 3ᵉ série nº 19.

68. Jean Fabre (édition critique des *Considérations*), demande si les bons curés étaient aussi rares en Pologne que ce que Rousseau laisse entendre. Le Genevois n'oublie pas le jugement de Montesquieu sur l'Italie : moralité publique et domination d'un clergé sont antinomiques.

69. Sur la « république des Hébreux » de Moïse à l'élection des rois, les raisons de sa vigueur et son dépérissement, Spinoza, *Traité des autorités théologiques et politiques,* chapitre 17.

70. L'analogie entre peuple polonais et peuple juif est une des clés des *Considérations* A. Fabre rappelle le *Livre des pélerins* de Mickiewicz.

71. Dom Deschamps, *le Vrai système ou le mot de l'énigme métaphysique et morale,* publié par J. Thomas et F. Venturi, Paris 1939. Sur Rousseau : *Observations morales.* Le bénédictin a sa place dans une histoire de la dialectique. Il fait une critique radicale de l'État et de la propriété. Dans l'état de mœurs, la terre est bien commun, jouissance commune.

72. Édition Paris 1822, p. 29. Rousseau demande à l'« examen », à l'« analyse » de dissoudre les pouvoirs de l'« illusion » et de la « magie ». — Rousseau lisait probablement Platon dans la traduction de Dacier.

73. Parmi les textes sur le théâtre rappelons, outre le jugement de Saint-Preux (notre chapitre 5), *Émile* (596 ; 677...), Pologne (958). — Colette Fleuret (*Rousseau et Montaigne,* Paris 1980, p. 62 *sqq.*) observe que Montaigne a pour « idéal » un théâtre « à la fois humaniste et populaire ». — Romain Rolland est proche de Rousseau : qui veut un « théâtre populaire » doit d'abord avoir « un peuple ».

74. Rousseau ne recommande par La Fontaine aux enfants, mais il ne lui déplaît par que l'artisan soit informé de la mésaventure du « savetier ». — Sur le lien propriété-inquiétude, J. Deprun, *o.c.*

75. Sur la « fête » les analyses de J. Starobinski sont bien connues ; une discussion dans M.-P. Vernes, *la Ville, la fête, la démocratie (Rousseau et les illusions de la communauté),* Paris 1978. — J. Proust, « La fête chez Rousseau et Diderot », *AJJR,* XXXVII, 175-96.

76. *Le Discours de Jean-Jacques Rousseau sur les femmes et sa réception critique au XVIIIᵉ siècle,* 13, 1981, 317-33. L'auteur souligne l'apport de Ruth Graham qui montre comment, pendant la Révolution, les femmes du Tiers État s'appuient sur Rousseau pour réclamer des droits sociaux, sinon politiques. (*Publications of Mac Master University of Ontario, V*).

77. *La Femme dans la pensée des Lumières,* Paris 1977, p. 446. La correspondance Rousseau-Henriette est en CC. XIX, XX, XXI, XXII, XXIII, XXIV, XXVIII.

78. Une importante étude de Paulette Charbonnel (« Repères pour une étude du statut de la femme dans quelques écrits théoriques des philosophes », dans *Études sur le 18ᵉ, III,* université de Bruxelles, 1976) montre que l'infériorité d'Ève n'est pas plus contestée par les athées que par leurs adversaires.

79. « Basse-cour » : cour destinée aux écuries, équipages, etc.

80. **a)** Sur l'économie de Clarens J.-M. Carzou, *la Conception de la nature humaine dans la « Nouvelle Héloïse »,* p. 104, Biblio. nat., 4° Z 6349. — Fr. Jost, *la Nouvelle Héloïse roman suisse. RLC,* 4 oct.-déc. 1961, 538-65. — L'historien Claude Gindin nous a fait bénéficier de ses remarques.

b) Entre les physiocrates et Rousseau l'influence est réciproque. — La correspondance Mirabeau-Rousseau (oct. 1766-févr. 1768 ; CC.XXXI-XXXV) est surtout connue par un passage de la lettre du 26.7.68 : « Le grand problème en politique [...] *Trouver,* écrit Rousseau, *une forme de gouvernement qui mette la loi au-dessus de l'homme.* Le conflit des hommes et des lois, qui met dans l'État une guerre intestine continuelle, est le pire de tous les états politiques. » Aussi Rousseau ne voit « point de milieu supportable entre la plus austère démocratie et le hobbisme le plus parfait » (*LPh.* 167-8). Mais l'ensemble de la correspondance est plein d'enseignement. Mirabeau, qui se défend de vouloir utiliser Rousseau, l'assure toutefois qu'ici-bas « tout est prêt et échange ». La terre, seule, fait des dons. Auteur d'une *Philosophie rurale* (en collab. avec Quesnay), il veut instruire Jean-Jacques de cette grande science que lui enseigna Quesnay, le Christophe Colomb des temps nouveaux. La fonction d'un entendement humain n'est pas d'ordonner l'informe, mais de reconnaître et suivre l'ordre naturel, qui est lisible à condition d'apprendre. « La langue économique est un nouvel alphabet. » Rousseau botaniste doit entendre la logique du vivant. Les « fripiers politiques » n'ont « jamais su reprendre les choses à leur racine », située dans l'« ordre naturel ». « De ces vérités radicales, de ce tronc de l'arbre social sortent tous les embranchements que la philosophie rurale ramène à leur tige. » L'économie se fonde sur l'« évidence », unique accès à l'« intérêt visible et notoire ». Évidence incorporable à l'action des gouvernants. Mirabeau fait confiance à l'« instruction générale et continuelle » pour dissiper la « nuit de l'ignorance », unique obstacle à l'intelligence de l'ordre naturel... Le « despotisme légal », règne enfin reconnu des

343

lois naturelles, mettra fin au « désordre légal » institué par « toute législation humaine ». Le gouvernement sera le serviteur de l'évidence pour le bien commun. *Montrer* la loi à l'homme (cette loi qui est au-dessus de l'homme, et la lui faire observer). [Remarque : Mirabeau et Ricardo, si différents soient-ils, traitent la propriété comme naturelle ; une idéologie de classe fait corps avec une recherche rationnelle.] — Mais Rousseau dénaturalise la propriété. Et ce n'est pas lui qui conviendrait que l'intellect, envahi par l'évidence de la loi, se soumet *ipso facto* les conduites sociales. L'homme n'étant pas moins « passion » que « raison », le plus juste calcul n'enlève pas forcément une décision. La discipline du savoir est impuissante si l'homme ne sait pas soumettre sa vie à la discipline du devoir. (Tel est l'enseignement majeur que Kant doit à Rousseau.) Rousseau ne doute pas qu'il y ait un ordre universellement intelligible et respectable. Mais s'y conformer par la force des choses n'est pas cette adhésion morale par libre choix, qui est le propre d'une conscience. Le seul exercice du vouloir peut édifier une cité d'êtres raisonnables, soumis à des lois qui ne sont pas « nature », mais ouvrage humain. Il y a donc loi et loi ; l'éthique n'est pas un reflet des lumières.

Sur Mirabeau consulter *les Mirabeau et leur temps,* actes du colloque d'Aix-en-Provence, déc. 1966, Paris 1968. En particulier P. Chanier, G. Namer, J. Fabre, J. Deprun (qui montre comment l'éthique de Mirabeau détourne les concepts malebranchistes de leur sens premier ; J. Deprun rapporte un édifiant extrait des *Économiques,* conseil de l'Ami des hommes à un jeune paysan partageux, qui n'ignore pas le bon usage d'un bassin : « Regarde donc aussi le riche comme un réservoir où les richesses se rassemblent pour être partagées à ceux qui travaillent »).

81. Notre référence au stimulant ouvrage de Namer (cité d'autre part) concerne la p. 363 *sqq.* — L'*Idéologie allemande* est citée sur édition bilingue, première partie. Intr. J. Milhau, Paris 1972, p. 145.

82. On lit un peu plus haut : « La sûreté particulière est tellement liée avec la confédération publique que sans les égards que l'on doit à la faiblesse humaine, cette convention serait dissoute par le droit, s'il périssait dans l'État un seul citoyen qu'on eût pu secourir ; si l'on en retenait à tort un seul en prison, et s'il se perdait un seul procès avec une injustice évidente : car les conventions fondamentales étant enfreintes, on ne voit plus quel droit ni quel intérêt pourrait maintenir le peuple dans l'union sociale, à moins qu'il n'y fût retenu par la seule force qui fait la dissolution de l'état civil » (*EP.* 256)

83. Rappelons l'inclination de Rousseau politique à décider au détail des règles de vie des membres de la communauté. R. Trousson montre à bon droit (sur Corse, Pologne...) que ce « dirigisme » affairé est un trait de la pensée utopique. Rousseau-Wolmar ? (Trousson, *J.-J. Rousseau et la pensée utopique* colloque sur l'idéologie des Lumières, Institut des hautes études de Belgique, 1971.) — Voir d'autre part C. Ganochaud, *l'Opinion publique chez J.-J. Rousseau,* Lille-Paris 1980.

84. Traduction française, Amsterdam, 1732, p. 97.

85. a) Sur « fanatisme » nous renvoyons à M.-H. Gouhier, *o.c.,* qui montre comment Rousseau en vient à redouter aussi le fanatisme des « philosophes » persécuteurs.

b) On sait que, si culte de l'Être suprême et fête de l'Être suprême sont de filiation rousseauiste, Volney et d'autres rationalistes voient dans la « religion civile » une matrice d'intolérance. Mais la bourgeoisie républicaine ne pourra s'épargner la définition des conditions spirituelles d'un consensus (J. Ferry, Durkheim...).

c) Sur B. Constant, dont il est souvent question en ce chapitre, nous renvoyons à P. Hoffmann, « B. Constant critique de J.-J. Rousseau », *Revue d'Histoire littéraire de la France,* janv.-févr. 1982, p. 23-40. Il montre pourquoi, comment Constant fait une fondamentale mélecture de Rousseau.

CHAPITRE 6

« L'amour est
la vie de l'âme »

L'auteur des *Confessions* se plaît à rappeler les lenteurs de son éveil à l'art d'aimer. Mais Jean-Jacques a discerné plus tôt que tant d'initiés précoces ou prématurés que le plus humain de tous les besoins humains — aimer, être aimé — ne peut se satisfaire d'illusion et mensonge. Élucidant, plus tard, un rapport social vicié-viciant il décodera la comédie du sentiment, aussi comédie du langage. Mais puisque, masques, artifices et mots, le leurre falsifie l'échange entre semblables, comment la quête, la défense de l'amour se concevraient-elles si n'était pas contesté tout ce qui aliène un être humain à quelque autre ? La course au pouvoir, la passion de domestiquer sont ennemis mortels de l'amour. Et ce que Marivaux laisse entendre, Rousseau le crie : l'amour ne peut vivre où l'argent règne.

La plus grande part de ce chapitre aura la *Nouvelle Héloïse* pour objet. Et l'on ne paraphrasera pas les travaux multiples qui nous instruisent de la formation amoureuse de celui qui — au jugement de d'Alembert — aimait les femmes à la fureur. C'est auprès d'elles que s'est affinée son intelligence du cœur. « ... Je coûtai la vie à ma mère, et ma naissance fut le premier de mes malheurs. » Il fallait qu'en cet enfant sauvé le père rejoignît celle qui n'était plus. « Quand il me disait : Jean-Jacques, parlons de ta mère ; je lui disais : hé bien, mon père, nous allons donc pleurer. » (*C.* 7) « ... Je ne sais comment j'appris à lire ; je ne me souviens que de mes premières lectures et de leur effet sur moi : c'est le temps d'où je date sans interruption la conscience de moi-même. » Venir à soi dans la lecture des romans laissés par la mère, qui l'introduisaient à la géographie, à l'histoire du sentiment. « Je n'avais rien conçu ; j'avais tout senti. » (8)

C'est une femme, tante Suzon, qui, élevant cet enfant souffreteux, l'éveille à la voix, au chant.

Mme de Warens et ses amis ont stimulé sa première passion d'écrire. Une lingère, sa compagne jusqu'au dernier jour, devait « fixer » son « être moral ». Et c'est d'une petite servante qu'il reçut, à Turin, l'ineffaçable leçon de probité, de dignité.

Rousseau a précieusement conservé le nom des femmes qui l'ont charmé. Et la critique a retenu — les déchiffrant avec bonheur plus d'une fois — quelques moments remémorés dans les *Confessions*. Ce verre d'eau que Jean-Jacques, laquais trop ému, répand sur l'éblouissante Mlle de Breil, qui a son âge. Ou la virilisante fessée innocemment administrée à l'enfant Jean-Jacques par la bonne Mlle Lambercier.

N'eût-il pas écrit *Narcisse ou l'amant de lui-même,* comédie dont le succès déjoua ses prévisions — quand on aime être fessé... —, la biographie de Rousseau, une vaste part de son œuvre justifieraient l'attention qu'une science des conduites doit à toute forme d'autophilie, pathologique ou non. Les philosophes remarqueront toutefois que l'amour de soi est au principe de la pensée d'une époque... L'impensable est de ne pas s'aimer.

L'adolescent des allées sombres de Turin offre matière à l'étude d'un exhibitionnisme qui, sans récidive, n'en serait pas moins libération prémonitoire d'un indéracinable désir de capter l'universelle attention. Mme du Deffand détestera ce Rousseau charlatan.

L'hôte des Charmettes donne prise incontestable aux meilleures expertises du fétichisme amoureux. Voilà qui — un tel fétichisme étant plus fréquent chez les sujets de sexe masculin — pourrait pondérer le soupçon d'une pleine identification du féminin au plus secret de Jean-Jacques.

L'onanisme, effroi du siècle, culpabilise en longue durée celui qui ne croit pas au péché originel et ne craint pas l'enfer. S'il se procure ainsi la satisfaction de disposer imaginairement de l'autre sexe, le fait est que son obsession-pilote n'est pas de « posséder » l'être aimé. Sophie d'Houdetot ? « Je l'aimais trop pour vouloir la posséder. » (C. 444) Il écrira dans sa lettre de février 1770 à M. de Saint-Germain : « Adorer les femmes et les posséder sont deux choses très différentes. » [Ceux qui confondent « amour » et « débauche »] « ont fait l'une, et j'ai fait l'autre. J'ai connu quelquefois leurs plaisirs, mais ils n'ont jàmais connu les miens » (LPh. 201). Suit l'exposé cursif d'une conception et d'une expérience personnelle de l'amour connue de tout lecteur de l'*Héloïse.*

Il semble qu'on n'ait point pardonné à Rousseau une indocilité à l'impératif de son sexe. « Posséder », n'est-ce pas la logique naturelle du mâle ? Ainsi se trouve ratifiée, gratifiée — par déplorable contre-épreuve du cas Rousseau —, l'immémoriale imago d'un sexe appropriateur et d'un sexe appropriable.[1]

Maman

Toute recherche sur la sexualité de Jean-Jacquse nous est profitable, et nul type d'approche n'est récusable. Au-delà des certitudes, des conjectures, des hypothèses, il demeure que, si Jean-Jacques déraciné a découvert qu'il pouvait être quelqu'un, c'est par Sophie de Warens.

Quand il retrouvera plus tard la religion de ses pères, ce n'est pas à « maman », convertisseuse pensionnée, qui avait, elle aussi, fui sa patrie, qu'il reprochera de l'en avoir séparée. L'objet premier de son ressentiment, ce sont ces moines de Turin qui lui rendent odieuse la nouvelle confession. Mais le credo du Vicaire savoyard aura plus d'une affinité avec celui de Mme de Warens.

Jean-Jacques n'a pas fait ses classes. Faut-il pourtant tenir pour autodidacte un adolescent qui, près de « maman », bénéficie du conseil littéraire de M. de Conzié, reçoit ses lumières philosophiques du Dr Salomon et qui, à Turin où « maman » l'envoie, s'initie à l'étude méthodique pour l'abbé Gâtier après s'être instruit de ses « devoirs d'homme » (C. 91) grâce à l'abbé Gaime ?

S'il accède au majorat par ce labeur intellectuel, c'est parce qu'en lui comme aux Charmettes il y a « maman ». C'est par elle qu'il fait un premier apprentissage de ce qu'est aimer. Non dans ces moments d'intimité qu'elle lui consacre, pour le préserver des polluantes fréquentations. (« Les besoins de l'amour me dévoraient au sein de la jouissance. » (C. 219)) La révélation charnelle sera l'œuvre d'une femme qui ne lui est rien, rencontrée sur la route de Montpellier. Que l'élève heureux de Mme de Larnage, jacobite, se couvre d'une fausse identité, se donne pour anglais, n'y a-t-il pas de quoi exercer la perspicacité des analystes ?

L'amour pour « maman » fut temps d'une seconde naissance parce que la force du lien affectif noué aux Charmettes imprimait à Jean-Jacques l'élan sans lequel il n'eût pas pris possession de soi. Sophie de Warens a bien mérité que, prélude à cette *Dixième Promenade* inachevée, l'ultime page écrite par Jean-Jacques Rousseau fût pour évoquer un dimanche des Rameaux, à Annecy. « Aujourd'hui jour de Pâques fleuries il y a précisément cinquante ans de ma première connaissance avec Mme de Warens. » Ignorée d'abord, l'ambivalence du sentiment qu'éprouve au premier regard pour cette femme de vingt-huit ans, secourable et belle, un garçon qui n'a pas seize ans se dévoilera sans surprise à Jean-Jacques plus tard. « Mais ce qui est moins ordinaire est que ce premier moment décida de moi pour toute ma vie, et produisit par un enchaînement inévitable le destin du reste de mes jours. » Rousseau évoque ce que les Charmettes auraient pu être s'il avait

« suffi » au « cœur » de maman comme elle « suffisait » au sien ; et ce qu'elles furent cependant pour celui qui écrit quand la mort approche : « Il n'y a pas de jour où je ne me rappelle avec joie et attendrissement cet unique et court temps de ma vie où je fus moi pleinement sans mélange et sans obstacle et où je puis véritablement dire avoir vécu. » (1098-9)

« Forme » apparaît deux fois dans ce texte. « Mon âme dont mes organes n'avaient pas développé les plus précieuses facultés n'avait encore aucune forme déterminée. Elle attendait dans une sorte d'impatience le moment qui devait la lui donner et ce moment accéléré par cette rencontre ne vint pourtant pas si tôt et dans la simplicité des mœurs que l'éducation m'avait donnée je vis longtemps prolonger pour moi cet état délicieux mais rapide où l'amour et l'innocence habitent le même cœur. » (*R.* 1098) Or cette « forme » qui « convenait davantage » à son âme « encore simple et neuve », Jean-Jacques a su se la « donner », pour la garder « toujours » quand, retrouvant celle qui l'avait éloigné, il jouit enfin de l'existence libre, solitaire et contemplative qui va faire de lui ce qu'il peut, ce qu'il doit être ; « ... aimé d'une femme pleine de complaisance et de douceur » (1099).

Quelques rapprochements seraient à faire... Avec la longue lettre de l'*Héloïse* sur l'éducation (*V.* 3), où « forme », « former » sont maîtres-mots, au centre d'une contestation entre les époux Wolmar et Saint-Preux. Avec la Profession de foi du Vicaire savoyard : « Vous êtes dans l'âge critique où l'esprit s'ouvre à la certitude, où le cœur reçoit sa forme et son caractère et où l'on se détermine pour toute la vie soit en bien soit en mal. » (*E.* 630) Avec aussi un texte moins connu, qui importe à notre propos : *Pygmalion,* « scène lyrique » (1762). Le sculpteur insuffle une âme à sa Galathée de marbre ; il s'éprend de sa créature. Une cosmogonie de l'amour s'esquisse — nous voici quasiment parmi les Renaissants. « Et toi, sublime essence qui te cache aux sens, et te fait sentir aux cœurs ! âme de l'univers, principe de toute existence ; toi qui par l'amour donnes l'harmonie aux éléments, la vie à la matière, le sentiment aux corps, et la forme à tous les êtres ; feu sacré ! céleste Vénus, par qui tout se conserve et se reproduit sans cesse ! » (1228). Homme-Dieu pour un moment, le sculpteur informe une matière, puis une âme. Mais cet amour perdrait vie si Pygmalion transporté ne faisait plus qu'un avec celle qui s'éveille, se touche et dit : « Moi. » L'élan d'identification se discipline dans l'exquis sentiment de la distance à maintenir pour que l'amour perdure.

Inamovible pouvoir de distinguer l'unicité d'un être, l'amour sait être aussi formateur d'âme quand, par lui, la singularité se pressent, s'émancipe et prend parole. Un amour-apprenti qui devient amour-maître sans que l'altère la spontanéité du sentiment premier-né, c'est l'histoire de Julie et Saint-Preux.[2]

L'amour, vie de l'âme

L'amour « vie de l'âme » (*NH*. 41). Ainsi que l'exprime Saint-Preux, dans une de ses premières lettres à celle qu'il faudra bientôt quitter. Et Julie écrit dans sa lettre testamentaire : « Mais mon âme existerait-elle sans toi... ? » (*NH*. 743)[3]

Il faut, pour entendre le langage des amants, rappeler l'ontologique dualité âme-corps, condition, selon Rousseau d'une authenticité spirituelle de l'élan amoureux. Ce n'est point contester cette union des deux « substances » que Spinoza jugeait inconcevable. Ni prononcer contre le corps une sentence d'exclusion ou d'exil. Émile, Sophie seront les époux-amants que Julie et Saint-Preux ne peuvent, ne doivent être.

L'*Héloïse* est conçue dans ces années où Jean-Jacques élabore pour lui-même une théorie de l'homme, une philosophie de la conscience et de la liberté. Il n'y peut parvenir sans s'interroger sur l'apport et les limites des sciences en ce siècle. La stimulante analyse de Paul Tolila met en évidence, interne à la recherche de Rousseau, une « contradiction » entre deux « modèles théoriques et scientifiques : le modèle biologique et le modèle physico-mécanique »[4]. Rousseau botaniste anticipe sur Lamarck et notre époque : sensibilité et mouvement (qui fascinent ses contemporains matérialistes) dérivent de la sexualité ; c'est à la reproduction qu'il est prioritairement attentif. Le vivant est un être organisé, qui se reproduit comme tel. La mort n'est pas, comme le professe l'*Encyclopédie,* le contraire de la vie ; elle est le terme nécessaire du vivant. Le mécanisme n'a prise intelligible que sur l'inorganique.

Rousseau ne récuse pas moins que les matérialistes l'immatérialisme de Berkeley. Mais son esprit « refuse tout acquiescement à l'idée de la matière non organisée se mouvant d'elle-même ou produisant quelque action » (*E*. 575). Mais, s'il ne croit pas plus que d'Holbach ou Platon, à la création de la matière, les sciences et la philosophie du temps ne lui proposent rien qui le dispenserait du recours à une volonté « première cause » pour imprimer mouvement à cet univers physique. Confiante attribution à l'Être suprême du vouloir dont il a l'expérience intime.

L'âme est cette substance « active » dont la puissance originante et propre est *attestée* et vécue dans le sentiment de mon libre vouloir. Ainsi se manifeste intérieurement à l'homme son irréductible être-individu ; et c'est parce que cette âme est unie à un corps qu'il reconnaît ce corps précisément comme sien. Il n'y a pas d'âme anonyme.

Nous savons que le Vicaire définit la conscience comme « voix de l'âme » dont tout membre socialisé de l'espèce Homme discerne et reconnaît l'accent, quoi qu'il en ait, de son être individué. Mais le plus important nous paraît ici de mettre en évidence trois aspects fondamentaux d'une philosophie de l'âme dont Rousseau tire inépuisablement parti quand il raisonne et quand il écrit sur l'amour.

Cette âme qui est volonté, qui est intellect, qui est mémoire, elle est aussi et premièrement (dans la diachronie des conduites) pouvoir de sentir. Au *Deuxième Dialogue,* Rousseau, qui pourtant récuse le matérialisme, affirmera sans hésiter que la « sensibilité » est le « principe de toute action ». Un être animé dépourvu de « sentir » n'aurait nul motif d'« agir ». « Dieu lui-même est sensible puisqu'il agit. » (*D.* 805). (Suit la distinction, que nous avons rappelée en un chapitre antérieur.)

L'amour serait-il « vie de l'âme » s'il n'était pas originé et soutenu par une telle sensibilité ? Un individu s'attacherait-il d'amour à un autre si cette sensibilité, qualitativement distincte de la sensation plaisir-douleur, lui faisait défaut ? Mais le caractère « moral » que Rousseau lui accorde implique à ses yeux, sous peine d'incohérence, le processus historique et socialisant qui arrache l'espèce Homme à la stupidité native. Cette mise en culture transforme si profondément notre espèce que la faculté organique de sentir s'assujettit aux pouvoirs, aux besoins, aux intérêts d'une sensibilité de l'âme. Voilà pourquoi le son perçu va de l'âme à l'oreille. Voilà pourquoi le registre de la sensibilité dans l'*Héloïse* tolère mal les disjonctions. Dans le moindre ébranlement du corps une vibration du cœur se perçoit ou se devine. Et la lecture des *Confessions* montre assez que Rousseau ne peut évoquer les moments heureux de sa jeunesse sans que le souvenir d'un plaisir se mute en souvenir d'une émotion. L'homme de la nature, dépourvu de « sensibilité active et morale », se suffit d'exister. Mais le propre de l'homme socialisé c'est que son rapport avec ses semblables s'emplit d'affectivité. L'attachement dont parle Rousseau dans les *Dialogues* est aux racines du sentiment. La « vie de l'âme » aimante est élan d'un individu hors de lui-même, ardente union des êtres qui s'élisent. Une sensibilité « physique » n'aura jamais ce pouvoir. On comprend donc que l'affectif besoin de l'autre soit, selon Rousseau, au principe d'un langage humain et que sa conception d'une histoire du genre humain lui interdise radicalement, quelle que soit l'emprise du bisubstantialisme sur sa pensée, de traiter l'histoire d'un amour comme un intemporel conflit entre substances. Le malheur des amants n'est pas l'effet, dans la *Nouvelle Héloïse,* d'une empoignade entre diable et Dieu. Si leur amour est mouvement naturel — au sens où le cri du cœur est cri de la nature —, c'est l'ordre non-naturel des rapports sociaux qui les sépare. Sans pouvoir annuler le droit des amants à cette « vie de l'âme » que les préjugés et préventions de caste seront impuissants à détruire.

L'*Héloïse* aurait-elle durablement suscité enthousiasmes et rejets, adhésions et critiques si ce long roman de l'amour impossible, invincible n'avait pas mis une société en question ? Autre chose que le combat de la conscience ascétique contre les séductions et les ruses de la chair, — même si Julie apprend à se défier des surprises du corps. Désobéissant au père et délaissant les devoirs que lui dicte une certaine idée du mariage, elle partirait avec l'amant plébéien goûter les joies du couple émancipé. Cette heureuse histoire n'est point celle que Jean-Jacques imagine. Et c'est le consentement de Julie d'Étange à la volonté du père qui projette la plus instructive clarté sur la guerre sans merci entre rapport social et lien du cœur.

L'âme-activité, l'âme automotrice, est douée de ce souverain pouvoir de choix qui n'appartient qu'à l'homme. D'où suit que, si l'amour « vie de l'âme » exalte cette sensibilité « morale » qui attache un être à un autre, il faut dire encore que l'amour manifeste, dans la sphère du sentiment, la libre essence de l'humain. Seul un individu qui s'appartient peut aimer, imaginer ou rêver l'amour, le dire ou le suggérer. Une parole d'amour a la sonorité d'un accent que le babil le moins apprêté n'aura jamais. Ainsi l'accent d'une mélodie quand elle émeut le cœur. Toute intention d'amour s'adresse au libre semblable, tout acte d'amour fait honneur à l'humanité majeure. C'est la coactuation du sentiment-sensibilité et du sentiment-liberté qui fait l'amour fort et noble, si même son objet ne mérite pas un tel attachement. Cette immanence indestructible de la liberté fondatrice préserve dans l'amour le plus passionnel, le moins lucide le ferment des métamorphoses qui élèvent l'âme et transmuent l'amour-passion en amour-vertu...

Cette liberté intime à la vie du pur amour exerce son imprescriptible droit dans la dialectique de l'amour. Quand l'âme aimante conquiert son autonomie, ce n'est point pour domestiquer, exténuer ou briser le sentiment, mais pour que celui-ci s'éduque au respect et s'ouvre aux fins d'une inaliénable humanité. L'apprentissage de l'amour est celui d'une autonomie dont l'aimant et l'aimé ne se savaient pas capables. Ce pouvoir légitime de l'amour sur l'amour, inconfondable avec la stoïque impassibilisation d'une âme, Émile devra s'y soumettre. Il appartenait au gouverneur de retarder le plus possible l'éclosion de l'affectivité passionnelle. Sinon serait irrémédiablement compromise l'œuvre d'éducation. Mais son élève a suffisamment mûri dans sa liberté d'homme pour s'obliger à ce périple européen de deux années qui l'éloignera de sa future épouse. « Je t'ai fait plutôt bon que vertueux » lui confie le gouverneur, mais la seule bonté ne résiste pas au « choc des passions humaines ». C'est l'homme vertueux qui « sait vaincre ses affections », ordonner sa conduite, quoi qu'il en coûte, au devoir de conscience et de raison. « Commande à ton cœur [...] et tu seras vertueux. » Apprends donc à « régir en homme » ta « première passion » (E. 818). S'imposer de quitter Sophie pour un long voyage, c'est mettre un amour si jeune encore à l'indispensable école d'une séparation qui aguerrit les âmes.

Dans la *Nouvelle Héloïse* les amants séparés et fidèles soutiennent le propos d'une vertu en armes, héroïque attestation de leur liberté. Ils s'entraînent l'un l'autre, juvénile parénétique[5], à faire de la force de leur passion la force même de leur vertu (« ...on ne sait servir sa maîtresse que comme on sait servir la vertu », E. 745). Mais telle est la logique de l'amour et sa loi que cette émulation de vertu, loin d'asphyxier l'amour, le ressource incessamment. L'épreuve qu'ils s'imposent enseigne aux jeunes amants l'honneur d'aimer.

Rousseau ne peut célébrer la « vertu » sans attester l'expérience intime du libre vouloir. Mais sa philosophie de l'amour porte le lecteur de l'*Héloïse* en aval de Descartes, vers Malebranche. Comme elle le reporte en amont, jusqu'à saint Augustin (quelle que soit l'hostilité de Rousseau au dogme du péché originel)..., et Socrate.

Celui qui, « né pauvre et paysan », eut à gagner son pain « dans le métier de prêtre » fit très tôt la découverte d'une société qui condamne d'autant plus cruellement la « faute » que le coupable met plus de scrupule à ne pas la cacher. C'est ici l'apprentissage du juste persécuté qui imprime à la pensée d'un jeune homme probe et désemparé l'inflexion d'une recherche sur la destinée humaine. Nulle Église et nul philosophe n'éclairent celui qui ne sait plus que croire, jusqu'au jour où, attentif enfin à la « lumière intérieure » de la conscience, il trouve le chemin de la vérité. On ne reviendra pas sur cet exposé, par le Vicaire savoyard, d'une philosophie qui ne se prétend point système, bien qu'elle prenne un relais dans l'histoire du plus classique dualisme des substances : âme-corps. De ce dualisme ontologique le Vicaire déduit hardiment une axiologie sans problèmes, dont l'auteur de la *Julie* et des *Confessions* ne va pas se contenter heureusement. Chacune des deux substances est source d'un mouvement contraire au mouvement qui naît de l'autre. Élan de l'âme, pesanteur du corps : combat entre une force d'abaissement et une force ascensionnelle. « Hélas ! je le sens trop par mes vices, l'homme ne vit qu'à moitié durant sa vie, et la vie de l'âme ne commence qu'à la mort du corps. » (*E.* 590)

Thème augustinien. Si tout amour terrestre est inachèvement, c'est parce qu'agit dans l'âme aimante une force qui la porte plus loin, et tend à l'infini. L'amoureuse union n'est donc concevable et possible, au regard de Rousseau, que si l'âme, immatérielle et libre, est promise à l'immortalité. Mais cet état nouveau n'est pas neutre : en lui s'accomplissent les fins dernières de l'être humain.

Si cette vection — irrésistible et résistible — de l'amour de soi vers l'amour de Dieu, cette nostalgie de la vraie vie d'une âme émancipée du corps sont au foyer de la dialectique augustinienne, Malebranche recueillera ce vouloir-vivre heureux qui est, pour lui, la volonté même. Initié par la lecture de Descartes à la rationalité moderne, le penseur de l'Ordre coule à ses fins un « matériau de type augustinien (la description de l'inquiétude vécue) dans des moules conceptuels venus de la physique cartésienne ». Au prix de « graves difficultés » minutieusement évaluées par Jean Deprun[6].

Le grand oratorien pouvait-il construire une philosophie chrétienne sans discriminer les apports cartésiens, sans muter l'inspiration du maître ? A leur tour, matérialistes ou non, les philosophes du siècle des Lumières ne demanderont à Malebranche que ce qui les aide à frayer leur chemin. On peut ainsi faire de l'inquiétude un objet de pensée sans enseigner ni suggérer qu'un tel mouvement nous vient de celui qui nous appelle. Ici comme en d'autres domaines l'impulsion donnée par le « sage Locke » ne sera jamais trop soulignée. L'Ego cartésien prend invinciblement possession de soi dans le doute, acte intellectuel. Pour Locke, penseur de l'identité personnelle, c'est une affectivité souffrante, l'*uneasiness* — épreuve non-éludable du manque, du besoin —, qui enlève à la léthargie première un être qui ne peut se découvrir moi sans désirer être un bien-être. Je ne prends conscience de moi que je ne m'intéresse à moi. Je ne saurais me connaître sans m'aimer. Mais cet amour de soi est-il ce qu'il était en Augustin (« Je t'aime, ô mon âme... ») ? Est-il, comme pour Malebranche, effet et manifestation (reconnue ou méconnue) d'un mouvement fondateur d'être et surnaturellement finalisé ?

Fils de son siècle, « empiriste » à sa façon, et matérialiste plus souvent qu'il ne le souhaiterait en principe, l'auteur de l'*Héloïse,* des *Lettres morales,* de la *Profession de foi* n'en est pas moins largement tributaire d'une dialectique de l'amour et du bonheur qui ne doit rien aux encyclopédistes. C'est l'expérience propre de Jean-Jacques, et son espérance d'une autre vie, qui donnent flamme à l'argumentation du Vicaire. La méditation sur notre destinée et la fervente élévation d'une âme appelée à la vraie vie s'authentifient dans l'histoire d'un amour malheureux. Les *Lettres* à Sophie d'Houdetot préparent thématiquement le discours doctrinal du Vicaire ; mais, comme dans la *Julie,* c'est d'une grande passion qu'elles tiennent leur accent. Dans l'un et l'autre romans (puisque Jean-Jacques est en personne héros de cet amour pour une imaginaire Sophie), l'heureuse destinée d'une âme ici-bas prisonnière et souffrante est destinée de l'âme aimante.

La vieille philosophie duelle attestée par la conscience-individu se découvre alors philosophie de l'amour : c'est l'âme éprise qui est immortelle ; l'amour vrai survit au corps. L'amour est, d'essence, négation de l'éphémère. Amants l'un de l'autre, les jeunes héros de *Nouvelle Héloïse* sont l'un et l'autre amants de la vertu. Signe et preuve que leur âme a du mouvement pour aller plus loin. Car la vertu est combat. Ainsi le θυμός platonicien, qui lutte pour soumettre ἐπιθυμια à νοῦς, pour que le rationnel maîtrise la passionalité. C'est en effet dans la dialectique de l'Eros platonicien que se ressourcent Jean-Jacques amoureux et Rousseau romancier.[7] (Même s'il ne croit pas à la « réminiscence » et si sa représentation de l'immortalité doit beaucoup plus au christianisme qu'à Socrate.)

« La véritable philosophie des Amants est celle de Platon ; durant le charme ils n'en ont jamais d'autre. » (*NH.* 223)

Mais la dialectique d'Eros est à la fois celle de l'amour, celle de la connaissance et de la reconnaissance. Accédant par degrés, et par élévations successives, au soleil de l'Idée, la conscience ascendante s'approfondit en réflexion de soi et de l'autre. Elle s'initie à l'amoureuse communauté des âmes. Elle s'ouvre et s'épanouit à la souveraine clarté du Bien.

Fertile intériorité du non-savoir au savoir, du savoir au non-savoir, l'amour est philosophe ; industrieux et démuni, il est contradiction en acte. Inlassable quêteur de ce qui lui manque, qu'il connaît assez néanmoins pour aller vers ce qu'il n'a jamais vu comme s'il en gardait mémoire depuis toujours. Cet appel intime et premier au dépassement libérateur entraîne l'âme de la sensible apparence à l'être intelligible. Quel que soit l'objet auquel elle s'attache un moment, l'aiguillon de son désir est pressentiment de l'absolu, nostalgie de l'accomplissement. L'amour vie de l'âme ? On le comprend dès lors qu'est révélée l'ontologique excellence d'aimer. L'amour circonvenu, qui se consume pour une inconsistante image, l'amour errant qui s'égare en une fausse vérité sont — comme l'amour averti, rectifié — vive parole d'une âme née pour le bel-et-bon.

D'Émile au Vicaire savoyard le « beau moral » dénomme la suprême valeur qui aimante l'âme et communique lisible sens à son effort. Mais cette alarmante incomplétude, cette inquiétude renaissante du désir inassouvi, cette permanente insatisfaction d'un vouloir plus vaste que tout objet interdisent à l'amour de clore ici-bas sa recherche. Ultime leçon de Socrate mourant. Seule une âme déliée du corps peut séjourner dans l'illuminante beauté.

Le testament socratique atteint Rousseau en lecture directe, et par ces traditions plurielles qu'il recueille : philosophes (Malebranche surtout) et maîtres de spiritualité chrétienne (Augustin, François de Sales, Fénelon) ; roman courtois ; Pétrarque. Il ne lui faut pas moins pour se composer une philosophie de l'amour : aspiration spontanée de l'âme humaine à la félicité pure et pleine ; fondamentale vection d'un être ami du vrai, capable de librement s'ordonner au Bien. L'homme en « état de nature » n'a nul sentiment, nulle notion de justice, vertu, destinée ; mais, bonne comme Dieu, la nature a semé dans le cœur de l'homme une parole qui germera lorsque, prenant conscience de soi dans son rapport aux semblables, il fera l'apprentissage conjugué de la société et de la morale.

L'amour est dialectique parce que notre âme est convoquée dès l'origine. Une âme attentive reconnaît ce « vrai modèle des perfections », dont, selon Saint-Preux, tout homme porte en soi l'image. En sa première *Lettre morale* à Sophie, Jean-Jacques évoque ce temps où leurs cœurs, « sans être unis du même lien », sans brûler de la même flamme, aspiraient conjointement à ces « biens inconnus » dont ils sont « faits pour jouir ensemble » (1084). Biens inconnus ? La suite indique assez que la « contemplation du beau moral et de l'ordre intellectuel des choses » n'est pas refusée, malgré notre « misère », aux « facultés qui nous élèvent » (1101). La socratique ignorance est grosse d'un savoir confus de ce que l'âme espère et cherche. « Petits » par nos lumières, nous sommes « grands » par nos sentiments. Alors que la raison des hommes est malhabile encore dans le langage qu'elle se forge, la certitude du sentiment enseigne à l'homme l'estime qu'il se doit, et le dispose à penser sa destinée sous un ordre aimable et bon. Et puisque ni Rousseau ni Vicaire ne croient au péché originel, admettez qu'une âme honnête peut, si elle le veut bravement, recevoir d'elle-même assez d'élan pour gravir le sentier du perfectionnement moral et de la purification intérieure.

« Ah, si ce feu sacré pouvait durer, si ce noble délire animait notre vie entière quelles actions héroïques effrayeraient notre courage, quels vices oseraient approcher de nous, quelles victoires ne remporterions-nous point sur nous-même et qu'y aurait-il de grand que nous ne pussions obtenir de nos efforts ? » (*LMo.* 1101)

Si l'âme humaine n'était pas habitée par le divin, si elle n'était pas constitutivement capable de cet enthousiasme du bel-et-bon, nul amour pour un être périssable et singulier ne s'éveillerait jamais en elle. C'est cet amour d'avant tout amour qui transporte l'âme éprise au-delà d'elle-même. Pour que deux âmes s'unissent d'amour, il faut qu'elles se rejoignent et communient dans un semblable attachement à ce « beau moral » qui fonde et justifie l'élan d'un cœur, — quand même il n'y paraîtrait pas d'abord, la vérité de l'amour ne se livrant que dans le devenir des fidélités et des métamorphoses.

« Ôtez de nos cœurs cet amour du beau, vous ôtez tout le charme de la vie. » (596)

Le Dieu du Vicaire, comme celui de saint Paul, est Dieu des vivants. « Cadavéreuse » est l'âme de quiconque se concentre « au-dedans » de lui-même jusqu'à ne plus savoir aimer que soi. Dix ans plus tard, aux premières pages du premier *Dialogue,* le pied de Jean-Jacques heurtera le « cadavre moral » de celui qui, « méchant sans ressources », ne s'éprend pas d'amour pour la « beauté » de la vertu.

Sophie ignore Platon. C'est pourtant parce qu'elle aime, elle aussi, le beau moral qu'elle sait reconnaître en Émile les irrésistibles attraits de Télémaque (sa mère ne l'a pas dissuadée de lire le roman de Fénelon). Mais cet Émile-Télémaque, qui a lu *le Banquet,* pourrait-il ne pas rêver d'une fille au prénom socratique ? « ...est-ce vous que mon cœur cherche ? Est-ce vous que mon cœur aime ? » (*E.* 776)

Que Mme d'Houdetot n'en doute point ! Le feu qui embrasa le « citoyen » ne pouvait s'allumer que pour une belle âme. Et chacun des amants de l'*Héloïse* reconnaît en l'autre, dès le premier instant, cet amour de la vertu. « Ah ! fille incomparable, c'est parce que tu ne peux rien vouloir que d'honnête, et que l'amour de la vertu rend plus invincible celui que j'ai pour tes charmes... » (*NH.* 227)

Comme la voix du cœur a cet accent qui ne trompe pas, l'écriture d'un tel roman se cherche moins dans l'image et la métaphore que dans rythmes, accords, sonorités. L'*Héloïse* n'est qu'une « longue romance ». Que le chant de la langue soit celui des âmes qui s'unissent dans l'amour du « beau moral » ! L'*Héloïse* sera la romance des bienaimants. Aussi le mot « charme » a-t-il pouvoir d'assembler amour, vertu, mélodie.

Comme dans l'incantation des médiévaux, le charme est, pour Rousseau, parole et chant. Mais l'oreille est d'un être qui, ayant la sensibilité du « cœur », est sujet de moralité. Charme, charmer appartiennent donc au vocabulaire moral comme au lexique de l'amour et de la musique. Notre objet n'est pas de jalonner tout le champ sémantique ainsi ouvert ; une telle étude reste à tenter.

Éros et musique s'accordent pour séduire l'âme enivrée qui va se livrer à la parole de Socrate. Qui saurait faire l'éloge de l'amour s'il ne prenait place parmi les convives du *Banquet ?* Qui saura dire de l'amour le moindre mot juste si son âme n'est pas habitée du divin délire ? Mais, plus émerveillant magicien que tout flûtiste, Socrate parlant entraîne les âmes à la vertu ; elles l'accompagnent, transportées, jusqu'à la contemplation de l'absolue beauté.

« Comment ne jouirais-je pas aujourd'hui, écrit Rousseau dans sa *Quatrième Lettre morale* à Sophie d'Houdetot, du charme d'avoir écouté dans votre bouche tout ce qui peut élever l'âme et donner du prix à l'union des cœurs ? » (1104) M.H. Gouhier note que Rousseau revient à « charme » après l'avoir remplacé par « honneur ». Suggérons un significatif rapprochement avec l'*Héloïse* (III, 20). Saint-Preux s'écrie au terme de la lettre envoyée à celle qui est désormais Mme de Wolmar : « ...mes amours, mes uniques amours, honneur et charme de ma vie ! adieu pour jamais. » (369) On n'en comprend que mieux l'hésitation du rédacteur des *Lettres morales*.

« Si je suis mort au bonheur, je ne le suis point à l'amour qui m'en rend digne. Cet amour est invincible comme le charme qui l'a fait naître. Il est fondé sur la base inébranlable des mérites et des vertus ; il ne peut périr dans une âme immortelle ; il n'a plus besoin de l'appui de l'espérance, et le passé lui donne des forces pour un avenir éternel. » (*NH.* 190) « L'amour est privé de son plus grand charme quand l'honnêteté l'abandonne ; pour en sentir tout le prix, il faut que le cœur s'y complaise, et qu'il nous élève en élevant l'objet aimé. Otez l'idée de la perfection, vous ôtez l'enthousiasme ; ôtez l'estime, et l'amour n'est plus rien. » (86). On prodiguerait les citations... « Femme sans principes », la marquise napolitaine se croit assez habile (« adroite et pleine de charmes ») pour regagner l'homme qui l'aime encore ; « ...c'était lui qui la gagnait insensiblement. Quand les leçons de la vertu prenaient dans sa bouche les accents de l'amour, il la touchait, il la faisait pleurer ; ses feux sacrés animaient cette âme rampante ; un sentiment de justice et d'honneur y portait son charme étranger ; le vrai beau commençait à lui plaire... » (750). La grande dame « indigne » donne à Rousseau deux fois raison : l'amour du beau est charme de la vie ; « ... les sacrifices faits au devoir et à la vertu ont toujours un charme secret, même pour les cœurs corrompus » (*LA.* 123). Et qui ne porterait un silencieux respect à cet Alceste de Molière dont on rit sans se cacher ? L'« honnête cœur » d'un Franquières combat sa « triste philosophie » (composer l'âme avec les « atomes subtils » d'Épicure !) (*LF*. 1440). « Le sentiment de la liberté, le charme de la vertu se font sentir à vous malgré vous... » (1145) Éclairante gémellité du sujet de cette proposition. Ce charme qui émeut et ravit n'est pas capture d'une volonté, grisante dissipation d'une autonomie. Épreuve de la liberté, la vertu est charme du cœur. S'éloignant le soir de ces cercles parisiens où le sentiment est joué, « avec quel charme, écrit Saint-Preux, je rentre en moi-même ! avec quel transport j'y retrouve encore mes *premières affections* et ma *première dignité* ? » (256) (nous soulignons). Quand Laure, jeune courtisane romaine, se livre au « nouveau charme » né du spectacle d'un véritable amour, ce « premier mouvement » prélude à sa résurrection.

Amour. Beau moral. Vertu. Charme. Entre ce « charme » et celui de la musique italienne qui transporte l'âme (*NH*. 148), celui de la mélodie qui émeut le cœur — autre chose que l'attrait d'un accord de sons ou de couleurs —, l'affinité est anthropologique. « Quelquefois, lisons-nous dans le *Dictionnaire de musique* (article « Romance »), on se trouve attendri jusqu'aux larmes sans pouvoir dire où est le charme qui produit cet effet. » Similitude avec une page des *Confessions*. Les airs chantés par tante Suzon, oubliés « depuis mon enfance, se retracent à mesure que je vieillis, avec un charme que je ne puis exprimer ». Tel est le « charme attendrissant » que son « cœur » trouve à l'une de ces chansons qu'il ne peut la chanter sans « être arrêté » par les larmes (*C*. 11-2). Charme, l'amour naissant qui va nouer pour toujours les âmes de Julie et Saint-Preux ; charme, qu'il ne peut « expliquer », des airs anciens chantés à l'unisson pendant les veillées de Clarens qui réunissent les « différents états » (*NH*. 609). (Mais ce rappel lui laisse aussi « une impression funeste qui ne s'efface qu'avec peine ».)

Nous retrouverons « charme » dans les *Rêveries*.

Morale. Amour. Voix. Le charme unit la conscience entière à ce qui la déprend totalement de ce qui n'est pas source, motif ou raison de ce pur intérêt d'âme. Ni fascination ni asservissement, ce hors-de-moi n'aliène pas. Il préserve ou libère des pouvoirs exercés ou subis, des attachements comparatifs, comme du calcul des chances et des risques. Et si le charme d'un heureux souvenir d'enfance est semblable à celui de l'uchronique insularité, c'est sans doute parce qu'il nous désenclave mieux que tout autre.

Séparés et fidèles

Pour donner une allure de roman à sa « théorie de l'homme » il faut à Rousseau un sujet de sexe masculin. Pour écrire le plus célèbre roman du siècle il lui faut rêver Julie. Les *Confessions,* le *Promeneur solitaire* touchent plus le lecteur actuel que bien des pages de la *Nouvelle Héloïse, Lettres de deux amants, habitants d'une petite ville au pied des Alpes.* Que de fois la ferveur, l'emportement, ou l'emphase et la rhétorique de ces jeunes provinciaux suisses laisseront nos contemporains insensibles ! Mais l'archaïsme qui rebute une lecture novice fait plus intensément éprouver l'insurpassé. Il arrive à l'inverse qu'une écriture confondant mode et modernité dessert un auteur qui n'a rien de neuf à faire entendre.

Illustre relais, ce roman fut et demeure un ouvrage fondateur. Il a retrempé des âmes. Il a recomposé, revivifié l'imaginaire amoureux. La Merteuil ne peut ignorer Julie ; Mme de Mortsauf ne nous permet pas de l'oublier...

Ni Laclos ni Goethe, ni Stendhal ni Balzac, ni Byron ne surent se passer de ce livre pour exister. Et quand le général Bonaparte écrit son amour à Joséphine, c'est dans les mots de la *Julie.*

Mais l'héroïsme des amants séparés et fidèles n'exerçait pas un moindre attrait sur une philosophie de l'amour.

Les historiens de la littérature ont, de nos jours, ravivé l'attention pour l'*Héloïse.* La forme adoptée — échange épistolaire au long des années 1732-1745 — est essentielle à l'être du roman. Nous rappellerons simplement l'intérêt philosophique du dialogue écrit. Aussi propice à la critique qu'il l'est à la célébration, à l'épanchement, au lyrisme. Cette parole qui fait page, ce questionnement, cet éclairement mutuels, cette réflexion participante ont pour acteurs ceux qui vivent et font l'histoire qu'ils écrivent : apprentissage indivis de leur amour et de l'humanité.

« Il faut vous fuir, Mademoiselle, je le sens bien... » (*NH.* 31)

Aveu d'un amour, première phrase du roman, la première phrase de la première lettre à Julie résume une destinée. La fille du baron d'Étange n'épousera jamais son maître d'études, si estimable soit celui qu'elle aime. Pas de lieu ici pour un gendre roturier. Saint-Preux devra « fuir », en effet.

L'*Héloïse* fut si magistralement transmuée en objet d'analyses, et telle est la somme des commentaires savants qu'on en perdrait de vue l'initiale évidence qui donne raison d'être au roman. L'obstacle que l'amour doit affronter, *pour séparer* (dans la reconnaissance mutuelle et l'émulative élévation) des âmes inséparées, c'est une société octroyant au père privilège et pouvoir d'opposer un refus sans appel.

Autre sera l'aventure d'Émile. Ce qui l'éloigne de Sophie, ce n'est pas l'inégalité des conditions, la parole du père. Sans doute doit-il savoir faire oublier à sa fiancée qu'il est issu d'une famille plus fortunée. Mais le périple imposé par le gouverneur est pédagogie de l'amour et de la liberté. Robinson naguère, Émile sera Télémaque.

Mais Saint-Preux ! Mais Julie ! Entre l'état de roture et la noblesse d'épée, c'est l'abîme. Ceux qu'une société sépare à jamais font de leur amour un tout autre apprentissage qu'Émile et Sophie. Émile amoureux poursuit son histoire naturelle : Saint-Preux souffre la plus cruelle initiation. Si deux jeunes cœurs épris obéissent aux lois d'une nature aussi pure que le cristal des fontaines, une société sans âme met la nature hors-la-loi. Mais leur révolte est légitime, comme toute révolte de l'humanité contre les institutions et les préjugés qui la nient. Julie, mieux que le disciple, est l'émule de l'homme qu'elle a choisi et qui a reçu sa promesse. Peut-elle admettre que le père décide à sa place de l'époux qu'elle aura, si haute soit sa naissance et si même il a sauvé M. d'Étange sur un champ de bataille ? Saint-Preux n'en sait rien encore, mais Julie informe sa cousine Claire : « ...mon père m'a donc vendue ? Il fait de sa fille une marchandise, une esclave, il s'acquitte à mes dépens ! il paye sa vie de la mienne ! [...] père barbare et dénaturé ! » (94)

Saint-Preux roturier ? L'ordre du cœur ne doit nul respect à l'ordre social qui le dénie. L'amour vrai grandit les petits, anoblit les âmes. Au demeurant, le baron n'a jamais tiré l'épée que pour servir, au prix fort, un prince étranger, et catholique (le roi de France, on s'en doute...). Le père de Saint-Preux a. « gratuitement », versé le sang du patriote sous *Sacconex,* général protestant. Le jeune homme refusera un brevet de capitaine dans l'armée du roi de Sardaigne ; il n'est pas de ceux qui font « du plus beau métier du monde celui d'un vil mercenaire ».

Le baron ne supporte pas l'idée d'être redevable à un roturier. Moyennant prime, il croit se délivrer de ce maître d'études qu'il ne prend pas la peine de connaître. Cet argent, Saint-Preux n'en veut pas ; il ne s'imagine pas salarié.

Mme d'Étange s'émeut de l'obstination d'un père qui s'étonnait du progrès que sa fille doit à son précepteur. Elle tient tête en présence de Julie. Le baron lui reprochant d'avoir fait confiance à un de ces jeunes gens « sans état et sans nom », plus propre à corrompre une fille sage qu'à lui donner une bonne instruction, Mme d'Étange l'arrête « sur ce mot de corruption ».

« Je n'ai pas cru [...] que l'esprit et le mérite fussent des titres d'exclusion dans la société. A qui donc faudra-t-il ouvrir notre maison, si les talents et les mœurs n'en obtiennent pas l'entrée ? » (173) Mais les qualités morales d'un homme ne retiennent l'attention de M. d'Étange que s'il est bien né. Et l'on imagine qu'il n'est pas disposé à livrer son patrimoine à un petit plébéien.

Claire confiera plus tard à Saint-Preux un aveu de Mme d'Étange : « Ah ! s'il ne dépendait que de moi. » Mais c'est dans sa propre classe que le baron doit affronter son plus redoutable adversaire, caractère trempé et rude *jouteur*. La « dureté philosophique et nationale » n'altère point en Edouard Bomston, « cet honnête anglais », « l'humanité naturelle ». Qu'un pair d'Angleterre donne leçon d'humanité à un aristocrate du continent, fût-il helvète, Voltaire eût-il trouvé mieux ? C'est évidemment sous l'idée de « nature », que Bomston se fait le défenseur de Saint-Preux. « On voit, je l'avoue, beaucoup de malhonnêtes gens parmi les roturiers ; mais il y a toujours vingt à parier contre un qu'un gentilhomme descend d'un fripon. » La seule noblesse qui soit ne s'atteste point en de vieux parchemins ; elle s'inscrit en « caractères ineffaçables », au cœur d'un homme qui a les vertus (et les talents) de Saint-Preux. C'est à lui que le baron marierait Julie s'il préférait sa fille à ses titres. « ...Mille coquins anoblissent tous les jours leur famille. » Mais un Saint-Preux, sans famille, sans blason, sans argent sera « le fondement et l'honneur » de la maison d'Étange comme le fut le premier ancêtre du baron. Et, puisque celui-ci estime tant la « fortune », *Bomston* s'engage à céder le tiers de son bien au jeune homme, qui sera le « plus riche particulier » du pays de Vaud. (168-9)

Rousseau n'en reste pas là. Milord Edouard inflige au vieux d'Étange un cuisant parallèle entre noblesse suisse et noblesse anglaise.

« Osez-vous dans une République vous honorer d'un état destructeur des vertus et de l'humanité ? »

C'est déjà le ton d'*Émile*. Nul n'est noble impunément.

Et que doit le peuple helvète à une noblesse qui, vouée au service d'un homme, est « la mortelle ennemie des lois et de la liberté » ? Ce n'est point dans ses rangs que se comptent les libérateurs de la patrie. Mais calculez ce que coûte à l'État une caste inutile, arrogante. Comparez surtout avec la noblesse « la plus éclairée, la mieux instruite, la plus sage et la plus brave de l'Europe » (170), la noblesse d'Angleterre, ancienne autant qu'une autre. Rousseau n'oublie pas son Montesquieu. Ni esclave du prince, ni tyran du peuple, cette noblesse-là est le premier serviteur de la nation.

(L'auteur du *Contrat social* sera plus sévère par ces Anglais qui se croient libres parce que, périodiquement ils élisent des députés qui aliènent leur souveraineté et se laissent, au besoin, acheter par la couronne.)

L'impétueux Bomston, qui rêva un moment d'épouser Julie, est, l'antithèse du noble-valet. Prompt au duel, parce qu'il confond honneur et point d'honneur, il a l'âme grande et forte. Il fait profession de philosophie. Lecteur des stoïciens, il n'en croit pas moins à l'immortalité personnelle. Et c'est au cœur, à la conscience qu'il demande de guider la raison elle-même.

C'est le chemin des « passions » qui l'a conduit à la philosophie. Allusion à un amour malheureux dont le récit fera l'objet, selon le vœu du romancier, d'une addition aux œuvres éditées en 1780. N'est-ce pas, d'ailleurs, ce rude Anglais qui a révélé à Saint-Preux l'inaltérable charme de la musique italienne ?

Le baron ne lâchant pas prise, Bomston propose au jeune couple asile et liberté dans sa terre du duché d'York. « Venez y serrer, à la face du ciel et des hommes, le doux nœud qui vous unit. » (199) Heureuse contrée, où le plébéien méritant peut élever sa condition, où la fille nubile n'a nul besoin du consentement d'autrui pour « disposer d'elle-même », et pour épouser celui qu'elle a choisi. « ...Combien de chastes épouses déshonorées par cet ordre des conditions toujours en contradiction avec celui de la nature. »

Cette protestation de l'auteur de *l'Inégalité* (note IX), lord Edouard la fait sienne. Au terme de cette lettre à Julie, il la prie d'imaginer ce qui l'attend si elle se soumet au père. « ...vous serez sacrifiée à la chimère des conditions. Il faudra contracter un engagement désavoué par le cœur. L'approbation publique sera démentie incessamment par le cri de la conscience ; vous serez honorée et méprisable. Il vaut mieux être oubliée et vertueuse. » (200)

La voix du père

Nous marquions au chapitre 2 l'attention critique de Rousseau à la mentalité nobiliaire. Ami des Luxembourg, le romancier se plaît à souligner que le baron d'Étange, noble soldat, est un homme d'honneur. Mais que de préventions ! Comment un petit précepteur fou de Julie se permet-il « le ridicule espoir de s'allier à moi » ! Le baron déteste celui qu'il n'a cure de connaître. Il faut même que l'infortuné Saint-Preux soit coupable des violences exercées par le seigneur d'Étange sur la personne de sa fille ! « Quoique je me sois toujours senti peu d'inclination pour lui, je le hais surtout à présent pour les excès qu'il m'a fait commettre, et je ne lui pardonnerai jamais ma brutalité. » (177) La responsabilité de ce que font de mal et d'inélégant les gens de haute condition est réversible sur les gens de roture. Ainsi l'irréprochable noblesse, deux fois privilégié, se confirme dans la bonne conscience d'une caste à qui tout est dû et qui n'a point de compte à rendre au vulgaire. Ni à l'humanité.

Mais si la « nature » approuve et légitime l'amour de Julie pour Saint-Preux, la voix du père n'est-elle pas, elle aussi, voix de la « nature » ? Torturante contradiction. Julie écrivant à Saint-Preux (avant qu'éclate le drame) que le cœur d'un tel homme ne saurait « aimer une fille dénaturée à qui les feux de l'amour feraient oublier les droits du sang » (72), Saint-Preux, qui pleure la mémoire de son père, se voit embrassant le père de Julie.

Qui oserait imaginer que Julie d'Étange se rende à la proposition de son amant ? Quitter la maison natale, partir pour ce Haut-Valais où l'on pourra s'aimer et vivre, dans la chaleureuse communauté de ces paysans-artisans, indépendants et fiers, qui respectent la pure et libre humanité. « Asile » où les amants seront « heureux et pauvres ». « J'ai des bras, je suis robuste ; le pain gagné par mon travail te paraîtra plus délicieux que les mets des festins. » (93)

C'est précisément dans la lettre où Claire apprend comment M. d'É-tange s'est emporté jusqu'à souffleter sa fille, — elle tombe, le sang coule —, que Julie décrit l'attendrissant tableau qui se compose quand, après le souper, le père silencieux, repentant, la prend sur ses genoux. Larmes et caresses : « ma mère vint partager nos transports. » (176) Et voici Julie d'Étange soumise à « tant de mouvements opposés qui s'entre-détruisent » (177). Victime révoltée des préjugés de caste, « monstres d'enfer » qui dépravent les meilleurs cœurs, elle ne peut ni ne sait briser le lien au père. Autant vouloir renier Dieu ! La soirée d'apaisante harmonie qu'elle vient de vivre, fille unique, avec ses parents, livrée au souvenir des temps d'innocence parmi les siens, provoque en elle une « révolution » imprévue. Le « sentiment » de sa « faute » s'alourdit, avec celui des « biens » qu'elle lui a fait perdre.

Ainsi le bel amour partagé, le serment à Saint-Preux, et l'intime assurance des cœurs que la nature unit ne la sauvent pas d'un remords.

Dès les premières pages du roman, on la voyait s'effrayer de son impuissance face au « progrès de cette passion funeste ». On croit entendre un écho de *Phèdre*. « Tout fomente l'ardeur qui me dévore ; tout m'abandonne à moi-même, ou plutôt tout me livre à toi. » (39) Mais c'est à Saint-Preux qu'elle demande protection.

« Tes vertus sont le dernier refuge de mon innocence. » (40)

Elle ne se pardonne pas de n'avoir pas encore eu le courage d'ouvrir à ses parents ce « cœur coupable » (39).

Instructive entre toutes est, sur moins de trois pages, cette lettre (I.9) où elle reproche à Saint-Preux de courir les périls d'une trop agréable morale, conciliant à ses yeux les « plaisirs du vice » et « l'honneur de la vertu ». Mais, pour lui faire entendre que le sort de Julie est, quoi qu'il imagine, moins fortuné que celui de Saint-Preux, elle évoque les effets sur elle d'une trop sévère éducation ; tout la préparait à penser que « l'amour le plus pur » est « le comble du déshonneur », et que le premier aveu d'une « fille sensible » est l'équivalent du « crime ». Comment ne se croirait-elle pas « perdue » par l'aveu de son amour à Saint-Preux ; « ...et cependant il fallait parler ou vous perdre. » (50)

Mais Saint-Preux ayant osé le premier pas, il prenait tous les risques du téméraire précepteur plébéien qui se déclare à sa noble élève : il s'immolera si elle en décide. Si, donc Julie se résout à lui avouer son « fol amour » (49) pour le dissuader du suicide, la seule chance qui lui demeure de sauver son honneur, c'est d'émouvoir en ce cœur généreux tous les sentiments qui lui commandent de respecter Julie. Suit l'exposé d'une conception de l'amour que tout le roman confirmera. Saint-Preux aimant la vertu, pourrait-il ne pas se réjouir de l'« heureuse découverte » faite par Julie depuis sa lettre d'aveu ? « ...mon cœur trop tendre a besoin d'amour, mais [...] mes sens n'ont aucun besoin d'amant. » (51) Le plaisir délicieux d'aimer « purement », voilà le bonheur de sa vie. « ...l'accord de l'amour et de l'innocence me semble être le paradis sur la terre. » (51) Telle est, selon Julie, moniteur spirituel de son jeune maître, la sagesse des vrais amants. Pérenniser, avec le consentement de l'homme aimé, cette « union des cœurs » qui joint ses « charmes » à ceux de l'innocence.

Proclamant, que l'amour est la « vie de l'âme » (41), Saint-Preux n'était que l'écho lyrique de celle qui, se déclarant, lui écrivait : « Quels charmes dans la douce union de deux âmes pures ! Tes désirs vaincus seront la source de ton bonheur, et les plaisirs dont tu jouiras seront dignes du Ciel même. » (40) Il est donc sur terre un paradis des amants. Comme il y eut un printemps des Charmettes. Plus tard pourtant, Julie confie à son ami « je ne sais quel pressentiment » qui l'avertit que la moindre « altération » de l'état présent serait fatale au bonheur. « Je n'entrevois dans l'avenir qu'absence, orages, troubles, contradictions. » (51) Saint-Preux se rendrait sur l'heure aux sages raisons de Julie si ses sentiments n'étaient pas conflictuels. Tout son respect pour une si « belle âme » (52) peut-il effacer son rêve d'un « félicité suprême » et d'un Paradis moins angélique ?

Qu'au moins lui soit accordé le *consolamentum* des amants médiévaux dans le bosquet de Clarens.

En présence de Claire — elle aussi élève de Saint-Preux —, leurs lèvres se joignent. « ...Instant d'illusion, de délire et d'enchantement » (64) qui fait le supplice et le bonheur de Saint-Preux.

Mais l'heure de la « crise » n'a pas encore sonné. Julie s'impose d'éloigner Saint-Preux. Qu'il parte quelque temps pour le Valais... Julie lui ayant fait tenir l'argent du voyage, le plébéien offensé s'indigne. Il obéit à l'ordre de la femme aimée ; mais il rendra à Mlle d'Étange, sans l'avoir ouverte, la « boête » qu'elle a cru pouvoir lui envoyer. Julie, pourtant, endure le « supplice » de l'absence.

Si malheureux soit l'amant éloigné, Julie l'est bien davantage. Parcourir chaque jour les lieux où naquit leur amour, attendre à l'heure accoutumée celui qui ne viendra pas, voir à tout moment les objets qui le lui rappellent. Saint-Preux se rapproche. Posté à Meillerie sur la rive opposée, il contemple les « murs fortunés qui renferment la source de [sa] vie ». Il imagine chaque instant de la journée de Julie. Peut-il pressentir que les occupations de celle que le Ciel lui destinait préparent la fille de M. et Mme d'Étange aux tâches de la noble maîtresse de Clarens ?

Pour la seconde fois, il avoue sa tentation du suicide. Effrayée, mais résolue à ne pas fuir avec lui, la Julie que Saint-Preux retrouve sait maintenant ce que celui-ci connaîtra plus tard : le baron la marie à Monsieur de Wolmar. Alors éclate la « crise » si longtemps retardée. Saint-Preux n'est que gratitude et joie. Mais le ravissement de Julie prélude au *lamento*. Par sa « faute » est anéanti le Paradis du chaste amour. « Nous avons recherché le plaisir et le bonheur a fui loin de nous. » (102)

Julie a succombé par Julie. Il n'y eut, en ce jour fatal, d'autre séducteur que sa « passion funeste » qui se couvrait du « masque de toutes les vertus ». Saint-Preux la pressait de partir avec elle. Accepter, c'était « désoler » son père, poignarder sa mère. Mais refuser ? C'était, après avoir flatté l'espoir d'un amant « si soumis et si tendre », renoncer pour toujours à l'accomplissement de leurs « vœux ». Sans pouvoir révéler à Saint-Preux désespéré la vraie raison : il ignore encore que le baron la donne à un autre.

« ...tout abattait mon courage, écrit Julie, tout augmentait ma faiblesse, tout aliénait ma raison. Il fallait donner la mort aux auteurs de mes jours, à mon amant, ou à moi-même. Sans savoir ce que je faisais je choisis ma propre infortune. J'oubliais tout et ne me souvins que de l'amour. C'est ainsi qu'un instant d'égarement m'a perdue à jamais. » (96)

Claire ne se console pas de n'avoir pas su prévenir ce qu'elle avait prévue. Mais la faute qui désespère sa cousine n'est qu'une surprise de l'amour. La pureté d'une âme élevée par l'enthousiasme de l'honnête et du beau n'en est point altérée. La plus grande faute de celle qui pleure sur soi eût été, sacrifiant tout à sa passion, de s'enfuir avec Saint-Preux, en délaissant sa fidèle amie. Consolante et ferme, Claire trace déjà son devoir à Julie d'Étange : « ...effacer à force de vertus une faute qu'on ne répare point avec des larmes. » (99)

Se rendant aux volontés du père, après d'âpres combats, Julie exhaussera le vœu de sa cousine. Saint-Preux se rêvait avec elle, dans la bienheureuse retraite valaisanne, tous deux protégés du regard d'autrui, affranchis de l'opinion... Utopie d'un plébéien trop aimant. A Clarens, Mme de Wolmar sera, pour l'édification de tous, le rayonnant paradigme de l'épouse, de la mère, de la châtelaine.

« Sois homme »

Suivre lettre à lettre l'évolution des amants jusqu'au mariage de Julie grossirait ce chapitre. Mais leur histoire au lendemain de la « faute » motive réflexion sur trois mouvements d'âme, soumis à la marche globale du roman.

1. Saint-Preux représente à Julie qu'elle n'est point coupable d'une légitime obéissance aux « plus pures lois de la nature » (100). Elle est son « épouse » désormais. Ne manque au nœud qui les unit qu'une publique ratification par mariage. L'honneur ? C'est en acceptant un autre époux que Julie l'offenserait. Ce que le jeune homme ne discerne pas, c'est le désespoir de l'irréparable. (Claire non plus, qui s'avoue « moins chaste » que sa cousine, et aurait moins énergiquement résisté aux tentations.) La parole de Saint-Preux n'atteint pas Julie, parce que la conscience de la faute souffre la détresse d'une corruption de l'être. De ce mal qui s'éprouve aux racines de la conscience, la créature d'un Dieu tendre et bon se sent totalement coupable. Elle ne peut s'en délivrer ni par son remords ni par son effort. Renaître n'est pas de son pouvoir. Plus encore que le Paradis de l'innocent amour, ce qu'elle se

voit perdre c'est — sous son propre regard, échapperait-elle à tout autre — son essentielle identité, sa substance d'être, son droit d'exister.

Mais celle qui se retire l'estime de soi puise en l'inflexible certitude de sa culpabilité une souveraine raison d'exiger de l'amant cette pureté qu'elle n'a plus. Son unique espoir d'exister malgré tout est entre les mains de Saint-Preux. « Sois tout mon être, à présent que je ne suis plus rien. » (103) Consentir à la consolation serait tarir en elle le sentiment de « l'opprobre », consentir donc à vivre sans honneur. (Ainsi Sophie, quand elle aura trahi Émile, son époux : « Mes torts ne vous autorisent point à violer vos promesses » (*E.* 889).)

Claire pressait Julie d'« effacer sa faute » par un regain de ses plus belles vertus. Mais c'est précisément parce que Julie ne peut ni ne veut occulter sa faute qu'elle espère de Saint-Preux l'unique recours. Seul le « mérite » d'un amant fidèle fidèlement aimé peut effacer, non sa faute hélas, mais sa « honte ». Si l'ardeur de l'innocent amour fut « divine » (*NH.* 102), Julie, qui a terni ce ciel, n'implore pas l'Être suprême. C'est dans l'amour qu'elle cherche intercession et salut. L'amour commun de la vertu fut l'origine d'un réciproque attachement. C'est ainsi par un ferme progrès de Saint-Preux dans l'exercice de cette vertu dont elle garde le « goût » (114) que Julie, qui ne peut plus s'estimer, s'estimera encore en Saint-Preux.

Quant à la régénération, qui est renaissance de tout l'être, elle n'adviendra que plus tard à Julie d'Étange. Quand sera formé, devant le pasteur, le nœud sacré du mariage. Avec Monsieur de Wolmar.

Pour l'heure, Julie désespérée est toute à Saint-Preux. Mais il ne peut justifier sa confiance, lui rendre un espoir que s'il a le courage d'exiger autant de lui-même que Julie sait être sévère pour soi. Comment peut-il donc lui écrire (tristesse et déception de Julie) qu'elle s'est déprise de celui qui, seul, a su l'aimer ? Comment peut-il imaginer que Julie l'a « chassé », abandonné, réduit à « rien », après avoir « égaré » un cœur sincère qui ne battait que pour elle ? Alors que Julie est prête à le « nommer hautement son amant » ! Affligeant spectacle : l'intrépide « philosophe », s'exaltant d'« amour sublime » et d'héroïque vertu, trébuche au premier obstacle. Il renonce à la raison « sitôt qu'il a besoin d'elle » (210). « Lettre efféminée ».

Que Saint-Preux n'ajoute pas au déshonneur de Julie celui de quelqu'un qu'elle crut pouvoir aimer ! « Rappelle donc ta fermeté, sache supporter l'infortune et sois homme. » (213)

2. « Sois homme ! » L'impératif catégorique, que Bomston rappellera un jour à Saint-Preux, exige le sacrifice des plaisirs les plus ardents et les plus chers au devoir d'humanité. M. et Mme d'Étange s'étant absentés quelque temps, les amants se promettent les voluptés de rendez-vous quasi quotidiens dans quelque chalet écarté, abrité par une nature qui n'entend que la voix de l'amour. Ici l'ordre social est oublié.

Mais voici l'imprévu. Le fiancé de Fanchon, ancienne servante de Mme d'Étange, s'est, à son insu, engagé « derechef » dans l'armée.

Pour avoir de quoi payer un loyer de trois ans que ne peut acquitter le père de Fanchon. Ils n'auront ni le temps ni les moyens de se marier. Sans ressources, la jeune fille a éconduit un « monsieur bien riche ». Et elle préfère « pâtir » plutôt que d'encourir le mépris réservé à qui ne subsiste que par « la bourse des pauvres ». Claude Anet voudrait-il d'une fille assistée ?

Si pénible soit le renoncement aux joies du chalet, Saint-Preux obéit à Julie, court à Neuchâtel, sauve Fanchon. Au paradis de leur premier amour, nos belles âmes ne vivaient que pour elles-mêmes. Mais les amants renoncent à l'autosuffisante insularité du plaisir pour secourir d'humbles gens en détresse. L'âme de Saint-Preux s'emplit alors d'un « contentement inconnu » (122).

3. Le courage de Mme d'Étange accroît le tourment de Julie. Se pardonnera-t-elle jamais de voir une mère tant aimée défendre avec tant de cœur une fille qui se sait indigne de tout ce dévouement ? Mme d'Étange ignore que Julie est enceinte.

La brutalité du père dans les circonstances qu'on sait la privera de cette unique chance de vaincre son obstination.

Les cheminements d'une conscience assumant l'épreuve du vrai sont à reconnaître tout au long du roman. Saint-Preux, immergé dans la vie parisienne, se voit environné de « masques », comme Alceste. Nulle amitié entre gens qui se donnent la comédie de la sincérité. Et pas d'amour sans probité. Saint-Preux, qu'elle sait incapable d'« artifice » et de « déguisement » (110), doit jurer à Julie qu'elle sera toujours sa confidente. S'il lui était infidèle, il se ferait devoir de l'informer.

« ...Quand je douterais de ton cœur, je ne puis jamais douter de ta foi. » (110) Saint-Preux à Paris, se laissant entraîner un soir chez les filles — il a trop bu —, raconte scrupuleusement à Julie cet indigne écart. Elle pardonne à celui dont le cœur reste pur.

Amants séparés. Amants fortunés

Immolé d'abord à l'urgent devoir d'humanité, l'enivrant projet s'accomplit enfin.

L'irréductible sentiment de la faute n'éteint pas en Julie le feu de la passion et du désir. Elle sait que son père, s'il la surprend dans les bras de Saint-Preux, ne fera pas grâce. Mais la certitude du risque extrême fortifie son amour. Toutes les joies de sa vie n'égaleront pas le bonheur de celle qui s'offrira au coup mortel. « ...pour n'avoir plus à me séparer de toi. »

Mais les dernières lignes de cette lettre à l'amant disent assez que le regret du paradis lui rend plus chère encore l'image du pur amour.

« Viens donc, âme de mon cœur, vie de ma vie, viens te réunir à toi-même [...] Viens avouer, même au sein des plaisirs, que c'est de l'union des cœurs qu'ils tirent leur plus grand charme. » (146)

Deux lettres suivent où se décèle en Saint-Preux une mutation d'âme qui éclaire, sans qu'il le sache, les chemins où sa vie s'engage. L'*Héloïse* est une œuvre où le futur s'annonce et se présage de loin.

L'impatience du plaisir proche dévorait l'amant, arrivé le premier au rendez-vous du chalet. Mais la lettre écrite au lendemain de cette « inconcevable » nuit parle autrement. On croirait d'abord lire une page des *Confessions,* quand l'épreuve de la plus intense fruition du bonheur d'être révèle à qui en retient le souvenir que tout le sens et le charme d'une vie emplissent ces rares moments : « Ah, si jamais une seule fois en ma vie j'avais goûté dans leur plénitude tous les délices de l'amour, je n'imagine pas que ma frêle existence y eût pu suffire ; je serais mort sur le fait. » (*C.* 219.)

Ainsi parlait déjà Saint-Preux : « Ô mourons, ma douce Amie ! [...] Que faire désormais d'une jeunesse insipide dont nous avons épuisé toutes les délices ? » (147)

Survivre n'est pas vivre. Ce n'est pourtant que premier mouvement d'une pensée qui va s'ouvrir la pente d'une songerie sur l'essence de l'amour, espérance et pressentiment de sa forme ultime et parfaite.

Il s'imaginait, la veille, savoir aimer. Captif de ses sens comme une âme d'enfant, c'est en eux qu'il cherchait le « bien suprême ». Il a découvert que « leurs plaisirs épuisés » n'étaient que le commencement des siens. Les transports de la « possession » l'ont enivré ; il donnerait mille vies pour en jouir encore. Mais il les sacrifierait sans regret à l'incomparable bonheur qui les efface mille fois. « Rends-moi cette étroite union des âmes, que tu m'avais annoncée et que tu m'as si bien fait goûter. Rends-moi cet abattement si doux rempli par les effusions de nos cœurs ; rends-moi ce sommeil enchanteur trouvé sur ton sein ; rends-moi ce réveil plus délicieux encore, et ces soupirs entrecoupés, et ces douces larmes, et ces baisers qu'une voluptueuse langueur nous faisait lentement savourer, et ces gémissements si tendres, durant lesquels tu pressais sur ton cœur ce cœur fait pour s'unir à lui. » (148)

Il est donc une jouissance de « l'âme » après les « fureurs de l'amour ». Son charme opère longtemps encore par la divinisante grâce de Julie. Ce tendre et long côte-à-côte des amants apaisés c'est, confie Saint-Preux, « de toutes les heures de ma vie, celle qui m'est la plus chère, et la seule que j'aurais voulu prolonger éternellement » (149).

Mourir après l'éblouissante révélation d'une nuit ? Saint-Preux n'y songe plus. S'ébauche en lui, dans le silence du corps, une conversion du cœur. Et l'imprévisible découverte de la volupté des âmes qui savent s'aimer quoi qu'il advienne le prépare, à son insu, aux déchirements de la grande séparation.

Une étude serrée de Claire apporte bien des lumières sur l'ultime décision de Julie. « L'inséparable » amie porte un trop lucide attachement à sa cousine pour encourager son fol amour. Quoi qu'elle en écrive à Julie, elle se sait capable d'aimer. Elle aurait une inclination pour Saint-Preux. Mais elle sait surtout que, pour une héritière de vieille aristocratie vaudoise, Claire ou Julie, le choix du cœur ne décide pas du mariage. Elle n'a que dix-huit printemps, mais prévoit dès le premier jour que le baron ne donnera jamais son unique enfant « à un petit bourgeois sans fortune » (45).

Jalouse ou non, elle fera de proche en proche ce qui dépend d'elle pour que Julie s'épargne, comme à ses parents, les effets destructeurs d'une passion sans règle. Qu'elle apprenne, « trop aveugle amante ou fille trop craintive », à ne vouloir plus « concilier des sentiments incompatibles » (180). Elle dissuade Julie d'accepter les offres de Milord Edouard. « Je vous ai empêché d'être heureux, avouera-t-elle à Saint-Preux plus tard, mais le bonheur de Julie m'est plus cher que le vôtre ; je savais qu'elle ne pouvait être heureuse après avoir livré ses parents à la honte et au désespoir, et j'ai peine à comprendre par rapport à vous-même quel bonheur vous pourriez goûter aux dépens du sien. » (214-5) Elle a puisé dans sa « divine amitié » pour Julie le « courage d'être barbare » (179).

Claire convainc Milord Edouard de lui prêter concours pour décider Saint-Preux au départ définitif. Qu'il remémore au jeune philosophe la leçon d'Épictète : le sage, se portant avec soi, porte aussi partout son bonheur. Se justifiant sereinement de ce qu'elle a fait « pour et contre », elle écrira un jour à Saint-Preux : « ...vous me serez cher tant que Julie vous aimera, et je dirais davantage s'il était possible. » (215) Ébauche d'aveu, sous la plume d'une jeune personne qui s'est engagée au mariage avec un homme qui ne fait pas battre son cœur. On saura plus tard qu'accepter la main de M. d'Orbe l'émancipait d'un père qui préfère à sa fille gazette et « politiquerie ».

Mais, si Claire fait si résolument le partage entre la loi du sang et l'appel du cœur, elle sait tenir un langage que la fille de M. d'Étange (...et l'élève du vertueux Saint-Preux) n'entendra pas sans un frémissement d'âme. Julie désemparée l'adjurant de choisir pour elle : l'Angleterre ou son pays ? l'amant ou les parents ? Claire ne se sent pas le « courage » de décider de la « destinée » d'une Julie (II, 5). C'est elle qui, s'en remettant à sa cousine, fait vœu de la suivre où elle voudra. Mais tout dans cette lettre suggère irrésistiblement à Julie qu'elle ne peut pas, ne doit pas partir.

Quand on est Mlle d'Étange, n'est-on pas au centre de tous les regards ? Peut-on ne pas répondre aux attentes, ne pas justifier les espérances de tous ceux qui, en terre vaudoise et de toutes conditions, vous « adorent de concert », prennent à vous « le plus tendre intérêt » ?

« N'as-tu jamais remarqué, mon Ange, à quel point tout ce qui t'approche s'attache à toi ? » (203) Si « froid » soit-il, M. de Wolmar lui-même s'émeut devant Julie. Charme invincible, invincible ascendant. « C'est le don d'aimer, mon enfant, qui te fait aimer » (204)

(Mon ange. Mon enfant... Céleste Julie, qu'il faut ici-bas tenir par la main aux passages difficiles.)

N'est-ce pas déjà la rayonnante figure de la dame de Clarens où toute une population célèbrera ses vertus ? Julie, s'enfermant avec Saint-Preux dans un lointain refuge, pourrait-elle renoncer aux devoirs que lui dictent tant d'incomparables attachements ? L'amour qui l'unit à celui qu'elle a choisi est trop pur, trop élevé pour être à la merci d'une séparation. Mais elle ne peut abandonner ses vieux parents sans qu'il en perdent et l'honneur et la vie...

Claire aura sa récompense. Bien des années plus tard, Julie propose à Claire devenue veuve de venir « gouverner son ménage » à Clarens. Si elle refuse, la famille Wolmar se transportera à Lausanne pour demeurer avec elle...

« ...mon cœur, mon devoir, mon bonheur, mon honneur conservé, ma raison recouvrée, mon état, mon mari, mes enfants, moi-même, je te dois tout ; tout ce que j'ai de bien me vient de toi, je ne vois rien qui ne m'y rappelle, et sans toi je ne suis rien. » (404)

Si Claire a ainsi gagné la reconnaissance de sa cousine, Saint-Preux ne lui doit pas moins. N'est-ce point par elle que l'ancien précepteur a pris conscience de sa chimère et que ce cœur généreux s'est préservé du remords de faire, en s'obstinant, le malheur de Julie et des siens ? Quoi qu'il fasse, l'« invincible sort » contrarie ses vœux.

Il est d'ailleurs trop estimable et méritoire pour refuser le sacrifice qui répare « le mal qu'il a fait ».

« Reprenez donc courage, soyez homme et soyez encore vous-même. » (314)

Ainsi Saint-Preux, qui ne sera jamais trop vertueux pour aider Julie à porter le poids de sa « faute », doit maintenant comprendre qu'il ne le sera jamais trop non plus pour apprendre à se résigner au mariage de Mlle d'Étange avec M. de Wolmar.

« L'amour qui rapproche tout, écrit-il à Mme d'Étange, n'élève point la personne ; il n'élève que les sentiments. » (311)

Au moins Saint-Preux saura-t-il par Claire (quoi qu'en veuille croire Julie désemparée) que ce n'est point un funeste amour qui conduit Mme d'Étange au tombeau. Mise à trop dure épreuve par l'inconstance d'un jeune époux, la santé de la vertueuse femme n'avait pas résisté. Il lui fallut souffrir « cette rudesse inflexible dont les maris infidèles ont accoutumé d'aggraver leurs torts » (323).

On ferait fi des plus éclairantes beautés de cette correspondance avec Saint-Preux si l'on n'y voyait qu'un combat pour sauver Julie.

A celui qu'elle appelle déjà, lui aussi, « mon enfant », Claire d'Orbe fait confidence d'une réflexion consolante et profonde sur le devenir et l'être de l'amour. L'affinité d'essence entre amour et vertu promet à ceux qui s'aiment l'inaliénable jouissance des privations, des sacrifices qu'ils ont su s'imposer. N'est-ce pas ce que Jean-Jacques, parlant de lui-même, écrit à Sophie d'Houdetot ? Se rendant témoignage d'avoir aimé Julie comme elle « méritait de l'être », Saint-Preux aura le bonheur de l'en aimer davantage. Il goûtera le charme mêlé de l'amour et d'un « amour-propre exquis », privilége de qui peut se dire : je sais aimer.

Claire ne prétend point philosopher, mais l'amour est philosophe. Si c'est « le plus délicieux sentiment » qu'éprouve un cœur humain, mieux vaut un amour souffrant qui perdure qu'un amour qui meurt d'assouvissement.

« Si vous n'eussiez point été heureux, une insurmontable inquiétude pourrait vous tourmenter... » Mais vous avez savouré une félicité si intense et si rare que, ce suprême moment passé, « vos feux et votre bonheur ne pouvaient plus que décliner ». Amants fortunés. L'éloignement de Saint-Preux les sauve des effets de la loi du temps. Ce temps, qui condamne tout amour à dépérir, s'immobilise et se fixe dans le cœur de ceux que le « sort » sépare. Ils seront toujours l'un pour l'autre à la fleur des ans.

Claire a lu « avec une émotion qui [lui] était inconnue » (321) la page écrite par Saint-Preux frémissant d'une nuit sans pareille. Mais l'impulsion qu'elle en reçoit légitime à ses yeux une logique de l'exil, et justifie une morale de l'abstinence. Une pacifiante philosophie de l'amour, de la durée, du souvenir procure ainsi aux victimes de l'interdit social, en une langue incomparable, la bienfaisante certitude que le seul amour perdurable est celui des amants séparés.

L'honneur plébéien

Julie demande à Saint-Preux, par ordre du père, qu'il la délie de son engagement. Une petite vérole qu'elle espère fatale lui laisse la force d'écrire à son « cher et tendre ami » un dernier adieu. Saint-Preux accourant à son chevet, elle prend cette apparition pour un rêve. Il baise la main de Julie délirante pour contracter le mal et mourir avec elle. Ce que lui écrit Julie sauvée laisserait d'abord croire que l'amour reprend tous ses droits. Mais elle ne « donnera pas la mort » à celui qui lui donna la vie. Elle obéira au père, sans jamais ôter son amour à Saint-Preux.

Déclamatoire et raisonneur, celui-ci répond à Julie. Fallait-il tant s'aimer pour qu'elle accepte d'être à un autre ? Celle qui veut concilier amour et piété filiale n'est-elle pas coupable « à force de vertus » ? La conscience de Saint-Preux réprouve l'adultère. Mais, décidé à suivre Bomston outre-Manche, c'est pour Julie seule qu'il veut « vivre, agir, penser, sentir désormais » (338).

Un désarroi transparaît en cette lettre (« je ne sais ce que j'écris... »). Mais la plume de Saint-Preux n'avait pas tremblé lorsque, dans un billet destiné au père, il avait rendu à la fille « le droit de disposer d'elle-même, et de donner sa main sans consulter son cœur ». Répondant à l'ultimatum lancé par le baron au « suborneur » qui a « corrompu le cœur » de Julie, au roturier qui sera châtié s'il ose rester sourd à la requête de Mlle d'Étange, Saint-Preux fait entendre au seigneur helvète une leçon de noblesse plébéienne et de simple humanité.

Le romancier accordait ainsi au fils de l'horloger genevois une de ces joies réparatrices que partageait une large fraction de son lectorat.

Texte patiemment travaillé, comme l'a montré D. Mornet. Si Saint-Preux laisse plus d'une fois au lecteur l'image d'un honnête jeune homme qui peine à vouloir ce qu'il veut, le ton mâle et fier de cette adresse au baron impose l'écoute et le respect. Élévation de l'âme et de l'expression ; élan de la riposte ; concision du verbe ; conviction d'une conscience ardente et ferme ; pertinence de l'argument. Et cet art, que Rousseau cultive, de retourner en sa faveur les arguments dont l'autre se croit fort.

Bien qu'il s'achève sur un coup d'épée au blason, le dernier alinéa (langue, style, fil des idées et des sentiments) est moins tendu que ce qui précède. Saint-Preux justicier devait d'abord mobiliser, concentrer, porter au vif les souveraines vérités que le hobereau doit connaître une fois pour toutes.

Respecter, honorer le père de Julie, soit. Mais celui qui a mérité l'estime de Mlle d'Étange ne saurait être humilié par l'insulte d'un homme à qui Saint-Preux ne devrait obéissance que s'il daignait devenir son père. Ce n'est donc point pour se soumettre à la volonté du baron que Saint-Preux renonce à la main de Julie ; c'est parce qu'elle le lui demande.

Si même le baron n'abusait pas — pour le malheur de sa fille — du pouvoir paternel, il resterait que la nature et les tribunaux humains donnent pour limite à ce pouvoir le droit des cœurs à se choisir librement.

Les menaces n'effraient pas celui qui, peu soucieux de connaître ce qui fait « l'honneur d'un gentilhomme », saura défendre et conserver sans tache l'honneur d'un « homme de bien ». Un jour viendra où le père de Julie, comprenant trop tard que sa haine « aveugle et dénaturée » ne lui fut pas moins funeste qu'à Saint-Preux, s'entendra reprocher par « la voix du sang » d'avoir sacrifié son unique fille à des « chimères » (327).

Le baron d'Étange vivra assez longtemps encore, mais le jour du regret ne sera jamais venu.

Julie de Wolmar

La longue lettre (III, 18) envoyée à Saint-Preux par Julie, mariée depuis quelques semaines, ouvre une étape nouvelle. La deuxième lettre (III, 20) n'importe pas moins à l'analyse.

Nul texte n'enseigne mieux que ces célèbres pages comment l'amour doit se transformer pour ne pas sombrer. Mutation n'est pas anéantissement ; Julie ne serait pas heureuse si Saint-Preux cessait de l'aimer. Mais « il est temps de devenir sage » (375). Cessons de nous écrire.

Confession d'une femme qui veut se connaître enfin. Mais ne doit-elle pas expliquer à celui auquel elle avait donné sa foi et qu'elle aime comment elle a, après un dur combat contre soi, lié son « sort » à celui de M. de Wolmar, « ou plutôt aux volontés d'un père par une chaîne indissoluble » (340) ?

La première lettre du jeune précepteur, que ne l'a-t-elle confiée à sa mère ? Et pourquoi ne sut-elle pas se résoudre à le laisser « fuir » ? Coupable faiblesse, bien avant le baiser fatal. Saint-Preux apprend enfin ce que le lecteur savait : s'abandonnant au fol amour, Julie nourrissait l'illusoire espérance qu'elle pourrait, par une maternité publiquement avouée au pasteur, « tirer de [sa] faute un moyen de la réparer ». L'accident provoqué par l'emportement du père est un signe : ce que la « nature » lui accordait, sa « destinée » le lui refuse.

Il faut croire pourtant qu'ensuite, à l'heure du décisif affrontement, elle ne se connaîtra d'autre « destinée » que d'épouser celui qu'elle a choisi. Wolmar ne lui sera jamais rien. Plutôt mourir fille. Le père peut la tuer, son cœur ne variera pas. Colère et mauvais traitements ne l'ébranlent pas. Julie assiste alors à l'inimaginable : l'irréductible père à ses pieds. Elle apprend que le riche gentilhomme de Courlande à qui sa main fut promise est aujourd'hui ruiné. Comment un baron d'Étange, qui n'a jamais renié sa parole, se rétracterait-il sans paraître sacrifier sa foi de gentilhomme a un « vil intérêt » ? Alléguer les amours de sa fille ne semblerait que « prétexte ». S'il ne s'agissait que d'immoler le bonheur d'un père à celui de Julie ! Mais « l'honneur a parlé et dans le sang dont tu sors, c'est toujours lui qui décide » (350).

Honneur pour honneur... Julie informe donc son père qu'elle s'est promise à Saint-Preux ? Un d'Étange pourrait-il lui reprocher de respecter son engagement ? Un seul parti reste au baron : obtenir de Saint-Preux qu'il délie sa fille. Comment ne souhaiterait-elle pas qu'il refuse ? Mais elle l'estime trop pour douter qu'il recule devant le sacrifice. Pourtant, lorsqu'elle apprend au lendemain de sa maladie comment Saint-Preux a voulu mourir avec elle, elle se dit que l'amour l'emporte ; et qu'elle n'accordera jamais « les droits de l'amour et du sang qu'aux dépens de l'honnêteté » (351). Pourquoi pas l'adultère ? « J'osai désespérer de la vertu. » « Le jour qui devait m'ôter pour jamais à vous et à moi me parut le dernier de ma vie. J'aurais vu les apprêts de ma sépulture avec moins d'effroi que ceux de mon mariage. » (353)

Or ce que ni la volonté ni la supplication du père n'avaient pu obtenir, le temple l'accomplit.

Moment imprévisible de la révolution salvatrice à quoi préludent, quand Julie franchit le seuil de l'église, une émotion (« terreur »,

« frayeur », « épouvante ») qu'elle ignorait ; le tableau des invités silencieux autour du père ; la « sainte liturgie » enfin... Croyant entendre par la voix du pasteur la voix de Dieu, Julie sent opérer en elle une « puissance inconnue » qui « ...sembla corriger tout à coup le désordre de mes affections et les rétablir selon la loi du devoir et de la nature. L'œil éternel qui voit tout, disais-je en moi-même, lit maintenant au fond de mon cœur ; il compare ma volonté cachée à la réponse de ma bouche : le Ciel et la terre sont témoins de l'engagement sacré que je prends ; ils le seront encore de ma fidélité à l'observer. Quel droit peut respecter parmi les hommes quiconque ose violer le premier de tous ? » (354)

L'attendrissement de M. et Mme d'Orbe la touche plus que tout autre objet. Exemplaire image du couple préservé des feux de la passion, lié par un « pur et doux sentiment » et les devoirs du mariage. Claire, une fois de plus, montre à sa trop ardente cousine le chemin de la sagesse. Julie reprend espérance et courage. Elle promet à l'époux, de bouche et de cœur, « obéissance » et « fidélité parfaite ».

A ces pages si souvent commentées Rousseau veut donner une portée décisive. Au-delà de la *Lettre à d'Alembert,* elles soulignent la gravité spirituelle et, pour une part, l'enjeu de la rupture avec les « philosophes ». Julie ne manque pas d'inviter son ancien précepteur à se défier d'une raison « qui ne s'appuie que sur elle-même ».

« Adorez l'Être éternel, mon digne et sage ami. » (358)

Le langage de Julie évoquant l'instant où va se former le « saint nœud » conjugal est édifiant : ce « nouvel état » doit « purifier » son âme et la « rendre à tous ses devoirs ».

Ainsi retrouve-t-elle la pureté perdue depuis que sa faute avait détruit le paradis de l'innocence. Simultanément les devoirs que le mariage lui trace la replacent en un ordre qu'elle n'eût jamais dû quitter. « Heureuse révolution » qui donne occasion au lecteur de vérifier que, pour Rousseau, révolution n'est pas explosion arrachant l'être à son site et à son essence, mais rapatriement, restauration d'un sens oublié. On n'est donc pas surpris que, pendant l'heure de recueillement que Julie se réserve après la cérémonie, un « sentiment de paix » effacé depuis si longtemps ranime ce cœur « flétri par l'ignominie ». Si une telle sérénité habite Julie c'est à la fois parce que le solennel engagement du temple ne fut pas obéré par « l'opiniâtre image » de Saint-Preux (sa conscience et ses sens sont également tranquilles), et parce qu'elle se persuade qu'elle aime Saint-Preux « autant et plus, peut-être », que « jamais », mais maintenant « sans rougir ». Une « crise » l'avait enlevée au paradis de l'innocence. Une régénérante « révolution » lui rend ce que sa faute lui avait pris. On comprend que Julie de Wolmar veuille, dans les conditions de son nouvel état, construire à Clarens une communauté des âmes préservées du mal. Et pourquoi Saint-Preux n'y trouverait-il pas un jour sa place ?

« Je vous aime toujours, n'en doutez pas » (364), écrit plus loin Julie. Mais cet amour a « changé de nature ». Julie renaissante, Julie commençant « une autre vie » ne boit pas l'eau d'oubli comme l'Émile des *Solitaires*. En elle s'unissent les puissances qui la divisaient. L'amour s'épurant de la passion et la fidélité aux obligations de l'épouse ne s'excluent pas. La destinée de Julie s'est éclairée au temple par le sacrement de mariage ; mais l'élan premier qui entraîna l'un vers l'autre deux jeunes cœurs purs n'est ni abjuré ni condamné, encore moins épuisé. Le « bouleversement général » qui rend Julie à son « caractère primitif », cet avènement d'un « nouvel être » qui sort à peine des « mains de la nature » apportent à l'amour réformé les prémices d'une vie nouvelle.

Le ton religieux de ce discours a suscité quelques controverses. La « révolution » subite qui s'est faite au temple, Julie ne l'a d'abord décrite qu'en ménageant son vocabulaire. Je « crus voir ». Je « crus sentir ». « Une puissance inconnue sembla corriger tout à coup... » C'est assez néanmoins pour que Julie s'assure à l'instant que la « Providence éternelle » l'a conduite au sacrement. « Main secourable » qui la guide à travers les ténèbres, qui libère ses yeux du « voile de l'erreur » ... et « me rend à moi malgré moi-même » (356).

Parlera-t-on de « grâce » avec B. Guyon ? Le mot ne figure ni dans cette lettre ni dans la lettre 20. Même si Julie écrit, vers la fin de la dix-huitième : « Comment s'est fait cet heureux changement ? Je l'ignore. Ce que je sais, c'est que je l'ai vivement désiré. Dieu seul a fait le reste. » (364) A l'interrogation de N, interlocuteur supposé de la deuxième préface (« Et cette conversion subite au Temple ?... la grâce sans doute ? ») le romancier ne répond pas. Mais le besoin, le sentiment du surnaturel et du sacré ne sont pas moins vifs en Julie de Wolmar qu'en Rousseau lui-même. C'est en ces années-là que l'ancien encyclopédiste relit sa Bible avec dilection. Singulier réformé, qui restera trop « philosophe » pour admettre et professer que la foi est don de Dieu à sa créature.

Reste qu'en cette grande lettre de la troisième partie, on voit comment une femme révolutionnée entre en dévotion. On évalue mieux l'événement dans l'histoire de Julie si on compare avec le récit des amours de Bomston.

Leçon d'amour à Julie

Milord Edouard, séjournant à Rome, se trouve à son insu complice d'adultère. Il ignore que sa maîtresse, marquise napolitaine, est mariée. Informé, il tient la résolution de ne plus partager sa couche ; mais leur passion s'avive. Jalouse et dépitée, la noble amante lui fait jurer de ne se lier à nulle autre femme de son rang..., et lui présente une jeune personne sûre et facile, qui ne saurait rivaliser avec elle dans le cœur d'un pair d'Angleterre.

Julie d'Étange est prisonnière de sa haute condition. Vendue à un cardinal par ses parents, Lauretta Pisana est enclouée au plus vil des métiers. La « nature » la disposait au bien ; le « sort » l'a condamnée sans appel. Mais le spectacle nouveau pour elle de deux êtres ardemment épris éveille son cœur au « charme » d'un véritable amour. Et c'est cette « première image de l'amour » qui lui fait, pour la première fois, ouvrir les yeux sur elle-même. « La pudeur éteinte était revenue avec l'amour. » (753)

Elle prend conscience de l'« horreur » de son état dans le moment où son cœur s'émeut pour Bomston. Découvrant qu'une courtisane est capable d'aimer, celui-ci passe insensiblement du mépris à l'estime, de l'estime à l'amitié. Mais il est témoin de ce désespoir de soi qui a une pesanteur d'absolu. « On ne revient plus de l'état où je suis... » (752) « Je suis indigne des caresses de l'amour... » (756)

Condamnée au commerce des hommes qui l'indiffèrent, elle ne sera jamais au seul qu'elle puisse aimer. Mais c'est par cet amour qu'elle va naître à l'espoir. Un homme de cœur lui porte intérêt ; n'est-ce pas le signe qu'elle doit s'estimer ? « C'est l'amour qui m'élève et m'honore ; c'est lui qui m'arrache au crime, à l'opprobre ; il ne peut plus sortir de mon cœur qu'avec la vertu. Ô Edouard ! quand je redeviendrai méprisable j'aurai cessé de t'aimer. » (757)

Mais lorsque, entrant au couvent, elle trouve la force de se soustraire à « l'oppression », Laure prend la mesure des pouvoirs d'une société sur celle qui, avec l'honneur, a perdu tout droit sur soi. Le romancier n'oublie pas l'expérience italienne de J.-J. Rousseau. Rome ne veut pas lâcher cette fille jeune, belle, comblée. Ce n'est pas assez que sa demeure opulente soit livrée au pillage. Sa retraite offense des puissants que son « désordre » intéressait. Et il ne manque point d'« âmes basses » pour suspecter le désintéressement du seigneur anglais. Il faut tout son crédit pour que Laure ne soit pas retirée du couvent ; elle y jouira même d'une pension laissée par le prélat corrupteur.

Bomston a rendu Laure trop estimable pour « ne faire que l'estimer ». Elle apprend l'anglais, enrichit son esprit de tout ce qu'aime l'homme qu'elle aime. Tandis que son âme s'élève à de « nouvelles perfections », la marquise, à qui Bomston garde un tendre sentiment, s'enlise et s'avilit dans les fureurs d'une jalousie désespérée. Tentative d'enlever Laure, d'assassiner Bomston.

Rousseau n'a pas incorporé au roman ces amours romaines. Mais la matière offerte à une analyse comparative est précieuse.

Julie d'Étange et Laure sont l'une et l'autre socialement assignées. A Rome comme en terre vaudoise triomphe l'héroïsme indivis de l'amour et du sacrifice. Mais Laure a un tout autre langage que Julie.

Une pieuse et rigide éducation avait cultivé en Julie un pré-sentiment de culpabilité. Son tourment est d'avoir mis fin par sa coupable transgression à l'enchantement de l'amour pur. Lauretta ? Une « honte » invincible la submerge quand elle connaît sa misère. Mais elle ne s'impute pas un malheur qu'elle n'a ni voulu ni causé.

Julie livrée au fol amour se dit qu'elle n'a pas su assurer les droits de la vertu. Laure Pisana n'a pas eu à choisir entre un devoir et une passion. Âme et chair, elle est de ces femmes marquées au fer de la « damnation sociale », pour parler comme Hugo. « Le plus grand malheur des métiers infâmes, écrit Rousseau, est qu'on ne gagne rien à les quitter. » (754)

Le Ciel assiste Julie. Laure vit son abjection, puis sa résurrection en un monde social, psychologique, moral où nulle voix surnaturelle n'est perceptible. Seul l'amour pour un homme qui la respecte pouvait lui rendre l'estime de soi, l'affranchir des ténèbres, la guider vers la lumière et l'appeler au renouveau. Quand elle trouve asile au couvent, c'est toujours son amour pour Bomston qui la purifie et la porte plus haut.

Si ces pages n'ont pas pris place dans le roman, le lecteur en connaît quelque chose en cinquième et sixième parties. Et c'est Mme de Wolmar qui célèbre le plus hautement la vertu de Laure dans une lettre à sa cousine.

« ...comment l'amour qui perd tant d'honnêtes femmes a-t-il pu venir à bout d'en faire une ? » (627)

Se comparant à la jeune Romaine, Julie reconnaît une supériorité à celle qui, « du dernier degré de la honte [...] a su remonter au premier degré de l'honneur ». Perdue par « son éducation », sauvée par son cœur, Laure, « pour qui l'amour fut la route de la vertu », ne mérite-t-elle pas plus d'admiration que celle que tout aidait à se « bien conduire » et que son « penchant seul » égara ? La sublime lucidité, le consentement aux plus lourds sacrifices, ce n'est pas moi, c'est Laure.

Mais Julie de Wolmar, qui envisageait un moment avec sympathie le mariage de Bomston et de Laure, et l'accueil du couple à Clarens, ne s'attarde pas à ce projet. Comment Lord Edouard pourrait-il, aux yeux de l'« opinion » (627), épouser une femme dont le passé, quels que soient ses mérites, ne s'effacera jamais ? Et Saint-Preux lui-même, le plébéien protestataire, ne raisonnera pas autrement ! Aussi sensible aux vertus de Laure qu'il est sévère pour la marquise dégénérée, il rappelle à Bomston qu'un pair d'Angleterre ne peut braver « l'opinion publique » (623) par un « mariage abject » : « ...choisissez mieux votre épouse. Ce n'est pas assez qu'elle soit vertueuse ; elle doit être sans tache. » Laure, prenant le voile, tranche le débat. « L'amour a vaincu, écrit-elle à Bomston ; vous avez voulu m'épouser ; je suis contente. » (652) Saint-Preux l'avait compris : une âme aussi généreuse jouit plus du sacrifice accepté qu'elle n'eût joui du « rang » qu'elle refuse. Quant à Bomston, qui défendit la cause du plébéien vertueux devant M. d'Étange, il admet que, si l'amour transcende toute institution, ce n'est pas lui qui décide du mariage d'un grand seigneur. Peut-être un neveu de

Rameau tiendrait-il séance sur ce philosophe ami de l'humanité qui, pair d'Angleterre, ne s'en fait pas moins la raison de son « état ».

Raisons, raison du mariage

« Julie, êtes-vous heureuse ? » (367) Saint-Preux pose la question à l'épouse qui vient de lui annoncer son engagement irrévocable et sacré. La réponse de Julie (III, 20) est un des moments essentiels du livre. S'y expose une philosophie du mariage.

Nous en avons traité au précédent chapitre. Ce qui nous retient ici, c'est l'inscription du mariage en une dialectique de l'amour épuré.

Une rationalité est en acte dans le mariage, « institution naturelle » qui s'ordonne aux fins de l'humanité socialisée. Julie blâmera le célibat des prêtres qui font « vœu de n'être pas hommes » (VI, 6). Mariée depuis quelques mois, Mme de Wolmar disserte comme si elle avait l'âge et l'expérience de Rousseau. Ou de son époux. Celui-ci, qui aura cinquante ans bientôt, a si sagement vécu qu'il n'en paraît pas quarante.

Prisonniers d'eux-mêmes, les amants ne savent que s'aimer. Mais la conjugalité ? On s'épouse pour « remplir conjointement les devoirs de la vie civile, gouverner prudemment la maison, bien élever ses enfants » (372). Julie a longtemps cru que l'amour était « nécessaire pour former un heureux mariage ». Elle sait depuis peu que la condition suffisante d'un mariage assorti, c'est une convenance de « caractères » et d'« humeurs ». Julie d'Étange et M. de Wolmar se conviennent. « Mon ami, le Ciel éclaire la bonne intention des pères, et récompense la docilité des enfants. » (374)

Désormais persuadée que le choix paternel était judicieux, Julie fait une confidence à l'amant malheureux. Ne lui doit-elle pas, comme autrefois, toute la vérité ? Si elle avait aujourd'hui à choisir librement un mari, c'est Wolmar qu'elle élirait. L'âge venu, que deviendrait l'amant fougueux des premiers ans ? Et que d'hommes vertueux, comme le sera toujours Saint-Preux, font d'invivables maris !

Julie et Saint-Preux sont trop passionnés l'un et l'autre. Si Wolmar et sa femme se conviennent, c'est parce que leurs qualités sont complémentaires. « Chacun des deux est précisément ce qu'il faut à l'autre ; il m'éclaire et je l'anime ; nous en valons mieux réunis, et il semble que nous soyons destinés à ne faire entre nous qu'une seule âme, dont il est l'entendement et moi la volonté. » (373-4)

Destinée... ; et pertinent usage des leçons d'un précepteur philosophe. Aux premières décennies de ce siècle, le cartésianisme avait toujours des fidèles ; Jean-Jacques aux Charmettes apprit comment former un juste rapport entre l'élan du vouloir et les lumières de l'intellect.

Le seul « attachement » qu'ait jamais éprouvé Wolmar, gentilhomme sans passions, est pour Julie, qui lui porte un tendre sentiment. Époux

ROUSSEAU

ou père, Wolmar est ce que Bomston croit être ; invariablement maître de soi.

Pour que la jeune épousée naisse à la vie nouvelle, il fallut la solennité du sacrement. Mais c'est par Wolmar que cette vie nouvelle s'organise dans la durée. Julie allait succomber sous l'assaut des forces contraires qui se disputaient son âme. Elle ne pouvait recomposer son unité, reprendre possession de soi, retrouver son autonomie qu'à condition de changer « sa manière d'être ». Nous reprenons la formule du *Contrat social* (I, 6). Ne s'agit-il pas, dans des situations bien différentes, d'une mutation comparable ? Ici et là, la seule façon de sortir de l'état de guerre, c'est d'instaurer le pacifiant pouvoir de la législation. Le pacte social ouvre l'ère de la paix civile, qui suppose respect des lois librement consenties. Julie émerge de l'anarchie passionnelle quand, mariée au sage Wolmar, elle accepte d'ordonner son âme et sa vie sous la règle et les fins de la raison. C'est alors que l'œuvre de chair est légitimable. Julie rénovée fondera donc un exemplaire foyer, une famille que rien ne devra jamais désunir. Au demeurant, née d'Étange, elle sait ce qu'est un patrimoine. Elle fera spontanément équipe avec Wolmar pour une optime gestion de Clarens.

Quelques années après (IV, 1), Julie informera sa cousine que l'état d'épouse et de mère trace une infranchissable frontière entre ce qu'elle est et ce qu'elle fut. Pour l'heure, décrivant à l'intention de Saint-Preux sa nouvelle « carrière », elle explique au philosophe comment l'œuvre de la raison, qui s'objective dans le mariage, s'accomplit intérieurement dans une conscience d'épouse. Elle met en instructive opposition les « intempéries » d'une existence troublée par la passion et la rassérénante énergie d'une raison qui harmonise l'âme. D'un côté, l'« inquiétude continuelle de jalousie ou de privation », de l'autre un « état de jouissance et de paix » (372).

Saint-Preux pourrait imaginer que Julie se leurre. Elle propose donc à sa réflexion une critique argumentée de l'illusion passionnelle.

a) La violence de la passion amoureuse crée l'illusion d'une durée sans fin. Mais l'amour se consume, la jeunesse fuit. Les amants d'autrefois se voient alors « réciproquement » tels qu'ils sont. Ceux qui s'idolâtraient ne savent plus que mal vivre ensemble, de l'ennui à l'indifférence, au dégoût parfois. Et il arrive que la haine entre époux soit la rançon d'un amour trop ardent.

Mais nulle « illusion » ne prévient M. de Mme de Wolmar l'un pour l'autre. Lucidité des personnes « honnêtes et raisonnables » qui ne sauraient accomplir, leur vie durant, les devoirs de leur état sans se soumettre du principe de réalité.

Ici se marque, dans le langage de Julie, une distinction (moderne) entre deux modes de l'affectivité : une affectivité passionnelle, « aveugle transport » qui enlève l'individu à lui-même, perturbe temporairement son rapport à l'autre et au réel ; une affectivité de sentiment, stable et continue, qui attache l'une à l'autre deux personnes informées de leurs

378

obligations mutuelles et solidaires dans un monde accepté et connu pour ce qu'il est .

b) Dans sa *Lettre à d'Alembert* Rousseau-Socrate blâme ces spectacles qui flattent la déraison et font préférer le moins bon au meilleur. En III 18, Julie, retraçant l'histoire raisonnée d'une passion, montre comment l'illusion amoureuse opère sur une jeune fille éprise de vertu et de perfection : « L'amour ne m'aveuglait point sur vos défauts mais il me les rendait chers, et telle était son illusion que je vous aurais moins aimé si vous aviez été plus parfait. » (346)

Video meliora proboque,/Deteriora sequor.[8] En III 20, Julie rappelle que la raison « n'a d'autre fin que ce qui est bien ; ses règles sont sûres, claires, faciles dans la conduite de la vie » (370). Mais cette raison pratique est sans prise sur l'amour-passion. Parce que le cœur « nous trompe en mille manières et n'agit que par un principe toujours suspect ». Et les plus exposés sont les « gens à sentiments » qui s'admirent tant eux-mêmes. Perspicace notation, où l'on reconnaît qu'il y a, pour Rousseau, « cœur » et « cœur ». Le cœur qui fait un avec le cri de la conscience, quand elle remémore en l'homme-individu une « nature » oubliée et mobilise les ressources de la raison pour réfléchir et formuler les fins de l'humanité. Le cœur enlacé d'une passion qui désordonne l'individu, le déroute au point qu'il ne perçoive plus ni l'appel de sa conscience ni les lumières de sa raison, et l'entraîne au « gouffre », à l'« abîme » (353).

c) Mais l'amour-passion fait pis. Et voilà qui devrait plus que tout convaincre Saint-Preux hostile, comme Julie, à faux-semblant et parodie. L'amour printanier était amour de l'autre dans l'amour de la vertu. Mais, quand l'amour se disjoint de la vertu, ce « commerce criminel » ne peut persévérer que par maligne usurpation d'identité. Il profane et s'approprie le langage de la vertu. Déguisement trompeur entre tous. Les « transports d'amour forcené » sont vécus dans un « saint enthousiasme » qui rend plus longuement cher aux cœurs abusés un amour perdu de passion.

Mais l'amour-enfant, déjà, n'abrite-t-il pas le génie de l'illusoire ? Le plus charmant « délire » enivre, dans *Émile*, les jeunes habitants d'un monde enchanté. Les lettres composant l'*Héloïse* sont des « hymnes » parce que la prose du quotidien n'est pas accordée au battement des cœurs qui s'aiment. Le vrai lieu de l'amour, c'est l'imaginaire.

« L'amour n'est qu'illusion ; il se fait, pour ainsi dire, un autre Univers ; il s'entoure d'objets qui ne sont point, ou auxquels lui seul a donné l'être ; et comme il rend tous ses sentiments en images, son langage est toujours figuré... »

L'éloquence de l'amour « prouve d'autant plus qu'il raisonne moins ».

« L'enthousiasme est le dernier degré de la passion. Quand elle est à son comble, elle voit son objet parfait ; elle en fait alors son idole ; elle le place dans le Ciel ; et comme l'enthousiasme de la dévotion emprunte le langage de l'amour, l'enthousiasme de l'amour emprunte aussi le langage de la dévotion. » (Deuxième préface à l'*Héloïse,* 15-16.)

L'âme religieuse et l'âme aimante ne sont-elles pas, l'une et l'autre, passion de l'absolu ? Rousseau écrivait, dans la *Lettre à d'Alembert,* contre un théâtre qui courtise l'amour et se joue de la vertu, qu'il faudrait « apprendre aux jeunes gens à se défier des illusions de l'amour, à fuir l'erreur d'un penchant aveugle qui croit toujours se fonder sur l'estime, et à craindre quelquefois de livrer un cœur vertueux à un objet indigne de ses soins » (127).

Cette magie du cœur se comprend selon la généalogie des passions qu'évoquait le *Discours sur l'Inégalité.* C'est par l'histoire du lien social que la naissance et l'apprentissage de l'amour sont intelligibles. Il y faut une culture de l'imaginaire qui brise l'indivision primitive ; cette mue du besoin en désir, et le pouvoir acquis de jouir en espérance ; cette ouverture intérieure de la conscience à la pensée de l'irréel.

Tout ce « moral de l'amour » n'est pas plus donné de nature que cet « amour de la vertu où l'auteur du *Contrat* reconnaît « le plus délicieux sentiment de l'âme ». Le rapprochement entre « moralité » et « moral de l'amour » nous rend plus claire la fonction contradictoire de l'imaginaire amoureux : — fixer une âme sur les chimériques attraits d'un objet qui lui donne le change, l'abuse et l'aliène ; — soutenir l'essor d'une âme vers le bien ; l'amour est ainsi vecteur de perfection spirituelle. « Tout n'est qu'illusion dans l'amour, je l'avoue, écrit l'auteur d'*Émile* (qui n'oublie pas sa passion malheureuse pour Sophie d'Houdetot) ; mais ce qui est réel, ce sont les sentiments dont il nous anime pour le vrai beau qu'il nous fait aimer. » (743)

Dans sa longue lettre à M. de Saint-Germain, Rousseau résumera sa conception et son expérience d'un amour qui « s'enflamme à l'image illusoire de la perfection de l'objet aimé ». Mais c'est cette illusion qui « le porte à l'enthousiasme de la vertu » (LPh. 201). Dans le mot « illusion » il y a jeu trompeur ; dans « enthousiasme » il y a ce Dieu intérieur qui inspire et soulève.

« Julie, êtes-vous heureuse ? » Si le bonheur est restauration d'une harmonie intime que la « passion » avait brisée, Mme de Wolmar croit pouvoir se dire heureuse. Mais la dialectique ascendante de l'amour ne sépare les corps que pour unir inséparablement les âmes purifiées. Nous voyons Julie, de la lettre 18 à la lettre 20, récuser l'adultère sans renier l'amour.

On notait au précédent chapitre le contexte, les raisons d'une défense de la famille. Rousseau voit en elle une irremplaçable monitrice d'humanisation ; elle médiatise les premiers rapports entre individu et société. Le *Discours sur l'inégalité* marquait l'effet majeur de la monogamie dans la socialisation d'une humanité moralisable. Ce qu'on retient ici du long propos de Julie, c'est que parjure et mensonge ruinent irrémédiablement l'union conjugale et la paix familiale. Mais c'est aussi qu'à ses yeux l'adultère est négation du pacte social lui-même puisqu'une authentique union entre individus n'existe que par la « foi des conventions ». D'où suit que le genre humain tout entier contracte « engagement tacite » de respecter le « lien sacré » noué par les épox. Alléguer les prétendues liaisons créées par l'adultère entre les familles, c'est confondre l'archaïque brigandage avec ces « sociétés légitimes » qui se fondent sur le respect des conventions acceptées par tous.

(Dans *Émile,* Rousseau sera aussi sévère pour l'adultère, qui fait d'une famille une société d'ennemis secrets.)

Julie-Rousseau n'hésite pas à se chercher un allié inattendu dans le matérialisme du temps : si la pensée est un produit du corps, si le sentiment ne dépend que des organes, l'analogie ne doit-elle pas être plus étroite, l'attachement des âmes plus fort entre deux êtres « formés d'un même sang » ? De quoi convaincre les « raisonneurs matérialistes » que le lien du sang est le meilleur garant d'un amour paternel.

La lettre 20 ne prolonge pas cet ample développement. Mais on y voit Julie prendre un engagement nouveau. Veuve, elle ne se déliera pas du serment de l'épouse ; elle ne se remariera point. On pense à la princesse de Clèves, bien que les motivations soient autres. Mais l'édition de 1763 porte ici une note capitale du romancier. On se souvient qu'arrivant à l'Hermitage il avait projet d'un ouvrage sur « morale sensitive », « matérialisme du sage » : utiliser ou susciter les conditions externes propices à l'exercice de la vertu. C'est ce qu'a compris la jeune épousée ! « Ce qu'il faut changer, observe Rousseau, c'est moins nos désirs que les situations qui les produisent. Si nous voulons devenir bons ôtons les rapports qui nous empêchent de l'être. » Julie a le courage d'un « cœur droit » qui, pour se garder de faillir, « sait s'ôter au besoin tout intérêt contraire au devoir. Dès ce moment Julie, malgré l'amour qui lui reste, met ses sens du parti de sa vertu ; elle se force, pour ainsi dire, d'aimer Wolmar comme son unique époux, comme le seul homme avec lequel elle habitera de sa vie ; elle change l'intérêt secret qu'elle avait à sa perte en intérêt à le conserver ». Bien des lecteurs ont critiqué la résolution de la jeune femme et la confidence qu'elle en fait à Saint-Preux. Mais c'est « à cette seule résolution [...] que tient le triomphe de la vertu dans tout le reste de la vie de Julie et l'attachement sincère et constant qu'elle a jusqu'à la fin pour son mari » (1558).

Où l'on voit que le matérialisme du sage peut prêter main forte à l'accomplissement d'une destinée, et que, sans rien connaître encore de la psychanalyse, Julie prend place en une préhistoire de la « psychologie des profondeurs ».

L'amant de mon âme

Un tel engagement témoigne que l'amour pour Saint-Preux ne s'altère pas. Cependant, une Julie nouvelle étant née au temple, et ce mariage ayant tout « changé » entre les amants, le jeune homme est mis en demeure lui aussi de métamorphoser ses « sentiments » (363). « ...Pour nous aimer toujours il faut renoncer l'un à l'autre. Oublions tout le reste et soyez l'amant de mon âme » (364) ; « nous étions trop unis, vous et moi, pour qu'en changeant d'espèce notre union se détruise » (365).

Cet appel émulatif à la conversion se fait invitation pressante à une « réforme » qui doit être indivisément celle du philosophe et celle de l'amant. Julie, devenant Mme de Wolmar, n'a-t-elle pas « rectifié » et ses « sentiments » et sa « raison » ? Jusqu'alors « dévote à l'église, philosophe au logis », elle ne savait ni ce qu'est prier ni ce qu'est raisonner. Elle se confiait à la « fausse lueur des feux errants ». Elle s'oriente désormais à la lumière d'un « principe intérieur » qui ne trompe pas. En tout époque, tout peuple, tout individu la conscience est insensiblement altérable, sous la pesée des préjugés. C'est donc dans le « secret » d'une conscience libérée que Julie trouve son chemin.

B. Guyon remarque que le mot « conscience » surgit ainsi pour la première fois dans le roman sous la plume de Julie. Cette version d'une philosophie du dictamen dont nous avons traité porte une charge religieuse plus forte qu'en maintes pages à venir. Si je reçois de ma conscience loyalement consultée une juste clarté, c'est parce que la présence de l'« Être éternel » lui est immédiate et intime.

En cette page de l'*Héloïse,* Rousseau implique une anthropologie de filiation malebranchiste dans une religion du sens intime. Selon Julie, comme selon le penseur oratorien, la passion ne m'advient pas du dehors, malédiction ou sortilège ; elle ne fait que défléchir le mouvement (« l'instinct », écrit Julie) qui me porte au bien, dans le désir comme dans le vouloir. Il est donc présumable que je me délierai de l'aliénation passionnelle en retrouvant le sens inéradicable et premier du trajet ascensionnel de l'âme. Mais, si la « beauté de la vertu » est déductible de la « considération de l'ordre », est-ce assez pour vaincre la pesanteur de mon « intérêt particulier » ? Ce qui m'importe le plus « au fond », est-ce de sacrifier mon bonheur à celui des autres... ou l'inverse ? Et si la crainte de la honte ou du châtiment peut me retenir de « mal faire pour mon profit », pourquoi ne pas mal agir en secret ? Que ma « faute » soit découverte, c'est ma « maladresse » qu'on punira. Il est vrai, « le caractère et l'amour du beau » sont empreints « par la nature au fond de mon âme ». Mais cette « règle intérieure » ne me guide à coup sûr que parce que chacun porte en soi une « image » des « perfections » dont la « substance inaltérable » de l'Être éternel est le « vrai modèle ». Cette inaltérabilité garantit la constante pureté de

« l'effigie intérieure », incomparable à tout modèle dérivé d'une expé
rience sensible. C'est par la « contemplation » d'un « divin modèle »,
plus intime encore que la secrète voix de la conscience, que l'âme
« s'épure et s'élève ».

Saint-Preux est donc invité, au terme de la lettre 20, à trouver au
« fond » de sa conscience « quelque principe oublié » (376), qui donnera
un « fondement inébranlable » à sa vertu. L'heure est venue pour lui
d'« épurer par des mœurs chrétiennes les leçons de la philosophie »
(365). Épuration. Élévation. Inaltérabilité... Le lecteur ne peut se
défendre d'un rappel.

Durant son séjour dans le Valais, « nouveau monde » où il s'imaginait
vivant avec elle, Saint-Preux écrivait à Julie comment « une suite
d'objets inanimés » exerce sur « l'âme » un pouvoir dont la philosophie
est incapable. La haute montagne imprime aux méditations « je ne sais
quel caractère grand et sublime ». « Il semble qu'en s'élevant au-dessus
du séjour des hommes on y laisse tous les sentiments bas et terrestres,
et qu'à mesure qu'on approche des régions éthérées l'âme contracte
quelque chose de leur inaltérable pureté. » (78) Le langage de la grande
lettre de Julie à Saint-Preux, c'est l'air des Alpes qui l'avait jadis inspiré
à l'amant. Dans l'oubli des « philosophes », certes, mais sans qu'affleure
un sentiment religieux. Le voyageur s'étonne plutôt que médecine et
morale méconnaissent la bienfaisance de cet air des sommets. Le jeune
homme n'a jamais fait profession d'incroyance ou de scepticisme. Il a
un sens lyrique du sacré. Mais sa religion ne sourd pas comme celle de
Julie d'une épreuve intime.

Pour la reconduire au devoir, son père n'avait pas imploré une
assistance divine ; la sommation de l'honneur lui suffisait. Mais c'est
au jour et devant l'autel de son immolation que fut accordé à Julie,
imprévisible et surnaturel, le secours résurrecteur. Si elle prend alors
conscience de sa destinée, c'est parce qu'une Providence l'appelle par
son nom ici et maintenant ; Julie déchiffre dans la volonté du père la
volonté du Ciel.

Rien de tel chez Saint-Preux. La croyance qu'il professe satisfait
l'impersonnel entendement qui décèle dans les lois immuables de
l'univers la manifestation d'un Ordre. Si cet ordre est providence, il est
philosophiquement irrationnel et subjectivement illusoire d'imaginer une
quelconque intervention transcendante élective, la surnaturelle visitation
d'une âme quelle qu'elle soit.

Mais c'est à l'amant surtout qu'il est demandé d'opérer en lui-même
une « révolution », d'ailleurs « inévitable » (363). Julie lui remémore
donc un passage d'une lettre reçue de lui, à l'aube de leur amour.
L'amour sans honneur, écrivait-il, n'est plus qu'un « honteux commerce » ; il réprouvait la conduite d'Abélard séducteur. En marge de
la lettre de Julie, Rousseau fait renvoi à cette lettre 24 de la première
partie sans observer que, si la jeune femme rectifie ses sentiments et sa
raison, elle ne rectifie pas moins le texte de Saint-Preux : « L'amour,

ce sentiment céleste... » L'apposition (par nous soulignée) ne figurait pas dans la lettre reçue. Ni D. Mornet, ni B. Guyon, ni R. Pomeau ne mentionnent cette instructive addition, inconsciente ou délibérée...

L'état de nature, selon le *Discours sur l'inégalité,* est propre à chacun des membres isolés d'une espèce que l'histoire n'a pas encore enlevée à l'inconsciente bonté d'origine. Ainsi le paradis de l'amour immaculé protégeait de la tentation et du risque le jeune couple isolé. Mais puisque cette pureté n'est plus, seule une entière spiritualisation de l'amour peut le soustraire aux aléas, incertitudes et conflits de la temporalité. On se marie sur terre, on s'aime au ciel.

« ...Pour nous aimer toujours il faut renoncer l'un à l'autre. » (364)

L'existentielle et volontaire soumission de Mme de Wolmar aux obligations et aux contraintes de l'ordre institué qui sépare les amants est la condition désormais reconnue pour que, dans un autre ordre de vie, soit inaltérablement assurée l'union des âmes bien-aimantes. Julie fut chassée par sa « faute » du paradis du pur amour. Le voici regagné par celle qui, accomplissant sa destinée, réconciliée avec ses devoirs, avec le père, avec la mère disparue, peut librement aimer d'un cœur qui ne se sent plus coupable.

Ces forces retrouvées par Julie, c'est au temple qu'elles se sont éveillées, ou réveillées. La lettre 18 et même la vingtième prennent trop souvent le ton sermonneur. Et la « prêcheuse » en convient, avant d'adresser à son ami le tendre et dernier adieu. Un volontarisme transparaît dans l'exhortation, — plus encore quand elle se trace son devoir (« Je veux... je veux... je veux... »). Voilà qui ne nous autorise point à suspecter l'authenticité d'un élan religieux. Contre-épreuve : le tourment de Julie plus tard, quand elle apprendra de la bouche de Wolmar, dont elle admire depuis le premier jour la calme raison, qu'il ne partage pas sa foi. Oui, celui à qui elle s'est unie sous « l'œil éternel » qui lit dans le cœur de chacun et qu'elle croyait « incapable de déguisement » (371). Elle saura un jour les motivations du sage, qui n'a pas besoin de croire en Dieu pour bien faire. Mais elle-même, n'avait-elle pas décidé, ayant pris conseil de Saint-Preux au lendemain du mariage, de taire ses « fautes » à M. de Wolmar ? Pour ne pas préférer la paix de sa conscience au légitime « repos » d'un juste, qui tire son bonheur de l'« estime » qu'il a pour son épouse. Préoccupée de ne pas se donner à lui pour autre que ce qu'elle est *(Vitam impendere vero),* elle garde néanmoins silence, attendant que « le Ciel l'éclaire mieux sur ses devoirs ». (375)

Reste qu'à l'heure où Julie de Wolmar écrit à son ami : « Adorez l'Être éternel », elle ignore qu'elle est la femme d'un athée. L'« incrédulité » de l'époux n'est point un fait exceptionnel parmi les gens de condition. L'épouse en souffre. Mais c'est, aux yeux de la bonne société, infiniment moins grave que d'épouser un petit plébéien. Fût-il croyant.

Amour et mariage

Si Rousseau opère dans l'*Héloïse* une disjonction déchirante entre amour et mariage, ce n'est pas pour sacrifier ou réprouver l'un des termes. Puisqu'il entend valoriser l'un et l'autre contre tous ceux qui, dans les milieux privilégiés, décrient les devoirs de la famille et n'ont plus assez d'âme pour croire à l'amour.

L'impossible mariage entre Julie et Saint-Preux est au principe d'une situation qui permet de marquer l'irréductible différence entre les finalités d'une institution et le naturel élan des cœurs qui se choisissent. Mais il n'est nulle part dit dans l'*Héloïse* que l'essence du mariage exclut l'amour. *Émile* en apportera confirmation. La mission du mariage est de préserver l'amour des égarements passionnels, de raisonner ses forces, de délier l'égoïsme spontané des amants, de les ouvrir, par les relais affectifs et institutionnels d'une vie familiale, aux intérêts de la communauté civile et de l'ensemble humain. Nul préjugé de caste ne faisant obstacle au mariage entre Émile (affranchi de sa parenté nobiliaire par l'« éducation négative ») et Sophie, ils pourront s'épouser. *Émile* est le roman d'une humanité que d'inhumains rapports sociaux ne mettent plus à la torture. Le gouverneur ne tient pas le langage religieux de Julie, monitrice de Saint-Preux. Quand il exhorte l'adolescent à régner sur son cœur, c'est au sage qu'il s'adresse. Mais en *Émile* comme en *Héloïse,* l'amour est force élevante d'une âme qui discipline le désir, et qui communie avec l'âme aimée dans le dévouement au bien et le culte du « beau moral ». Le gouverneur impose aux amants l'épreuve de la séparation et de la durée, pour les persuader que nulle jouissance réelle ne sera jamais aussi vive et pleine que la jouissance imaginée. L'insatisfaction affermit et ennoblit l'amour ; c'est pourquoi l'auteur d'*Émile* veille sur la « pureté » des fiancés.

D'une œuvre à l'autre l'amour ne change pas d'essence. Mais Émile et Sophie s'épousent parce que nulle puissance d'établissement ne les en empêche, et pas davantage le « naturel » pouvoir du père. Sophie sera donc à la fois l'épouse et la femme aimée. Les parents de la demoiselle ont la parole. Mais le propos du père invalide rétrospectivement celui du baron d'Étange : « Je vous propose un accord qui vous marque notre estime et rétablisse entre nous l'ordre naturel. Les parents choisissent l'époux de leur fille, et ne la consultent que pour la forme : tel est l'usage. Nous ferons entre nous tout le contraire ; vous choisirez et nous serons consultés. » (*E.* 757)

Si l'amour est toujours l'amour, le mariage n'est plus ce qu'il était. Le lecteur du roman est certes informé que l'éducation reçue par Sophie la destinait à Émile. Leur rencontre fut préparée. Mais ils s'aiment et nul ne décide à leur place.

Julie de Wolmar s'engageait à remplir ses devoirs d'épouse sans faiblesse, sans regret, et sans arrière-pensée. Mais l'auteur d'*Émile* pose la question qu'elle refuse de se poser : « ...Comment a-t-on pu faire un devoir des plus tendres caresses ? » (862-3)

On comprend que ceux qui avaient entendu dans la *Julie* une protestation contre un ordre social vicié aient avec joie trouvé la contre-épreuve dans l'*Émile*. Encore n'eurent-ils pas, pour confirmer leur conviction, la faculté de lire la suite amorcée par Rousseau : la première lettre des *Solitaires* narrait comment un si bel amour, un si judicieux mariage ne résistent pas au changement que la « fatale ville » entraîne dans l'existence et le cœur des jeunes époux. Dans l'*Héloïse* une société interdit le mariage ; dans les *Solitaires* une société dénoue le lien qu'il avait formé. Émile, comme Saint-Preux, prend le chemin de l'exil.

Les circonstances sont pourtant différentes. L'amour de Julie, avant même de dégénérer en ce qui lui paraît criminelle passion, récuse une société au nom du droit de la nature. Or, si l'amour d'Émile et Sophie se défait, c'est parce qu'ils se sont écartés du chemin tracé par cette nature qui avait toujours veillé sur eux. Imprévoyance du gouverneur qui s'efface trop tôt. Imprévoyance d'Émile qui, sourd au conseil de Sophie, s'installe dans la « capitale » avec elle et leur tout jeune fils. Si son expérience du monde recoupe celle de Saint-Preux découvrant Paris Émile résiste moins bien. Toujours fidèle, il ne sait plus aimer comme avant. Sophie esseulée noue des amitiés qui l'égarent. Mais son âme est trop fière, trop éloignée du mensonge, elle a une trop haute idée d'Émile pour ne pas lui avouer qu'elle est enceinte d'un autre. Sa conscience de la faute lui interdit, comme à Julie, de se pardonner et de quêter l'indulgence. Comme Julie, elle attend de l'homme aimé, estimé qu'il montre, dans l'épreuve, cette force qu'elle n'a pas su trouver en elle-même quand il le fallait. Mais le sentiment de sa culpabilité ne vibre d'aucun accent religieux et, pas plus que dans la deuxième lettre des *Solitaires,* ne se perçoit l'écho de la *Profession de foi du Vicaire savoyard.*

Compromis spirituel

Pourtant, si cruelle soit en la nouvelle Héloïse la brûlure du peccamineux, le lecteur du roman peut, sans altérer l'authenticité d'une souffrance, écarter la tentation de juger Julie comme elle se juge. Non pour la quereller sur son attachement au père, son refus de fonder un foyer en rompant le lien filial. Encore moins pour traiter légèrement l'affliction spirituelle, le désespoir moral de celle qui a failli au devoir qu'elle s'était tracé de se garder intacte jusqu'au mariage. Ne serait-ce pas, sous couleur de modernité, une étrange façon de défendre sa liberté de choix ?

Une fondamentale question se pose, d'un autre type. Au-delà du drame vécu par Julie et Saint-Preux, sans l'atténuer ni trahir l'esprit d'une œuvre. Cette question a pour unique objet le rapport individu/société. Et l'on verra qu'en quatrième partie du roman, Wolmar, législateur de Clarens, entend réconcilier l'individuel et le social.

Une société qui se défend s'accommode de la galanterie des femmes de condition, que le mariage ne dissuade pas de prendre amant. Telle n'est point Mme de Wolmar. Mais le même ordre social sanctionne inexorablement toute union qui transgresse la barrière de caste.

Qu'on se rappelle les circonstances et le moment de la « crise » qui jette Julie dans les bras du jeune homme et dont elle n'émerge que pour souffrir la détresse d'une déréliction. Le mal qu'elle s'impute serait-il advenu si l'annonce du mariage prochain avec Wolmar ne l'avait pas bouleversée au point qu'elle perde tout pouvoir sur son désir ? Saint-Preux, qui n'est pas Abélard, encore moins Félix Vandenesse, saurait, lui aussi, s'imposer l'attente si leur amour n'était pas frappé d'illégitimité. Nostalgie de Julie d'Étange, le Paradis de l'amour premier était un paradis caché. Avant toute « faute », cet amour secret, qui n'avait pour lui que le droit de l'ombre, comme les dieux d'un peuple subjugué, n'était-il pas réprouvé ? Et combien d'autres, moins dociles que Julie à l'éducation reçue, se seraient dès le premier aveu sentis coupables devant le Père ! En peut-il être autrement quand c'est la voix du sang qui commande ?

Évoquant les commencements de son amour, Julie écrivait au début de la lettre 18 : « ...Je serais à lui si l'ordre humain n'eût troublé les rapports de la nature ? » (340) Six ans plus tard, quand ils se revoient à Clarens, chacun se dira, observant l'autre à la dérobée : « Je n'avais pas trop mal choisi. » (428) (Convenance, Julie ?)

Un amour si constant, M. d'Étange n'avait certes pas besoin d'en connaître tout le devenir tourmenté pour prononcer le verdict du seigneur vaudois. « Passion honteuse... » Le baron a-t-il jamais porté un si sévère jugement sur ses infidélités de jeunesse ? Il est vrai, M. d'Étange eût sacrifié le bonheur de ses vieux jours à celui de sa fille si, la promettant à Wolmar, il n'avait pas engagé l'honneur de sa maison. Reste qu'à son estime le mariage d'une héritière d'Étange avec un petit plébéien serait moralement délictueux. On avait depuis la prime enfance préparé l'unique fille à remplir les devoirs de son sexe et de son rang. N'eût-elle jamais assombri le ciel d'un amour innocent, s'éprendre d'un roturier de son âge, s'instruire avec lui des droits de la commune humanité, c'était, contre une société excluante et close, l'insurrection du cœur et de l'esprit. Passion « honteuse » ? La honte la plus accablante, la honte absolue serait, pour M. d'Étange, le reniement d'une parole de gentilhomme à gentilhomme. Et l'inexpiable « faute » de sa fille serait, par son refus d'épouser M. de Wolmar, de crucifier l'honneur du nom.

Toutefois, pour que Julie d'Étange et Saint-Preux soient quittes, il devront entrer en « réforme ». Lorsqu'une société ne peut persévérer

ROUSSEAU

dans son être qu'en déniant le droit de l'individu au bonheur qui la
défie, ne faut-il pas que l'individu se transforme du dedans ? Une
déraisonnable hiérarchie des hommes et des choses en appelle à sa
« raison » pour qu'il s'impose l'ascèse et le sacrifice exemplaires.
Convertis ton âme et purifie ta vie pour que ce monde n'ait pas à
s'humaniser... Ainsi s'ordonne l'édifiant tableau du perfectionnement
personnel et de la continuité sociale. Et l'« harmonie » intérieure
d'un être inachevé conforte l'insoupçonnable assise des grandeurs
d'établissement.

Il n'est pas indispensable qu'une foi religieuse, comme au temps
de Julie-Héloïse, assiste les âmes pour qu'une société occulte ses
contradictions, ses problèmes, ses absurdités, ses méfaits par la fervente
célébration des héros. L'exaltation du sacrifice volontaire des meilleurs
dispense de s'inquiéter des malformations du corps social. Celui-ci n'a-
t-il pas motif de s'admirer pour si bien savoir, quand besoin est,
enfanter le sublime ? Mais, aujourd'hui non moins qu'hier, l'abolition
des privilèges du sang et de l'argent n'exonère ni l'individu ni la société
d'une réflexion critique sur la nature et le sens, le moment et le lieu
des obligations réciproques.

Quoi qu'il en soit, dans le roman de Rousseau, l'individualisante
assomption du mal d'inégalité, prélude au renoncement régénérateur,
est médiée par la conscience religieuse.

« Dans presque toutes les contrées, note Diderot, la cruauté des lois
civiles s'est réunie contre les femmes à la cruauté de la nature. Elles
ont été traitées comme des enfants imbéciles. » Leur seul recours : la
dévotion.[9]

Rousseau reproche aux « philosophes » du siècle de pactiser avec une
société qu'ils ont l'air de condamner. Mais la parole du pasteur ne
communique-t-elle pas à Julie la force de vouloir ce que veut une
société enchaînée à la « chimère des conditions » ? La sacralisation de
l'anneau conjugal est propice à l'intériorisation morale d'une norme
jusqu'alors récusée.

Mais la mutation vécue par Julie, et qu'elle espère de Saint-Preux,
ne requiert aucune abjuration de l'amour, et n'exige aucun rachat. La
voix du Ciel, qui fait événement pour imprimer à l'existence de Julie
un cours nouveau, ne condamne pas l'amour à l'oubli. L'intervention
providentielle du religieux n'a pas pour seul effet une adhésion morale
à la volonté du père ; elle suggère, autorise et légalise le pacifiant
compromis spirituel entre l'épouse et l'amante. Le mariage s'accomplit,
l'amour se préserve.

Ce n'est pas seulement la disjonction entre amour et sexualité qui
garantit les droits du cœur et facilite la sublimation céleste. C'est
l'immuable position de Julie de Wolmar irréversiblement fixée au centre
du royaume de Clarens, cependant qu'un lointain Saint-Preux, irréel
presque, sillonne les océans. Mieux Julie assumera sa condition dans
l'accomplissement de ses obligations d'épouse, de mère, de reine de

Clarens (qu'elle ne quittera jamais), mieux elle se persuadera que l'amour a le partage d'une autre vie. Cette vie de l'âme qui, Lamartine l'écrira dans l'*Isolement,* n'a pas son « lieu » au « terrestre séjour ».

Le parti tenu par Julie de Wolmar fait mesurer la force qu'une conscience religieuse peut opposer aux forces du doute. Autant que Saint-Preux, elle entend se dévouer aux intérêts de l'humanité. Mais toute imperfection de la réalité quotidienne l'achemine à la certitude que la vraie vie est ailleurs. La cruauté du monde authentifie et sauvegarde l'absolu. Un même geste préserve la pureté du ciel et la loi du monde. Julie, un jour, se sentira suffisamment armée pour accepter le retour de Saint-Preux. Sa présence à Clarens sera signe et signature d'un accord silencieux et visible entre le devoir et le cœur, entre le ciel et la terre.

Le sage Wolmar, cependant, entreprend d'associer Saint-Preux, victime du préjugé de caste, au succès d'un projet qui défie l'inhumanité du lien social, et qui est d'autant plus cher à ce prince éclairé qu'il ne croit pas à la vie future : dans les bornes de Clarens construire, par le franc et cordial concours de tous, une communauté où la confiante harmonie des âmes permettra le libre épanouissement de chacun. Saint-Preux s'élevait contre la violence faite aux amants par un « ordre » social qui offense la « nature ». Wolmar invite les amants séparés à découvrir que leur pathétique histoire fut l'inéluctable épreuve qui les préparait à l'exemplaire félicité de Clarens : vivre, avec d'autres, dans l'union aimante et raisonnée des âmes.

Nous reparlerons plus loin de cette communauté. Il faut d'abord, revenant sur nos pas, rejoindre l'amant de Julie au lendemain du mariage de la jeune fille.

Pour qui vivre ?

Deux années s'écoulent entre la seconde lettre de Julie sur son mariage et la lettre qui suit dans le roman. Signée de Saint-Preux, qui séjourne à Londres depuis deux ans, elle est destinée à Bomston. La pressante invitation de Mme de Wolmar à une « réforme » n'a pas entraîné l'adhésion de Saint-Preux. Il n'a d'autre projet que le suicide... mais prend le temps de solliciter l'opinion de Bomston.

L'argumentation de Saint-Preux sur le droit au suicide a pour double enjeu la liberté de l'homme et son rapport à Dieu. « Oui, Milord, il est vrai ; mon âme est oppressée du poids de la vie. » (377)

Saint-Preux prend appui sur une philosophie du libre vouloir, qui ajuste intrépidement le christianisme à ses principes et à ses fins propres. C'est parce que Dieu nous a donné l'être que nous sommes inconditionnellement propriétaires de notre vie. Ce Dieu de qui nous avons reçu notre entière autodisposition nous a, comme la nature,

voulus heureux. Si donc mon existence est la proie d'un insupportable
« mal-être », non seulement je ne désobéirai pas au créateur en me
donnant la mort, mais ma décision sera conforme à l'ordre universel.
S'il est légitime de sacrifier un bras gangrené pour sauver le corps, le
serait-il moins, quand la vie sur terre est intolérable, de délier
volontairement de ce corps périssable une âme immortelle ? N'est-ce
pas alors que « ma substance épurée sera plus une, et plus semblable à
la sienne ? » (379) On ne saurait mieux impliquer le christianisme dans
une apologétique du suicide.

Saint-Preux, qui a relu son *Phédon,* corrige Socrate pour qui l'homme,
appartenant aux dieux, n'est pas plus en droit de se tuer qu'un esclave
qui se tue contre le gré du maître (*Ph.,* 62 b, c). Il estime que, lorsque
notre vie est un mal pour nous sans être un bien pour personne, il est
« permis de s'en délivrer » (378).

Saint-Preux défend à la fois la vraie sagesse et la vraie religion. Il se
réclame du platonisme contre l'« argument spécieux » de Socrate ; il
revendique un christianisme authentique et originel contre la contamination néoplatonicienne.

a) Socrate (*Ph.,* 83 b, c) définit l'effort du philosophe pour se
« délier » du monde illusoire enfanté par les sens, pour s'affranchir de
tout plaisir et de toute peine enclouant l'âme au corps. Les âmes que
guide le philosophe apprennent ainsi à s'assembler, à se ramasser sur
elles-mêmes, à ne prêter foi qu'à l'exercice autonome de leur pensée
maîtresse de soi. Saint-Preux prend le relais. La « principale occupation
du sage » n'est-elle pas de « se concentrer, pour ainsi dire, au fond de
son âme, et de s'efforcer d'être mort durant sa vie ? » (380) « Nous
recueillir au-dedans de nous-mêmes », « nous élever aux sublimes
contemplations », moyen découvert par la raison pour nous soustraire
aux misères de cette vie. Le plaidoyer pour le droit au suicide trouve
ainsi justification inattendue dans le thème platonicien du philosophe
en mal de mort qui prépare une âme impérissable à sa destinée.

Mais l'argumentaire tire aussi parti du stoïcisme romain : réputer
lâche l'homme qui se soustrait aux douleurs et peines de l'existence
quand « l'ennui de vivre » l'emporte sur la naturelle « horreur de
mourir », c'est oublier l'héroïque grandeur des Romains qui préféraient
la mort volontaire plutôt que de concéder au « crime heureux »
l'hommage de « la vertu dans les fers ».

b) Ne pouvant ignorer la condamnation portée par le christianisme
contre le suicide, Saint-Preux constate le silence de Jésus et des apôtres
sur la question. On cherche en vain dans la Bible non seulement une
loi contre la mort volontaire, mais une simple improbation. Ne déduisons
ni des principes de la religion — Rousseau avait d'abord écrit « religion
naturelle » —, ni de sa « règle unique », l'Évangile, une interdiction
prononcée par Lactance et Augustin. Mais Saint-Preux va plus loin, et
l'on ne saurait mieux absorber le christianisme dans la religion naturelle.
Au nom d'une « raison » que ne peut qu'approuver une religion qui ne

lui est jamais « contraire »... L'homme ne semble né que pour souffrir, mais sa raison veut qu'il s'épargne tous les maux qu'il a pouvoir d'éviter. Savoir se résigner aux maux inévitables — de loin les plus nombreux —, voilà le « mérite » que Dieu nous reconnaît dans l'au-delà. Il n'exige pas davantage de ses libres créatures. « La véritable pénitence de l'homme lui est imposée par la nature. » Fuyons donc « sans scrupule » tous les maux que nous avons la faculté de fuir ; il nous en restera toujours trop à souffrir encore. Conséquence : quand la vie même devient « un mal pour nous », celui qui s'en délivre « sans remords » n'offense « ni Dieu ni les hommes ». (385)

Audacieuse (impudente ?) refonte de la doctrine chrétienne du mal...

Saint-Preux ne demande pas que le genre humain s'immole collective-ment. Mais il est, hors de « la route commune », des favoris du malheur. N'ayant reçu de la « nature » que désespoirs et douleurs, ceux-là sont habilités à bénéficier du droit humain au suicide. Saint-Preux observait plus haut que toutes les considérations qui légitiment ce droit à ses yeux se réduisent « au plus simple des droits de la nature qu'un homme sensé ne mit jamais en question » (383). Une telle conception de la libre initiative humaine, opposée au quiétisme immobi-liste, ne fait qu'un, dans son esprit, avec la conception d'un Dieu qui nous a créés majeurs : ma liberté, ma conscience, ma raison sont d'un être qui est seul juge de ses actions. Et, comme ce créateur a inscrit dans le cœur de l'homme l'impératif de l'acte utile, qui justifie tout ce qui m'est « salutaire » pourvu que nul autre n'en pâtisse, Saint-Preux conjoint, dans son apologie du droit au suicide, une philosophie de la liberté et une philosophie de l'utile. Et c'est ici que son propos fait valoir sa plus concrète motivation.

C'est parce que vivre a perdu sens pour lui que le choix de la mort volontaire lui apparaît comme celui d'un être raisonnable et libre. Il sait que les « devoirs envers autrui » interdisent le suicide à ceux qui ont charge d'âmes. Mais « quand la faim, les maux, la misère, ennemis domestiques pires que les sauvages, permettraient à un malheureux estropié de consommer dans son lit le pain d'une famille qui peut à peine en gagner pour elle, celui qui ne tient à rien, celui que le Ciel réduit à vivre seul sur la terre, celui dont la malheureuse existence ne peut produire aucun bien, pourquoi n'aurait-il pas au moins le droit de quitter un séjour où ses plaintes sont importunes et ses maux sans utilité ? » (383).

C'est donc le sentiment d'une solitude inutile — autre chose que la solitude qui fixait Rousseau à l'Hermitage pour le service des vérités utiles aux hommes —, qui incline Saint-Preux au suicide. Un tel langage sera plus tard favorablement reçu par bien des solitaires altiers dans une société où s'éteint l'espérance des Lumières, où se dissout le sens de la vie. « ...L'ennui de vivre nous rend la mort désirable. » (386)

Julie, dans son avant-dernière lettre à Saint-Preux (VI, 8), méditera elle aussi sur cet « ennui » ; mais sous un autre éclairage. Ce n'est pas le malheur d'une existence inutile, c'est l'impuissance de la vie la mieux vécue à remplir une âme inassouvie qui fait désirer la mort, porte ouverte sur le surnaturel accomplissement d'une aspiration à la complétude bienheureuse.

Le dernier mouvement de la lettre de Saint-Preux tente d'associer Bomston au projet de mort volontaire. Saint-Preux, ayant écrit (comme l'écrira le Rousseau des *Rêveries*) qu'il est « seul sur la terre », ne peut se dissimuler qu'il n'a pas le droit d'oublier son fidèle ami. Mais puisque celui-ci a, comme lui, l'expérience du malheur, puisqu'ils ont l'un et l'autre la lucidité d'un âge où l'on « sait encore mourir », pourquoi les deux amis, qui sont « dignes [...] d'une habitation plus pure », se refuseraient-ils la volupté de mourir dans les bras l'un de l'autre ?

« Ils s'en vont ensemble ; ils ne quittent rien. » (386)

La réponse de Bomston prend le jeune homme à contre-pied. Saint-Preux alléguait l'immortalité de l'âme pour justifier le suicide. Sans doute, d'intolérables souffrances physiques peuvent-elles aliéner la volonté, la raison au point que s'ôter la vie soit se séparer d'un corps où l'âme n'est déjà plus. (Ainsi Rousseau envisage-t-il un moment le suicide si sa maladie lui devenait intolérablement cruelle.) Mais les douleurs de l'âme ne seraient intolérables que si la durée était impuissante à les faire oublier. (Protestation du romancier en marge de la lettre : l'oubli met le comble à nos misères ; mieux vaut le regret d'un bonheur perdu que de ne tenir plus à rien.)

Surtout, Bomston retourne contre Saint-Preux sa philosophie de la liberté. L'essentielle disposition de soi dont se prévaut le candidat au suicide place l'homme devant les responsabilités d'un être qui, âme et corps, a quelque chose à faire de lui-même ici-bas. « Il y a bien, peut-être, à la vie humaine un but, une fin, un objet moral ? » (387)

Raisonnant comme s'il devait toujours n'être « occupé » que de soi, Saint-Preux s'octroie le droit de s'anéantir, sans penser même au mal qu'il ferait à Julie : « ...ne saurais-tu vivre pour celle qui voulut mourir avec toi ? » (391)

Les illustres suicides romains ? Ce n'est pas pour éluder son devoir de citoyen, ou par désespoir d'amour que Caton, lecteur de Platon lui aussi, s'est déchiré les entrailles. D'autres plus tard, parce qu'ils ont encore une âme de citoyen, se donnent la mort dans Rome asservie ; opposant à la volonté de puissance la puissance de la volonté, ils retrouvent, avec leur « liberté naturelle », leurs « droits sur eux-mêmes ». Autre est la situation de Saint-Preux qui méconnaît tous ses « devoirs d'homme et de citoyen ». La mort qu'il médite est un « vol fait au genre humain » (393). Faut-il être magistrat ou père de famille pour être comptable à ses semblables de l'usage qu'on fait de sa vie ? L'humanité ne congédie aucun des siens. Et voici pour celui qui, durant son séjour parisien, avait conçu la nécessité d'un « art d'agir », une recommandation pratique : chaque fois qu'il sera tenté de quitter la vie, il s'imposera préalablement un ultime « bonne action ». Il y aura toujours un indigent à secourir, un infortuné à consoler, un opprimé à défendre. Il sera toujours trop tôt pour chercher dans la mort un ultime refuge contre l'urgent devoir d'humanité.

Saint-Preux apprenti

Le lecteur connaissait assez Saint-Preux pour prévoir qu'il ne serait pas Werther, qui ne refuse rien à son cœur, ce petit enfant malade. Si d'ailleurs il était vraiment déterminé au suicide, pourquoi cette longue lettre à Bomston ? Mais, le jeune homme consultant son aîné sur la légitimité d'un suicide, la critique n'a pas manqué de constater, une fois de plus, qu'il ne peut se passer d'un mentor, et que l'amant de Julie n'a ni la fermeté de Mlle d'Étange ni celle de Mme de Wolmar.

« Ô Julie, s'écriait-il dans une de ses premières lettres, votre âme a deux corps à gouverner. » (74) « Âme faible, écrira Julie, mais saine et aimant la vertu. » (403) C'est ce que Rousseau dit de Jean-Jacques. Mais l'amour de la vertu n'est-il pas lui-même vertu quand il insuffle au faible la force de vouloir et de faire ? Faible Saint-Preux trop souvent... Mais n'est-ce rien que d'avoir eu le courage plébéien de ne jamais fléchir le genou devant le baron, « quoi qu'il y eût, écrira Julie de Wolmar, un si grand intérêt et que je l'en eusse instamment prié » (429). Saint-Preux n'obéit donc pas toujours à Julie ?

Au livre IV d'*Émile,* Rousseau définira l'amour comme une « seconde naissance ». Mais, si Julie est née à l'amour avec Saint-Preux, c'est avec lui qu'elle a fait aussi la découverte d'une échelle de jugements et de valeurs qui contestent les prénotions familiales. Le lecteur du roman pourrait se poser une question : était-il facile pour un très jeune intellectuel roturier, sans attaches, sans nom, sans expérience, de trouver son assise, au début des années trente, dans cette aristocratique compagnie vaudoise qui ne sort jamais d'elle-même ? Saint-Preux faible... A-t-il jamais pardonné à cette société de l'avoir interdit de mariage avec celle qu'il aimait ? Il écrivait à Claire : « Un dépit, une rage inflexible m'aigrit contre tant de revers. » (313) Il avait donné foi aux promesses de Mlle d'Étange. Et voilà qu'il lui faut lire dans la première lettre de Mme de Wolmar : « Je vous flattai d'un espoir que je n'avais pas. » (346) Quand il aura rejoint les maîtres de Clarens, l'honnête Wolmar, lui remettant « l'autorité paternelle » sur ses enfants, écrira bravement : « vous confier mes droits après avoir usurpé les vôtres. » (621)

L'infortuné Saint-Preux a compté dans son siècle. Ce naïf rural d'Helvétie initie l'Europe urbanisée des Lumières au charme d'une nature où l'homme a son vrai site, ce « nouveau monde », cette incomparable et purifiante beauté des paysages alpestres. Surtout, c'est lui qui révèle aux gens d'esprit et aux adolescents tôt vieillis que l'amour n'est pas badinage, mais engagement. Cette « âme simple » (comme dit Claire d'Orbe) leur apprend ce qu'ils préféraient ignorer ; il les force au respect du sentiment. Se donnant tout entier à celle qu'il aime, il fait ce que d'autres ne sauront jamais faire, savants contrôleurs de leur discours et, s'il arrive, de leurs émotions. Mme de Wolmar confiera un jour à sa cousine : « Comme il savait aimer... » (403)

Faible Saint-Preux... Bomston, qui le presse d'être homme, a compris qu'il est taillé « pour combattre et vaincre » (193). La faiblesse de Saint-Preux n'est que celle de l'immaturité ; il apprend. « Mon cher philosophe », lui écrit Julie dans son avant-dernière lettre, « ne cesserez-vous jamais d'être enfant ? » (687) Elle ne croit pas si bien dire : Saint-Preux suivra toujours d'abord le mouvement de la nature. Mais, si la « nature » est le cri du cœur, c'est en elle aussi que le jeune plébéien sans-famille trouve le fondement d'un appel à la liberté de l'homme. Car c'est sa voix qui, en ce roman — singulièrement dans sa dernière lettre à Julie —, fait parler une philosophie de la liberté qui ébranle et vivifie tout le siècle. Cette liberté, attestée par le « sentiment intérieur » (683), est autodétermination, autodisposition d'un être qui a reçu de Dieu l'inaliénable pouvoir de choisir et d'agir. Julie professant que la puissance divine veille sur « chaque individu » (672), Saint-Preux est trop philosophe pour admettre une intervention surnaturelle qui contrarierait les lois de l'univers. « En créant l'homme [Dieu] l'a doué de toutes les facultés nécessaires pour accomplir ce qu'il exigeait de lui, et quand nous lui demandons le pouvoir de bien faire, nous ne lui demandons rien qu'il ne nous ait déjà donné. Il nous a donné la raison pour connaître ce qui est bien, la conscience pour l'aimer, et la liberté pour le choisir. [C'est déjà, à peu de choses près, la formule du Vicaire.] C'est dans ces dons sublimes que consiste la grâce divine, et comme nous les avons tous reçus, nous en sommes tous comptables. » (683)

Il n'y a ainsi parmi les hommes pas plus de privilégiés du Seigneur que de miraculables. La prière serait-elle « inutile » ? Non, si elle peut être une « ressource contre mes faiblesses » (684). Mais, Dieu ayant confié le genre humain à lui-même, le secours imploré n'est qu'en nous. Ce n'est pas Dieu qui nous change, « c'est nous qui nous changeons en nous élevant à lui » (684). On lit au brouillon un texte encore plus net : « Nous apprenons à faire usage de nos forces en lui demandant celles que nous croyons ne pas avoir. » (1780)

On voit ainsi comment, Dieu ayant créé une humanité qui s'appartient souverainement, Rousseau soumet le déisme de la religion naturelle aux exigences (théoriques, pratiques) d'une philosophie de la liberté, — en un temps où le matérialisme est incapable encore de dépasser l'alternative entre liberté humaine et nécessité universelle. Cette adhésion principielle du déisme à la liberté de l'homme peut introduire à la mission initiale que Rousseau reconnaîtra au Christ dans sa *Lettre à Franquières* : affranchir tous les peuples.

On conçoit aussi qu'au regard de Saint-Preux la seule société digne de l'homme est une communauté d'individus égaux, libres, majeurs. C'est ce qu'il pense avoir découvert dans le Haut-Valais, où il rêvait de vivre avec Julie. Le trouvera-t-il, sous une autre forme, à Clarens ?

L'universel humain

Grâce à Bomston Saint-Preux inaugure une étape nouvelle de son apprentissage... Le Saint-Preux que tente le suicide est captif d'une subjectivité pathétique inapte à se situer, à se dominer. Il ne s'en déliera que par l'apprentissage de l'universel humain que tout individu doit s'approprier pour accomplir, dans sa singularité maîtrisée, rénovée, les fins morales de notre espèce. (Apprentissage qu'Émile effectuera avec l'avantage initial d'une « éducation négative ».) Cette fonction du possible dévolue à la perfectibilité — faculté par quoi toute faculté s'actualise — marque une des plus sensibles différences entre Saint-Preux et l'Oberman de Sénancour, qui demeure et souhaite demeurer semblable à lui-même. Mais, si l'objet de la « réforme » selon Julie est de transmuer l'amour par un salvateur dépassement de l'état passionnel, c'est à l'action, génératrice de renouveau, que Bomston appelle son cadet. L'épreuve de l'amant désespéré était involontaire propédeutique d'une conscience qui doit apprendre désormais comment « l'exercice de sa volonté » lui ouvre l'horizon de cette « vie active et morale » qui intéresse et mobilise « tout [...] l'être » de l'homme au service de fins universelles. (388)

Bomston prend le relais cartésien. Une volonté disposant de soi souverainement, quel que soit l'homme et quelles que soient les circonstances. C'est cette libre force de l'âme qui offre au « généreux » un remède général contre tous les dérèglements des passions ; elle lui confère un « empire absolu sur sui-même » (*Traité des passions*, art. 203), quelle que soit l'issue du combat contre l'adversité. Bomston l'écrira un jour à Saint-Preux : « On n'a besoin que de soi pour réprimer ses penchants. » (526) C'est une telle recommandation que Saint-Preux doit entendre pour sortir de l'enfance, pour accéder à cette liberté où il cherchait justication du suicide. La vertu mobilise l'énergie d'un vouloir qui règle les puissances de la passion sous les finalités de raison. La raison ayant son siège en tout membre de l'espèce homme, la vertu actualise l'autonomie d'un être moral. Spinoza enseignait que la passion serait vertu si elle était libre. Est vertueux non celui qui tente la chimérique excision de l'affectif, mais celui qui sait, comme l'homme-citoyen du *Contrat social,* obéir à la loi qu'il se donne.

La passion de Saint-Preux est donc, selon Bomston, moins « faiblesse » que « force mal employée ».

« ...la sublime raison, écrivait-il à Claire, ne se soutient que par la même vigueur de l'âme qui fait les grandes passions. » (193) C'est le moment de rappeler que l'âme est indivise. Cette ontologique indivision, qui sous-tend l'unité du vouloir, fait que la vertu, elle aussi, est une. L'article défini singulier, grammaire de la célébration ? Ce singulier a une intention plus profonde. Multiples sont les devoirs de l'homme et du citoyen ; mais la vertu, acte de cette volonté une, qui opte pour l'Ordre universel contre une particularité dissociante et captieuse, est indivisible. Elle n'oblige donc pas à moitié ; on ne la décompose pas pour admettre une partie et rejeter l'autre. Quand on l'aime, on l'aime dans toute son intégrité.

Pour l'homme de volonté droite et ferme le « beau moral » n'est pas objet spéculatif. La vertu est pratique ou n'est pas. Elle n'est donc aimable que par les fins qui motivent son exercice effectif. C'est précisément parce que Rousseau prend vertu au sérieux qu'il rapporte au livre II des *Confessions* comment son sincère désir de bien faire le détermina, encore adolescent, à éviter les situations qui lui donnent un « intérêt contraire à l'intérêt d'un autre homme, et par conséquent un désir secret quoiqu'involontaire du mal de cet homme-là » (*C.* 56). Il y a donc une vertu négative. Si la transcendance des ultimes finalités faisait fi d'un « matérialisme du sage » le vertueux ne s'exposerait-il pas à parler sans agir, ou pour ne point agir ?

Durant son séjour parisien Saint-Preux qui, n'ayant pas encore vingt ans, gardait mémoire des montagnards valaisans, n'avait pas été frappé seulement par la plus grande inégalité qui se pût trouver (« la plus somptueuse opulence et la plus déplorable misère »). Il avait découvert en pleine ville un « immense désert ».

Nous avons rencontré ces pages au chapitre 5 (I). Ce qui fait, pour le jeune immigré, l'immoralité de cette prétendue bonne société, c'est l'incessant démenti de l'acte à la parole. Si l'on prenait au mot tous ceux qui mettent sur l'heure à votre disposition leur crédit, leur bourse, leur maison, leur équipage la « communauté des biens » serait déjà presque établie dans le royaume de France.

Mme de Wolmar mettait son ami en garde contre une abstraction de vertu, « nom de parade qui sert plus à éblouir les autres qu'à nous contenter nous-mêmes » (376). Mais si, pour elle, une vertu pleinement réfléchie emporte adhésion de la conscience au surnaturel, Bomston en appelle à l'action : « Il faut pour vous rendre à vous-même que vous sortiez d'au-dedans de vous, et ce n'est que dans l'agitation d'une vie active que vous pouvez retrouver le repos. » (394) Qu'après la révolte, puis le désespoir, le jeune homme rende sens à sa vie en se construisant un futur ! Vient le temps de l'initiation à l'universel humain. Ses découvertes aideront Saint-Preux à se forger, dans un monde mieux connu, une expérience élargie du réel et du possible, à se situer, à se penser autrement.

Dans une note du *Discours sur l'inégalité* était évoquée l'heureuse époque où les Platon, Thalès, Pythagore entreprenaient de longs voyages d'exploration « uniquement » pour s'instruire » de la « science commune des sages » : « connaître les hommes par leurs conformités et par leurs différences. » (213) Voici donc Saint-Preux ingénieur des troupes de débarquement sous les ordres de l'amiral Anson, qui n'est pas une fiction romanesque et qui part pour un tour du globe avec cinq bateaux de guerre.

L'Angleterre saluée par Voltaire reconnaît la valeur d'un roturier suisse expatrié. Elle va lui apprendre comment elle défend ses intérêts sur l'eau. Saint-Preux, que l'image de Julie (et de Claire) ne quitte pas, obéit donc à Bomston, son ami, bienfaiteur et père. « Errant sans famille et presque sans patrie », l'amour lui tenant lieu de tout, il avait trouvé dans le Haut-Valais le calme du cœur. Peut-être le trouvera-t-il sur les mers lointaines.

Du périple qui l'a conduit d'un hémisphère à l'autre, Saint-Preux ne fera, dans une lettre à Claire, qu'une brève mais instructive relation. Il marque son hostilité aux guerres de conquête, à l'oppression des peuples, à l'esclavage. Il n'est pas de ceux qui professent que c'est la volonté de Dieu ou l'arrêt du destin qui règlent le cours de l'histoire. Il défend partout les droits de l'humanité. « ...voyant la quatrième partie de mes semblables changée en bêtes pour le service des autres, j'ai gémi d'être homme. » (414) Il fait l'éloge du peuple anglais « intrépide et fier, dont l'exemple et la liberté rétablissaient à [ses] yeux l'honneur de [son] espèce » ; mais il ébauche le portrait de l'Européen spoliateur, fléau des peuples asservis. Après une infernale bataille il a « rougi » de recevoir une part du butin pris sur un gallion espagnol. Ce ne sera qu'un « dépôt » qui, ôté à des malheureux, sera rendu à des malheureux.[10]

Saint-Preux évoque les îles où il a pris pied. Macao, arrachée à une « solitude » où rien ne manquait à « l'homme civilisé » ; « l'industrie humaine » l'a plongée dans le gouffre des besoins artificiels. Juan Fernandez dont « l'avide Européen » a chassé « l'Indien paisible » sans vouloir y habiter lui-même. Il accoste sur une île « confinée au bout du monde pour y servir d'asile à l'innocence et à l'amour persécutés » (413).

Ces rudes parcours l'ont bronzé. Il a trente ans. Mais l'amour est toujours pour lui la vie de l'âme. Rentré en Europe, il souhaite un conseil de Claire ; elle lui dira peut-être s'il est véritablement guéri, comme il voudrait le croire sans vouloir l'affirmer. Et c'est maintenant, après cette si longue absence, que celui que le suicide avait tenté, fait sien le langage de Julie de Wolmar, le vocabulaire de la « réforme ».

« Je veux être ce que je dois être. » (415)

Le Saint-Preux qu'elle retrouvera sera, pour celle qui a si longtemps déploré « l'ouvrage de ses charmes », « l'ouvrage de sa vertu ». « Rectifiés », les sentiments de l'amant d'autrefois sont « aussi purs » désormais que l'objet qui les inspire (415). Mais... « suis-je le maître du passé ? » (416).

Cette guérison problématique, il ne sait pas qu'à Clarens quelqu'un la médite et s'en chargera, M. de Wolmar.

Clarens, communauté des âmes

L'ancien précepteur de Mlle d'Étange n'aura jamais manqué de conseil. Mme d'Orbe l'avait averti que la société ne cèderait pas à la loi du cœur. Mme de Wolmar l'a rappelé à la religion. Lord Bomston le rappelle à la morale. Autre grand seigneur venu des lointains, M. de Wolmar, qui parle si rarement de lui-même, va révéler à Saint-Preux ce que ce siècle dénommera déjà « psychologie ».

L'époux de Julie s'est longuement instruit à l'école d'une vie tourmentée. Saint-Preux a fait l'expérience révoltée du plébéien qui voit son droit nié par le préjugé nobiliaire ; et Wolmar n'oublie pas que celle qu'il prend pour femme s'était promise à un autre. Mais, ayant connu le sort du prince dépossédé, le châtelain de Clarens reste indélébilement marqué par l'épreuve de l'homme spolié. Celui qui souhaiterait « changer » son être pour « devenir un œil vivant » (491) n'est pas affranchi de la durée et de l'histoire. Il lui a fallu difficilement s'instruire des hommes ; il continue d'apprendre à Clarens. Il a tôt découvert combien courtisans et valets se ressemblent, malgré l'apparence. Et sa pratique comparée de divers « états » successifs (« une multitude de conditions ») lui a fait « connaître les uns par les autres ». Il fut même paysan, se préparant sans le savoir au métier de « garçon jardinier » qu'il exerce à Clarens si besoin est. Il a compris, comme Saint-Preux à Paris, qu'il faut « agir soi-même pour voir agir les hommes » (492).

L'amant de Julie découvre donc à Clarens un aristocrate de haut lignage qui, tout autre que le baron, méprise la « vaine opinion des conditions » et n'a pas cru déroger en poussant la charrue. Extérieur à « la société », l'agrément qu'il en recueile n'est pas de tenir un « rôle », mais « d'observer ». Et puisque cette « âme tranquille », ce « cœur froid » n'a d'autre « principe actif » que le « goût naturel de l'ordre », ce qui retient son inlassable attention, c'est le « concours bien combiné du jeu de la fortune et des actions des hommes », — belle symétrie d'un tableau, ou pièce bien conduite au théâtre. (490-1).

Wolmar aurait conclu, comme tant de philosophes du siècle (et comme le jeune Henri Beyle, plus tard), que « l'intérêt » est le « seul mobile des actions humaines » s'il n'avait pas eu, guerroyant pour un prince étranger, la révélation de l'amitié. C'est le « cœur sensible et reconnaissant » d'un brave officier suisse qui ouvre sa pensée à une « meilleure opinion de l'humanité ». L'amour-propre, ce « caractère général de l'homme », est bon ou mauvais par les « accidents qui le modifient » et qui dépendent eux-mêmes des multiples modalités du lien social (coutumes, lois, rangs, fortune) et de toute la « police humaine » (491).

Au-delà de l'apprentissage sociologique, l'amitié toujours plus étroite entre les deux gentilshommes conduit Wolmar, par l'initiation à la pure morale, à se découvrir une destinée. Elle s'accomplira par le mariage avec la fille du compagnon d'armes et dans l'œuvre commune des époux à Clarens. On peut donc être destiné sans entendre, comme Julie, une voix surnaturelle. On saura un jour comment, « forcé d'être impie » par l'ineptie d'un culte insupportable à sa raison (le « rite grec »), Wolmar « se fit athée ». Les pays catholiques allaient lui offrir — trois prêtres exceptés —, le dissuasif spectacle d'un clergé qui n'a d'autre religion que son « intérêt » et raille en secret ce qu'il enseigne en public. (Le futur Vicaire savoyard devra faire à ses dépens la découverte de la duplicité.) Cherchant de bonne foi dans les systématisations philosophiques une lueur sur ces « matières », Wolmar n'y trouve que doutes et contradictions. Lorsqu'il connaît enfin des « chrétiens », en terre vaudoise, il est trop tard : « tout ce qu'on lui prouvait détruisant plus un sentiment qu'il n'en établissait un autre, il a fini par combattre également les dogmes de toute espèce, et n'a cessé d'être athée que pour devenir sceptique » (589).

Mais puisque tel est l'époux « que le Ciel destinait à cette Julie » de foi « si simple » et de « piété si douce » (589), pourquoi Jean-Jacques récuserait-il la coopération, pour édifier en ce monde une idéale communauté, de la dévote hostile au fanatisme et de l'agnostique honnête, qui n'endoctrine personne et qui va au temple comme tout autre ? La religion de Julie est, comme celle de Saint-Preux (malgré les différences), religion *naturelle :* sa foi singulière ne défie par l'universelle raison. Et l'ordre de la raison, c'est Wolmar qui le pense.

Mais, si le regard du législateur de Clarens ne dépasse pas les limites d'une microsociété humainement exemplaire, la convivialité des âmes ici-bas, pour Julie, anticipation de la céleste ἀγάπν[11]. Le lien des âmes rassemblées à Clarens annonce et préfigure leur indissoluble union dans une autre vie.

On ne répétera pas ce qui fut dit au précédent chapitre du régime économique, des formes d'exploitation, de gouvernement, de sociabilité instituées par les Wolmar. Saint-Preux résume ainsi Clarens : « *On y sait vivre* [...] de la vie de l'homme, et pour laquelle il est né. » (528). Sous une même finalité humanisante sont ainsi rassemblés par des besoins naturels et par une réciproque bienveillance ceux qui composent cette société protégée.

Incontestable est l'affinité entre Clarens et plus d'une figure classique de l'utopie. Gratifiante complémentarité des personnes, librement associées au projet commun dans un perfectionnemnet émulatif, — nulle conscience ne cherchant sa raison d'exister dans l'inexistence des autres.

Transparence des pensées et des cœurs au sein d'une communauté où « chacun se sentant tel qu'il doit être se montre à tous tel qu'il est » (689). Proscription du rapport marchand, le travail-joie satisfaisant les besoins d'une microsociété qui jouit de l'abondance en s'épargnant les méfaits du luxe. Harmonie entre l'homme et la nature qui revivent les temps immémoriaux de leur première alliance. Insularité propice au bonheur d'une petite communauté qui sait « se passer du reste de l'univers » (597) et se préserver des effets dissociatifs de la durée.

Si Clarens doit être le lieu privilégié d'une intime société des âmes, dans ce partage de pure amitié que Jean-Jacques, nostalgique de la « parfaite union » des Charmettes (*C.* 235), a tant espéré, tant cherché, la place d'un Saint-Preux qui a parcouru le monde est bien à Clarens désormais, — quoi qu'en aient pensé de nombreux lecteurs et plus d'un critique. Il trouve à Clarens ce « père » qu'il avait rêvé de trouver dans le père de Julie. Surtout, l'intellectuel plébéien attend de cette autarcique société « d'âmes nobles » (209) — tel est le sens que l'auteur donne à « belles âmes » — qu'elle oublie barrières de classe et préventions de caste, « cet ordre social et factice qui [l'] a rendu si malheureux » (486). Ce qu'il souhaite à Clarens nie radicalement son expérience parisienne des apparentes « sociétés d'élites », « six personnes choisies » [...] parmi lesquelles règnent [...] le plus souvent des liaisons secrètes, et qui sont incapables de rester une heure entre elles « sans y faire intervenir la moitié de Paris, comme si leurs cœurs n'avaient rien à se dire et qu'il n'y eût là personne qui méritât de les intéresser » (248).

Que de fois le mot « charme » dans ses lettres de Clarens pour évoquer une société où les cœurs suivent la voix de la « nature » (autre nom de « l'humanité ») ! Ainsi, jadis, le « charme » de l'amour premier, innocente transgression des interdits sociaux, qui n'avait qu'à suivre la « nature » pour transporter deux jeunes cœurs.

D'où la dilection de l'homme sans feu ni lieu pour le jardin de Julie, dont l'accès n'est connu que des initiés. Comparable à ces mondes immaculés où l'utopie situe le bonheur d'une humanité égale et libre, « asile » enchanteur qui remémore la solitude de Juan Fernandez, l'île « déserte et délicieuse » que Saint-Preux imaginait accueillant l'innocence et l'amour. Par la volonté et la sensibilité de Julie, tout ce que l'art a fait pour que cette nature comble son vœu sans perdre la générosité et l'élan porte contradiction aux « prétendus gens de goût » qui, se payant le coûteux spectacle des « beautés de convention », s'appliquent à « défigurer » une nature asservie. Ainsi l'homme déformé par une société d'artifices. « Pressés de jouir », les opulents déprédateurs, observe Wolmar, ne savent s'en procurer les moyens que par la force et l'argent ; « ils ont des oiseaux dans des cages, et des amis à tant par moi » (476). Si leurs valets approchaient des bocages protégés par Julie on verrait bientôt disparaître la multitude d'oiseaux qui en font leur « asile ». (On sait que pour Jean-Jacques, maître et valet sont jumeaux, enfantés par le rapport d'inégalité.)

Son verger, Julie l'a dénommé « d'avance » Élysée parce que les jours qu'elle y passe avec ses enfants, qui s'initieront allègrement au jardinage, « tiennent du bonheur de l'autre vie » (486). Mais Saint-Preux ?

Ravivant notre attention au langage du romancier, André Blanc décèle, dans le filigrane du verger, une symbolique du sexe féminin « projeté dans un lieu mythique », au-delà du désir interdit à l'amant.[12] La poétique médiévale n'était-elle pas celle de l'amour et du jardin ? (On pourrait recomposer aussi, porté par Alain Fournier, ou Julien Gracq, l'image du château mystérieux et charmé où règne une femme). Or quand Saint-Preux revient seul au verger, avec une clé que lui a confiée Julie sous les yeux de l'époux, il croit y découvrir « pour la première fois » depuis son retour la transmutante présence d'une Julie nouvelle, telle qu'elle veut être aimée désormais. Et telle que M. de Wolmar entend qu'il la voie sur la terre de Clarens.

Pour Wolmar, celui qui a la science du bonheur s'épargne « l'inquiétude » que manifeste inconsciemment « le goût des points de vue et des lointains ». Le jardin qui « rassemble » autour de lui une nature à portée d'homme convient au sage, qui sait être « bien où il est » (483).[13]

Comme Montaigne, ce prince éclairé professe qu'il n'y a point d'humanité heureuse et droite qui ne fasse confiance à la « nature ». S'il ne se trouve nul motif raisonnable pour partager la foi de son épouse, il n'est point universellement « sceptique ». Cet esprit rebelle au surnaturel n'entreprend l'œuvre de Clarens que parce qu'il ne doute ni de la perfectibilité de la « nature » humaine ni des pouvoirs d'un art qui, ne violentant pas cette nature, prend sagement appui sur elle pour cultiver les virtualités de l'individu, et l'élever à la plus haute moralité. Ce prince de la raison ne tient pas pour l'*a priori*. Un homme ne deviendra « tout ce qu'il peut être » que si, observant les cheminements de la nature, aussi divers que les individus, nous comprenons que l'éducation la meilleure est celle qui ne veut qu'achever « l'ouvrage de la nature ». Mieux vaut s'abstenir qu'« agir mal à propos » (566).

Cette longue lettre sur théorie et pratique de la pédagogie est de première importance pour concevoir le projet de Wolmar. Offrir à chacun de ceux qui composeront la symphonie de Clarens (Édouard et Claire doivent en être aussi) la chance optime d'un accomplissement qui s'effectue sans déséquilibre, sans déperdition, sans conflits. « Tout concourt au bien commun dans le système universel. Tout homme a sa place assignée dans le meilleur ordre des choses, il s'agit de trouver cette place et de ne pas pervertir cet ordre. » (563)

Wolmar, qui n'est pas Dieu, a connu « inquiétude » et « tristesse » lorsqu'il a découvert, l'amitié venue, que la « solitude » du célibat n'était point sa destinée (492). Longuement préparé à se défier des illusions, il s'est démontré, en épousant Julie, qu'il osait « croire à la vertu ». Il a compris que le « trompeur enthousiasme » qui avait égaré les jeunes gens n'avait pu soulever que de belles âmes ; « ...votre mutuel attachement tenait à tant de chose louables qu'il fallait plutôt le régler que l'anéantir ; [...] aucun des deux ne pouvait oublier l'autre sans perdre beaucoup de son prix » (495). Sauvé de l'aliénante passion, l'amour perfectible est, comme la vertu, élan vers la vraie vie. Il trouve patrie à Clarens dès lors que Saint-Preux sait aimer Julie en respectant Mme de Wolmar ; et si l'un et l'autre font la probante expérience (avec l'aide de celui qui les appelle « mes enfants ») que, n'étant plus eux-mêmes ce qu'ils furent autrefois, leur bel et juste amour, sans lequel Clarens ne deviendrait pas ce qu'il doit être, ne peut plus être aujourd'hui ce qu'il fut autrefois.

La méthode dont Wolmar attend le succès a reçu de Claire d'Orbe un éclaircissement décisif : Saint-Preux préférerait ne plus revoir Julie que se dessaisir du portrait qu'il avait reçu d'elle pendant son exil à Paris. Irrécusable signe, au jugement du sage, que, si Saint-Preux est toujours épris, ce n'est point de Julie de Wolmar, c'est de Julie d'Étange. Cette opportune épreuve du portrait, le sage de Clarens ne l'avait pas préméditée. Celles qu'il prépare, pour conduire à terme la « guérison » de Saint-Preux... et de Julie ne seront pas aussi simples. Mais il ne les tentera pas sans risques pour lui-même. N'est-il pas connu que le psychologue ne peut tester son prochain sans se tester lui-même ?

Wolmar se félicite d'avoir si bien compris que deux « opposés » peuvent être « vrais en même temps » (508). Ardents plus que jamais, les amants ne sont plus unis cependant que par un « honnête attachement » d'amitié ! Inintelligible à première vue, cette coexistence des opposés s'élucide par une réflexion sur mémoire et durée. Wolmar — que le romancier veut parfois aussi psychologue que lui-même —, convient que nul œil humain, pas même celui de Julie, ne peut « pénétrer » ce « voile de sagesse et d'honnêteté » qui fait « tant de replis autour de son cœur ». « La seule chose qui me fait soupçonner qu'il lui reste quelque défiance à vaincre est qu'elle ne cesse de chercher en elle-même ce qu'elle ferait si elle était tout à fait guérie, et le fait avec tant d'exactitude, que si elle était réellement guérie elle ne le ferait pas si bien. »

Le brave et vif Saint-Preux est mieux déchiffrable. Que la femme d'un autre, mère de deux enfants, lui rappelle souvent le souvenir d'une Julie d'Étange à qui elle « ressemble beaucoup », c'est justement ce qui engage Wolmar à conclure. « Il l'aime dans le temps passé : voilà le vrai mot de l'énigme. » (509)

« Peut-être s'ils fussent restés plus longtemps ensemble se seraient-ils peu à peu refroidis ; mais leur imagination vivement émus les a sans cesse offerts l'un à l'autre tels qu'ils étaient à l'instant de leur séparation », quand « leur passion était à son plus haut point de véhémence » (509).

L'imaginaire amoureux éternise un moment de la durée. C'est nier et dénier l'essence du temps ; l'être du passé, c'est de n'être plus. Les « épreuves » auxquelles seront soumis Saint-Preux et Julie par la thérapie wolmarienne auront donc pour fin de les aider à prendre intellectuellement conscience de l'irréductible loi du temps. Ainsi tout change, ainsi tout passe.

Wolmar est si attentif à ne rien négliger pour neutraliser les effets du souvenir passionnel, pour effacer un « tableau » par un autre et occulter le passé par le présent qu'il en oublie la recommandation d'universelle transparence faite à Saint-Preux dès le premier jour : « Un seul précepte de morale peut tenir lieu de tous les autres [...] Ne fais ni ne dis jamais rien que tu ne veuilles que tout le monde voie et entende. » (424) Tout se passe comme si sa psychologie refoulait sa morale... Mieux vaut cultiver en Saint-Preux l'illusoire opinion de progrès qu'il croit avoir faits sur le chemin de la guérison que de le « désabuser » en lui découvrant le « véritable état de son cœur ». Apprendre « la mort de ce qu'il aime » éveillerait probablement en lui cet « état de tristesse » qui est toujours « favorable à l'amour ».

Mais, pour qu'il perde mémoire des temps qu'il « doit oublier », le plus sûr est de substituer « adroitement d'autres idées à celles qui lui sont si chères » (510). Ce précurseur des psychagogies par transfert compte sur la jeune veuve pour que Saint-Preux reporte sur elle les sentiments qui l'attachent encore à Julie. Ce silencieux projet de mariage est d'un homme qui, connaissant l'irréversible engagement de Mme de Wolmar, ne cherche point à donner le change à un rival. Mais il lui paraît indispensable et juste que Saint-Preux, membre de la communauté de Clarens, savoure la félicité et assume les obligations de l'époux et du père.

La suite enseignera que, si « l'ardent » jeune homme que Wolmar a jugé « faible et facile à subjuguer » (510) se noue d'affection filiale à son « bienfaiteur », il se refuse au mariage, quelle que soit son inclination pour la cousine de Julie. Son « unique amour » fut « le destin de [sa] vie » (676). Et si ce temps ne peut « renaître », il ne peut non plus « s'effacer ».

L'amour à l'épreuve

Pour disposer Saint-Preux et Julie à comprendre qu'ils ne sont plus ce qu'ils furent Wolmar les soumet à deux « épreuves ».

Il exige qu'en sa présence les anciens amants s'embrassent en ce même bosquet où jadis, Claire présente, ils avaient échangé le baiser qui bouleversa la jeune fille jusqu'au tréfonds de son affectivité spirituelle. Wolmar l'assure en riant qu'elle n'a plus rien à craindre de « l'asile » ainsi profané. Mais, si Julie connaît en ce moment et ce lieu que son cœur est « changé » plus qu'elle n'osait « croire » jusqu'alors, c'est pour s'en féliciter « tristement » (496).

Sachant comme les amants surent jadis sacrifier au devoir de bienfaisance un rendez-vous unique et sûr, Wolmar leur réserve, s'absentant quelques jours, une « épreuve » autrement plus redoutable. Convaincu que leurs « forces » la soutiendront. Or Julie, qui lui reprochera de jouir « durement » de la vertu de sa femme, ne l'emporte qu'au prix d'une héroïque lutte contre soi. Elle avait, il est vrai, négligé la recommandation de Claire : pas de long tête-à-tête avec Saint-Preux, pas de promenade sur le lac sans bateliers.

Jour décisif où, transporté par la vue des « monuments des anciennes amours » (768), mais prenant conscience que ces temps ne reviendront plus, Saint-Preux résiste à la tentation d'entraîner avec lui dans la mort celle qu'il sent « perdue à jamais ». Les larmes qu'il verse préludent à la renaissance de celui que cette « crise » rendra — au moins le croit-il —, « tout à fait » à lui-même (521). L'expérience Wolmar aurait-elle réussi ? Mais Saint-Preux, qui a « épuisé » en douze années tous les sentiments d'une longue vie et fait l'étude comparative des hommes et des peuples, doit s'éveiller une bonne fois du « sommeil de la raison », accéder enfin au gouvernement de soi. Jusqu'alors, lui rappelle Bomston (V.1), il ne savait aimer la vertu que sous les traits d'une femmes. Qu'il apprenne maintenant d'elle, à Clarens, comment puiser en lui-même le courage d'être homme ! N'est-ce pas Julie qui livra le « plus grand combat qu'âme humaine ait pu soutenir » (522) ? Et c'est parce qu'elle ne craint pas d'avouer à Saint-Preux que « leurs cœurs n'ont jamais cessé de s'entendre » qu'ils ne devront plus jamais se parler « sur ce ton » (521). Elle n'en croit pas moins, malgré Wolmar, que ce n'est pas en brisant toute attache du moi présent au moi passé que ceux qui s'aiment s'éveilleront à la vie nouvelle.

Wolmar pense, comme Julie, qu'il n'est pas de bonheur humain au mépris d'un ordre raisonné qui règle nos rapports avec nous-même, avec autrui. Mais il côtoie Hume dans la conviction que notre vie spirituelle se fait de nos perceptions successives. Le sentiment d'identité personnelle n'atteste pas la réalité d'un être substantiel ; il tient tout à l'activité de la mémoire. Et puisque l'esprit humain suit le mouvement provoqué par l'expérience acquise, pourquoi une expérience inédite n'induirait-elle pas une nouvelle conscience du soi et du rapport aux autres ? L'intelligence de ce flux, la science des lois du souvenir et de l'effacement dispose le sage à tenter l'exploration des possibles, suggérée par cette « morale sensitive » que méditait Rousseau.

Mais conversion d'une âme et devenir d'un être ne se confondent pas. Constater que, « mes rapports » s'étant modifiés, je suis autre que ce que j'ai mémoire d'avoir été et d'avoir fait, ce jugement de comparaison n'est point l'acte d'une volonté morale. Comment progresser si le souvenir de nos sentiments, de nos conduites est celui d'un objet contemplable parmi d'autres dans le calme indifférent de la connaissance ? Les « subtiles distinctions » de Wolmar (688) et la plus sagace psychologie, et même la sécurisante condition d'épouse et de mère, n'épargneront jamais à la jeune femme cet effort continu sur soi sans lequel ne peut porter ses fruits la métamorphosante réforme de l'amour sauvé. La « voix céleste » qui éclaira sa « destinée » ne l'autorise pas à tenter Dieu, à négliger de rassembler aussi souvent qu'il le faut les ressources de sa liberté contre un adversaire qui ne lui est pas moins intime, à tout instant, que sa résolution de le vaincre. (Ainsi du citoyen, toujours prêt à défendre la cité contre ce qui la menace du dedans.) Les « monuments » à redouter ne sont pas qu'à Meillerie. « Ils existent partout où nous sommes ; car nous les portons avec nous. » « On s'oublie un moment, et l'on est perdu. » (667) Ce n'est point par l'anesthésie psychique d'une vie antérieure qui nous est aussi proche que le présent, mais par le rappel des errements anciens et de la rédemption souffrante que notre volonté se cuirasse contre une tentation toujours possible.

On comprend donc que, si Mme de Wolmar souhaite, elle aussi, que Saint-Preux épouse Claire, ce n'est point pour le conduire à l'oubli de ce que Julie lui fut et lui demeure. Claire n'a-t-elle pas toujours su rappeler à sa cousine ce que doit être une grande âme ? L'épouser, c'est s'unir à la « meileure » partie de Julie ; « ...n'en serez-vous pas plus cher à l'autre ? » (670).

Tout conspirait jadis à éloigner de Vevey un amant roturier. A Clarens, la situation s'inverse : les époux Wolmar règnent, mais la communauté des cœurs ne sera satisfaite et consonnante que par la présence d'un Saint-Preux rénové. Au seuil de la vie qui l'attend, Wolmar, semblable au législateur qui fonde cité, unit solennellement les mains des jeunes gens en prononçant le pacte inaugural : « notre amitié commence, en voici le cher lien, qu'elle soit indissoluble. Embrassez votre sœur et votre ami... » (424) Partage souverain entre la préhistoire et l'ère qui s'ouvre. Et démonstration que, si son épouse se veut maîtresse d'énergie, Wolmar croit lui aussi aux pouvoirs d'une volonté qui s'engage.

Pourquoi le plébéien à qui justice est moralement rendue ne se réconcilierait-il pas avec l'aïeul, ce baron qui n'a plus de mal à lui faire et le traite honorablement ? (V, 7) Incomparablement plus difficile sera la mission romaine que Wolmar lui confiera bientôt ! Il se montrera « digne » de Clarens s'il sait aider Lord Édouard à vaincre une passion qui lui ferait oublier ce qu'il se doit à lui-même (VI, 3).

Pour Julie, comme pour Jean-Jacques, l'amitié n'est pas moins que l'amour un « sentiment céleste ». Mais l'intégration spirituelle du novice exige qu'il s'acquitte d'une fonction ordonnée aux finalités de Clarens. Wolmar lui réserve, s'il se rétablit vraiment, l'éducation des enfants. (Claire gouvernera l'économie domestique.)

Julie ne prétend ni condamner au célibat ni vouer à la chasteté un homme de trente ans. Mais ce n'est point assez... Sa pressante argumentation pour le décider au mariage avec Claire montre que, pour assurer durablement l'intimité des cœurs, la paix des consciences, et ce bonheur de parfaite communion réservé « dès ce monde aux seuls amis de la vertu », il faut que Saint-Preux devienne un membre de la « famille ». « Dans le nœud cher et sacré qui nous unira tous, nous ne serons plus entre nous que des sœurs et des frères ; vous ne serez plus votre propre ennemi ni le nôtre : les plus doux sentiments devenus légitimes ne seront plus dangereux ; quand il ne faudra plus les étouffer on n'aura plus à les craindre. » (671)

Lettre postérieure à l'exhortation qui s'adressait à Claire, dont Julie sait l'inclination pour Saint-Preux : « ...un homme élevé dans des sentiments d'honneur est l'égal de tout le monde, il n'y a point de rang où il ne soit à sa place » ; « ...il vaut mieux déroger à la noblesse qu'à la vertu, et la femme d'un charbonnier est plus respectable que la maîtresse d'un prince ». (Phrase proscrite par le censeur. Malesherbes la supprima dans l'exemplaire réservé à la maîtresse du roi.) Mais, l'inégalité, des conditions étant, hélas, un fait, Claire comprendra que, pour que le plébéien « ose aspirer » à sa main, il faut que la patricienne le lui permette : « ...c'est un des justes retours de l'inégalité, qu'elle coûte souvent au plus élevé des avances mortifiantes. » (633) Mais Julie croit devoir ajouter que, si ce projet d'unir deux cœurs « si bien faits l'un pour l'autre » ne convenait pas à Claire, il faudrait « à quelque prix que ce soit » écarter « cet homme dangereux, toujours redoutable à l'une ou à l'autre ; car, quoi qu'il arrive, l'éducation de nos enfants nous importe encore moins que la vertu de leurs mères » (634). « Dangereux » en effet, quoique faible, celui dont la seule présence est rappel de cette « nature » qui n'entend que le cri du cœur.

Dans ces trois lettres de la sixième partie (6, 7, 8) entre Julie et Saint-Preux (il est à Rome ; la huitième est l'avant-dernière qu'il recevra d'elle), l'analyse du romancier, aiguisée par l'expérience amoureuse de Jean-Jacques, atteint de tels sommets parfois qu'on se reproche d'en traiter si cursivement. Une confrontation s'imposerait avec l'échange antérieur entre les deux cousines (V, 13 ; VI, 2).

Les raisons du cœur et de la raison invoquées par Julie pour décider au mariage ceux que rapprochent de telle affinités — et le plus vieux n'a que trente ans — n'enlèvent ni l'adhésion de Saint-Preux, qui ne conteste point son émotion pour Claire, ni l'adhésion de Claire, trop éprise néanmoins pour ne pas laisser à sa cousine le soin de décider pour elle.

Saint-Preux et Claire ont leurs raisons qu'on ne résumera pas ici. Différemment exprimée par l'une et l'autre, celle qui l'emporte sur tout ce qui légitimerait au demeurant leur décision tient au plus cher d'eux-mêmes. Mieux vaut préserver dans l'amitié la plus étroite et la plus fidèle un si profond attachement que prendre le risque d'un mariage où chacun ne saurait pas donner à l'autre le bonheur qu'il mérite. C'est par Julie que, si jeune encore, ils ont découvert ce qu'est aimer. « ...A moins de t'anéantir, confie Claire à sa cousine, nous ne pouvions plus arriver l'un à l'autre. » (640) « Plus notre attachement augmente, écrit

Saint-Preux à Mme de Wolmar, plus nous songeons aux chaînes qui l'ont formé ; le doux lien de notre amitié se resserre, et nous nous aimons pour parler de vous. » (680)

Ils s'aiment si justement, si inséparablement en Julie que le nœud conjugal ne pourrait unir leurs vies sans altérer ce qui fonde en chacun l'acte aimant. Il est ainsi plus humainement accomplissable de s'épouser quand on se reconnaît en Dieu que lorsqu'on s'est réciproquement découvert en Julie.

Fragilité de Clarens

Cet échec de Julie, et de Wolmar, compromet le projet d'une définitive et bienheureuse réunion à Clarens. Nul ne sait si Saint-Preux y fixera son séjour. Mais Julie voit déjà l'un de ses fils partant avec lui à la découverte du monde.

La société de Clarens ne s'affranchira pas incantatoirement de ses contradictions. Julie professe que l'humanité cherche toujours le « niveau » (304). Mais la communauté que Lord Édouard promet de rejoindre est enclose dans les bornes d'une élitaire convivialité. Elle ne peut, de fondation, s'ouvrir à tous ceux qui, paysans ou salariés, assurent aux privilégiés les conditions matérielles de leur perfectionnement moral. On ne revient pas ici sur les grands traits de l'État patriarcal et calculateur construit par les Wolmar. Mais on constatera que le cercle des élus n'échappe point — comme Rousseau lui-même plus d'une fois —, aux périls de la bonne conscience, qui se complaît en soi. Et le perfectionnisme affairé de Julie pourrait lui coûter cher ici-bas ; « ...en te mêlant d'être parfaite, tu ne seras plus bonne à rien, et tu n'auras plus qu'à te chercher des amis parmi les anges » (637).

Il est vrai, Julie ne néglige aucune de ses obligations. Elle aime agir. « Âme expansive » qui rayonne sans se consumer puisque tout doit « devenir Julie autour d'elle ». Lui résister ou lui marchander reconnaissance serait mauvaise foi. Sa vertu première, qu'elle pratique pour le mieux-être et l'édification des gens du domaine et du voisinage, c'est la bienfaisance. Bien agir, non pour vous montrer, mais pour montrer Dieu ; c'est la recommandation de l'évangéliste Matthieu. Mais tel est organiquement constitué l'État Clarens que la bienfaisance de Julie doit être, en visibilité, celle de Mme de Wolmar.

Comme Rousseau, Julie redoute la dissociation captieuse entre être et paraître. Mais, si je ne puis faire de mon mieux sans devoir simultanément manifester l'exemplaire, le témoignage ne va-t-il pas, un jour ou l'autre, confiner au spectacle ? Julie a trop le souci de la tâche pour s'affadir en cet esthétisme dévot qui n'est qu'un double de Narcisse. Mais elle peut d'autant moins oublier qu'elle est châtelaine que ni la régénérante découverte de sa « destinée » ni l'effort de sa vigilante volonté ne suffisent à la protéger contre son histoire. Le mariage, la maternité l'ont transformée. Mais le regard de Claire, plus aigü souvent que celui de l'époux, est d'une femme qui sait que la « sublime » âme sœur a besoin d'entendre le murmure approbateur de tous pour se confirmer dans son choix.

Wolmar et Julie ne craignent point de cultiver l'illusoire pour que soit l'ordre de Clarens (...et à Clarens). Mais ils proscrivent la dissimulation entre les âmes amies. Saint-Preux avait appris que les époux qui se conviennent, se voyant tels qu'ils sont, n'ont l'un pour l'autre aucune des illusions qui flattent les amants. Or M. et Mme de Wolmar ont chacun leur secret. Julie ne se libérant, par Wolmar (qui sait), du fardeau qui l'accable (sa « faute ») que pour apprendre de lui qu'il est incroyant.

La foi de Julie ? Radicalement contradictoire à l'idôlatrie, l'intolérance, le fanatisme, elle est refus de la « dévotion inhumaine » des ascètes. Mais, si Mme de Wolmar s'afflige de la cécité spirituelle de celui qui ne discerne pas une Providence dans le spectacle des harmonies naturelles, qui reste sourd aux espérances d'un bonheur éternel, comment ne pas souffrir plus encore de l'incessante contrainte à quoi s'obligent, en raison même de leur attachement, des époux « sincèrement unis » à qui tout doit être « commun » ? Et quel est le tourment de Wolmar, impuissant témoin du tourment, par et pour lui, de celle qu'il veut heureuse ?

Mais le pire est pour Julie incommensurable à ces maux. Ontologiquement autre que toute peur du futur, toute épouvante de l'inconnu, l'effroi d'une âme « à chaque instant » visitée par une « affreuse image » : le « père de ses enfants » réprouvé ! (592) Pourquoi l'Être suprême ne se vengerait-il pas de qui méconnaît sa divinité ? Ah, « guérir » Saint-Preux... Mais tout tenter, avec son aide et celle d'Édouard, pour « sauver » l'âme du sage.

A l'intention de celui qui prit part au désordre de sa passion, Julie de Wolmar évoquait, régnant « au fond » de l'âme de son époux, un « ordre » qui « semble imiter » l'ordre qui gouverne le monde. Voici qu'il lui faut tenter de concevoir, dans sa « simplicité » chrétienne, l'existentielle antinomie dont une âme sereine est habitée à son insu. Cet homme bon, qui l'a toujours guidée dans l'accomplissement de sa « destinée », porte « au fond de son cœur », selon l'expression de Saint-Preux, « l'affreuse paix des méchants » (588).

Le Vicaire savoyard enseignera qu'est « méchant » celui qui « ordonne le tout par rapport à lui » ; tel n'est précisément pas Wolmar. La paix des méchants — si l'on suit la pensée de Saint-Preux — c'est la quiétude de ces « Grands et riches » qui trouvent leur compte à l'athéisme, « système » abhorré par tout « peuple opprimé et misérable » puisqu'il le prive de la consolation d'une autre vie, tout en délivrant ses tyrans « du seul frein propre à les contenir » (592). Julie n'en aspire pas moins à la conversion de celui dont le cœur ne s'émeut pas au chant de la source d'eau vive ; et qui, ne faisant pas quartier à Dieu, déduit paisiblement l'incontestable existence du mal d'un « défaut de puissance, d'intelligence ou de bonté dans la première cause » (595). Julie ne peut donc espérer que du Ciel la « conversion de cet honnête homme ». Si elle lui est refusée, elle n'aura qu'une « grâce » à lui demander : mourir la première (592).

Au seuil de la mort elle conviendra (texte retranché par la censure) que, Dieu jugeant la foi par les œuvres, le « vrai chrétien », c'est « l'homme juste », les « vrais incrédules » étant les « méchants ». Wolmar, qui n'attend aucune récompense, est « plus vertueux, plus désintéressé que nous ». De quoi serait-il puni par un Dieu qui lui a « voilé sa face » ? « Il ne fuit point la vérité, c'est la vérité qui le fuit » (699).

Pour l'heure elle s'assigne un double devoir. Rassembler comme jamais autour de Wolmar « ces douceurs passagères » auxquelles il borne sa félicité. Veiller scrupuleusement au maintien du secret dans le petit cercle. Les enfants n'en sauront rien. Et Wolmar, bon prince, ne fait nulle difficulté pour paraître au temple aux yeux de tous selon les « usages établis ». Sans « professer de bouche une foi qu'il n'a pas il [...] fait sur le culte réglé par les lois tout ce que l'État peut exiger d'un citoyen » (592-3) en pays de Vaud. Ainsi les époux s'accordent-ils pour sauver les « apparences » (593) à Clarens, refuge de l'authenticité, où leurs fils sont instruits à ne jamais donner le change sur leurs sentiments, leurs pensées.

L'amour, la mort, la vie

Répétant-effaçant la mort de sa mère (dont elle a voulu porter la « faute »), Julie mourra pour avoir sauvé de la noyade son plus jeune fils. Mais ce moment sacrificiel, la dialectique de l'âme aimante le préparait depuis le début.

Peu après son arrivée à Clarens, Saint-Preux décrivait pour Bomston cette limpide et mystérieuse « matinée à l'anglaise », tableau formé par M. et Mme de Wolmar, leur ami, leurs enfants. Deux heures d'une « immobilité d'extase, plus douce mille fois que le froid repos des Dieux d'Épicure » (558). Recueillement partagé. Contemplation. Silence où les âmes s'entendent. Durée que nulle inquiétude ne traverse. Pleine existence où l'être et le paraître se sont plus qu'un.

Dans son avant-dernière lettre à Saint-Preux, Julie retrace l'état d'âme qui fut le sien durant le « court espace » des six derniers mois de Clarens qu'elle vécut « environnée » de tous ceux qui lui sont chers. « ...Tout l'univers est ici pour moi. » « Je ne vois rien qui n'étende mon être, et rien qui le divise. » Accomplissante expansion vers les autres dans l'unité de soi préservée. Identité du « sentir » et du

ROUSSEAU

« jouir ». Affranchi des tourments de l'imaginaire et du désir, le moi se concentre et s'épanouit, dans la complétude et l'intensité.

Mais — comme Saint-Preux après la nuit d'amour —, Julie interpelle la mort : « O Mort, viens quand tu voudras ! » (689). Ce n'est pas la longueur d'une existence qui compte, c'est sa plénitude. Et voici qu'elle écrit, en cette même lettre qui remémore la suffisance du bonheur à Clarens : « Je ne vois partout que sujets de contentement, et je ne suis pas contente. Une langueur secrète s'insinue au fond de mon cœur ; je le sens vide et gonflé, comme vous disiez autrefois du vôtre. » (694)

Le « vide » éprouvé par Saint-Preux pendant son expérience parisienne était réaction de celui qui, plongé dans une société factice, sentait « se dégrader » en lui la « nature de l'homme ». C'est dans la contemplation de sa Julie, « image de la vertu », que l'âme du jeune homme retrouvait souffle et vie, et « tous les sentiments sublimes » (256) inspirés par un juste amour.

Vide. Contemplation. Sublime. Julie, une fois encore, reprend les mots de l'amant séparé pour en surnaturaliser le sens. C'est dans l'accomplissement d'un bonheur qu'elle a su si précisément définir que naissent la conscience d'un indéfinissable « manque », et ce « désir » impuissant à nommer son objet. (« Vague objet de mes vœux », Lamartine.)

« Le bonheur m'ennuie. » A Clarens, où tout lui est ressource contre l'ennui, où se nouent tous les liens qui « l'attachent au monde », Julie fortunée vit « inquiète » (694).

Ce n'est point — comme ces innombrables victimes de l'oppression sur terre pour qui Jean-Jacques revendique le droit au Ciel — l'épreuve du malheur à compenser, c'est l'inquiétude d'une âme « avide » qui « cherche ailleurs de quoi la remplir », bien que lui soient assignés en ce monde les « devoirs » dont nous détournent coupablement mystique et quiétisme.

Julie ne décelant point en elle la « source du sentiment et de l'être » où son âme languissante « puise une nouvelle vie » — on pense à saint Augustin —, c'est par une sortie momentanée du « moi-même » que son âme désentravée, « toute dans l'Être immense qu'elle contemple », fait « l'essai » consolant d'un « état plus sublime, qu'elle espère être un jour le sien » (694-5). Mais cette vie nouvelle perpétuera au centre de Clarens la présence d'une Julie céleste. En attendant que la rejoignent tous ceux qu'elle aime, ils communieront dans la dévotion à celle qui, charnellement disparue, vivifiera leur âme comme jamais.

La « destinée » qui lui fut révélée au temple n'a point trahi Julie. Elle a découvert même que, si le Ciel lui avait réservé un époux, c'est aussi le Ciel qui avait choisi pour elle l'amant qu'elle avait cru « choisir ». « Seul parmi tant d'autres », « il pensait ce qu'il disait ». Livrée à ses côtés aux « erreurs » de la passion, non aux « horreurs » du crime, il lui restait, quand elle se reprit, « l'amour de la vertu » partagé avec cet honnête homme.

Mais la lettre testamentaire de Julie apprend à Saint-Preux qu'elle ne s'était affranchie de l'illusion passionnelle que pour s'en forger une autre, marquée du signe inverse. Tandis que l'illusion dégénérative pervertissait l'amour, celle-ci l'a sauvé, en même temps qu'elle protégeait l'épouse et la mère. Elle ne se dissipe à l'heure de la mort qu'après avoir accompli son œuvre : maintenir Julie dans l'ordre de Clarens. « Je me suis longtemps fait illusion. Cette illusion me fut salutaire ; elle se détruit au moment que je n'en ai plus besoin. Vous m'avez cru guérie, et j'ai cru l'être. » (740) « Oui, j'eus beau vouloir étouffer le premier sentiment qui m'a fait vivre, il s'est concentré dans mon cœur. Il s'y réveille au moment qu'il n'est plus à craindre ; il me soutient quand mes forces m'abandonnent ; il me ranime quand je meurs. » Tout ce qui dépendait de la « volonté » de Julie fut pour son « devoir » ; « la vertu me reste sans tache, et l'amour m'est resté sans remords. » « Après tant de sacrifices je compte pour peu celui qui me reste à faire : ce n'est que mourir une fois de plus. » (741)

Mais, puisque Julie doit la vérité à celui qu'elle attendra fidèlement dans l'autre vie, pourquoi lui dissimuler que par sa mort le Ciel « prévient » sans doute des « malheurs » ? Elle avait formé l'imprudent projet d'une « réunion » définitive à Clarens de tous les êtres chers. N'était-ce pas exposer Julie de Wolmar à l'irrésistible ? L'exode pacifiant la libère de la peur de succomber. « Un jour de plus, peut-être, et j'étais coupable. » (741)

Changer la vie ?

Les travaux de C. Labrosse, ceux de C. Piau-Gillot (par d'autres voies) restituent pour le lecteur actuel de l'*Héloïse* le lecteur des premiers temps. La correspondance de Rousseau fait percevoir comment son œuvre entra dans la vie spirituelle du siècle au-delà de ce qu'il pouvait espérer ou croire.

Tenu par le Consistoire de Genève comme un ouvrage « fort dangereux pour les mœurs », ce livre que Voltaire déclarait « moitié galant moitié moral » ne fut pas mieux traité en France par les pouvoirs d'Église et d'État. D'où l'intention de Malesherbes : publier une édition moins marquée par les idées de république.

L'*Héloïse* n'en était pas moins, observe René Pomeau, le premier des grands romans dont le lecteur attend réponse à la question « comment vivre ? » Ainsi la future Mme Rolland : « Rousseau me montra le bonheur domestique auquel je pouvais prétendre, et les ineffables délices que j'étais capable de goûter. » (*Mémoires III*) La même, « disposée » par Plutarque aux convictions républicaines, trouve en Jean-Jacques une propédeutique au sacrifice héroïque.

Stendhal dira dans la *Vie de Henri Brulard* comment la lecture d'un tel roman, — à l'insu de ses parents — le fit « honnête homme ».

Au-delà de ses jeunes acteurs, le grand roman d'apprentissage, sévèrement jugé par une partie du lectorat, éveille une révolte des consciences contre ce qui simule ou bafoue l'humanité. Le vrai savoir-vivre, c'est de savoir aimer.

Le mariage devant reproduire l'ordre social, Julie intériorise et surnaturalise la voix du Père. Plusieurs situations imaginées par le romancier offrent sans doute matière au travail psychanalytique — sauf à ne pas se méprendre sur le langage du temps —, mais l'amour est, d'essence et de vocation, maître de vie morale. Il atteste, selon Rousseau, la libre et perfectible nature d'un être capable de trouver en soi une force d'autodépassement et de renouveau. L'élan d'une affectivité spontanée et la disciplinante adhésion aux valeurs, aux espérances qui le spiritualisent ne sont pas conflictuels comme le sont un principe de plaisir et un principe de réalité. Ils actualisent l'un et l'autre les virtualités d'un mouvement qui entraîne l'âme vers la vraie vie. L'amour apprenti doit devenir son propre maître. Évoquant les premiers temps de l'amour, Saint-Preux confiait à Mme d'Étange : « ...Je n'avais point encore appris de votre fille cet art cruel de vaincre l'amour par lui-même, qu'elle m'a depuis si bien enseigné. » (311) Désir et volonté manifestent un unique élan qui nous porte à l'absolu. C'est dans cet élan de tout l'être qu'un vouloir éclairé puise la force en retour de régner sur le désir. Cette victoire de l'amour sur lui-même, Émile et Sophie, que nul interdit social ne sépare, doivent savoir eux aussi la préparer. Un roman d'amour peut être roman d'énergie. L'héroïsme de l'amour, l'héroïsme de la patrie signifient chacun à leur façon la destination éthique de l'être humain. Rousseau romancier s'est instruit dans le *Cleveland* de l'abbé Prévost. Mais l'histoire de Julie et Saint-Preux fait antithèse avec celle du chevalier des Grieux, qui déchoit et sombre, par attachement pour Manon quoi qu'elle fasse.

Notre objet n'est point d'évoquer la postérité de la *Nouvelle Héloïse* et ce que lui doivent les plus grands. Le langage des amants, leur symbolique, leur conduite parfois portent la marque d'un temps lointain. Mais cet écart chronologique est propice au rappel d'une permanence. Heureux ou malheureux, un amour exige. Attention du cœur à la singularité d'un être, appel à la réciproque reconnaissance des personnes, il suppose commune profession d'une estimable raison de vivre. Il n'y aurait pas d'amour vrai sans quelque amour du vrai. Socrate n'a pas menti. Dans sa *Lettre à un jeune poète*, R.M. Rilke parle de ce lent apprentissage de l'amour que doit s'imposer l'adolescent fougueux pour venir à lui-même et à l'autre.

Quand Rousseau écrit que les âmes ne peuvent valoir tout leur prix qu'en s'accouplant, il reçoit et transmet un enseignement. « Qu'aurais-

je été sans toi ? » (229) Saint-Preux. « Ma vie est à partir de toi. »[14]
La poésie contemporaine n'a pas perdu le sillage.

« Par la caresse, nous sortons de notre enfance.
Mais un seul mot d'amour et c'est notre naissance. »[15]

Mais la plus audacieuse leçon que beaucoup tiraient déjà, parmi ceux qui formèrent les premières vagues des lecteurs de l'*Héloïse,* c'est que, les institutions niant le droit du cœur, quelque chose est à inventer ou réinventer dans le lien social.

Lord Édouard représente à Saint-Preux que l'épreuve imposée aux amants les a l'un et l'autre rendus plus forts et meilleurs. Le pair d'Angleterre n'en juge pas moins qu'un tel ordre social n'est pas humain ; et Julie le sait.

La révolte des cœurs aimants ne change pourtant pas le cours du monde. La *Nouvelle Héloïse* plaçait l'amour au plus vif des problèmes de société. L'irrésistible lyrisme du sentiment rénovait en profondeur une critique de l'inégalité des conditions, de la morgue et des préjugés de caste, du « despotisme des pères ».

Le roman entr'ouvre aux amants parfois la perspective d'une libérante échappée vers quelque site protégé où leur invincible amour pourrait vivre. Mais cet amour, générateur et régénérateur d'âmes destinées, n'apparaît point comme possible composante et motivation légitime d'une action qui se proposerait de reconstruire une société, de fonder un nouveau monde amoureux.

Charles Fourier n'en loue pas moins Rousseau d'avoir su « rêver des amours plus épurés » que ceux qui prévalent en cette civilisation « inverse »...

On sait que le grand utopiste juge du degré d'une civilisation sur le sort qu'elle réserve aux femmes. Mais Rousseau lui-même, dont on pourrait d'abord croire qu'il circonscrit la femme dans sa fonction « naturelle » d'épouse et de mère, proteste dans le *Lévite d'Ephraïm,* plus encore en un fragment *Sur les femmes,* contre l'immémoriale iniquité qui les a dépouillés de leur « liberté ».

C'est Laclos — dont les *Liaisons dangereuses* se placent sous le signe du seul roman qu'il estime, la *Nouvelle Héloïse* (« J'ai vu les mœurs de mon temps, et j'ai publié ces lettres », préf. *NH.*) —, qui trouve en Rousseau les principes d'une possible émancipation de la condition féminine. « Y a-t-il un moyen de perfectionner l'éducation des femmes ? » A la question posée par l'Académie de Châlons-sur-Marne Laclos répond (mars 83). *Discours* dont nous n'avons que des fragments ; suivi d'un inachevé : *Des femmes et de leur éducation.* La « femme naturelle » ne saurait être jugée ni se juger sur ce que l'histoire a fait d'elle. Née libre, elle est devenue l'esclave de l'homme dont elle était la compagne indépendante. Rousseau a eu raison d'écrire que le seul lien charnel entre les sexes ne peut fonder ni l'affection entre deux êtres ni celle du père pour l'éventuel enfant. L'auteur du *Discours sur l'inégalité* voyait la société civile naître, pour le malheur du genre humain, de l'appropriation privée de la terre. Laclos transpose. La communauté primitive du travail et de ses fruits ignorait la « propriété exclusive » ; devenus propriétaires, les hommes firent des femmes leur propriété privée. Voilà l'origine du Droit. Les femmes furent assujetties aux plus durs travaux. L'« existence civile » fit d'elles des « esclaves » dont le sort « ne dut guère être meilleur que celui des noirs de nos colonies » (chap. 10). (Laclos, contre-battant des idées reçues, dresse un tableau des femmes exploitées et méprisées au Groënland, en Corée, au Congo, chez les Hottentots...) Les Asiatiques, qui ont rendu les femmes « absolument dépendantes » n'éprouvent « auprès d'elles que des sensations et non des sentiments » (chap. 11). (On reconnaît la marque de Rousseau : la fétichisation d'un rapport sexuel immature interdit l'échange amoureux entre deux êtres libres.)

Mais, découvrant son pouvoir de procurer le plaisir aux hommes, dont le désir s'échauffe par l'imagination, le sexe dominé s'est assuré un avantage par le règne de l'imaginaire et de l'illusoire. Laclos détaille les séductions et charmes que, dans la société comme elle est, les femmes doivent cultiver pour éveiller et retenir le désir masculin.

Éduquer les femmes ? Quand les vices se sont changés en mœurs, disait Sénèque, le mal est sans remède. En une société qui, ne faisant qu'esclaves et tyrans, étouffe les facultés de l'individu, des femmes « défigurées » par nos « institutions » pourraient-elles recevoir l'enseignement de la liberté ? Or sans liberté nulle moralité ; sans moralité point d'éducation. Mais voici le renversement salvateur. Laclos interpelle les femmes. Si le tableau de leur condition les indiffère, aucun espoir... Mais s'il provoque en elles le sursaut de la honte, la noble ambition de « rentrer » dans la « plénitude de [leur] être », qu'elles ne comptent que sur elles-mêmes ! Les hommes ayant causé leur malheur, comment « pourraient-ils vouloir former des femmes devant lesquelles ils seraient forcés de rougir ; apprenez qu'on ne sort de l'esclavage que par une grande révolution. Cette révolution est-elle possible ? C'est à vous seules à le dire... » (chap. 12).

(L'ancrage de ce propos dans l'œuvre de Rousseau ne doit pas faire méconnaître, en particulier, la mutation du concept de pur état de nature. Il apparaît bien moins, chez Laclos, comme représentation heuristique et normative indispensable à l'intelligence de l'histoire que comme histoire originelle.)

L'interpellation de Laclos n'eût pas été entendue de Julie de Wolmar, qui n'élucide le sens de sa vie terrestre qu'en une « destinée ». La marquise de Merteuil est d'un autre temps, d'une autre école. Elle soustrait le corps féminin aux juridictions culpabilisantes. Mais elle s'est expérimentalement acquis, en une société qu'elle ne conteste pas, une telle maîtrise dans l'art de prendre plaisir qu'elle ne connaîtra jamais la joie de donner. Si l'héroïque autonomie de Julie est étrangère à la malheureuse Mme de Tourvel, qui ne peut résister à Valmont, elle a cette naturelle sensibilité du cœur qui l'émeut. C'est auprès d'elle qu'il apprend ce que d'autres, avant lui, avaient appris dans l'*Héloïse*. Le souffle d'une âme aimante élève un être au bonheur insoupçonné de celui, ou de celle qui ne savent jouir que des fragiles victoires d'un sexe conquérant.[16]

NOTES DU CHAPITRE 6

1. Parmi les travaux qui contribuent le mieux à la compréhension du jeune Rousseau : J. Starobinski, *la Relation critique* (Paris 1970) ; G.-A. Goldschmidt, *Jean-Jacques Rousseau ou l'esprit de solitude,* Paris 1978. — Sur les périls d'une lecture anachronique : J.-L. Lecercle, « Inconscient et création littéraire : sur la *Nouvelle Héloïse* », dans *Études littéraires,* août 1968, 197-204.

2. L'*Héloïse* étant roman d'apprentissage, nous ne nous sommes pas cru dispensé de suivre le mouvement de l'œuvre ; le traitement philosophique d'un tel livre fait trop souvent abstraction de son identité romanesque. Le tour patronal et sentencieux parfois pris de nos jours par le discours philosophique dissuade un lecteur impressionnable de reconnaître que le travail philosophique est travail d'apprenti.

3. Vauvenargues observe que dans l'amour « ...c'est [...] l'âme que nous cherchons : on ne peut me nier cela » (*Introduction à la connaissance de l'esprit humain,* livre II, « Des passions »).

4. Étude citée sur le *Matérialisme des fleurs.*

5. La parénèse (adjectif substantifiable « parénétique ») est exhortation morale. Ainsi dans Sénèque. Aussi dans saint Paul.

6. *Ouvrage cité,* chapitre 12.

7. Dans l'âme juste le « nous » raisonne et gouverne ; elle est courageuse par le « thumos » qui aide la raison à maîtriser l'épithumia — partie désirante de l'âme, indispensable à la conservation, à la reproduction de l'individu. Dans la cité juste, les gardiens-philosophes s'appuient sur les défenseurs de la cité pour que les artisans accomplissent docilement leur tâche. Les esclaves appartiennent à un maître, non à la cité.

8. « Je vois le bien et l'approuve ; je cède au mal. » Ovide, *Métamorphoses* VII, 21-2.

9. *Sur les femmes,* éd. Assézat-Tourneux, II, 258. — « La dévotion, prétend [Wolmar] est un opium pour l'âme » (*NH.* 697) ; brouillons : « ...pour les femmes. »

10. Le périple intercontinental de Saint-Preux est occasion pour Rousseau d'exprimer ses sentiments critiques sur Chine, Pays-Bas... et sur l'inhumanité des Européens. « J'ai vu [en Amérique du Sud] l'incendie affreux d'une ville entière sans résistance et sans défenseurs. Tel est le droit de la guerre parmi les peuples savants, humains et polis de l'Europe » (413). On rapprochera des autres pages de Rousseau sur la guerre, notamment dans *ESP :* « Que l'état de guerre naît de l'état social » et de « Fragments sur la guerre ».

La mission d'une armée nationale-populaire ne peut être que la défense de la patrie. Dans la note 9 du *Discours sur l'inégalité,* il stigmatise les manœuvres des entrepreneurs des vivres et des hôpitaux, c'est ainsi que « les plus brillantes armées se fondent en moins de rien, font plus périr de soldats que n'en moissonne le fer ennemi » (*DI.* 204).

11. L'agapè des Grecs était amour fraternel. Plus tard le repas-communion des premiers chrétiens. L'agapè céleste est communion des âmes sauvées.

12. « Le jardin de Julie », dans *18ᵉ siècle,* 14/1982, 357-76.

13. Sur le « goût » un long développement en *Émile* (671 *sqq.*). Naturel à tous les hommes, sa culture et sa forme dépendent des sociétés où l'on vit. « Faculté de juger de ce qui plaît ou déplaît au plus grand nombre », le goût est étouffé par la mode ; « ...l'on ne cherche plus ce qui plaît, mais ce qui distingue ». Rousseau oppose nature-universalité-plaisir-goût-volupté à sociétés-particularité-intérêt-mode-vanité. Dans une société trop inégalitaire la « multitude » ne sait plus juger par elle-même. « On peut apprendre à penser dans les lieux où le mauvais goût règne ; mais il ne faut pas penser comme ceux qui ont ce mauvais goût, et il est bien difficile que cela n'arrive quand on reste avec eux trop longtemps. Il faut perfectionner par leurs soins l'instrument qui juge en évitant de l'employer comme eux. » « Il n'y a pas peut-être à présent un lieu policé sur la terre où le goût général soit plus mauvais qu'à Paris. Cependant c'est dans cette capitale que le bon goût se cultive, et il paraît peu de livres estimés dans l'Europe dont l'auteur n'ait été se former à Paris [...]. C'est l'esprit des sociétés qui développe une tête pensante et qui porte la vue aussi loin qu'elle peut aller. Si vous avez une étincelle de génie, allez passer une année à Paris. » (Rousseau professe au demeurant que le goût doit beaucoup au commerce entre les deux sexes.) Mais l'auteur d'*Émile* n'en peut douter : « Tous les vrais modèles du goût sont dans la nature : plus nous nous éloignons du maître plus nos tableaux sont défigurés. » C'est alors que nous prenons pour guides ceux qui sont eux-mêmes guidés par leur « vanité » — artistes, grands, riches (*Fragments pour Émile*, 871). Le refus d'une fondamentale disjonction entre goût et morale, entre l'esthétique et l'éthique est affirmé maintes fois par Rousseau. On lit en *Émile* un peu plus loin : « Par l'industrie et les talents les goûts se forment ; par le goût l'esprit s'ouvre insensiblement aux idées du beau dans tous les genres, et enfin aux notions morales qui s'y rapportent. » (718) On ne peut se dispenser de rappeler Condillac pour qui le goût est appris, bien que les gens de goût le croient inné. « Ce préjugé est général et devait l'être : trop de gens sont intéressés à le défendre. Le génie n'est dans son origine qu'une une grande disposition pour apprendre à sentir ; le goût n'est que le partage de ceux qui ont fait une étude des arts. » (*Traité des animaux*, dans : *Corpus...*, t. I, édité par G. Le Roy.) Comment je me fais « moi » par les autres, aucune de nos sociologies culturalistes ne l'a mieux dit que Condillac, Helvétius, etc. Il n'est pas inconvenant de le souligner.

14. Aragon, *le Roman inachevé*. « L'amour qui n'est qu'un mot ».

15. Paul Éluard, *le Phénix*, « Écrire, dessiner, inscrire », VII.

16. Quelques problèmes et questions :

1) Qu'est-ce que l'« âme » pour Rousseau ? Elle n'assume pas seulement les missions que Descartes lui assigne (Rousseau se défend d'ailleurs d'avoir une connaissance de l'âme ; *cf*. Malebranche). Elle est vie et donne vie. Une histoire du cadavre spirituel serait à tenter, avec le concours des théologiens réformés. — J. Deprun (*o.c.*, chapitre 9) montre comment trois lignes de pensées convergent dans le Vicaire : malebranchiste (et cartésienne) ; platonicienne ; augustinienne.

2) Sur « passion »... Sagement gérée par Descartes (et par *Émile*), la dualité âme-corps est, dans l'existence et la pensée du Vicaire — comme en celles de Julie d'Étange réfléchie par Mme de Wolmar —, source de belligérance indéfinie. Ainsi dans saint Paul. (Julie, toutefois, pratique une sagesse qui se souvient d'Épicure.) La passion n'est pas que délire. Elle subvertit : en elle s'absolutise un « moi ». Or le mal radical, pour Rousseau, n'est pas Satan ; c'est l'égocentrisme totalitaire. Émile doit apprendre comment ordonner son moi à l'universel. Mais l'ancrage chrétien n'interdit pas à Rousseau de faire mouvement vers une entente moderne du passionnel :

a) Dans l'*Héloïse* il réduit l'espace de la « passion » par discrimination d'affects que Descartes dénommait globalement « passions de l'âme ».

b) Historien du cœur, il discerne en profondeur comment l'état de passion fixe un être en son passé.

c) En vain « la tranquille raison nous fait approuver ou blâmer, il n'y a que la passion qui nous fasse agir, et comment se passionner pour des intérêts qu'on n'a point encore ? » (*E*. 453) Le rapport d'existence maintenu entre l'ordre et l'individu conteste à l'universel la possibilité de s'accomplir humainement sans l'« intérêt » singulier d'une âme pour le Beau moral. Hegel ouvrira une perspective historique à l'intérêt-passion. La raison poursuit ses fins dans le mouvement de « l'individualité » vers ses fins propres. — On n'oublie pas l'ultime parole de Saint-Simon : « Pour faire de grandes choses, il faut être passionné.«

3) Saint-Preux proposant un « nouveau plan d'études » à Julie (I, 12) : « J'ai toujours cru que le bon n'était que le beau mis en action, que l'un tenait intimement à l'autre, et qu'ils avaient tous deux une source commune dans la nature bien ordonnée. » D'où suit que « le goût se perfectionne par les mêmes moyens que la sagesse, et qu'une âme bien touchée des charmes de la vertu doit à proportion être aussi sensible à tous les autres genres de beautés » (59). (« Charme » unit subjectivement l'éthique et l'esthétique.) Sur l'amour inné du « beau moral », qui « sert de principe à la conscience » (contre « l'impertinent préjugé des conditions »), *LA*. 76, note. — Sur le « beau », grande question du siècle, un exposé synthétique : Y. Belaval, dans « Au siècle des Lumières », *Encyclopédie de la Pléiade,* histoire des littératures, 562-673. L'auteur retrace aussi comment la conception du « génie » évolue de la reproduction d'un modèle à la production, à la création... Le *Pygmalion* de Rousseau déjà...

4) On connaît la critique hégélienne de la « belle âme » moralisante et stérile. On n'oubliera pas que, dans l'*Héloïse,* les « belles âmes » (ou « âmes belles ») ont l'« énergie » et savent agir. Elles vivent et vivifient. Dans les Observations [...] sur les réponses faites au premier discours, Rousseau déjà opposait le « feu céleste » qui anime les « belles âmes » à « l'âme vile et rampante » de l'hypocrite, « semblable à un cadavre » sans « feu, ni chaleur, ni ressource à la vie » (Pl. III 52). — M. d'Orbe est honnête homme, mais il n'aura jamais cette flamme.

5) Le « sublime »... Un fragment sur la puissance infinie de Dieu (*Pl.* IV 1055) serait à mieux connaître : « ...Rien n'annonce mieux une puissance infinie, que tant de facilité à faire ce qui passe l'entendement humain. » Et tout le contexte... Comparer avec Jaucourt, *Encyclopédie,* art. « sublime ». La *Revue d'histoire littéraire de la France* a consacré le numéro de janv-févr. 1986 au *sublime ;* consulter notamment : Michel Delon, *le Sublime et l'idée d'énergie : de la théologie au matérialisme.* Kant reprendra la grande question du sublime. Il différencie l'activité de l'imagination. Dans le beau, elle accomplit sa tâche dans une limite. Dans le sublime, elle ressent (peine et plaisir) l'infinité d'une tâche inépuisable. — C'est dans une des remarques touchant les *Observations sur le sentiment du beau et du sublime* que Kant exprime sa reconnaissance à Rousseau. Il crut longtemps que les progrès du savoir constituaient seuls « l'honneur de l'humanité. Et je méprisais le peuple qui est ignorant de tout. C'est Rousseau qui m'a désabusé. Cette illusoire supériorité s'évanouit ; j'apprends à honorer les hommes et je me trouverais bien plus inutile que le commun des travailleurs si je ne croyais que ce sujet d'étude peut donner à tous les autres une valeur qui consiste en ceci : faire ressortir les droits de l'humanité ». (Traduction Delbos, *la Philosophie pratique de Kant,* p. 177.)

CHAPITRE 7

Qui suis-je,
moi qui rêve

« Quelquefois mes rêveries finissent par la méditation, mais plus souvent mes méditations finissent par la rêverie... » (*R.* 1062) ; « ...ma vie entière n'a guère été qu'une longue rêverie divisée en chapitres par mes promenades de chaque jour » (première Carte à jouer, 1165). Le rapprochement entre la *Septième Promenade* et l'ébauche des *Rêveries* s'impose au lecteur d'autant plus que Rousseau avait esquissé sur ces cartes un projet de plan. Sur la 27ᵉ, « Morale sensitive » figure deux fois. Signe qu'en cet automne de 1776 le fil se renoue avec les *Confessions*. Et avec les *Dialogues* ; car Jean-Jacques n'en a pas fini avec ses persécuteurs cachés. « Ils me voudraient mort sans doute ; mais ils m'aiment encore mieux vivant et diffamé. » (*Carte* nº 13, 1168) Pire ! Si la vérité se dévoilait « le public loin d'apaiser sa furie n'en deviendrait que plus acharné ; il me haïrait plus alors pour sa propre injustice qu'il ne me hait aujourd'hui pour les vices qu'il aime à m'attribuer. Jamais il ne me pardonnerait les indignités dont il me charge. Elles seront désormais pour lui mon plus irrémissible forfait » (*Carte* nº 9, 1167). Rousseau ne se propose pas de publier ces *Rêveries du promeneur solitaire*. Mais leur contenu témoigne qu'il ne renie pas son combat. La « postérité » et Dieu lui rendront justice. Pour l'heure, il s'interroge dès la première page. « Mais moi, détaché d'eux et de tout, que suis-je moi-même ? Voilà ce qui me reste à chercher. » (994)

On ne terminera pas cet ouvrage par une longue étude des *Rêveries*, qui ont bénéficié d'un irremplaçable travail critique[1]. On retiendra seulement quelques aspects qui importent à notre objet.

Jacques Maritain ne pardonnait pas à Rousseau le « narcissisme équivoque de ses sentiments » et cet « attendrissement éternel » sur soi[2]. On sait comme Jean-Jacques, des *Confessions* aux *Rêveries,* se complaît dans le rappel des tourments du Juste. Saint Augustin, déjà, ne faisait-il pas de la conscience de son malheur une précieuse volupté de l'âme ? Mais sans doute est-ce dans les *Rêveries* que les épreuves et les tourments d'une existence sans pareille sont le plus pathétiquement remémorés comme effets de cette « dure nécessité » qui, une fois perdu le paradis des Charmettes, « n'a cessé de s'appesantir » sur lui. « Tout le reste de [sa] vie » fut, écrit-il en cette *Dixième Promenade* inachevée, d'un être « faible et sans résistance ». « Agité, ballotté, tiraillé par les passions d'autrui. » Au point que, « presque passif dans une vie aussi orageuse », il aurait « peine à démêler ce qu'il y a du [sien] dans [sa] propre conduite » (1099). C'est ainsi qu'un des plus hardis auteurs du siècle, initiateur de sensibilité et de pensée, s'apparaît à lui-même comme le jouet de forces étrangères, arbitraires et dépossédantes, qui l'ont privé d'être soi. Il n'avait été lui-même qu'en cette courte vie antérieure auprès de « maman ». Il n'a quitté l'Éden que pour subir la loi d'une « nécessité » qui l'enlevait à lui-même.

Cette incertitude sur le rapport changeant à soi en un monde qui change, ce sentiment de perpétuelle déperdition et d'inappartenance intime, cette impuissance de l'être singulier à se situer, se connaître, se reconnaître en une société qui refuse prise à l'individu isolé, — bien d'autres ont fait une telle expérience en un temps où la conscience qui proteste oppose à l'opacité d'un rapport social inhumain la transparence générique de l'homme à l'individu, où le « promeneur solitaire » ne trouve qu'en la nature-mère l'« asile » de l'humanité.

Mais si le malheur d'une existence a la pesanteur d'une invincible « nécessité », n'est-ce pas Rousseau lui-même qui a de quelque façon décidé de soi ? Mme de Warens « m'avait éloigné. Tout me rappelait à elle, il y fallut revenir. Ce retour fixa ma destinée... » (1098). La « destinée » de l'écrivain doit donc quelque chose au choix de l'adolescent. Ainsi plus tard le refus délibéré d'une pension royale, et les initiatives qui, après le succès du *Premier Discours,* entraînent au combat sans relâche un homme qui s'imagine et s'avoue inapte à toute action. Jugement partagé de nos jours par une caractérologie qui ne contrôle son objet qu'en faisant abstraction de l'histoire. La « nécessité » s'acharne sur celui qui, entrant en « réforme », a librement affronté une société, des pouvoirs, des mentalités qui de toute nécessité se défendent. Quelques années après lui avoir offert une pension, le roi, en plein Conseil, s'inquiète de cet important Genevois qui fait vœu de pauvreté...

« Nécessité », « destinée » sont parfois tenues pour termes équivalents (ainsi dans la *Première Promenade*). Mais la « destinée » n'est pas « aveugle » comme la « nécessité » (1078). Elle est synthèse d'une « liberté » essentielle à l'individu Rousseau comme à l'homme générique et d'une « nécessité » qui enchaîne les étapes d'une biographie comme le devenir social du genre humain.

Pour penser à la fois responsabilité personnelle et déterminisme existentiel Kant opèrera la distinction entre caractère empirique et caractère intelligible. Mais, pour accorder ce qu'il a voulu et ce qui lui est advenu, l'auteur des *Rêveries* fait confiance à Dieu. Car Dieu est lisible. Ce n'est pas lui qui se cache à Rousseau ; c'est la « ligue ». L'« impénétrable édifice de ténèbres » où elle incarcère un infortuné qui ne peut même proférer un cri puisque ces messieurs ont pris soin préalable de le bâillonner (*Lettre à Saint-Germain* 26.2.70, *LPh.* 203] ne peut être ce qu'il doit être, tombeau d'un mort vivant, que si chacun de ceux qui l'ont fonctionnellement architecturé se couvre d'ombre. Or le séjour de Dieu est céleste ; et le Juste persécuté reçoit déjà un rayon de cette lumière dans le tréfonds de sa conscience. Nous le savions, mais la *Deuxième Promenade* nous conduit plus loin.

La publication intéressée de la fausse nouvelle de la mort de Jean-Jacques après l'accident du 24 octobre 1776, à Ménilmontant, l'ouverture d'une souscription pour imprimer (il n'en saurait douter) de prétendus écrits posthumes composés par ses ennemis le confirment, s'ajoutant à d'autres indices, que « toute la génération présente » est désormais maîtresse de sa « destinée » (personne et réputation). Elle s'est même acquis le pouvoir d'intercepter et détruire tout « dépôt » qu'il tenterait de transmettre « à d'autres âges »... La seule ressource qui lui demeure pour élucider l'ultime sens de cet « accord universel » (« trop extraordinaire pour être purement fortuit ») de ceux qui occupent une position de pouvoir (fortune, État, opinion publique, crédit...), c'est de conclure que le « plein succès » de cette « œuvre des hommes » s'inscrit dans les « décrets éternels ». Voilà la découverte décisive qui, rapportée en dernière page de la *Deuxième Promenade,* « aide » un Rousseau consolé, tranquillisé, à se « résigner ». A leur insu, l'infernale besogne de ses ennemis masqués contribue à l'heureux accomplissement d'un dessein qui éclaire sa destinée. « Je ne vais pas si loin que saint Augustin qui se fût consolé d'être damné si telle eût été la volonté de Dieu. Ma résignation vient d'une source moins désintéressée, il est vrai, mais non moins pure et plus digne à mon gré de l'Être parfait que j'adore. Dieu est juste ; il veut que je souffre ; et il sait que je suis innocent. Voilà le motif de ma confiance, mon cœur et ma raison me crient qu'elle ne me trompera pas. Laissons donc faire les hommes et la destinée ; apprenons à souffrir sans murmure ; tout doit à la fin rentrer dans l'ordre, et mon tour viendra tôt ou tard. » (1010) Même acte de confiance dans la *Huitième Promenade :* « ...déjà plein du bonheur que je sens m'être dû. » (1081)

Après avoir récapitulé la prime enfance, les années de formation, la « réforme intellectuelle et morale », Rousseau consacre plusieurs pages de sa *Troisième Promenade* aux circonstances, aux raisons qui lui paraissent justifier une foi qu'il ne remet pas en question. On ne répétera pas notre chapitre 2 sur le Dieu du Genevois. Mais cette lecture des *Rêveries* suggère quelques notations complémentaires.

a) L'agnosticisme si répandu dans les cercles de pensée fréquentés à Paris a pu ébranler une croyance formée dès l'enfance ; il ne l'a pas déracinée. Malgré sa crainte de se « tromper sur toute chose » (1017) quand s'engagea la recherche qui devait conduire Jean-Jacques à la *Profession de foi du Vicaire savoyard*. Mais c'est ici qu'on mesure combien sa croyance, accordée au vœu d'une vie au-delà — question décisive à ses yeux pour la conduite à tenir en ce monde —, sut trouver argument et légitimation chez ceux qui la contestaient. Les « objections » qu'il ne pouvait « résoudre » « se rétorquaient par d'autres objections non moins fortes dans le système opposé » (1018). Les conflits spéculatifs renaissent interminablement ; mais la croyance est pratique. Le pour, le contre sont également démontrables ; n'est-il donc pas raisonnable de croire ce qui comble mon cœur et satisfait mon humain désir d'être heureux ? La croyance travaille contre le scepticisme ; or le scepticisme peut travailler pour la croyance. Jean-Jacques tonne contre le scepticisme ; mais n'en fait-il pas son allié ? Sous la logique de l'impératif pratique, opter pour une croyance indispensable à son bonheur. Option confortée par une philosophie qui ne sait rien fonder qu'elle ne le détruise. Le scepticisme qu'elle induit rend toutes ses chances à la foi qu'elle proscrit. Les constructions intellectuelles se réfutent réciproquement ; mais, enraciné dans la nature humaine, le désir d'être heureux est irréfutable. Une croyance née de ce désir ne l'est pas moins. Dans le secret de mon « sentiment », c'est l'homme générique qui parle. La croyance est ma croyance, et cri d'une nature. Toute religion est d'institution humaine, dans la durée des sociétés. Mais se désirer heureux est aussi constitutivement naturel que l'amour de soi. A sa façon, Jean-Jacques confirme Diderot matérialiste : nous n'avons qu'un devoir, celui d'être heureux.

b) Opposant sa croyance aux raisons des philosophes, Rousseau se tient toujours sur un terrain qui est aussi le leur : l'amour de soi. Comment n'être pas tenté d'établir entre eux et lui ce rapport d'antagonique solidarité discerné par Hegel entre prêtre et philosophe dans la dialectique des Lumières ? Matérialisme des uns, déisme de l'autre — qui se pense plutôt théiste —, chacun travaille à la victoire d'un Esprit qui s'approprie ce qui lui était extérieur jusqu'alors, et qui rapporte à soi tout objet possible. Ici et là, la question-maîtresse est de reconnaître et délimiter la sphère des intérêts de l'humanité, — espèce désirante et raisonnante, qui aspire à son bonheur et trouve en ce mouvement flêché une raison pratique de construire un savoir, non de l'en-soi, mais des conduites humaines et d'un univers maîtrisable.

Ce n'est pas estomper les différences et le différend entre le Genevois et les « philosophes ». On sait comment il pourfend l'égoïsme (individuel/social) des négateurs de l'au-delà ; ils enlèvent aux simples gens la joie d'espérer. Et si l'« amour de soi » est en acte dans la croyance de Jean-Jacques, n'est-ce pas un « amour de soi » perdu de mauvaise foi qui autorise les « philosophes » à ne pas partager son sentiment ?

Mais, si sévère que fût Rousseau pour la religion du riche, son optimisme éthico-juridique s'accordait aux attentes de larges couches de la bourgeoisie. Voltaire ne s'y trompait pas... Quelle que fût sa version, la « religion naturelle » contribuait aux laïcisations bourgeoises du lien social. Si le Ciel est un droit, une intercession d'Église va-t-elle encore de soi ? Miséricorde et grâce gardent-elles sens ? Pour plus d'un, aux siècles suivants, croire sera un risque. Pour l'heure, c'est une assurance. Il est irrationnel que peine humaine soit perdue, et qu'une bonne conscience soit déboutée. On est loin de saint Paul : ce n'est point parce que ma conscience ne me reproche rien que je suis justifié, — *cf. Première Épitre aux Corinthiens.*

La silhouette d'un promeneur ermite fait écran entre nous et l'auteur des *Rêveries.* N'est-ce pas, pour une part, la faute à Rousseau ? « Me voici donc seul sur la terre, n'ayant plus de frère, de prochain, d'ami, de société que moi-même. Le plus sociable et le plus aimant des humains en a été proscrit par un accord unanime. » (*R.* 994) « Tout est fini pour moi sur la terre. On ne peut plus m'y faire ni bien ni mal. Il ne me reste plus rien à espérer ni à craindre en ce monde, et m'y voilà tranquille au fond de l'abîme, pauvre mortel infortuné, mais impassible comme Dieu même.

« Tout ce qui m'est extérieur m'est étranger désormais. Je n'ai plus en ce monde ni prochain, ni semblables, ni frères. Je suis sur la terre comme dans une planète étrangère où je serais tombé de celle que j'habitais. » (999). Dira-t-on avec Mme de Créqui que Rousseau n'avait conservé d'ami que le soleil ? N'acceptera-t-il pas, en mai 1778, l'hospitalité qui lui est offerte à Ermenonville ? Quel que soit au juste l'événement (l'accident de Ménilmontant ?) qui motive ce sentiment d'une absolue solitude, ce n'est pas de toute sociabilité que prétend s'affranchir le Jean-Jacques des *Rêveries ;* c'est de la dépendance. « Vous avez beaucoup vécu dans l'opinion des autres et vous cherchez encore dans le maintien de ceux qui vous font visite si vous êtes heureux » lui avait écrit Mirabeau (27.10.66).[3] Le Genevois aurait dû garder mémoire de Montaigne (*E.* I, 39 : *De la solitude*) : quitter, « avec les autres voluptés, celle qui vient de l'approbation d'autrui... ». « Ce n'est plus ce qu'il vous faut chercher, que le monde parle de vous, mais comme il faut que vous parliez à vous-même. » Rousseau prend enfin la mesure de sa trop longue erreur. « Quand je m'élevais avec tant d'ardeur contre l'opinion je portais encore son joug sans que je m'en aperçusse. » (*R.* 1077) Tant que l'écrivain était, au-delà de ce qu'il croyait alors, brûlé des feux de l'amour-propre, « passion factice » (1079), il donnait « prise » à ses ennemis. Il comprend maintenant qu'« ils ne sont rien pour celui qui n'y pense pas » (1080). Pourquoi le persécuté ne dissoudrait-il pas magiquement l'existence de ceux qu'il imaginait tramant le complot ? Dès l'été 1776, en cette *Histoire du précédent écrit* (où il narre son infructueuse tentative de déposer la manuscrit des *Dialogues* sur l'autel de Notre-Dame), Rousseau interroge. « Quel mal t'a fait ce complot ? Que t'a-t-il ôté de toi ? Quel membre t'a-t-il mutilé ? Quel crime t'a-t-il fait commettre ? » Tant que « les hommes » n'auront pas arraché mon cœur « pour y substituer, moi vivant, celui d'un malhonnête homme, en quoi pourront-ils altérer, changer, détériorer mon être » ? « L'essence de mon être est-elle dans leurs regards ? » (985) C'est déjà le motif des *Rêveries :* « De quelque façon que les [hommes] veuillent me voir, ils ne sauraient changer mon être, et malgré leur puissance et malgré toutes leurs sourdes intrigues, je continuerai quoi qu'ils fassent d'être en dépit d'eux ce que je suis. » (1080) Et voici le renversement imprévu et réparateur. Il s'inscrivait déjà sur la vingt-quatrième carte à jouer, et la vingt-cinquième. *Sixième Promenade :* « C'est à eux de se cacher devant moi, de me dérober leurs manœuvres, de fuir la lumière du jour, de s'enfoncer en terre comme des taupes. Pour moi qu'ils me voient s'ils peuvent, tant mieux, mais cela leur est impossible ; ils ne verront jamais à ma place que le J.-J. qu'ils se sont fait et qu'ils ont fait selon leur cœur, pour le haïr à leur aise. » (1059) Ils s'enterrent, ayant cru enterrer Rousseau tout vif.

Dans cette revanche sur ceux qui, pour faire inexister Jean-Jacques, se condamnent à l'inexistence, qui ne reconnaîtrait une pathétique et féconde volonté d'être soi malgré tout, et de l'être pour soi quoi qu'il advienne ? Rousseau se sera battu jusqu'au bout contre faux-semblant, figuration et violence, pour le droit singulier d'exister pour soi-même.

R. Grimsley porte accent sur une « contradiction radicale de la personnalité de Rousseau ».[4] Un même vocabulaire (plénitude du moi) dépeint la félicité de l'autosuffisance et celle d'un cœur comblé par l'intime union. Le Rousseau des *Rêveries,* qui se trouve bienheureusement lui-même de ne dépendre que de soi, ne se passe point de nouer de nouveaux attachements. Et l'authenticité libérante de son échange quotidien avec la nature l'encourage au dialogue avec ceux qui n'ont pas dessein de l'asservir.

Le songe d'universelle fraternité n'est plus. Mais l'amitié, si souvent déçue, est toujours chère à Jean-Jacques ; on l'a marqué au terme du chapitre 2. De ces dernières années nous demeurent aussi plusieurs témoignages d'une bienfaisance en éveil. En *Sixième Promenade* Rousseau imaginait tout le bien qu'il eût répandu parmi ses semblables s'il avait eu l'anneau de Gygès ; « ...il m'eût tiré de la dépendance des hommes et les eût mis dans la mienne »... pour leur bonheur. « Maître de contenter mes désirs, pouvant tout sans pouvoir être trompé par personne, qu'aurais-je pu désirer avec quelque suite ? Une seule chose […] voir tous les cœurs contents. L'aspect de la félicité publique eût pu seul toucher mon cœur d'un sentiment permanent, et l'ardent désir d'y concourir eût été ma plus constante passion. » (1057-8) Suit le portrait d'un Jean-Jacques juste et bon, « ministre de la Providence et dispensateur de ses lois selon [son] pouvoir », ...tout en « n'ayant pour loi que [ses] inclinations naturelles » (1058). Le Genevois républicain se voit vicaire ici-bas de l'Être éternel.

La *Neuvième Promenade* nous fait accompagner un Rousseau heureux d'obliger un pauvre vieil invalide, qui n'a vraisemblablement pas été embrigadé par les Messieurs du « complot ». Et si le tableau des « fêtes du peuple » lui apporte un « plaisir désintéressé », l'allégresse emplit son âme quand, au bois de Boulogne, il offre aux petites filles ravies les oublis qu'elles tirent au sort sous la présidence du Juste, que Thérèse assiste.

Mais celui qui s'appartient assez maintenant pour ne plus exister par le regard des méchants, son cœur se serre quand se posent sur lui les « regards » du tonnelier de Clignancourt. Ce jour-là, un bambin l'avait spontanément approché, lui serrant familièrement les genoux ; « ...mes entrailles s'émurent et je me disais, c'est ainsi que j'aurais été traité des miens. Je pris l'enfant dans mes bras, je le baisai plusieurs fois dans une espèce de transport et puis je continuai mon chemin. Je sentais en marchant qu'il me manquait quelque chose, un besoin naissant me ramenait sur mes pas ». Il court à l'enfant, l'embrasse encore, lui donne « de quoi acheter des petits pains de Nanterre », le fait « jaser » ...C'est alors que, alerté par une de ces « mouches » qu'on tient sans cesse aux « trousses » du promeneur, l'artisan courroucé éloigne sans pitié de Jean-Jacques le bambin trop « familier » (1089).

On lit un peu plus haut : « Si j'ai fait quelque progrès dans la connaissance du cœur humain, c'est le plaisir que j'avais à voir et observer les enfants qui m'a valu cette connaissance » (1087) ; ces « observations » de leurs jeux, de « tous leurs petits manèges » (en s'abstenant d'intervenir) l'ont initié aux « premiers et vrais mouvements de la nature auxquels tous nos savants ne connaissent rien » (1088). C'est l'attention à l'enfant comme enfant qui instruit Jean-Jacques, en négation des modèles qui désidentifient l'être enfant. Tout l'effort de l'auteur d'*Émile* est pour que l'enfant prenne par étapes possession de lui-même, c'est-à-dire d'abord de son corps. Ainsi se prépare-t-il à n'être ni despote ni tyran. Le tout premier apprentissage, comme celui bientôt du parler, puis du jugement, est déjà celui de la liberté. Le fondement du rapport Domination/Servitude étant toujours, comme on sait, une dépendance, c'est la naturelle faiblesse du petit enfant qui vous condamne à subir sa loi si vous êtes à ses ordres dès qu'il réclame. Du manuscrit Favre à la deuxième rédaction d'*Émile*, n'accordez au désir du bébé que ce qui satisfait un « vrai besoin », qu'il ne peut satisfaire sans votre aide. Méconnaître un tel précepte, même recommandation dans l'*Héloïse*. Quel est, pour Mme de Wolmar, le « point [...] le plus difficile et le plus important de toute l'éducation ? Éloigner de son fils l'« image de l'empire et de la servitude » (*NH.* 569).

Rousseau, qui fut précepteur, n'oublie pas comment les fils de grandes familles sont exposés, pour avoir domestiqué l'entourage, à ne pas savoir se gouverner. Mais si son intérêt constant pour l'enfance prend un tel accent dans cette *Neuvième Promenade,* n'est-ce pas d'abord parce que, relayant le plaidoyer des *Confessions,* celui qui anéantit mentalement ses persécuteurs ne peut effacer la réprobation encourue par le « père dénaturé » (1087) ? La rupture avec les amis d'autrefois n'abolit point le passé. Et la solitude accueille les souvenirs.

Relatant sa retraite à l'Hermitage, l'auteur des *Confessions* évoque ce mouvement d'« oscillations » toujours renouvelées qui va désormais entraîner son « âme en branle » d'un pôle à l'autre d'une vie intérieure inapte à s'équilibrer sur une « ligne de repos ». B. Munteano observe que, bien avant cette époque, Jean-Jacques était soumis à cette alternance. Flux/reflux d'une conscience à qui semble refusée la stabilité médiane préservée des excès dont Fontenelle faisait une condition psychologique du bonheur. On sait aussi, par le manuscrit du *Persifleur,* que Rousseau écrivain est en recherche d'un moi qui ne s'échapperait pas à lui-même.

D'où le premier paragraphe de la *Première Promenade.* Celui qui se voit « seul sur la terre, n'ayant plus de Père, de prochain, d'ami, de société » que soi-même se pose une fois encore la question : « Mais moi, détaché d'eux et de tout, que suis-je moi-même ? » (*R.* 994) Au moins peut-il constater au début de la *Deuxième Promenade* : « Ces heures de solitude et de méditation sont les seules de la journée où je sois pleinement moi et à moi sans diversion, sans obstacle, et où je puisse véritablement dire être ce que la nature a voulu. » (1002) C'est donc bien une société humainement invivable qui disjoint Jean-Jacques de lui-même. Mais le malheur de l'homme n'est-il pas de n'avoir su cultiver sa perfectible nature qu'au prix d'un déchirement de son être ? Le conflit premier entre l'être humain générique et ce que l'homme socialisé a fait de lui-même est donc aux sources du malheur intime de l'individu. Mais si cette histoire est irréversible, et si toute une génération est sourde à la parole de Rousseau, le proscrit a pourtant le pouvoir de remémorer dans l'écriture un bonheur d'exister.

Cette jouissance d'un bonheur sans attente ni regret n'est point « passage », mais « état ». Non que soit abolie toute alternance. La critique philosophique et littéraire a marqué comment ce sentiment d'une plénitude heureuse peut s'éprouver soit dans l'expansion du moi soit dans son rassemblement et resserrement.

C'est dans la troisième *Lettre à Malesherbes,* antérieure de dix ans à la composition des *Rêveries,* que le premier mouvement se livre avec le plus de ferveur et d'intensité. Le vocabulaire de la contemplation et de l'extase fait retour dans les *Rêveries,* comme celui de l'identification au tout.

Encore faut-il préciser qu'en la septième Promenade le « grand être » n'est pas nommé comme il l'était dans la *Lettre à Malesherbes* où plusieurs commentateurs discernent un accent panthéiste. (Ce qui s'entendrait d'un panthéisme où l'idée ne s'émancipe pas de l'affect.) Ici et là, l'état décrit paraît psychologiquement contradictoire. La conscience de l'individu s'affranchit de toute limite spatiale (comme de toute durée) ; dans la *Lettre* elle s'élance même « dans l'infini » pour s'unir entière à l'univers. Mais l'enivrante identification à l'Être sans bornes (on rapprocherait de célèbres témoignages d'expérience mystique) s'effectue, se vit, se décrit dans l'identitaire sentiment d'un moi contemplatif. Le « moi » s'épand sans se perdre. Le ravissement n'est pas dépossession. La présence d'un inconfondable sujet n'est pas désauthentifiée par la découverte extasiée de l'inexprimable[5].

A l'opposé, le limpide sentiment d'existence se condense, se recueille en ces moments que revit l'auteur des *Rêveries*. Si ce présent ressuscitable par une grâce d'écriture est d'un être qui, tel le « sage », ne se déporte plus en amont ou en aval de soi, ce n'est point l'exercice d'un intellect discursivement instruit qui déprend ici le moi vif des illusions de la passion et du désir. Immersion corporelle et spirituelle où se renoue l'attache de prime affectivité avec la nature-mère. Nul homme « adroit et fourbe » ne s'interposant plus entre elle et lui, le promeneur solitaire est en salvatrice affinité avec l'homme du pur état de nature qui n'a pour sentiment premier que « celui de son existence » (*DI.*) Se sentir être-étant, sans inquiétude ni mémoire.

Ce sentiment de l'existence « dépouillé de toute autre affection » (1047) a la perdurabilité d'un « état » (le mot revient quatre fois en deux pages). Comme s'il détenait pouvoir de fixer le devenir en un présent inamovible. Insularisante ponctualisation qui prévient toute prise du temps passé ou futur sur un être qui, toutefois, s'éprouvant exister, n'est pas inconscient comme la bête. Ce présent, qui ne passe pas plus qu'il n'anticipe, est visité par un « bonheur suffisant, parfait et plein » — « état » qui fut plus d'une fois celui de Jean-Jacques à l'île Saint-Pierre, en 1765[6]. Incommensurable au « bonheur imparfait, pauvre et relatif tel que celui qu'on trouve aux plaisirs de la vie », ce bonheur absolu est mode humain de l'éternel. « ...Tant que cet état dure on se suffit à soi-même comme Dieu. » (1047) Dans la *Lettre à Malesherbes,* c'est par une lyrique élévation de soi que l'âme expansive approche l'Être des êtres. Mais dans la rêverie de l'île Saint-Pierre, l'autosuffisance existentielle du « soi-même » adégalise la jouissante solitude de Dieu.

Plus d'une fois comparée à une page de Montaigne (*Essais* II, 6), la célèbre description, dans la *Deuxième Promenade,* de l'« état » éprouvé par Rousseau revenant à lui après la chute sur le pavé de Ménilmontant donne à comprendre que le support du bienheureux sentiment d'existence est « sensation ». « La nuit s'avançait. J'aperçus le ciel, quelques étoiles, et un peu de verdure. Cette première sensation fut un moment

427

délicieux. Je ne me sentais encore que par là. Je naissais dans cet instant à la vie, et il me semblait que je remplissais de ma légère existence tous les objets que j'apercevais. Tout entier au moment présent je ne me souvenais de rien ; je n'avais nulle notion distincte de mon individu, pas la moindre idée de ce qui venait de m'arriver ; je ne savais ni qui j'étais ni où j'étais ; je ne sentais ni mal, ni crainte, ni inquiétude. »

Dans ce seul éveil de la sensation, le moi ne se distingue point de ce qui n'est pas lui. Jean-Jacques ne connaît encore ni son nom ni son lieu. Il ne reconnaît pas encore comme sien ce sang qui coule. « Je sentais dans tout mon être un calme ravissant auquel chaque fois que je me le rappelle je ne trouve rien de comparable dans toute l'activité des plaisirs connus. » (*R*. 1005)

Cet état n'est pas « rêverie », comme celui que décrit Rousseau lorsqu'il remémore, dans la *Cinquième Promenade,* son séjour à l'île Saint-Pierre. Mais, qu'il s'agisse de la dérive sur le lac — Jean-Jacques étendu « tout de [son] long dans le bateau les yeux tournés vers le ciel » —, ou de cette songerie du corps et de l'âme qui le réduit (sous l'effet du bruit de l'eau — flux et reflux) au plaisir de se sentir exister « sans prendre la peine de penser », c'est bien la seule conscience de sensation qui donne substrat au sentiment d'être.

La sensation n'est donc point traitée par l'auteur des *Rêveries* comme faculté prévenante, assignée aux fonctions d'alerte. Elle est condition minimale de cet « état simple et permanent » de jouissance existentielle, affleurante affectivité d'une conscience errante et faible, incapable d'attention. Voir sans regarder ; entendre sans écouter. Comparable à cette « sensualité d'enfant » évoquée dans le *Deuxième Dialogue* (816), elle n'est qu'à l'instant vécu ; mais elle est. Chez Locke, la moindre conscience affective est orientée ; amorce d'un processus intellectualisant. Le penseur de l'*uneasiness* concevrait-il un plaisir qu'un désir n'ait anticipé ? Tel n'est pas le pur plaisir d'être.

Le Rousseau des *Rêveries* ne renie pas sa conviction que nous sommes faits pour agir. Sans doute un infortuné « qu'on a retranché de la société humaine et qui ne peut plus rien faire ici-bas d'utile et de bon pour autrui ni pour soi » trouve-t-il dans les contemplations du promeneur solitaire un dédommagement à « toutes les félicités humaines » qui lui sont refusées. Mais il ne serait pas bon, « dans la présente constitution des choses, qu'avides de ces douces extases », la plupart des hommes « s'y dégoûtassent de la vie active dont leurs besoins toujours renaissants leur prescrivent le devoir » (1047). L'« état » ainsi restitué par le travail d'écriture n'en est pas moins une possible et légitime forme de cette pacifiante unité avec soi-même qui peut seule faire un bonheur humain. Il procure à Jean-Jacques un équivalent passif et spontané du parfait équilibre réflexivement construit par le « sage ». Ces moments absolus où la conscience séjourne dans le pur sentiment d'exister ont l'irréductible qualité d'une expérience propre à l'homme. Rêver n'est pas un indice de moindre humanité.

Aussi attentif à Rousseau (et Montaigne) qu'à Condillac, Maine de Biran évoquera, dans son *Mémoire sur les perceptions obscures* (1807), cette « multitude infinie d'impressions simultanées dont se compose le sentiment général de la vie ». Le retour du dernier Rousseau sur ce vécu — sensibilité étale et douce d'une à-peine-conscience — suggère qu'une connaissance de soi n'a pas pour unique objet les phases de plein éveil. Et comment les rapports constitutifs d'une rationalité majeure seraient-ils générables, contrôlables si la conscience raisonnante ignorait tout de ce qu'elle doit dépasser pour s'entendre ? Saurait-elle affirmer son identité si le sujet pensant/voulant ne se demandait jamais ce qu'est vacance et « rêverie » ?

Mais deux observations s'imposent :

a) Le récit invite à reconnaître que l'état décrit n'est existentiellement possible que parce que n'est pas abolie toute adhérence à l'espace proche. Le livre des *Rêveries* s'entr'ouvre ainsi sur une psychologie moderne. L'expérience du « sentiment de l'existence » n'est effective que parce que la perception d'un mouvement extérieur au moi écarte conscience et corps du seuil d'ensommeillement. Le *Deuxième Dialogue* évoquait cette « impression », si faible soit-elle, qui nous préserve d'un « engourdissement léthargique » ; provoqué par le « plus indifférent spectacle », ce « mouvement léger » entretient en nous le « plaisir d'exister » (816). Si le rêveur de la *Cinquième Promenade,* longuement assis sur la grève, s'abstrait de toute activité vigilante, ce n'est pas qu'il s'abîme dans la torpeur. Il n'éprouverait pas l'heureux sentiment d'exister si les « mouvements internes » éteints par la rêverie n'étaient pas suppléés par le spectacle et « le bruit continu mais renflé par intervalles » du flux et du reflux de l'eau. (*R.* 1045) Sans mouvement — pourvu qu'il ne soit pas inégal ou trop fort —, « la vie n'est qu'une léthargie » (1047).

On est tenté de rappeler que si, pour Condillac, le langage du physicien est, qu'il le sache ou non, préparé, soutenu par la motricité du corps propre, la méditation de Rousseau a parfois quelque chose d'une méditation du corps. Plus généralement, il ne sait penser que s'il se sent vivre ; mais il ne se sent vivre que si son corps dispose librement d'un espace et d'une durée. Le perpétuel marcheur des années de jeunesse poursuit son errance exploratoire aux côtés du vieux promeneur.

b) Pas plus que le rapport à l'espace, l'expérience du sentiment d'exister n'annule ou n'invalide le rapport au temps qu'elle paraît tenir en suspens. L'auteur des *Rêveries* ne se concède aucun avenir. « Tout est fini pour moi sur la terre. » (999) N'écrivait-il pas déjà dans la *Quatrième Lettre morale* que, tenant désormais « tout » son être de son passé, son « existence » n'est plus qu'en sa mémoire ? Mais le congé définitif qu'il prend de ses contemporains dans la *Première Promenade* inaugure une vacance propice aux remémorations. Le Jean-

Jacques du moment présent fera société avec celui des temps révolus. Il y a « plus de réminiscence que de création » dans ce que produit maintenant son imagination « moins vive » (*R.* 1002). S'il doit à ses « persécuteurs »[7], depuis quatre ou cinq ans les « "ravissements" et les "extases" » du promeneur solitaire, la mémoire de ces heures les ravive. « En voulant me rappeler tant de douces rêveries, au lieu de les décrire j'y retombais. C'est un état que son souvenir ramène, et qu'on cesserait bientôt de connaître, en cessant tout à fait de le sentir. » (1003)

Pour l'école de Locke et Condillac, ce n'est pas une « substance » *(res cogitans)* qui fonde la conscience d'un moi perdurant ; c'est la mémoire. On sait la conclusion thérapeutique qu'en tire M. de Wolmar : neutraliser le souvenir qui offre support et prise à l'amour de Saint-Preux. Si cartésien soit-il quand il discerne dans le libre vouloir l'autoposition d'un sujet d'action et de pensée, Rousseau n'en tient pas moins que, dans un univers où tout change à tout instant (comme le notait volontiers Montaigne), la durée est immanente à la vie d'un moi authentifiable. Mais la lecture des *Rêveries* porte à conclure que le rappel enchanteur est autre chose que simple « réminiscence ». La fin de la *Cinquième Promenade* suggère que c'est la remémoration qui donne aux moments revécus une telle densité affective, une telle intensité existentielle ; « ...à l'attrait d'une rêverie abstraite et monotone je joins des images charmantes qui la vivifient. Leurs objets échappaient souvent à mes sens dans mes extases, et maintenant plus ma rêverie est profonde plus elle me les peint vivement. Je suis souvent plus au milieu d'eux et plus agréablement encore que quand j'y étais réellement. » (1049) Sans doute un investissement du souvenir en quelque initiative présente ou projetée ne permettrait-il pas, comme la solitude et le loisir du promeneur, cette revalorisation rétrospective des bonheurs inoubliés.[8]

Les chances offertes à Jean-Jacques par la « rêverie » ne sont d'ailleurs pas saisies que par une mémoire sensibilisée par la retraite. Si l'on en croit le troisième livre des *Confessions* (107-108), il aurait connu, durant les premiers temps de sa vie auprès de Mme de Warens, « l'extase » d'une rêverie éveillée, un jour d'été, aux abords d'Annecy. Suscité par le spectacle d'une campagne lumineuse, un élan soudain de l'imagination l'avait anticipativement transporté (« vision prophétique ») au séjour, aux moments dont il allait en effet jouir aux Charmettes quelques années plus tard. L'imagination rêveuse préfigure et présentifie un futur ardemment souhaité.

On ne s'étonne pas que le vocabulaire du promeneur rejoigne celui de l'*Héloïse* et de maintes pages des *Confessions* pour suggérer la magie des instants de plénitude heureuse qui ravissent l'âme enchantée. « Charme » est un des mots les plus chers à l'auteur des *Rêveries*. Si l'on rapprochait les divers emplois qu'il en fait de ceux qu'on peut dénombrer dans les textes antérieurs on verrait le Rousseau des derniers ans confirmer les adhésions et les refus auxquels il s'est voulu fidèle.

« Charme attendrissant » d'un air qui lui revient de sa petite enfance (*C.* 11-2). Charme de la sensation d'existence. Charme de l'amour printanier ou de l'amitié. Charme de l'innocence et charme, aussi, du « beau moral », de la vertu, de la liberté... Quels que soient l'objet, le lieu, la rencontre, le souvenir, il n'est « charme » que si le cœur est préservé ou se préserve de tout ce qui peut me faire esclave ou maître, ou concurrent de tout autre ; que si la conscience est pure de tout intérêt mercantile ou prédateur, si elle se déprend de toute instrumentalisation de soi et d'autrui, si elle ne brûle pas d'un désir de pouvoir ou de possession ; si elle ne s'enflamme pas même de cette passion d'asservir qui fait du savoir un moyen d'ustensiliser la nature.

Une page de la *Septième Promenade,* où se confirme la perspicacité du botaniste, compare le bonheur premier d'une humanité qui subsistait par la générosité d'une nature-mère aux « misères » de l'homme-industriel ; « ...il fouille les entrailles de la terre, il va chercher dans son centre aux risques de sa vie et aux dépends de sa santé des biens imaginaires à la place des biens réels qu'elle lui offrait elle-même quand il savait en jouir. Il fuit le soleil et le jour qu'il n'est plus digne de voir ; il s'enterre tout vivant et fait bien, ne méritant plus de vivre à la lumière du jour. Là, des carrières, des gouffres, des forges, des fourneaux, un appareil d'enclumes, de marteaux, de fumée et de feu, succèdent aux douces images des travaux champêtres. Les visages haves de malheureux qui languissent dans les infectes vapeurs des mines, de noirs forgerons, de hideux cyclopes sont le spectacle que l'appareil des mines substitue au sein de la terre à celui de la verdure et des fleurs, du ciel azuré, des bergers amoureux (Jean-Jacques n'oublie pas l'*Astrée*) et des laboureurs robustes sur sa surface » (1067).

Comment Rousseau résisterait-il à la tentation de supposer que, si les richesses du « règne minéral » sont si obscurément cachées aux « regards des hommes », c'est « pour ne pas tenter leur cupidité » (1066) ? La seule nature qui s'accorde aux dispositions d'une « âme morte à tous les grands mouvements », et qui « ne peut plus s'affecter que par des objets sensibles » (« Je n'ai plus que des sensations ») (1068), c'est cette nature végétale qui ne se refuse jamais au promeneur.[9]

Mais si la science comparative des structures de la fleur le charme, c'est parce qu'il n'en use ni pour briller parmi les experts ni pour s'en faire une pharmacopée. Si une médecine à laquelle il ne croit plus depuis longtemps y découvrait quelques remèdes « agréables », son étude ne lui prodiguerait pas ces « délices que donne une contemplation pure et désintéressée » ; « mon âme ne saurait s'exalter et planer sur la nature, tant que je la sens tenir aux liens de mon corps » (1065).

Mais cette *Septième Promenade,* plus que tout autre passage des *Rêveries,* confirme ce que le bonheur du solitaire doit au souvenir. Comme l'art d'écrire recompose et ravive les temps remémorés, l'herbier de Jean-Jacques lui est un « journal » qui lui fait « recommencer avec un nouveau charme » ses « herborisations » ; la vue de ces fragments de plantes le « transporte » dans les « heureuses contrées » qu'il ne peut plus parcourir. Ainsi se renouvellent les « impressions » jadis éprouvées. « C'est la chaîne des idées accessoires qui m'attache à la botanique. » Par elle se reconstitue le lien vital avec les prés, les eaux, les bois. Par elle s'accomplit — dans l'oubli des persécuteurs qui lui ont fait payer si cher son « tendre et sincère attachement » pour les hommes —, la retrouvaille[10] imaginaire des lieux paisibles où le jeune Jean-Jacques eut le bonheur de vivre parmi des gens « simples et bons » (1073).

Celui qui, à l'orée des *Rêveries,* entreprenait de se connaître enfin s'avoue, en *Sixième Promenade,* qu'il s'est mépris sur soi. Il s'est cru capable de bien agir par vertu. Il ne faisait que « se donner [...] le plaisir de bien faire ». « Voilà ce qui modifie beaucoup l'opinion que j'eus longtemps de ma propre vertu ; car il n'y en a point à suivre ses penchants. » La vertu « consiste à les vaincre quand le devoir le commande, pour faire ce qu'il nous prescrit et voilà ce que j'ai su moins faire qu'homme du monde » (1052-3). Rousseau n'a donc pas seulement imaginé la nouvelle Héloïse. Il s'est imaginé... Julie est libre quand elle s'oblige, comme Descartes. Mais Jean-Jacques ?

Il ne se sent libre que si bien faire lui est « plaisir », non « devoir ». Il s'est situé plus « haut » qu'il ne méritait puisque son agissante bonté n'avait qu'à suivre une pente naturelle du « cœur ». (La morale qu'il reprochait à Mme d'Épinay serait-elle aussi celle de Jean-Jacques ? « On suit son cœur et tout est dit. ») « Le poids de l'obligation me fait un fardeau des plus douces jouissances... » (1052)

Cette découverte, l'auteur la doit à la « génération nouvelle ». Les bienfaits du jeune Rousseau étaient source de mutuel attachement entre ses obligés et lui-même. Ceux d'aujourd'hui lui ont fait si amèrement regretter son premier mouvement qu'il a préféré « souvent » s'abstenir d'une bonne œuvre qu'il avait « désir » et « pouvoir de faire », — « l'assujettissement » risquant d'être l'injuste conséquence d'une bonté inconsidérée (1054). « Tombé tout d'un coup dans un autre ordre de gens et de choses » — (1056), — embûches, fausseté, grimaces..., — que son milieu originel, Rousseau, dégoûté des « hommes » — (non la haine, dont il est incapable),— s'est écarté de cette « société civile » à laquelle il n'est pas « propre ». « Toute ma force est négative »[11] : ne pas être assujetti. « Car pour [mes contemporains] actifs, remuants, ambitieux, détestant la liberté dans les autres et n'en voulant point pour eux-mêmes, pourvu qu'ils fassent quelquefois leur volonté, ou plutôt qu'ils dominent celle d'autrui, ils se gênent toute leur vie à faire ce qui leur répugne et n'omettent rien de servile tpour commander. (1059)

Comparant ces textes à d'autres moments des *Rêveries,* R. Ricatte met rigoureusement au jour que ce que Rousseau redoute, ce n'est pas d'être piégé par ses bienfaits, c'est de leur être asservi. L'accord entre la morale du Genevois et sa psychologie (se conserver) n'est-il pas au seuil d'explosion, sa métaphysique se trouvant par là-même ébranlée ? Et l'infaillibilité de la conscience n'est-elle pas ruinée par le constat que Rousseau s'est mépris sur Rousseau ?

Mais n'est-ce pas interroger toute la pensée du siècle, invalidée par Rousseau « réformé » ? Le promeneur solitaire croit s'éloigner de ses contemporains comme jamais. Sans doute ne professe-t-il pas, comme les « philosophes », qu'un universel intérêt pour le genre humain soit production spontanée de la nature en tout individu. Mais ce contempteur de l'optimisme des Lumières n'en tient pas moins, lui aussi, que la nature, qui nous veut heureux, donne principe à la loi morale comme à l'amour de soi. Son anthropologie ne laisse-t-elle pas une chance à cet hédonisme, à cet égotisme qui nous épargnent la servitude volontaire et l'héroïsme de la vertu ? Il faudra Kant pour élever la loi morale (détermination *a priori* du faire et ne pas faire) au-delà de tout mobile empirique, tel que le désir d'être heureux.

Mais le promeneur solitaire, qui s'avoue la coexistence intime, longuement informulée, d'un mobile et d'un principe, nous donne à réfléchir, mieux que la sécurisante doctrine de beaucoup d'autres en ce temps, comment un individu, un ensemble social, un pouvoir spirituel ou politique peuvent être mus par des intérêts que leur philosophie récuse. L'insoupçonnable adhésion d'une conscience (singulière ou collective) à la loi morale dissuade d'interroger, de s'interroger sur la réalité d'un cynisme agissant. « L'amour de soi » ne se fait ici connaître que dans le langage et la symbolique d'une dévotion au bien, aux droits de l'entière humanité. (Toutefois, imprévisiblement divulgable, la tacite cohabitation entre la substantialité du mobile et le principe juré est historiquement astreinte à remodeler ses formes pour durer...)

Rousseau prenait poste et parole contre le brigandage généralisé, légalisé, justifié, innocenté. Il était trop jeune pour s'instruire du degré que peut atteindre une hypocrisie d'établissement. Le brigandage le mieux protégé est pratiqué par ceux qui n'autorisent personne à douter de leur immaculable respect des principes d'une éthique universelle. Et le complaisant mensonge à soi-même, radicalement improuvé par la Réforme (en particulier Calvin), fait consubstantialité avec des mobiles qui défient l'élémentaire humanité.

Les déconvenues d'une bonne conscience nous éclairent par-delà Rousseau. Quoi qui les oppose, Jean-Jacques et le neveu de Rameau mettent à la question leur siècle, et le temps futur, par le spectacle d'une subjectivité divisée. Même si le Promeneur se rassure peu après, Rousseau eut l'impertinent génie de réfléchir les contradictions de l'homme-individu. Son œuvre, son parcours, son apprentissage témoignent que l'initial projet d'une conscience parfaitement unie à soi est contesté par la conscience même, dont l'être est contradiction. Socrate avait enseigné que la vie spirituelle ne vient à sa vérité qu'en cette intime et fertile division. Rousseau, Diderot prennent acte que l'essence

433

du « moi » est de ne pas se rejoindre. le moi est toujours inégal à lui-même. La phénoménologie de Hegel en retiendra leçon. Chaque fois que la conscience croit accéder au triomphant repos de l'unité, elle est expulsée de son site. Le Vicaire savoyard fondait sa profession de foi sur l'écoute intérieure d'une juridiction toujours semblable à soi, équanimement accueillante à qui prend la peine de l'approcher. Or telle est la conscience morale qu'elle est incessant passage d'une conscience de soi à une autre. La suspension de ce mouvement anéantirait l'intériorité que le Genevois revendique contre les esprits forts et ces « philosophes » de mauvaise foi.

Mais celui qui cherchait en un dessein de « sagesse » une apaisante surmontée du déchirement dut apprendre qu'il ne pourrait s'entendre avec lui-même s'il ne s'arrachait pas au repos du « sage ». Comment le Rousseau du refuge eût-il assumé l'engagement au vrai sans plonger dans la mêlée pour affronter ceux qui font métier d'écrivain ? Et le critique intransigeant de la représentation n'atteste son propos que s'il donne à voir, à juger un Rousseau fidèle à ses écrits. Peut-il en être autrement quand on appartient à l'étroite phalange des auteurs qui somment tout lecteur de juger ce qu'ils publient par ce qu'ils font ?

Déplorer qu'en cette lutte pour la reconnaissance Rousseau ne sache pas se garder de pièges, de tentations — de provocations peut-être —, soit. Mais prétendre à l'accord des paroles et des actes ne nous paraît pas relever d'une pathologie de l'exhibition ou de l'obsession. Rousseau irrite ou lasse par son inclination au tout ou rien. Mais, quand l'exterritorialité spirituelle du révolté se fortifie du sentiment d'impuissance à régénérer le lien social, le rappel à l'axiologique identité se fait sommation. Tel est le mal, que nul ne rendra justice à la vérité de l'homme au prix d'une demi-réforme.

« Nous étions faits pour être hommes. » (*E.* 310) Qu'au moins l'humanité soit imaginable... Cet « au moins » vaut rappel d'un usage alternatif de l'imaginaire : impuissantes à modifier le cours du monde, les âmes enchantées se forgent, avec Jean-Jacques, la chimère d'un « siècle d'or » (*LMM.* 1140). Mais si la divertissante idéalité épargne au quotidien les risques d'une négation pratique, le réel est-il à l'abri de l'inquiétude et de l'épreuve quand, ravivant la saveur humaine, l'imagination donne élan aux rénovantes énergies ?

La pensée de Rousseau adhère encore à cette représentation de l'homme qui confère essentialité (être et norme) à l'individu isolé, non par la « nature », mais sous l'effet du lien social lui-même. Se borner à ce constat occulterait la parole du Genevois. Son fort est d'avoir su faire de cet individu historiquement esseulé, socialement assujettissable en ce qu'il croit sa liberté, le sujet et l'agent d'un refus. Refus de tenir sa partie dans le siècle de fer. Refus d'être ce qu'un exercice « naturel » du chacun-pour-soi escomptera du sociétaire adapté, sous la loi d'ustensilité réciproque. Refus de consentir à l'évidence fondatrice d'une forme d'interindividualité qui élude ou tarit le besoin de reconnaissance humaine.

On ne consignerait Rousseau dans les annales de l'« individualisme » sans devoir tout aussitôt l'inscrire dans une histoire de son contraire. Il s'imposa de comprendre — dans/contre la culture des Lumières — comment ceux qu'assemble une société pourraient s'unir d'humanité. De sorte que l'être individu ne se constitue, ne se vive « moi » sans que son rapport à tout autre soit autre chose (d'apparence et de réalité) que présence humaine, humaine réciprocité. Inconvertible dans la langue du marché, s'énonce et s'annonce une disposition de soi introuvable en une encyclopédie du libéralisme.

Jean-Jacques a fait, a dit tout ce qui devait assurer quiconque de son unicité. Ses censeurs les plus rigoureux ne furent pas les moins empressés à lui donner acte. Quel que soit, au demeurant, le jugement porté sur un homme, une œuvre, le travail d'histoire et de critique serait impossible si ceux qui l'assument s'identifiaient à leur « objet », — ne fût-il que « sujet ». Que connaître, comment connaître sans repérer, susciter, explorer, analyser la différence ?

Mais l'identification ne cesse d'opérer. Quand Rousseau redit qu'il lui faut un bonheur qui lui soit « propre » — le « bonheur de ma vie » —, qui ne se reconnaîtrait dans l'inconfondable ? Être heureux, comme aimer ou souffrir, n'est point concept. Solitaire ou partagé — on sait que félicité publique, bonheur commun sont un bonheur de Jean-Jacques —, que pourrait être un bonheur impersonnel ? Il faut bien que l'humanité s'apprenne en chacun des siens pour que chacun des siens s'apprenne en l'humanité.

1. Si précieux que nous soient les travaux de Marcel Raymond, Henri Roddier et leur introduction aux *Rêveries,* ou les recherches de Georges Poulet, c'est à Robert Ricatte que nous sommes le plus reconnaissant : *Réflexions sur les « Rêveries »,* Paris 1960. — Nous citons aussi B. Munteano, *Solitude et contradictions de Jean-Jacques Rousseau,* Paris 1965.
2. *Ouvr. cité,* p. 144-5.
3. L'« Ami des hommes » ne se contente pas d'envoyer à Rousseau l'*Ordre naturel et essentiel des sociétés politiques* de Mercier de la Rivière, son confrère physiocrate. Sa correspondance permettrait de composer l'édifiant tableau d'un Émile réussi — dispensé des épreuves qu'il doit affronter dans les *Solitaires.* Le marquis sait à la fois être sage et citoyen. Le bonheur « dont nous sommes susceptibles, nous l'avons au-dedans de nous ». Mais si l'on sait « vivre pour les autres à sa mode et à son goût [...] on peut trouver que la société nous est bonne en raison de ce que nous lui sommes bons » (20.2.1867).
4. « Unité et conflit dans les écrits de Jean-Jacques Rousseau », dans : *Jean-Jacques Rouseau,* Collège de France, 1962, ouvr. cité, p. 63-76.
5. Sur l'inexprimable devenant le signe prestigieux de l'authenticité, lire M. Gilot et J. Sgard, *la Vie intérieure et les mots,* colloque sur le préromantisme, 29-30 juin Clermont-Ferrand. — Georges Poulet, *la Pensée indéterminée* I, 1985.
6. Ch. G. Le Roy écrit dans l'article « Homme » de l'*Encyclopédie* : « ...le bonheur que nous poursuivons nécessairement n'est point sans un vif sentiment de l'existence. »
7. Au début de la *Quatrième Promenade,* largement consacrée à une méditation sur la vérité (*cf.* notre chapitre 2), Rousseau évoque Plutarque. « Ce fut la première lecture de mon enfance, ce sera la dernière de ma vieillesse ; c'est presque le seul auteur que je n'ai jamais lu sans en tirer quelque fruit. Avant-hier je lisais dans ses œuvres morales le traité *Comment on pourra tirer utilité de ses ennemis* » (*R.* 1024). Les persécuteurs de Jean-Jacques lui ayant appris quelque chose, il faut croire que Plutarque ne lui a pas menti.
8. « En me disant, j'ai joui, je jouis encore. » *Art de jouir,* fragment n° 5, Pl. I, 1174. — Le ressouvenir, sûre défense contre un présent douloureux, c'est un des grands motifs épicuriens. — Ce qu'écrit d'autre part notre auteur sur nature, nécessité, besoins ne peut manquer de remémorer Épicure.
9. Rousseau avait l'odorat fort subtil. Bernardin de Saint-Pierre écrit que celui avec lequel il herborisait « ...aurait pu faire une botanique de l'odorat » (*cf. la Vie de Jean-Jacques Rousseau,* dans : Rousseau, *Œuvres complètes,* t. I, préface de Jean Fabre, présentation et notes de Michel Launay, Paris 1967, p. 29 note).
10. **a)** Au premier *Dialogue,* Rousseau imagine un « monde idéal semblable au nôtre, et néanmoins tout différent » (*D.* 668). Au milieu d'une nature où tout n'est qu'ordre et beauté les âmes, gardant toujours leur caractère originel, jouissent d'un bonheur inconnu dans une société où l'on ne peut être heureux sans nuire aux autres.
b) A son ami Voltaire, Mme du Deffand écrivait qu'il ne vaut la peine de vivre que si l'on est Voltaire. Mme de Verdelin, qui ne se pardonne pas d'avoir encouragé Jean-Jacques à rejoindre David Hume, lui écrit à l'automne 1767 qu'elle espère prochainement le voir « plus heureux » (CC.XXXIV, 139). Le vœu de cette bonne personne, qui porte un sincère

attachement à son « voisin », nous en dit plus sur Jean-Jacques que bien des savants propos.

11. On rappellera que Fichte *(Destination du savant)* voit en Rousseau le sujet d'une liberté qui savait mieux souffrir qu'agir. — Hölderlin se représente un Rousseau qui a sagesse et puissance ; en lui se composent activité et repos (voir K. Wais, « Rousseau et Hölderlin », *AJJR* XXXV, 1962, 287-315). — Le présent ouvrage étant confié à l'éditeur alors qu'on vient de mettre en scène *la Mort d'Empédocle,* on peut aussi rappeler que, pour Hölderlin, les formes idéales d'une existence humaine sont aux deux pôles : ou la simplicité première ou l'extrême culture d'une société pleinement développée.

INDICATIONS BIBLIOGRAHIQUES

I

On a indiqué les éditions citées en cet ouvrage. En voici quelques autres, aisément accessibles :
— *Contrat social,* Halbwachs, éd. Aubier.
— *Inégalité* et *Contrat social,* Guillemin, éd. 10/18.
— *Inégalité,* Braunstein, éd. Nathan.
— *Inégalité,* Lecercle, Éditions sociales.
— *Contrat,* Siméon, Éd. du Seuil.
— *Émile,* Launay, Garnier-Flammarion.
— *Émile,* (extraits), Wallon-Lecercle, Éditions sociales.
— *Nouvelle Héloïse,* Launay, Garnier-Flammarion.
— *Confessions,* Launay, Garnier-Flammarion.
— *Rêveries,* Rodier, Garnier.
— *Rousseau juge de Jean-Jacques, Dialogues,* Foucault, Colin.

II

On ne reproduit pas ici tous les noms et titres contemporains cités en cet ouvrage. On n'énumère pas exhaustivement les auteurs dont les travaux sont indispensables à la recherche : Cassirer, Hubert, Schinz, Bréhier, Gouhier, Derathé, Léon, Hendel, Guillemin, Starobinski,

Osmont, Bellenot, Polin, Mauzi, Colletti, Vermeil, Mac Pherson, F. Baker, Jimack, Rang, Dagen, Lovejoy, Deprun, Reale, Rivelaygues...

III

Quelques ouvrages de fondamentale référence :
— Pierre Burgelin, *la Philosophie de l'existence de J.-J. Rousseau,* rééd. Vrin, Paris 1973.
— Robert Derathé, *J.-J. Rousseau et la science politique de son temps,* rééd. PUF, Paris 1970.
— Michel Launay, *J.-J. Rousseau écrivain politique (1712-1762),* CEL/ACER, Cannes, Grenoble 1971.
— Michel Launay, *Vocabulaire politique de J.-J. Rousseau,* éd. Slatkine, Genève-Paris 1977.
— M. Gilot, J. Sgard et coéquipiers, *le Vocabulaire du sentiment dans l'œuvre de J.-J. Rousseau,* même éditeur 1980.

Autres publications

— Ansart-Bourlaouen (Michèle), *Dénaturation et violence dans la pensée de J.-J. Rousseau,* Klincksieck, Paris 1975.
— Baczko (Bronislaw), *Rousseau, solitude et communauté,* td. du polonais par Cl. Brendhel-Lamhout, Mouton, Paris-La Haye 1974.
— Barbier (Jean-Marie), « Capitalisme, "vie quotidienne", et production des personnalités sociales au 18ᵉ siècle », *la Pensée,* 287/oct. 1979, p. 56-83.
— Barny (Roger), « J.-J. Rousseau dans la Révolution », *XVIIIᵉ siècle,* Paris, 6/1974, p. 59-98.
— Belaval (Yvon), « Apologie de la philosophie française au 18ᵉ siècle », *ibid.,* 4/1972, p. 5-15.
— Bénichou (Paul), « J-J. Rousseau, de la personne à la doctrine », *Revue de métaphysique et de morale,* Paris, 3/1954, p. 269-84.
— Benrekassa (Georges), « Utopies des Lumières » dans : *Histoire littéraire de la France,* Éditions sociales, Paris 1976, t. VI (2), p. 117-47.
— Beyssade (Jean-Marie), « État de guerre et pacte social selon J.-J. Rousseau, *Kant Studien,* 70/1979, p. 163-78.
— Burgelin (Pierre), *J.-J. Rousseau et la religion de Genève,* Labor et Fides, Genève 1962.
— Carrère (Jean-Claude), *J.-J. Rousseau more geometrico,* université de Toulouse, dir. J.-M. Gabaude, oct. 1975.
— Clément (Pierre-Paul), *J.-J. Rousseau de l'éros coupable à l'éros glorieux,* La Baconnière, Neuchâtel, 1976.

— *J.-J. Rousseau et son œuvre, problèmes et recherches* (Paris oct. 1962), Klincksieck, Paris 1964.

— *Études sur le « Contrat social » de J.-J. Rousseau* (Dijon mai 1962), Belles Lettres, Paris 1964.

— *Rousseau et la philosophie politique,* Institut international de philosophie politique, PUF, Paris 1965.

— « L'impensé de J.-J. Rousseau », *Cahiers pour l'analyse,* Le Graphe, Paris 1967.

— « Rousseau », *Revue des sciences humaines,* Lille III, 1976-1.

— « J.-J. Rousseau », *Revue philosophique,* 3/1978.

— « Rousseau et Volaire », *Revue internationale de philosophie,* 2-3/1978.

— « Studi su J.-J. Rousseau », *Studi Filosofici,* Napoli 1978.

— J.-J. Rousseau, Neuchâtel 1978.

— *Trent Rousseau Papers ; Etudes Rousseau Trent,* Éd. Univers. d'Ottawa, 1980.

— *Rousseau after 200 years,* colloquium ed. by R.A. Leigh, Cambridge Univ. Press, 1982.

IV

Nous énumérons un certain nombre de nos publications sur le 18ᵉ siècle :
— Helvétius, *De l'esprit* (extraits) ; introduction et notes, Éditions sociales, Paris 1959, rééd. 1968.

— « Un maître du rationalisme français du 18ᵉ siècle : Helvétius », *les Cahiers rationalistes,* 181/1959.

— « De Rousseau au communisme », *Europe,* numéro Rousseau, 1961, p. 167-180.

— « Rousseau et la démocratie moderne, » *Europe,* sept.-oct. 1962.

— « J.-J. Rousseau, la solitude et l'histoire », *Cahier CERM,* 1963.

— « Marx, Engels et le 18ᵉ siècle français », *Studies on Volaire...,* Genève, XXIV, 1963, p. 155-70.

— « Observations sur la "Réfutation d'Helvétius" par Diderot », *Diderot Studies* VI, Droz, Genève 1964, p. 29-45.

— Chapitres sur « Matérialismes, la Mettrie, Helvétius, d'Holbach », dans : *Histoire littéraire de la France,* dir. P. Abraham-R. Desrie, Éditions sociales, Paris 1969. Partiellement refondus dans éd. de 1976.

— « L'"utilité", concept fondamental des Lumières », *Hegel-Jahrbuch* 1968-1969, p. 355-72.

— « Philosophie, apologétique, utilitarisme », *XVIIIᵉ siècle,* 2/1970, p. 131-46.

— *Libre arbitre et vertu. « La Nouvelle Héloïse et l'héritage cartésien »,* roman et Lumières au 18ᵉ siècle, Éditions sociales, Paris 1970, p. 284-308.

— « Les fonctions de l'imaginaire chez J.-J. Rousseau », colloque « Utopie, critique et Lumières », Acta 3-4, université flamande de Bruxelles, 1973, p. 321-341.

— « Le sage et le citoyen selon J.-J. Rousseau », *Revue de métaphysique et de morale,* 1/1973, p. 18-31.

— *La représentation du peuple chez un prédicateur : Fr.-L. Réguis (1725-1789),* Centre aixois d'étude et recherche sur le 18e siècle, Colin, Paris 1973, p. 159-76.

— « Civiliser la nature », *Revue d'histoire et de philosophie religieuses,* I/1975, (hommage à P. Burgelin), p. 123-41.

— « D'un vieux problème : Helvétius et Rousseau », *Revue de l'université de Bruxelles,* 1-3/1972, p. 132-42.

— « J.-J. Rousseau : maître, laquais, esclave », dans : *Hegel et le siècle des Lumières* (dir. J. d'Hondt), PUF, Paris 1974, p. 71-99.

— « Aspects du travail ouvrier au 18e siècle en France », *Essays on Diderot and the Enlightenment in honor of Otis Fellows,* (ed. by J. Pappas), Droz, Genève 1974, p. 71-88.

— *De Rousseau à Hegel : prémices d'une phénoménologie,* congrès Hegel 1975.

— « Nécessité, utilité, liberté selon J.-J. Rousseau, *Literaturgeschichte als geschichtlicher Auftrag (in memoriam W. Kraus),* Akademie Verlarg Berlin, 5G 1978, p. 95-110.

— « Être ou ne pas être libre », cinq études, *l'École et la nation,* 1984-1985.

— « Au-delà de l'Encyclopédie, la voix : Jean-Jacques Rousseau », dans *l'Encyclopédie et ses lectures* (colloque de l'école normale du Calvados, déc. 1985, éd. 1987, p. 131-53.

Achevé d'imprimer en mars 1988
sur presses CAMERON
dans les ateliers de la S.E.P.C.
à Saint-Amand-Montrond (Cher)
pour le compte de Messidor/Éditions sociales,
146, rue du Faubourg-Poissonnière, 75010 Paris.

N° d'Édition : 2454. N° d'Impression : 526.
Dépôt légal : mars 1988
188002N1